Point de rupture

Mario Cardinal

POINT DE RUPTURE
Québec • Canada

Le référendum de 1995

Radio-Canada
Télévision

Conception et rédaction : Mario Cardinal

Direction éditoriale : Jean-François Bouchard
Coordination (Société Radio-Canada) : Nicole Bourbeau
Révision et correction : Pierre Guénette
Maquette couverture : Société Radio-Canada
Mise en page : Mardigrafe

ISBN : 2-89579-067-1
Dépôt légal : troisième trimestre de 2005
Bibliothèque nationale du Canada
Bibliothèque nationale du Québec

Nous reconnaissons l'aide financière du gouvernement du Canada par
son Programme d'aide au développement de l'industrie de l'édition (Padié)

Bayard Canada Livres remercie le Conseil des Arts du Canada du soutien
accordé à son programme d'édition dans le cadre du Programme des
subventions globales aux éditeurs.

Cet ouvrage a été publié avec le soutien de la SODEC.
Gouvernement du Québec – Programme de crédit d'impôt
pour l'édition de livres – Gestion SODEC.

Imprimé au Canada

Avant-propos

Le 13 septembre 1995, de retour à la Chambre des communes après l'ajournement d'été, Lucien Bouchard a lancé : « Ce ne sera jamais la fin du débat tant qu'il n'y aura pas eu un OUI. »

Le soir du référendum, un autre politicien, Brian Tobin, croyait tourner la page : « Dans quelques années, dit-il, personne ne se souviendra si nous avons gagné par 1 % ou 20 %. »

Dix ans après, au cœur du printemps de 2005, la souveraineté obtenait encore la faveur de plus de la moitié des Québécois.

Le référendum du 30 octobre 1995 n'a donc rien réglé. Il aura été l'un des événements marquants de l'histoire du Canada, mais, dix ans après, les promesses qu'il a véhiculées et les projets qu'il a nourris sont toujours là, dans l'attente d'une reprise du suspens de 1995. À la simple évocation de l'événement, la mémoire collective revit l'espoir ou le désespoir d'un mouvement pendulaire, qui a duré deux heures et demie, jusqu'au fil d'arrivée et qu'enfin le résultat penche du côté du NON. Un résultat qui enleva toute tentation, chez les fédéralistes, de célébrer et, chez les souverainistes, d'abandonner.

Dix ans après, le référendum du 30 octobre 1995 est toujours d'actualité.

Ce livre couvre la période préréférendaire, de l'élection de Jacques Parizeau comme premier ministre du Québec, le 12 septembre 1994, à la campagne référendaire proprement dite, le mois d'octobre 1995 et la journée du scrutin. Il se veut un rappel de ce que fut ce grand questionnement, dont il faudra se souvenir « la prochaine fois ». Il contient des témoignages, qui jettent un éclairage nouveau sur les frayeurs, les espoirs, les ambitions, les stratégies de ceux qui en furent les principaux acteurs. Des dizaines d'entre eux ont été interviewés. Un seul regret : Paul Martin, Lucien Bouchard et Bernard Landry ont refusé de témoigner ; ils avaient leurs raisons, mais leur contribution manquera à cette histoire du référendum, car elle aurait été de toute première importance.

Le projet de ce livre est né dans les bureaux de la Société Radio-Canada, envers qui je suis profondément reconnaissant de m'en avoir confié la rédaction et à qui je suis éminemment redevable pour l'abondante documentation qu'elle a mise à ma disposition. Dans cette documentation se trouvaient les transcriptions des 64 interviews, dont certaines de plusieurs heures, qui ont servi à alimenter la production de la série documentaire télévisée *Point de rupture*. Les nombreuses citations, que contient ce livre, ont été tirées de ces interviews ; plusieurs ont été faites en français et en anglais, ce qui explique que, souvent, certaines citations soient des adaptations des propos tenus dans l'autre langue, auxquels cas elles sont reproduites en notes dans la langue originale.

Je remercie Colette Forest, du Service de documentation et archives de Radio-Canada, qui m'a fait confiance pour la rédaction de ce livre ; Jean Pelletier, directeur du Service documentaire de l'information ; l'équipe des Projets transculturels pour sa disponibilité sans faille ; celui qui la dirige, Hubert Gendron, et celle qui a assumé la réalisation de la série télévisée, Jackie Corkery. Je remercie de façon toute particulière André Royer, dont le soin apporté à la révision du manuscrit, chapitre par chapitre, m'a permis d'éviter plusieurs erreurs de faits. Un merci tout spécial à Christiane Sauvé, une collaboratrice hors pair dont l'apport a été essentiel dans l'organisation de la documentation. Merci également à l'équipe de Bayard Canada et à son éditeur, Jean-François Bouchard, qui a su diluer la pression dans une relation constante de compréhension et de respect. Enfin, un ultime merci à Françoise Leroux, ma conjointe, qui fut une alliée indéfectible et patiente pendant les douze mois passés à la rédaction de ce livre.

Mario Cardinal

CHAPITRE 1

Le retour de Jacques Parizeau

Elles furent les deux heures les plus longues de toute l'histoire du Canada. « Je ne l'oublierai jamais. C'était comme à la naissance de notre premier enfant. J'étais aux côtés de ma femme pendant que le travail se poursuivait. L'analogie peut paraître étrange, mais la tension était considérable. J'étais collé à la petite bande défilante au bas de l'écran du téléviseur, esclave d'une mesure électronique des résultats. C'était effroyable, terriblement serré[1]. » Comme des millions de Canadiens et de Québécois, Brian Tobin parvenait difficilement à supporter la tension. Puis, pendant que la moitié des Québécois étouffaient péniblement leur chagrin, vers 22 h 20, ce 30 octobre 1995, un profond soupir de soulagement se faisait entendre de l'Atlantique au Pacifique. Confirmée presque en même temps par tous les médias électroniques du pays, la victoire du NON au référendum du Québec sur son indépendance couronnait une campagne sans quartier où toutes les invectives avaient été admises et tous les coups, permis.

La première phrase prononcée par le premier ministre du Québec, le soir de sa défaite, témoigne de la lutte acharnée qui venait de prendre fin : « C'est raté, mais pas de beaucoup ! », dit un Jacques Parizeau désorienté. En effet, il eût fallu qu'un peu plus de 27 000 des 4 757 509 votants, c'est-à-dire 0,5 %, choisissent l'autre option pour que l'histoire du Canada s'arrête après 128 ans de confédération et prenne un virage radical dans la sécession d'une partie importante de son entité géographique et politique.

Pour la deuxième fois en quinze ans, le Canada survivait, cette fois de façon beaucoup plus dramatique, à un référendum sur la souveraineté du Québec dont les indépendantistes rêvaient depuis la fin des années 50. Le cheminement du projet référendaire de 1995 avait mûri dans la réflexion sur les hésitations et les erreurs de celui de 1980 qui était, en fait, une demande au peuple québécois d'un mandat de négocier avec le reste du Canada une entente fondée sur l'égalité des peuples fondateurs, assortie d'une association économique qui s'articulerait autour d'une même monnaie.

Contrairement à Jacques Parizeau, René Lévesque ne pouvait pas imaginer une souveraineté sans cette police d'assurance : une association qui aurait en quelque sorte empêché le Canada de considérer le Québec comme un pays étranger. Il estimait que « le péril était trop grand », selon Parizeau, qui, à l'époque, était son ministre des Finances. Il s'agissait donc, chez ceux qui préparaient le référendum de 1980, de rassurer d'abord certains membres du gouvernement. L'idée d'une association n'était pas nouvelle, elle avait été approuvée au premier congrès de fondation du Parti québécois. Mais que signifiait-elle? Beaucoup de choses, à tel point que la question référendaire de 1980 était devenue, selon l'expression de Parizeau, « une auberge espagnole ! » On y avait d'abord inclus la monnaie commune, à laquelle s'opposait à ce moment-là le ministre des Finances qui l'avait fait savoir dès le printemps 1978, dans une interview au *Times* de Londres. La question d'une monnaie commune n'avait cependant pas été creusée plus qu'il ne le fallait. L'important, c'était l'association sur le plan commercial. Et quoi d'autre encore? Pourquoi pas la Poste? Des gens autour de René Lévesque avaient même suggéré une armée et des négociations avec le GATT communes ! Il importait de rassurer le plus de monde possible. Jacques Parizeau était opposé à l'idée d'une question qui ferait de l'association une condition incontournable à la souveraineté. « Mais l'argument commercial était pour moi tellement important, tellement crucial, rappelle-t-il, vingt-quatre ans plus tard, que si Paris valait bien une messe, l'association, j'étais prêt à lui donner un sens tout à fait élastique. »

L'une des leçons que Jacques Parizeau tirera de ce premier référendum, c'est que le cheminement vers le deuxième devait être amorcé dès la prise du pouvoir. Entre son élection, le 15 novembre 1976, et le référendum de 1980, le gouvernement de René Lévesque n'a enclenché aucune réflexion digne de ce nom sur la souveraineté et la façon d'y accéder. « On a décidé, en 1974, que cela se ferait par référendum, dit Jacques Parizeau. On vous donnera un bon gouvernement, mais on ne bougera pas tant que le référendum n'aura pas lieu. Cela ne facilite pas le travail de réflexion, de construction et de développement de l'idée de la souveraineté. » Le gouvernement Lévesque avait bien demandé quelques études sous la direction de l'économiste Bernard Bonin, alors professeur à l'École nationale d'administration publique. « Des études qui ont eu assez peu de répercussions et qui sont restées à un niveau un peu abstrait, dit Parizeau. Et on continuait de vendre la souveraineté-association avec de plus en plus de ferveur. On va même mettre un trait d'union pour montrer à quel point les deux sont liées. » Or, ce trait d'union existe dans la tête de René Lévesque depuis qu'il a quitté le Parti libéral du Québec pour fonder le Mouvement Souveraineté-Association, en novembre 1967. Le Canada anglais lui répondra que la meilleure association pour lui demeure le fédéralisme canadien de sorte que le concept perdra alors de la crédibilité jusqu'au célèbre « *no thanks* » de Pierre Elliott Trudeau. Par conséquent, s'il n'y a pas d'association possible, il n'y a pas non plus de souveraineté possible, pensent Parizeau et ceux qui estiment que l'idée d'inclure l'association dans la question ne laissera aucune porte de sortie au gouvernement si l'association est refusée.

L'option de la souveraineté, selon Jacques Parizeau, perdra de sa substance au point que, dans les derniers jours de la campagne référendaire de 1980, elle en sera réduite à une sorte de réforme du fédéralisme. « C'est pitoyable ! », dit-il.

Un quart de siècle s'est écoulé depuis le premier référendum et Jacques Parizeau demeure sévère au sujet de la question posée. Celle-ci prévoyait un mandat de négocier une association, une monnaie commune et, si les négociations devaient aboutir, la tenue d'un deuxième référendum pour approuver le résultat de ces négociations. Ses réserves au sujet de la question référendaire, Parizeau les a, à l'époque, formulées avec énergie au Conseil des ministres présidé par René Lévesque. Il se souvient de la réunion du 19 décembre 1979, qui a duré toute la journée et s'est terminée tard en soirée. À l'usure, dans le va-et-vient des ministres dont certains sentaient qu'ils n'avaient pas voix au chapitre dans l'affrontement entre René Lévesque et son ministre des Finances, ce dernier obtint finalement, sur le coup de minuit, le compromis qui mettait fin à la réunion. « Il ne reste que quatre ou cinq ministres autour de la table, se rappelle Jacques Parizeau. Je suis fatigué. Je vais me coucher. Le lendemain matin, à 10 heures, René Lévesque se lève à l'Assemblée nationale pour faire connaître le texte de la question. Ce n'est pas celle sur laquelle on s'est entendu à 23 heures, la veille. Je suis en tab…! Je vois Lévesque. Je lui dis que ça n'a pas de bon sens de procéder comme ça. Il me dit : "Excusez-moi, j'ai oublié de vous avertir." » Pendant la nuit, des conseillers du premier ministre avaient modifié la question et en avaient fait accepter la nouvelle formulation à René Lévesque pendant le déjeuner.

La version que Lévesque donne de cet événement est sensiblement différente : « L'idée d'un second référendum faisait littéralement bouillir Jacques Parizeau pour qui même le premier n'était pas facile à avaler ! a-t-il écrit. À minuit, on parvenait à dégager un consensus à peu près solide. Jusqu'aux petites heures, quelques juristes eurent ensuite à peser le tout dans les délicats plateaux de la légalité. Puis, au matin, la nuit ayant malencontreusement porté conseil, je convins avec (Claude) Morin et (Louis) Bernard de changer deux mots à un endroit dont Parizeau s'était spécialement inquiété, et nous eûmes le malheur, l'un croyant que l'autre s'en chargerait, de ne pas l'en aviser ; ce qu'il a pris quasiment pour un coup de Jarnac[2] ! »

Depuis la prise du pouvoir du 15 novembre 1976, René Lévesque et Pierre Elliott Trudeau, alors premier ministre du Canada, attendaient tous les deux que l'autre fasse le premier geste. Le premier ministre du Québec ne souhaitait pas croiser le fer avec Trudeau dans un référendum. Et le temps jouait en sa faveur. Trudeau avait été reporté au pouvoir le 8 juillet 1974 et lui imposait de déclencher de nouvelles élections avant l'été 1979. Alors que Trudeau souhaitait prendre la mesure de Lévesque dans un référendum, celui-ci attendait, dans l'espoir d'affronter quelqu'un d'autre, un nouveau chef de gouvernement libéral ou conservateur. Pierre Elliott Trudeau dut déclencher une élection et il perdit le pouvoir, le 22 mai 1979, aux mains du conservateur Joe Clark. Mais le nouveau gouvernement était minoritaire.

Pendant que Lévesque, rassuré, mettait en marche sa stratégie référendaire, le gouvernement conservateur était renversé et de nouvelles élections, annoncées. Trudeau avait déjà révélé à son caucus qu'il s'ennuyait dans la fonction de chef de l'opposition et qu'il avait l'intention de tirer sa révérence. La défaite du gouvernement Clark et la perspective de reprendre le pouvoir le firent changer d'idée. Il se lança en campagne électorale et fut élu de nouveau premier ministre le 18 février 1980. Lévesque était maintenant coincé : la machine référendaire était lancée et il était dans la quatrième année de son mandat.

Lévesque devait en outre composer avec une situation économique désastreuse. Les États-Unis entraient en récession, le pouvoir d'achat des consommateurs canadiens, mais aussi québécois, diminuait, la création d'emplois ralentissait, de sorte que 1980 devint la pire année que le Canada ait connue depuis un quart de siècle. Deux mois avant le référendum, le Conference Board prévoyait que la croissance de l'économie canadienne serait nulle et qu'elle ne reprendrait pas son rythme de prix stables et de plein emploi avant cinq ans. Il anticipait pour le Québec une croissance de 0,1 % et un taux de chômage de l'ordre de 10 %.

Lévesque n'a plus le choix : il lui faudra affronter Trudeau. Celui-ci ne perd pas de vue les deux desseins qui lui tiennent particulièrement à cœur, soit le rapatriement de la Constitution et une charte des droits. Mais il doit auparavant faire échec au projet d'indépendance du gouvernement québécois. Lorsque le Parti québécois a pris le pouvoir en novembre 1976, Trudeau n'y avait vu que les résultats d'une autre élection provinciale, et, à Ottawa, on n'avait pas vraiment pris Lévesque au sérieux. Mais lorsque le projet du gouvernement québécois prend forme, Trudeau convoque Jean Chrétien, qui souhaite être nommé ministre des Affaires extérieures. « La maison brûle et tu veux être à Paris ou à Washington, lui dit-il. Je te nomme ministre de la Justice et je te charge des troupes fédérales pour le référendum[4] ! » « Je devins le franc-tireur de

Pierre Trudeau, se souvient Jean Chrétien, lorsque, vingt-quatre ans plus tard, il évoque ces événements. J'étais dans le champ, sur la route tous les soirs. Michelle Tisseyre était maître de cérémonie et Camil Samson, que je connais bien parce qu'il vient de la même paroisse que moi, représentait les créditistes. Il était drôle. Il disait : "M. Lévesque nous propose de sauter d'un édifice de quatre-vingts étages, mais si vous n'aimez pas ça, rendus au trentième, on va passer une loi pour changer la loi de la gravité…" Puis il disait : "Je devrais être pour le OUI parce que ma belle-mère vient de l'Ontario, elle aurait besoin d'un passeport pour venir me voir à Rouyn-Noranda." »

La campagne est féroce et, quelques jours avant le référendum, René Lévesque laisse échapper des propos qui suscitent la controverse. Jean Chrétien s'en souvient très bien. C'était le 14 mai, et, le soir même, Trudeau devait participer à un grand ralliement du NON au Centre Paul-Sauvé : « J'allais déjeuner chez Trudeau (pour discuter de son discours), puis j'apprends la nouvelle. M. Lévesque avait dit : "Trudeau, ce n'est pas un vrai francophone, ce n'est pas un vrai Québécois parce que son sang écossais est plus épais que son sang français." J'arrive chez Trudeau, puis je dis : "Pierre, t'es pas un pur, moi, je suis un pur…" Et là, mon Trudeau, qui aurait pu choisir d'être un anglophone, qui aurait pu aller avec les gens de Westmount au lieu de s'en venir avec (Jean) Marchand et (Gérard) Pelletier, dit : "On va mettre nos sièges en jeu." (J'ai dit :) "Pierre, tu es à l'âge de la retraite, pas moi. Ça ne sera pas drôle de mettre nos sièges en jeu." Il a dit : "Envoie, on n'a pas le choix. On y va[5] !" »

Le soir, au centre Paul-Sauvé, Trudeau, après avoir évoqué ses lointaines origines québécoises, fait une promesse qui va influencer considérablement le cours des choses : « Ici, je m'adresse solennellement à tous les Canadiens des autres provinces, nous mettons nos têtes en jeu, nous, députés québécois, parce que nous disons aux Québécois de voter NON, et nous vous disons à vous des autres provinces que nous n'accepterons pas ensuite que ce NON soit interprété par vous comme une indication que tout va bien, puis que tout peut rester comme c'était auparavant. Nous voulons du changement, nous mettons nos sièges en jeu pour avoir du changement. »

« J'avais vingt-cinq ans, se souvient Brian Tobin. Je marchais sur la colline parlementaire en compagnie d'un ami terre-neuvien qui me rendait visite à Ottawa. La journée était belle, ensoleillée. Nous marchions lorsqu'un autobus s'est arrêté près de nous. À bord, des députés québécois m'ont crié : "Monte, Brian. Nous allons à Montréal écouter Trudeau." Nous sommes montés. Admettons qu'il était possible de prendre un doigt ou deux de cognac à bord… Nous sommes allés à Montréal. Je crois que le discours de Trudeau a été un point tournant dans la campagne référendaire. » Tobin se rappelle que la question du Québec, même si elle pouvait alimenter les discussions du caucus libéral, était nettement du ressort de Trudeau : « La stratégie était définie par M. Trudeau et ses plus proches conseillers, des gens comme Jean Chrétien et Marc Lalonde. »

Le reste de la campagne référendaire a tourné autour des propos de Trudeau, sans jamais que celui-ci ne les développe davantage, laissant aux Québécois l'espoir de modifications constitutionnelles qui tiendraient compte de leurs aspirations. « Jean Chrétien estime, dit aujourd'hui Eddie Goldenberg qui fut son conseiller politique, que M. Trudeau, dans son discours, a suscité des attentes. Étaient-elles réalistes ? Correspondaient-elles à ce qu'il projetait de faire ? A-t-il été mal interprété ? C'était pour lui sans importance. Mais, avec le temps, la perception générale est qu'il n'a pas livré la marchandise[6]. » En tout cas, celle qu'il va livrer n'est pas celle qu'espérait la majorité des Québécois. Quatre mois et demi plus tard, le 2 octobre, Trudeau fera savoir qu'il entend, sans l'appui des provinces si nécessaire, rapatrier l'Acte de l'Amérique du Nord britannique, la loi britannique qui sert de Constitution au Canada. Il lui suffira de demander au parlement britannique de le modifier selon son bon désir et d'en remettre la responsabilité au gouvernement canadien.

Les résultats du référendum sont durs à encaisser pour René Lévesque et son gouvernement : près de 60 % des Québécois rejettent l'option souverainiste et, même chez les francophones, aucune majorité ne se dégage en faveur du OUI. La défaite va causer des déchirures dans son propre parti. Néanmoins, bien qu'affaiblis par la défaite, René Lévesque et son gouvernement sont reportés au pouvoir le

13 avril 1981. Trois jours plus tard, le premier ministre québécois s'engage dans un front commun avec sept autres provinces pour faire échec au projet de rapatriement unilatéral de la Constitution. Ces provinces considèrent que la Charte canadienne des droits et libertés, qui sera enchâssée dans la Constitution, réduira leurs pouvoirs. La Cour suprême s'en mêle : elle juge qu'avec l'appui de seulement deux provinces, l'Ontario et le Nouveau-Brunswick, le projet de Trudeau, tout en demeurant légal, est illégitime, c'est-à-dire « non conforme aux principes et valeurs constitutionnelles dominantes de l'époque [...] et les vœux de l'électorat ». Mais la Cour ne précise pas combien de provinces devraient appuyer la démarche de Trudeau pour qu'elle soit conforme aux principes et aux valeurs de la Constitution. Trudeau est très embêté.

Il convoque alors une conférence fédérale-provinciale, qui a lieu du 2 au 5 novembre 1981. Elle se soldera par ce qu'on appelle maintenant, dans la littérature politique, la « nuit des longs couteaux ». Cette nuit du 4 au 5 novembre, pendant que René Lévesque et sa délégation prennent une pause à Hull, les autres provinces s'entendent sur une proposition qu'elles feront au gouvernement fédéral le lendemain. Elle a été mise au point durant la nuit par Jean Chrétien, Roy McMurtry, ministre ontarien de la Justice, et Roy Romanow, ministre des Affaires intergouvernementales de la Saskatchewan. Celui-ci a reconnu, quatre mois plus tard, qu'il n'avait pas paru profitable (aux provinces anglophones) « d'impliquer le Québec trop tôt dans une séance de négociation que nous espérions constructive[7] ». Ce qui a amené René Lévesque à répondre au premier ministre Lougheed de l'Alberta, qui lui avait écrit pour tenter d'expliquer l'attitude des autres provinces du front commun, que « les promesses faites au Québec au moment du référendum ont été ignorées, l'accord du 16 avril (entre les huit provinces) a été piétiné et, dans la nuit du 4 au 5 novembre, les neuf provinces ont conclu une entente avec Ottawa à la faveur de l'absence du Québec[8] ».

Pour Jacques Parizeau, la défaite constitutionnelle de novembre 1981 confirmait l'état de vulnérabilité du Québec, qui se trouvait, depuis le référendum, dans un cul-de-sac, dans « une trappe ». Selon lui, la question référendaire était tellement « molle » que le

Québec était sorti de l'aventure extrêmement faible, sans pouvoir de négociation avec le gouvernement fédéral, de sorte qu'il avait dû s'ouvrir à toutes sortes de compromissions. Claude Morin, qui était alors ministre des Affaires intergouvernementales, l'a reconnu implicitement, en 1991 : « Nous avions perdu le référendum. Nous n'allions pas (à la conférence de novembre 1981) proposer la souveraineté-association. Nous étions disposés à signer un accord si on nous avait fait des propositions acceptables[9]. »

L'humiliation subie à la conférence fit hurler le Parti québécois. Le mois suivant, à son congrès général, les 2 500 délégués prirent un virage radical qui mit au panier toute idée d'association avec le reste du pays. René Lévesque, qui avait quelque peu attisé le feu pendant le congrès, écrira, trois ans plus tard : « Tandis que le Parti québécois achevait de s'estomper, c'était le visage implacable du vieux RIN qui réapparaissait. En compagnie de l'indépendance pure, dure et inaccessible[10]. »

La nouvelle Constitution canadienne, rapatriée sans le consentement du Québec, est promulguée dans l'euphorie, à Ottawa, le 17 avril 1982, faisant oublier pour quelques jours l'état difficile de l'économie canadienne. Car le Canada, et singulièrement l'Ontario, sont en récession. Déjà, en 1980, l'Institut C.D. Howe sonnait l'alarme au sujet de la baisse de productivité du pays, le Conference Board prévoyait un taux de croissance à zéro et le Conseil économique du Canada déplorait le climat d'indécision et d'incertitude qui imprégnait plusieurs des politiques intérieures du pays. Le chômage dépassait 8 %, le taux d'inflation atteignait 12 % et les taux d'intérêt oscillaient entre 15 et 20 %. La situation économique américaine n'aidait pas, mais le grand responsable demeurait le gouvernement canadien, qui, année après année, accumulait les déficits.

1984. Un nouvel homme vient d'apparaître dans le paysage politique canadien. En pleine campagne électorale, dans un discours enflammé rédigé par Lucien Bouchard et prononcé le 6 août à Sept-Îles, Brian Mulroney, le nouveau chef du Parti progressiste-conservateur du Canada, promet de « convaincre l'Assemblée nationale du Québec de donner son assentiment à la nouvelle Constitution canadienne avec honneur et enthousiasme ». Il prend le pouvoir le 4 septembre en faisant élire 211 députés dans l'ensemble du pays et 58 des 75 députés du Québec. Le départ des libéraux, surtout des trudeauistes, et l'arrivée d'un gouvernement conservateur à Ottawa, dirigé par un autre Québécois, relance chez Lévesque l'espoir d'une nouvelle association du Québec avec le reste du Canada. Le chef conservateur inspire confiance. Jacques Parizeau explique l'acharnement de Lévesque à maintenir une association avec le Canada qui, faut-il le rappeler, était déjà partie intégrante de son projet lorsqu'il avait fondé le Mouvement Souveraineté-Association, en 1967 : « Le seul grand marché disponible pour l'industrie québécoise, c'est le Canada anglais. Il n'y en a pas d'autres, dit Parizeau. Imaginez que le Québec devienne indépendant et que le gouvernement canadien traite le Québec comme un pays étranger, qu'il lui applique, par exemple, le tarif du GATT, ce qui serait normal. Le Québec se trouverait coincé entre le tarif américain et le tarif canadien. Nos marchés, pour l'ensemble de notre production industrielle, se retrouveraient tout à coup ramenés à peu de chose. C'était ça, l'intuition de Lévesque. C'est ça que l'association voulait dire. S'il n'y avait pas d'association, le péril était trop grand. On ne pouvait pas prendre ce risque-là. » Le discours de Sept-Îles et les contacts officiels que Mulroney établit, dès son élection, avec le Québec ne laissent aucun doute sur sa bonne foi. « Il est clair qu'il veut s'entendre avec le Québec, dit Jacques Parizeau. Ça le (Mulroney) trouble profondément comme beaucoup de gens comme lui, les fédéralistes, que Québec n'ait pas ratifié la Constitution de 1982, qu'il reste complètement en dehors du processus constitutionnel. Il cherche une solution... » Confiant, Lévesque profite du discours inaugural de la session à l'Assemblée nationale, le 16 octobre 1984, pour dire que l'ouverture manifestée par Mulroney envers les aspirations du Québec offre l'occasion d'un « beau risque » à prendre.

La déchirure entre les « associationnistes » et les « inconditionnels » s'élargit encore plus à l'intérieur du gouvernement. Le 10 novembre, douze ministres signent une déclaration réaffirmant que la souveraineté du Québec demeurait un objectif nécessaire. Une semaine plus tard, Lévesque adresse une lettre aux militants de son parti pour leur dire que la souveraineté ne serait « ni en totalité ni en partie » l'enjeu de la prochaine campagne électorale. Le lendemain, un premier député, Pierre de Bellefeuille, démissionne. Puis, ce sera au tour de Louise Harel. À la réunion du Conseil des ministres du 21 novembre, le désaccord est à ce point marqué et le débat atteint un tel niveau de violence que la réconciliation entre les deux camps n'est plus possible. C'est la rupture. Dès le lendemain, des ministres démissionnent : Gilbert Paquette, Jérôme Proulx, Jacques Léonard, Denise Leblanc-Bantey, Camille Laurin et d'autres. Sept au total. Jacques Parizeau quitte ses fonctions le même jour. À la mi-janvier, dans un congrès extraordinaire, les délégués modifient l'article 1 du programme du Parti québécois dans le sens souhaité par Lévesque, ce qui provoque le départ du congrès de cinq cents d'entre eux et de plusieurs ministres.

René Lévesque tient encore six mois. Il démissionne le 20 juin 1985. Son départ ne met pas fin à la crise qui déchire son parti. Son successeur, Pierre-Marc Johnson, élu le 29 septembre président du parti par près de 60 % des militants, partage les positions de Lévesque. Le « beau risque » devient l'« affirmation nationale » à l'intérieur du Canada. « Je vais démissionner, en fin de compte, sur l'expression du beau risque, dit Parizeau, qui admet volontiers qu'il ne trouve pas bien drôle de faire de la politique simplement pour faire de la politique. Je ne vois pas d'avenir là-dedans. La seule raison pour laquelle je fais de la politique, moi, c'est pour faire l'indépendance du Québec. Et là, je ne la vois pas du tout. Pierre-Marc Johnson va tirer les conclusions de ce même cul-de-sac : l'affirmation nationale, c'est une position d'attente. On ne sait pas très bien ce qui va se passer. L'affirmation nationale découle de l'échec de 1980, au même titre que la "nuit des longs couteaux", que l'acceptation du beau risque, en se disant : je ne peux pas faire autrement ! »

Pierre-Marc Johnson parvient malgré tout à rallier un bon nombre de membres de son parti autour du principe d'affirmation nationale et à prolonger l'agonie du gouvernement du Parti québécois jusqu'en décembre. Mais le gouvernement a beaucoup vieilli en quatre ans et demi. Il est fatigué, à la fois par une gouvernance difficile et des conflits internes qui tiennent autant des principes en cause que des personnalités qui les défendent. Il est battu le 2 décembre 1985 par un Robert Bourassa ragaillardi, revenu d'une longue période de réflexion et auréolé d'une image de sauveur de l'économie québécoise. Et, c'est lui, plutôt que René Lévesque, qui devra éprouver le sérieux des intentions de Brian Mulroney.

Le 29 octobre 1987, un député péquiste respecté dans le parti, le poète Gérald Godin, lance une fronde d'une violence inouïe contre son chef : « Le parti ne va nulle part avec le chef actuel et ça m'inquiète beaucoup[11] », dit-il. Il en rajoute le lendemain : « Le Parti québécois doit reprendre son discours souverainiste et sortir du somnambulisme où il est plongé[12] », déclare-t-il. Et il invite les membres à mettre leurs lunettes d'approche pour identifier le candidat le plus apte à remplacer Johnson. Il a lui-même fait son choix : Jacques Parizeau. « C'est mon homme ! », dit-il. Lorsque Pierre-Marc Johnson apprend la mutinerie, qui s'étend maintenant à d'anciens ministres comme Camille Laurin, il est à Londres, en route vers Paris, où il doit rencontrer le président François Mitterrand. On le presse de rentrer. Il décide plutôt de poursuivre son voyage. À son arrivée dans la capitale française, une autre nouvelle, plus grave encore, l'attend : René Lévesque est mort. Malgré l'affection qu'il a pour Lévesque, Johnson n'annule pas ses rendez-vous, sauf celui avec Mitterrand. Il aurait pu rentrer au Québec le jour même, mais il n'y réapparaîtra que le 3 novembre.

Il faut imaginer la situation : dans ce parti, traditionnellement identifié à son chef, il n'y a personne, en ce jour du 1er novembre, pour l'orienter dans l'analyse de ce qu'il lui arrive. Le père fondateur vient de mourir, le chef en exercice poursuit ses déplacements à l'étranger, et Jacques Parizeau, qui n'est plus rien dans le parti, se trouve, tout près, l'oreille tendue et le cœur ouvert. La suite est affaire de pressions et de dénonciations : cinq jours après avoir porté la dépouille de René Lévesque en terre, Pierre-Marc Johnson démissionne[13].

C'est la fin de l'affirmation nationale. Le trait d'union qui a persisté contre vents et marées depuis vingt ans entre la souveraineté et l'association est mis au panier et le Parti québécois se tourne résolument vers le seul objectif de l'indépendance. Jacques Parizeau a quitté la vie politique depuis trois ans. Il a partagé son temps entre l'enseignement, les conférences, la rédaction d'articles scientifiques et les actions de toute nature dans les domaines d'intervention qui l'intéressent. Il est devenu un homme indépendant. Le gouvernement conservateur jongle avec l'idée d'un libre-échange économique avec les États-Unis. Le successeur de Trudeau, John Turner, n'ignore pas que Parizeau a soutenu une thèse de doctorat sur le commerce international. Il sollicite donc son expertise sur le sujet. Brian Mulroney n'est pas en reste : il lui offre un poste de sénateur. « Il l'a fait de façon très correcte, dit Parizeau. Je lui en suis reconnaissant, encore aujourd'hui. Ça ne correspondait pas du tout aux orientations que je voulais, mais, quand même, c'était correct. »

Le Parti québécois n'a plus de chef et beaucoup de gens se tournent vers Parizeau. « Je ne suis pas convaincu que tout le monde dans ce parti est gagné à la vision que j'ai, moi, de la souveraineté, qui n'est pas du tout une demi-mesure, dit-il. Et c'est pour ça que je vais demander dix mille nouveaux membres. Montrez-moi que vous êtes d'accord, qu'un bon nombre de gens sont d'accord avec l'idée que je me fais de la souveraineté du Québec, et, là, j'embarquerai. » Il embarque. Pour devenir premier ministre du Québec ? « Non, non, non, non ! répond-il. Mais il faut que je sois premier ministre du Québec pour faire un référendum. Pour moi, la politique, c'est un instrument. »

Jacques Parizeau apprend ses leçons depuis huit ans, des intuitions de René Lévesque, de la tentative avortée de 1980, des tâtonnements et des compromissions de son parti, de l'affaiblissement du Québec devant le gouvernement fédéral. « Ça va me prendre du temps, moi, dans les années qui suivent, dit-il. Je ne les comprends pas encore toutes, les leçons de 1980. Petit à petit, elles vont apparaître. » Celle qu'il retient entre toutes, c'est l'importance qu'accordent les Québécois aux questions économiques dans leur cheminement vers la souveraineté. Aussi, l'élément déclencheur qui va le ramener à la politique n'est pas de nature politique : c'est la proposition d'un accord de libre-échange, venant des États-Unis. Jusque-là, le Congrès et le Sénat américains sont à ce point protectionnistes qu'à la Maison-Blanche, on s'en inquiète, car le Canada compte parmi les plus importants partenaires commerciaux des États-Unis. D'où la main tendue à

Brian Mulroney. La perspective d'un accord canado-américain ouvre grande la porte à un marché Nord-Sud, porteur d'une promesse d'indépendance accrue du Québec par rapport aux marchés canadiens. « Ça changeait tout », explique-t-il.

Le 21 décembre 1987, Jacques Parizeau se porte candidat à la présidence du Parti québécois et il est couronné sans opposition le 18 mars, lors d'un conseil national extraordinaire du parti, à Montréal. « Mon premier geste, quand j'ai été élu président, dit Parizeau, a été d'appeler Michel Bélanger, le président de la Banque Nationale, qui nous menaçait de tirer la *plug*. Je lui ai dit : "S'il vous plaît, donnez-moi quelques mois." Le parti devait 500 000 dollars à la Banque Nationale. Je ne savais pas où les prendre. Cela a été mon premier geste ! »

Jacques Parizeau est maintenant président du Parti québécois, mais il n'a pas de siège à l'Assemblée nationale. Le chef parlementaire du parti est Guy Chevrette, et les deux hommes devront désormais composer ensemble. « (Nous étions) deux hommes avec des tempéraments et des caractères diamétralement opposés, rappelle Chevrette. Lui, un intellectuel, moi un populiste ; moi, un très grand pragmatique, et lui, un grand concepteur, d'un esprit très structuré. On ne s'est jamais chicanés. Il me laissait les rênes de la Chambre et lui s'occupait du parti. »

L'intellectuel Parizeau n'a pas toujours été souverainiste. Il y est venu, comme dans toutes les décisions importantes qu'il a prises dans sa vie politique, par la réflexion et la rationalisation. « On s'en allait vers une situation absurde, dit-il, en évoquant les années passées comme conseiller de trois premiers ministres du Québec. On avait enlevé à Ottawa assez de pouvoirs pour vraiment l'empêcher d'opérer comme un véritable gouvernement, et on n'en avait pas suffisamment de notre côté pour être un véritable gouvernement. On s'en allait tout droit vers un cul-de-sac. Puisque c'est comme ça, puisqu'il n'y a pas de véritable gouvernement à Ottawa, mettons un véritable gouvernement à Québec. Et j'aboutissais à la souveraineté, pas par émotion, pas parce que je me sentais particulièrement souverainiste, mais simplement parce que ça me paraissait une conséquence logique. » Parizeau entre au Parti québécois en 1969 et prend contact dans les assemblées avec des gens aux antipodes de ceux qu'il fréquente depuis son enfance de bourgeois d'Outremont et de diplômé de la London School of Economics. « Les premières assemblées publiques, où je me rends compte de cette espèce de vague très profonde de nationalisme québécois, m'impressionnent énormément, aime-t-il à rappeler. Moi qui n'ai jamais été en contact avec le vrai monde québécois, je trouve ça beau ! »

Jacques Parizeau revient à l'Assemblée nationale en novembre 1989, cette fois en qualité de chef de l'opposition. Il y revient parce qu'il veut toujours un véritable gouvernement à Québec, d'autant plus que la mondialisation de l'économie a tout changé. « L'avenir est aux états souverains, pas aux provinces, dit-il. Être premier ministre d'une province, ça m'a intéressé, il y a trente ans, quand j'étais plus jeune. Le libre-échange avec les États-Unis, pour les souverainistes, c'est majeur, c'est très, très important. » L'Ontario, dirigée par les libéraux de David Peterson, n'en veut pas ; l'Ouest, oui. Robert Bourassa voit les avantages d'une telle entente, mais il craint les syndicats qui sont les alliés naturels du Parti québécois. Parizeau, chef du parti de l'opposition, va alors tourner en quelque sorte le dos aux syndicats et se mettre à l'écoute des chambres de commerce et des petites et moyennes entreprises qui, elles, trouveraient un avantage énorme au libre-échange. Il propose au premier ministre Robert Bourassa de mettre la partisanerie de côté et d'appuyer Mulroney dans sa démarche en faveur du libre-échange. « Quand on dit que ce sont les Québécois qui ont permis au Canada de signer l'accord de libre-échange avec les États-Unis, dit-il, c'est parfaitement exact. Nous avons fourni à M. Mulroney le poids politique qu'il lui fallait. » Pour Parizeau, l'entente libérait le Québec de la nécessaire association économique avec le Canada et du chantage des premiers ministres des autres provinces qui disaient : « Si vous décidez de devenir indépendants, nous n'achèterons plus vos textiles, nous n'achèterons plus vos chaussures, nous ne vous vendrons plus notre bœuf ! »

La question du libre-échange deviendra le thème central de la campagne électorale fédérale de novembre 1988. Le 21, Brian Mulroney est reporté au pouvoir grâce à l'appui massif des Québécois : sur 169 députés conservateurs, 63 viennent du Québec alors que les libéraux ne parviennent à y conserver que 12 sièges. Pendant ce temps, l'Ontario envoie à Ottawa 46 députés conservateurs, 43 libéraux et 10 néodémocrates. L'Accord de libre-échange Canada-États-Unis entre en vigueur le 1er janvier 1989.

Mulroney a promis, dans son discours de Sept-Îles, de ramener le Québec dans le giron constitutionnel. Robert Bourassa en établit les conditions dès mars 1985 et, moins de deux semaines après son élection à la tête du gouvernement du Québec, les réaffirme au premier ministre canadien lors d'une rencontre, le 13 décembre. Les cinq conditions du Québec sont désormais connues : Bourassa ne signera la nouvelle Constitution canadienne que si le Québec est reconnu comme une société distincte, si ses pouvoirs en matière d'immigration sont accrus, s'il a un droit de regard sur les nominations au Sénat et à la Cour suprême, s'il a un droit de retrait des programmes fédéraux avec pleine compensation financière et s'il bénéficie d'un droit de veto sur tout changement que le reste du Canada voudrait apporter aux institutions canadiennes, en somme, un droit de veto sur tout changement à la Constitution. Mulroney croit pouvoir faire adopter la substance de ces cinq conditions aux autres premiers ministres provinciaux et il les convoque au chalet du gouvernement fédéral, au lac Meech, le 30 avril 1987. Mulroney, qui connaît toutes les astuces de la négociation, les rassemble dans une petite salle, sans leurs conseillers politiques. Les cinq conditions posées par Bourassa y reçoivent une acceptation de principe. Une nouvelle rencontre est prévue les 2 et 3 juin, à l'édifice Langevin à Ottawa. Les premiers ministres signent alors la version définitive de l'entente.

L'encre est à peine séchée au bas du document que la grogne se manifeste. Dès le 27 mai, Pierre Elliott Trudeau est sorti de l'ombre pour dénoncer l'entente dans un texte publié à la fois au Canada anglais et au Québec : « Quel magicien quand même que ce M. Mulroney et quel fin renard ! Il n'a pas réussi tout à fait à réaliser la souveraineté-association, mais il a mis le Canada sur la voie rapide pour y parvenir[14]. » Rapidement, les opposants à l'accord influencent l'opinion publique : à l'été de 1987, 70 % des Canadiens hors du Québec n'en veulent pas et ce pourcentage se maintiendra jusqu'à l'hiver de 1990.

L'entente porte en elle la promesse de son échec : les dix gouvernements provinciaux ont trois ans pour lui faire réussir l'examen de passage dans leur législature respective. C'est ne pas compter sur l'importance qu'accordent les premiers ministres à l'humeur des Canadiens et sur les changements de gouvernement, inévitables dans une période de trois ans. Ce fut le cas au Nouveau-Brunswick. Alors que Richard Hatfield, un conservateur, a signé l'entente, le libéral Frank McKenna prend le pouvoir quatre mois plus tard, remportant tous les sièges de la province. Il se défend aujourd'hui d'avoir fait campagne sur le dos de l'accord et dit souscrire aux principes qui le soustendaient. « Richard Hatfield avait la possibilité de le faire adopter par le Parlement, dit-il. Si un tel vote avait été tenu, nous aurions probablement été pour l'adoption de l'accord[15]. » Mais la campagne électorale va le convaincre que l'accord doit être, sinon annulé, certainement modifié. « Nous ne voulions pas déchirer Meech, ajoute-t-il, mais nous voulions tenter d'y introduire de nouvelles réformes : la charte des droits, document sacré pour les Canadiens, la protection des francophones hors Québec, la reconnaissance des droits des Autochtones, la réforme du Sénat[16]. » McKenna n'ignore pas qu'en transformant l'entente de Meech en un fourre-tout constitutionnel, il la détourne de son objet premier, qui était d'amener le Québec à signer la nouvelle Constitution de 1982.

Mais il n'est pas le seul nouveau joueur dans la partie serrée qui s'annonce. Au printemps 1988, la population manitobaine élit les conservateurs de Gary Filmon, chassant du pouvoir et de la politique le signataire néodémocrate de l'accord de Meech, Howard Pawley. Filmon veut une ratification de l'entente. Sharon Carstairs, une proche de Jean Chrétien, dirige le Parti libéral ; elle s'oppose à l'accord. Le seul député autochtone à la législature manitobaine, le néodémocrate Elijah Harper, va systématiquement empêcher, du 12 au 22 juin 1990, tout vote sur l'accord. Son combat pour la reconnaissance des droits autochtones dans le document permet à l'ouest du pays d'empêcher un accord concernant le Québec auquel il s'oppose depuis le début. « Il n'y a personne dans l'Ouest qui ne reconnaisse pas que le Québec est une société distincte, dit Deborah Grey, une enseignante albertaine qui fut la première députée du Parti réformiste, en 1989. La frustration venait du fait que cette distinction serait inscrite dans la Constitution[17]. » Le chef du parti, Preston Manning, définit davantage cette frustration : « L'Ouest voulait une réforme du Sénat, ce qui aurait exigé un changement à la Constitution. Cela n'a jamais fait partie du programme de Mulroney, dit-il. Mais le Québec voulait être reconnu comme société distincte, et cela est passé "de zéro au dessus de la pile" en très peu de temps. Les gens disaient que les demandes constitutionnelles d'une partie du pays, qui comptait 75 députés, devenaient la priorité alors que celles d'une autre partie du pays, qui avait beaucoup plus de députés, n'apparaissaient même pas sur son écran de radar[18]. » Selon Manning, les libéraux s'étaient mis l'Ouest à dos et le gouvernement Mulroney avait rapidement provoqué le désenchantement à son égard. « Lorsque le Parti réformiste a été créé, ajoute-t-il, il y avait dans l'Ouest tous les ingrédients nécessaires à l'éclatement d'une crise sécessionniste dans les années quatre-vingt[19]. »

L'Accord du lac Meech ne fait pas des mécontents que dans l'Ouest. La grogne s'étend à tout le pays, sauf au Québec. Terre-Neuve fait une volte-face spectaculaire : élu en avril 1989, le libéral Clyde Wells annule, un an plus tard, la motion d'appui à l'accord, adoptée en juillet 1988 par le Parlement dirigé alors par le conservateur Brian Peckford. Dans une lettre au premier ministre Mulroney, il donne la raison de son revirement : l'accord va détruire le pays en très peu de temps. Enfin, en Ontario, le premier ministre Peterson, signataire de l'accord, en paie le prix aux élections provinciales de septembre 1990. Son successeur, le néodémocrate Bob Rae estime cependant que l'Accord du lac Meech aurait dû être adopté par l'ensemble du pays : « Je croyais que ce qui était proposé était modeste, rationnel, honnête et raisonnable. Je le crois toujours[20]. »

Le 16 mars 1990, Frank McKenna écrit à Mulroney et lui suggère d'inclure dans le document de l'Accord du lac Meech « des dispositions reflétant les diverses préoccupations soulevées non seulement au Nouveau-Brunswick, mais partout ailleurs au Canada ». Six jours plus tard, à trois mois de la date-butoir du 23 juin, Mulroney dépêche son jeune ministre Jean Charest à travers le pays pour tenter de dégager un consensus qui lui permettrait de sauver l'accord. En deux mois, la commission Charest entend 190 témoins et parcourt 800 mémoires. Son rapport, déposé le 17 mai, propose une vingtaine de modifications à l'Accord du lac Meech et la tenue d'une nouvelle conférence des premiers ministres pour en débattre. Il est dévastateur pour le Québec, notamment parce que la clause de la société distincte devient une clause interprétative, qui s'appliquera conjointement avec la Charte et ne pourra compromettre les droits et libertés qui y sont garantis. « Le comité recommande, lit-on dans le rapport, que les premiers ministres déclarent dans une résolution d'accompagnement que l'application de la clause de la société distincte ne diminue en rien l'efficacité de la Charte. [...] Cette résolution d'accompagnement devrait aussi stipuler que les clauses qui reconnaissent des rôles au Parlement et aux législatures provinciales n'ont pas pour effet de leur conférer des pouvoirs législatifs. » En somme, la clause n'a plus d'effet réel.

Le rapport Charest a une première conséquence, dramatique, pour le gouvernement Mulroney. Lucien Bouchard siège au Conseil des ministres depuis mars 1988. Il a donné son aval à la création du comité Charest, mais « en précisant que l'Accord du lac Meech devrait être adopté tel quel, sans aucune modification, simultanée ou subséquente[21] ». Il dit n'avoir pris connaissance du rapport qu'une fois rendu en Norvège où il devait participer à une rencontre des ministres de l'Environnement. Il prend la décision de démissionner et de le faire savoir avec éclat. Les 19 et 20 mai, le Parti québécois tient son conseil national à Alma, dans la circonscription de Lucien Bouchard, et célèbre le dixième anniversaire du référendum de 1980. C'est le moment que choisit le ministre de Mulroney. Il envoie un télégramme de bienvenue à Jacques Parizeau et aux deux cents délégués. « Je reçois, le premier soir du conseil national, un de ses émissaires qui me remet la lettre, la fameuse lettre, qui va avoir une telle importance par la suite, se rappelle Parizeau. J'ai de la difficulté à croire que cette lettre-là est authentique. Ça me paraît tellement énorme que je dis à l'émissaire : "Écoutez, vous allez parler à votre patron. Si je reçois officiellement cette lettre, je vais en faire état en public." Il revient au bout d'une heure, une heure et demie et me dit : "Il n'a pas d'objections à ce que vous rendiez la lettre publique demain." Bon, dans ces conditions, tout bien réfléchi, d'accord, très bien. J'ai pris la lettre et je l'ai lu devant le conseil national. » Le télégramme de Bouchard se lisait comme suit : « Votre réunion soulignera le dixième anniversaire d'un temps fort pour le Québec. […] Sa commémoration est une occasion de rappeler bien haut la franchise, la fierté et la générosité du OUI, que nous avons alors défendu autour de René Lévesque et de son équipe. La mémoire de René Lévesque nous unira tous en fin de semaine, car il a fait découvrir aux Québécois le droit inaliénable de décider de leur destin. » Le lendemain, séisme à Ottawa : Bouchard remet sa démission au premier ministre Mulroney, à la fois comme ministre et comme député conservateur de la circonscription électorale du Lac-Saint-Jean aux Communes. Déjà, le vendredi précédent, le député de Mégantic-Compton-Stanstead, François Gérin, avait quitté les rangs du Parti conservateur. D'autres suivront, six au total, quatre conservateurs et deux libéraux, dont Jean Lapierre, alors député de Shefford[22]. Celui-ci, qui avait combattu le OUI aux côtés de Pierre Elliott Trudeau en 1980, blâme alors Jean Chrétien pour l'échec de l'Accord du lac Meech : « Vous avez réussi une fois de plus à refuser au Québec son identité légitime, lui écrit-il. Je sais que vous nous avez trahis ! »

Malgré une ultime conférence des premiers ministres, qui a duré six jours au début de juin, l'Accord du lac Meech meurt au bout de son souffle, le vendredi 22 juin. Robert Bourassa croyait vraiment que l'entente était possible. Déjà, en février, il avait créé au sein du Parti libéral un comité constitutionnel, présidé par Jean Allaire, dont le mandat était de définir le contenu politique d'une seconde ronde de négociations une fois ratifié l'Accord du lac Meech. Il a gardé espoir jusqu'à trois jours avant la fin. « Il a cru jusqu'au mardi que c'était possible, se souvient John Parisella, son chef de cabinet. Puis, à partir du mardi, il a commencé à croire que ça ne se ferait pas. Je pense que ce fut très décevant pour lui, surtout en ce qui concerne le verdict de l'Histoire… » Bourassa venait de voir son option constitutionnelle rejetée par le reste du pays. Il choisit alors de mobiliser la population. Le jour même, devant l'Assemblée nationale, il prononce un discours, de-meuré célèbre, qui fait croire, un moment, qu'il devient souverainiste : « Quoi qu'on dise, quoi qu'on fasse, le Québec est, aujourd'hui et pour toujours, une société distincte, libre, et capable d'assumer son destin et son développement économique. » « Pour M. Bourassa, c'était une dé-faite terrible, effrayante, dit Parizeau. Politiquement, le Québec était par terre, on n'avait plus rien dans les mains. C'est ce soir-là que je lui ai tendu la main, à "mon premier ministre", comme je l'ai appelé. »

Bourassa a-t-il été tenté, à ce moment-là, de rallier les rangs sou-verainistes ? John Parisella répond : « Non. Personne ne pouvait l'en-voyer dans une direction où il ne voulait pas aller. Il a été sensible au geste de M. Parizeau, qui était un geste magnanime. Mais, pour M. Bourassa, cela l'aidait parce qu'il fallait qu'il mobilise le monde. Donc, si son discours a réussi à rallier le chef du Parti québécois, le jour même, il était capable de passer la fête de la Saint-Jean bien en selle. » Parizeau n'a pas non plus cru que Bourassa pouvait devenir souverainiste : « Il était trop prudent. Au cas où (la souveraineté) de-viendrait très populaire, il fallait peut-être manœuvrer dans cette di-rection pendant quelque temps. Mais il était vraiment trop prudent pour s'engager dans une voie comme celle-là. Cependant, il a été profondément impressionné par l'espèce de vague qui a déferlé après l'échec du lac Meech. »

La vague est en effet très forte. De juin jusqu'à l'automne, les sondages se maintiennent à quelques unités de pourcentage près : entre 55 et 60 % des Québécois sont favorables à la souveraineté. Et Bourassa va s'ajuster. D'abord, il annonce qu'il n'acceptera plus de négocier quoi que ce soit avec le reste du Canada, à onze autour d'une table. Désormais, les négociations devront se faire à deux, le Canada d'un côté, le Québec de l'autre. Le 5 septembre, il crée la commission Bélanger-Campeau dont le mandat est de présenter au gouverne-ment des recommandations sur l'avenir constitutionnel du Québec. Parce que Parizeau lui a tendu la main au lendemain de l'échec de Meech et lui a proposé de travailler ensemble[23] à bâtir l'avenir du Québec, Bourassa accepte que les deux présidents et la plupart des membres de la commission soient choisis conjointement. « Il y avait non seulement les libéraux et les gens du Parti québécois autour de la table, se souvient Parizeau. Il fallait aller chercher des fédéralistes et, dans ce sens, Lucien Bouchard va se révéler sans prix. Comme ancien ministre conservateur, très apprécié au Québec par les « vieux bleus » de l'Union nationale, il va aller chercher des gens chez qui la mouvance péquiste tapait sur les nerfs ! » La commission reçoit 600 mémoires, entend 235 groupes et associations et consulte plus de 50 experts. Elle dépose son rapport le 27 mars de l'année suivante. Jean Campeau résume ainsi les conclusions de la commission : « Il y avait deux choix. Ou on rapatrie nos pouvoirs, on dit au fédéral : "Arrête d'empiéter chez nous, la clôture est mise. Arrête de venir chercher de l'argent et de dépenser n'importe comment sur notre terrain, dans nos compétences." Ou, si ça ne marche pas, on fait un référendum sur la souveraineté. » La commission précise même le moment de ce référendum ; s'il n'y a pas renouvellement du fédéralisme, il se tiendra au plus tard le 16 octobre 1992.

Les conclusions de la commission Bélanger-Campeau forcent Bourassa à présenter un projet de loi créant deux commissions parlementaires. L'une examinera toute proposition qui pourrait venir d'Ottawa, car, tout en jouant son propre jeu, le Québec considère que, depuis l'échec de Meech, la balle est dans le camp fédéral. L'autre aura pour mandat de préparer le pas vers la souveraineté, dans l'éventualité où les propositions d'Ottawa ne seraient pas satisfaisantes. Mais déjà Bourassa et son ministre des Affaires intergouvernementales, Gil Rémillard, en atténuent la portée en affirmant que le gouvernement conservera sa faculté d'initiative et d'appréciation des mesures favorisant l'intérêt supérieur du Québec. La formulation du préambule de la loi inspire tellement de méfiance chez Parizeau que le Parti québécois vote contre son adoption, le 20 juin.

L'échec de Meech a refroidi l'enthousiasme du premier ministre Mulroney au sujet de l'intégration du Québec dans le giron constitutionnel. Devant les initiatives de Bourassa, il doit cependant bouger. Il ne fait pas d'autres propositions au Québec. C'est par la convocation d'une nouvelle conférence des premiers ministres provinciaux à Charlottetown qu'il répond aux conclusions de la commission

Bélanger-Campeau. « Il disait : "Nous devons mettre la Cadillac dans la vitrine", se souvient Bob Rae, alors premier ministre de l'Ontario. C'était une expression qu'il utilisait dans les conversations. Nous devons leur montrer qu'il y a quelque chose là-dedans[24]. »

Malgré l'engagement, pris deux ans auparavant, de ne négocier désormais qu'à deux, malgré le rapport du comité Allaire qui proposait de récupérer vingt-deux champs de compétence provinciale occupés par le gouvernement fédéral, Robert Bourassa se rend à Charlottetown[25]. Le 28 août 1992, les premiers ministres provinciaux et des territoires signent une entente qui accorde au Québec, entre autres, la clause de la société distincte, mais limitée à la langue, à la culture et au droit civil. Soumise à un référendum pancanadien, l'entente est rejetée par les Québécois et les Canadiens de cinq provinces. Bob Rae reconnaît que l'Accord de Charlottetown « n'était pas une belle Cadillac. Il n'était pas parfait. Moitié chameau, moitié cheval, cependant il existait. Il démontrait qu'on pouvait offrir quelque chose. C'était mieux que de briser le pays[26] ».

Depuis sa démission du gouvernement fédéral, Lucien Bouchard cherche une porte d'entrée en politique provinciale et il entreprend de fonder un parti qui viendrait disputer le vote souverainiste au Parti québécois. « Il nous faut un nouveau parti, dit-il. Jamais je ne vais m'unir pour m'insérer dans le Parti québécois. C'est un parti trop militant[27]. »

C'est pourtant aux côtés du Parti québécois qu'il fera la bataille de la souveraineté. Moins de deux mois après qu'il eut claqué la porte du gouvernement Mulroney, les députés conservateurs démissionnaires se réunissent à Longueuil et le désignent comme chef de leur groupe parlementaire. Le 25 juillet, celui-ci se choisit un nom officiel, Bloc québécois, et énonce les principes de base d'une plate-forme, que va rédiger Jean Lapierre, en attendant le congrès de fondation du parti qui aura lieu le 15 juin de l'année suivante. L'idée d'un parti souverainiste à Ottawa, lancée par l'ancien ministre Marcel Léger, qui en a même fondé un à une certaine époque, ne fait cependant pas l'unanimité au Parti québécois. « Moi, ça me paraissait important qu'il y en ait un », dit Jacques Parizeau, qui demeure toujours étonné que les

Québécois aient pu voter pour Lévesque à Québec et pour Trudeau à Ottawa. Selon lui, l'idée d'un *nouveau parti souverainiste à Ottawa* remonte aux réunions de stratégie qui se tenaient tous les lundis à son bureau de la Place Ville-Marie, réunions auxquelles participaient Bernard Landry, le chef parlementaire Guy Chevrette, Jean Royer, Hubert Thibault et quelques autres. « C'est de là qu'est venue la création du Bloc, dit-il. Ça ne s'est pas fait tout seul. Il a fallu les appeler, un à un, ces anciens conservateurs à Ottawa. Ils voulaient siéger comme indépendants. Il fallait organiser un cadre. Puis avoir de longues discussions avec Bouchard. Parce que Bouchard n'était pas du tout persuadé qu'il devait être chef de parti. Cela a quand même pris quelque temps pour qu'il accepte l'idée. C'est M. Landry qui a été chargé, par nous, d'aider à la constitution de ce qu'est devenu le Bloc québécois. C'est lui qui s'est assuré que le Jell-O prenne et que monsieur Bouchard en accepte la direction ! »

Condamnés à travailler ensemble, Parizeau et Bouchard sont cependant très différents. « Ils n'étaient pas des hommes qui avaient des atomes crochus, dit Pierre-Paul Roy, qui, à compter de juin 1992, devient pour quelque temps le chef de cabinet du chef du Bloc avant d'en devenir le conseiller politique. Ne serait-ce que sur le plan des personnalités, au sens amical, il n'y avait pas de complicité entre eux. Les échanges entre les deux étaient corrects et se limitaient à leurs responsabilités respectives. On s'en tenait à la politique. Il n'y avait pas d'autres relations, d'autres rapports entre les deux. » Les différences entre les deux hommes deviendront encore plus évidentes pendant la campagne référendaire de 1995 et les mois qui l'ont précédée.

Le 25 octobre 1993, Jean Chrétien prend le pouvoir à Ottawa. Mais il a devant lui Lucien Bouchard comme chef de l'opposition officielle[28]. « Nous avions fait du *statu quo* constitutionnel un élément de notre programme électoral, rappelle Eddie Goldenberg, qui sera l'un des personnages les plus influents dans le bureau du premier ministre tout au long de son règne. M. Chrétien avait clairement dit pendant la campagne électorale que, sur une liste de priorités de 1 à 100, la Constitution était au 101e rang. Le Bloc était un problème pour nous, car il nous fallait envisager un autre référendum au Québec. Il n'allait pas se satisfaire d'un changement constitutionnel[29]. » « Je ne sais pas si une situation aussi bizarre s'est déjà produite dans l'histoire canadienne que d'avoir une bande de séparatistes représentant la loyale opposition de Sa Majesté, dit Deborah Grey. Ils n'étaient pas très portés sur Sa Majesté et pas très loyaux non plus, car ils voulaient quitter le pays[30]. »

De devoir renoncer au statut d'opposition officielle a été une expérience amère pour les réformistes qui avaient perdu 3 sièges par seulement 329 votes au total, dans la région d'Edmonton. « Quand on me dit que mon vote ne compte pas, dit Preston Manning, qui était chef du Parti réformiste lors de l'élection de 1993, je réponds : "Si le pays avait éclaté en 1995, l'une des raisons aurait été que, pendant deux ans, les séparatistes ont eu une visibilité nationale parce qu'ils formaient l'opposition officielle. Si 150 ou 160 personnes dans Edmonton avaient voté différemment, ça aurait fait la différence[31] !" »

À Québec, vaincu, à la fois par la maladie et par deux cuisants échecs sur le plan constitutionnel, Robert Bourassa quitte les rênes du pouvoir. Il sait depuis un an que son cancer de la peau continue ses ravages, et il est fatigué. Le président du Conseil du trésor, Daniel Johnson, ne rencontre aucune opposition sur son chemin et est proclamé chef du Parti libéral le 15 décembre 1993. Il devient premier ministre le 11 janvier lorsque Bourassa abandonne définitivement ses fonctions. « M. Johnson avait un passé, du moins son père avait un passé qu'on identifie comme "bleu", dit John Parisella, qui fut chef de cabinet de Bourassa et de Johnson. Mais il avait ses racines dans le Parti libéral qui dataient de 1977 ou de 1978. Il y était entré du temps de Claude Ryan. Ceux qui connaissaient bien M. Johnson savaient que c'était un homme très pragmatique. Puis M. Bourassa voyait le choix de M. Johnson dans une continuité. »

« Après le référendum de Charlottetown, on avait un peu tous tourné la page sur les grandes manœuvres constitutionnelles, rappelle Daniel Johnson. C'est pour ça qu'on avait choisi, en 1993 et 1994, de faire le point sur l'économie du Québec, la création d'emplois, l'allégement de l'État et le service aux citoyens. Moi, j'ai toujours réitéré essentiellement les conditions de Meech comme étant, je dirais, le substrat de notre programme politique en matière constitutionnelle. Il n'y avait pas d'utilité à réinventer un programme constitutionnel. À la conférence des premiers ministres des provinces, à Toronto, à l'été 1994, on s'était entendu sur un texte qui visait à assurer une meilleure coopération afin de décentraliser davantage la fédération canadienne en cherchant un consensus parmi les provinces quant à l'exercice de leurs compétences dans le giron canadien. » En fait, l'échec de Charlottetown rendait plus évidente encore l'impossibilité d'imaginer une Constitution canadienne basée sur la reconnaissance des deux peuples fondateurs.

Lorsque Daniel Johnson devient premier ministre, le Parti libéral est au pouvoir depuis trois ans et trois mois. Il doit se préparer à des élections générales durant l'année, face à un adversaire qui s'aguerrit non seulement pour la bataille électorale, mais pour promouvoir son option souverainiste.

CHAPITRE II
Le pouvoir

L e soir du 12 septembre 1994, le Parti québécois devrait célébrer. Il reprend le pouvoir après neuf longues années dans l'opposition. Pourtant, il est déçu. Fort des leçons tirées du référendum de 1980, Jacques Parizeau aurait voulu tenir le sien le plus tôt possible après l'élection : le résultat de celle-ci va le forcer de surseoir à la réalisation de son projet. Il compte pourtant 76 députés contre seulement 47 du Parti libéral, mais le pourcentage des électeurs qui l'a appuyé ne lui permet pas d'espérer gagner un référendum : 44,7 % contre 44,3 % pour les libéraux, cela ressemble, dans une lutte à deux pour le OUI ou pour le NON, à un match nul. « On n'était pas satisfaits du résultat. On s'attendait à plus », confirme le chef de cabinet de Parizeau, Jean Royer. « J'arrive au bureau de l'Assemblée nationale, se souvient Jean-François Lisée, qui, ce jour-là même, va devenir conseiller politique de Parizeau. Je vois Bernard Landry, Jacques Parizeau, Jean Royer, Guy Chevrette ; des gens qui ont des visages longs, ce ne sont pas des visages de vainqueurs[1]. » Les dirigeants du parti espéraient un meilleur résultat : 48 ou 49 %. « Certains s'étaient laissés aller à espérer un 50 %, le jour de l'élection, ce qui donnait un élan vers le référendum, ajoute Lisée. Il y avait déjà un début de *post-mortem* de la campagne : qu'est-ce qui n'avait pas fonctionné… » Le soir de l'élection, Pierre-Paul Roy, le chef de cabinet de Lucien Bouchard, croise Jean Royer qui lui demande : « Qu'est-ce qu'on n'a pas fait ? À quelle place on s'est trompés ? »

Aujourd'hui, Jacques Parizeau a son explication de ce qui n'a pas marché : « Les gens veulent savoir ce qu'on va faire avec la souveraineté, dit-il, rappelant les disparités économiques entre certaines régions ou certains quartiers de Montréal. Il y a sept kilomètres de distance entre le sud-ouest et l'est de Montréal. Or, la différence entre les années d'espérance de vie dans un quartier par rapport à l'autre est plus élevée que le nombre de kilomètres qui les séparent ! Il était important qu'on n'aille pas seulement dans la souveraineté. La souveraineté, ça ne donne rien, les gens veulent savoir ce qu'on va faire avec. » Selon lui, il n'a pas suffisamment « brassé la cage » au sujet de ce qu'il appelle « le Québec cassé en deux » ou peut-être n'étaient-ils pas suffisamment nombreux à la brasser.

Jean-François Lisée ajoute une autre raison. Il revient sur une analyse publique qu'il a faite au printemps 1994, alors qu'il était encore journaliste : « Dès le printemps, rappelle-t-il, j'avais dit dans une analyse publique : si le Parti québécois veut gagner le référendum, il devrait, dès la campagne électorale, faire une entente avec l'ADQ, qui va lui apporter des votes supplémentaires. La réaction des gens que je connaissais au parti était : Tu n'y penses pas ? Ça n'a pas de sens ? C'est difficile, puis on n'en a pas besoin ! Il y avait une mauvaise lecture de la situation électorale dès le départ. » L'ADQ n'a fait élire qu'un député, mais elle a pris 6,3 % du vote.

« Ce n'était pas énorme à l'époque, reconnaît le chef du parti, Mario Dumont. Mais, dans le contexte du résultat électoral, c'était un pourcentage qui devenait important, qui devenait crucial et qui obligeait le Parti québécois à se placer en mode d'écoute. Je pense que c'est un peu de là (qu'est née l'idée) des commissions sur l'avenir du Québec. C'était pour essayer de se donner un élan que le résultat électoral n'avait pas donné au PQ. »

Si le Parti québécois était déçu du pourcentage de votes obtenus à l'élection, le Bloc l'était tout autant. Non seulement déçu, mais un peu surpris ; on s'attendait à de meilleurs résultats. « M. Bouchard a été très déçu, dit Pierre-Paul Roy, qui rappelle que l'importance de la victoire du PQ allait servir d'indicateur pour le référendum. Le résultat était d'autant plus décevant que des facteurs autres que le propre programme du Parti québécois jouaient en faveur d'un changement de gouvernement. Le parti libéral demandait un troisième mandat. Daniel Johnson n'était pas particulièrement charismatique. On était dans la foulée de la victoire du Bloc et il y avait encore cette ambiance d'après Meech, où on sentait qu'il y aurait un choix important qui pouvait se présenter aux Québécois. » Bob Dufour a été le directeur de la campagne électorale du Bloc québécois, en 1993, et il a continué d'y œuvrer dans les années qui ont suivi. Il identifie un autre événement qui, selon lui, n'a pas aidé : « La fin de la campagne avait été un peu erratique, se souvient-il. Le vendredi, (trois jours avant l'élection), M. Parizeau félicitait tout le monde, puis il disait quasiment que c'était fait, que c'était gagné. Cette attitude triomphaliste n'aide pas, dans une campagne électorale. Tu es triomphaliste, le soir, quand tu as le résultat ; tu attends même à onze heures pour avoir les vrais chiffres. Tu ne dis jamais des choses comme ça avant (la fin de) la campagne électorale. Au contraire, tu fouettes le monde... Avec le résultat qu'on avait obtenu, on ne pouvait pas espérer, dans un très court laps de temps, huit, dix mois ou un an, être en mesure de faire un référendum, puis être sûrs de le gagner », dit-il.

Si la campagne du PQ a connu des ratés, à cause d'un optimisme exagéré et d'un manque d'ouverture envers les nationalistes modérés réfugiés à l'ADQ, celle du Parti libéral ne fut pas non plus sans accidents. Outre la personnalité de son chef et l'obligation de rendre des comptes à la population de deux mandats qui ne s'étaient pas passés sans crises, il devait composer avec les humeurs du grand frère libéral d'Ottawa. Le gouvernement canadien, dirigé par Jean Chrétien, suivait attentivement ce qui se passait au Québec. « Notre rôle n'était pas d'apporter quelque chose de positif dans cette campagne, mais d'éviter de commettre des erreurs qui seraient utilisées contre M. Johnson, se rappelle Eddie Goldenberg. Pendant des mois, avant l'élection, il y a eu des rencontres hebdomadaires auxquelles je participais en compagnie de Jean Pelletier, le chef de cabinet de M. Chrétien, avec John Parisella et Pierre Anctil, du bureau de M. Johnson. Nous nous tenions informés de nos projets respectifs[2]... »

Le soir des élections, Daniel Johnson prend connaissance des résultats dans son bureau, en compagnie d'une dizaine de personnes, des amis, des proches, son chef de cabinet, Pierre Anctil, et son conseiller, John Parisella. Il est amer. « (Malgré la défaite) il était très important, dit Parisella, que M. Johnson se comporte comme un premier ministre éventuel, pas comme un premier ministre défait. On lui a dit (d'oublier l'élection) que, ça, c'était le début de la prochaine campagne. Une première campagne référendaire puis, la deuxième, ce serait éventuellement celle de (la prochaine) élection. Cela aurait été une erreur de penser que M. Parizeau allait hésiter... » Mais, dans l'immédiat, Johnson analyse les causes de sa défaite. Il n'ignore pas qu'il aurait pu obtenir de meilleurs résultats si les libéraux fédéraux l'avaient appuyé. « Dès l'élection de M. Chrétien, on a exprimé nos objectifs d'exercer davantage de maîtrise sur la formation de la main-d'œuvre et d'autres éléments de cette nature, dit Daniel Johnson. Ce que j'ai rapidement compris, dans la mesure où on peut le faire à la lumière des gestes de l'autre, c'est qu'au fur et à mesure que les mois passaient, le Parti libéral du Canada avait cette particularité d'essayer de prouver aux Québécois, quand le Parti québécois était au pouvoir, que le gouvernement fédéral était capable de faire quelque chose et de livrer la marchandise pour contrer le discours souverainiste... On dirait presque qu'on se sentait plus à l'aise, au fédéral, de traiter avec le Québec quand ce n'était pas des fédéralistes qui étaient au pouvoir. Je ne saisissais pas l'idée du gouvernement de M. Chrétien de refuser de faire des gestes sur la formation de la main-d'œuvre, d'attendre peut-être que le PQ soit au pouvoir, de nous nuire activement en fermant le collège militaire de Saint-Jean, qui était là depuis quarante ans. C'était inexplicable. »

La fermeture du collège militaire de Saint-Jean, qui alimente le discours électoral, fait partie des compressions budgétaires prévues dans le budget de 1994 de Paul Martin, qui entend aller chercher des économies de plus de quatre milliards de dollars sur cinq ans. Le dossier connaît des ratés. En mai, le ministre fédéral des Affaires intergouvernementales, Marcel Massé, annonce qu'une entente est intervenue entre Ottawa et Québec pour que le collège soit transformé en centre d'apprentissage du français pour les militaires et les fonctionnaires fédéraux. L'accord est aussitôt démenti par Daniel Johnson : « C'est peut-être prématuré. Il faut être deux pour négocier », réplique-t-il aux propos de M. Massé. En fait, les négociations durent tout l'été, se poursuivent avec le gouvernement péquiste une partie de l'automne, jusqu'à ce que Jean Chrétien ferme le dossier en décembre, sur une proposition fédérale d'enlever au collège sa vocation militaire et de le transformer en institution postsecondaire. Inutile de dire que le Bloc québécois marque des points à la Chambre des communes sur ce que Lucien Bouchard appelle « cette décision inique » : « Le collège militaire a été fondé en 1952 pour mettre fin au scandale d'une armée réfractaire au fait français, clame-t-il. L'école militaire de Kingston, qui deviendra maintenant officiellement bilingue, était l'un des bastions de cette attitude hostile. Nous sommes maintenant à la case départ et les francophones dans l'armée devront vivre comme les anglophones[3]. » La saga du collège militaire dure un an et Daniel Johnson n'a pas de doute sur son impact : « Était-ce de la grosse négligence (de la part du fédéral) ou est-ce que ça faisait partie d'un grand plan d'ensemble ? On peut le décrire comme on veut, ça ne nous a pas aidés ! »

Dans un ouvrage, publié un an après sa défaite comme premier ministre de l'Ontario, Bob Rae soutient que Jean Chrétien était ambivalent à propos de la réélection de Daniel Johnson. « J'ai eu une longue rencontre avec Jean Chrétien, à l'été 1994, écrit-il. Il était soucieux à propos du Québec, mais était curieusement ambivalent au sujet de la réélection de Johnson. D'un certain point de vue, (me dit-il), il serait préférable d'affronter, maintenant, un Parizeau impopulaire plutôt que le populaire Bouchard, plus tard. Nous pouvons battre Parizeau dans un référendum. Mais, évidemment, je veux que Johnson gagne[4] ! » Quand il revient aujourd'hui sur ce passage de son livre, Rae s'en amuse quelque peu en tentant de l'expliquer : « Si je l'ai écrit, ce doit être ce qu'il a dit, commente-t-il en riant. Il y a, chez M. Chrétien, un côté bagarreur : s'il doit y avoir une bataille, battons-nous ! Je suis certain qu'il croyait fermement pouvoir battre Parizeau alors que Bouchard était plus habile, plus ambigu, plus capable de faire appel aux Québécois ordinaires. En ce sens, il valait mieux affronter Parizeau que Bouchard[5]. » Daniel Johnson ne l'affirme pas de façon aussi catégorique, mais il s'interroge sur l'hypothèse évoquée par Bob Rae : « Cela ne me surprendrait pas, dans le sens où le gouvernement fédéral, à ce moment-là, voulait peut-être en découdre avec les souverainistes, souhaiter le combat, souhaiter le référendum, puis classer ça une fois pour toutes. » Il rappelle une ou deux rencontres avec Chrétien, où il avait fait connaître son mécontentement à la suite du budget fédéral : « Cela nous mettait clairement dans l'embarras ; certaines décisions n'étaient pas les bonnes décisions. Et ça n'a rien changé ! On demandait au Parti libéral du Canada, au gouvernement fédéral, de ne pas nous nuire, de ne pas faire des gestes nuisibles à la cause fédéraliste. On le demandait, mais ils ne l'ont pas fait. »

Pour Jacques Parizeau, la formation du Conseil des ministres, qui n'en comprendra que dix-neuf, devient une opération délicate. Le poste clé à combler est celui de ministre des Finances. Les finances publiques du Québec sont mauvaises et le gouvernement fédéral a déjà fait savoir qu'il y aura des compressions sévères dans les transferts aux provinces. « Personne ne connaît les milieux financiers comme Jean Campeau, dit aujourd'hui Jacques Parizeau. Personne n'a son expérience des emprunts internationaux. Pour une province qui veut devenir un pays indépendant, c'est l'homme indispensable, absolument incontournable. » Campeau a servi sous Parizeau en qualité de sous-ministre ; il a été directeur des emprunts et a présidé aux destinées de la Caisse de dépôt et placement, ce qui lui a permis de se créer un réseau considérable de contacts dans le monde. Parizeau ne connaît pas encore le déficit du Québec au moment où il forme son Conseil des ministres, mais il sait qu'il sera élevé ; alors, il va chercher « le meilleur emprunteur qu'on ait eu au Québec ».

La mise en place d'un premier maillon n'a pas fait en sorte que la chaîne se soit ensuite fabriquée tout naturellement. Le choix de Campeau aux Finances a profondément déçu Bernard Landry, qui convoitait par-dessus tout ce ministère. Après avoir refusé l'Éducation, il devra se satisfaire des Affaires internationales, de l'Immigration et des Communautés culturelles avec, comme prix de consolation, le poste de vice-premier ministre.

Un autre problème pose une difficulté au nouveau premier ministre, et il est également d'ordre financier : toutes les conventions collectives des employés de l'État viennent à échéance en 1995 et il est absolument nécessaire que leur renouvellement, pendant une année référendaire, se fasse sans trop de dommages tant pour le public que pour les fonctionnaires. « Mme Marois va être au Conseil du trésor spécifiquement pour arranger ça, dit Parizeau. Et elle va faire des négociations superbes, qui ne vont pas coûter très cher et qui vont être solidement établies pour trois ans, sans un jour de grève. » Il confie, plutôt qu'à Richard Le Hir qui le convoitait, le ministère de l'Industrie et du Commerce à l'un de ses anciens bras droits dans la circonscription électorale de Crémazie et nouveau député de Prévost, Daniel Paillé, ce qui fera dire à Landry que « Parizeau, premier ministre, se nomme ministre des Finances, président du Conseil du trésor et ministre de l'Industrie et du Commerce. Il a voulu avoir ses gens, être le seul décideur économique pour tout contrôler[6] ».

Délicate, la formation du Conseil des ministres est également déchirante pour Parizeau. Il veut le rajeunir, mais, pour ce faire, il doit sacrifier des ouvriers de la première heure, et non des moindres. « Mon plus jeune ministre, Daniel Paillé, avait 44 ans. Je m'en allais vers le plus vieux cabinet que le Québec ait connu et ça commençait à se savoir, dit-il. Les deux psychiatres, (Denis) Lazure et (Camille) Laurin, avaient passé les 70 ans. Ça commençait à être lourd à porter. Peut-être que j'ai eu tort. Je lui ai fait de la peine (à Camille Laurin). Cela a été effrayant d'avoir fait ça. C'était un ami, un complice... » Après quelques heures de résistance, Laurin acceptera de n'être que le délégué régional de Montréal, et Lazure, d'être un simple député.

De ces délégués régionaux, Parizeau en désigne quatorze, un par région administrative du Québec. Leur rôle consiste à représenter leur région à un conseil des délégués régionaux, que préside le premier ministre lui-même. Si, dans certains cas, une nomination peut paraître un prix de consolation, la plupart des délégués acceptent avec intérêt ce rôle qui, dans l'esprit de Parizeau, est important : permettre au gouvernement de mieux comprendre la dynamique et les problèmes des régions et, parce que bien ancrés dans leur territoire respectif, « agir, d'abord et avant tout, comme pivots pour la campagne référendaire qui s'annonce ».

Le 26 septembre, Parizeau dévoile son Conseil des ministres, « un cabinet qui a le goût du pays » ; il confie à chacun de ses ministres des mandats, des objectifs précis de gouvernance. Il énonce du même coup les principes qui fondent cette gouvernance : bouger, gouverner avec les instruments qu'on a sous la main, « en attendant de les avoir tous », et, par le biais des délégués régionaux, établir clairement la diversité des besoins et des projets des différentes régions du Québec. Il a déjà un œil sur le référendum, qui ne saurait tarder, et sur les nouveaux appuis dont il a besoin pour le gagner : « La souveraineté, comme la liberté, dit-il à cette occasion, ne peut être prisonnière d'un seul parti ou d'une seule conception. Elle va essaimer à l'extérieur des frontières partisanes. »

Pour ce faire, il s'adjoint un journaliste, Jean-François Lisée, qui a pratiqué son métier, entre autres endroits, à Washington et à Paris et qui a vécu de près la campagne référendaire sur l'Accord de Charlottetown. « Dans le bureau (de Parizeau), je lui ai dit : "Attendez-vous à ce que je vous dise tous les jours qu'il faut élargir la coalition, que vous ne pouvez pas gagner seul", se souvient Jean-François Lisée. Et là, M. Parizeau m'a regardé, puis il m'a dit : "M. Lisée, vous allez vous rendre compte que je n'ai pas l'habitude de m'entourer de nouilles !" » Et, de fait, son entourage est solide.

Son chef de cabinet, Jean Royer, connaît Parizeau depuis longtemps et est en quelque sorte le prolongement de l'autorité du premier ministre : « On se comprend, dit Parizeau. C'est le seul qui sait exactement ce que je veux, où je m'en vais, ce que je cherche à faire. Je tiens pour acquis qu'il sait tout ce qui se passe dans mon bureau. Le chef de cabinet, c'est une sorte de conseiller du possible. » « Connaissant M. Parizeau depuis de nombreuses années, confirme Royer, je n'avais pas à aller chercher mes instructions toutes les quinze minutes. Je pouvais faire avancer les choses. Conseiller du possible ? Je lui rappelais ce que le cardinal de Richelieu disait à Louis XIII : Ce qui est possible a été fait, ce qui est impossible se fera ! » Lisée et Royer s'entendent à merveille. « Jean-François, c'est une force inimaginable pour trouver des idées et la plupart sont bonnes », dit Royer. Lisée, de son côté, reconnaît que ses idées reçoivent davantage l'attention du chef lorsque Royer les endosse : « L'appui de Jean Royer sur plusieurs de mes stratégies était fondamental, dit-il, parce que M. Parizeau avait une énorme confiance en lui, en Michel Carpentier. […] Souvent, on se concertait, il voyait qu'on était d'accord ensemble et ça donnait beaucoup plus de poids. » Michel Carpentier était l'homme de la stratégie et de la logistique. Il prendra de plus en plus d'importance dans l'entourage de Parizeau, au fur et à mesure que le référendum approchera, jusqu'à devenir l'adjoint du secrétaire général du conseil de direction.

Plus que la plupart des ministres, ces « hommes du premier ministre » vont jouer un rôle capital dans la préparation du référendum d'octobre aux côtés de Louis Bernard, le sous-ministre de Parizeau. Bernard est un homme de longue expérience : sauf une ou deux brèves interruptions, il fait partie, à divers titres, de l'appareil gouvernemental depuis les années 1960. Il a été l'assistant de l'avocat Yves Pratte, conseiller juridique de Jean Lesage ; il a été le chef de cabinet de Camille Laurin, à l'époque où celui-ci était leader de l'opposition, face à Robert Bourassa ; il a occupé les fonctions de secrétaire général du conseil de direction de 1976 à 1985, pendant la durée du premier règne du Parti québécois. Lorsque Parizeau le sollicite pour occuper les mêmes fonctions, il se fait tirer l'oreille : il se sent bien dans le secteur privé. Il accepte cependant, selon les propos de Parizeau, « de lui donner un an de sa vie ».

Un autre personnage, plus effacé, sans fonctions vraiment précises dans le cabinet de Parizeau, mais d'une grande efficacité, va l'accompagner de très près pendant toute cette période. Parizeau l'a rencontré pour la première fois dans des circonstances particulières, la nuit du 17 au 18 octobre 1970 : « Le soir de la mort de Pierre Laporte, aime-t-il à rappeler, René Lévesque convoque, à 2 heures du matin, à la permanence du parti, rue Christophe-Colomb, une réunion d'un certain nombre de gens. Dont moi. Je me présente. Il y a un jeune homme qui fait les cent pas devant la permanence. Il m'arrête et me dit : "Bonsoir, M. Parizeau." Je lui dis : "Bonsoir. Je peux entrer ? M. Lévesque m'a demandé d'être là." (Il me répond :) "Je n'ai pas votre nom sur la liste, vous ne rentrez pas." "Ah ! Je dis : comment ça, je n'entrerai pas ?" Il me dit : "Écoutez, je suis peut-être pas mal plus jeune que vous, mais je suis pas mal plus fort aussi. Si vous voulez vous battre, on va se battre, mais vous n'entrerez pas." (Je lui dis :) "Allez voir M. Lévesque pour lui demander s'il n'y aurait pas une erreur." Il dit : "D'accord, mais reculez." Alors, je recule. Il revient et dit : "Oui, c'est une erreur. Vous pouvez entrer." J'ai dit : "C'est quoi, votre nom?" (Il répond :) "Serge Guérin." (Je lui dis :) "Bon, à compter de demain matin, vous travaillez pour moi!" » Serge Guérin, à 18 ans, attiré par la politique, venait d'abandonner le cégep, mais il ira par la suite chercher un baccalauréat, puis une maîtrise en administration. Il sera, de tous ses collaborateurs, celui qui, sur le plan personnel, mis à part Lisette Lapointe, sera le plus près, l'ami et le confident du premier ministre[7].

Dans l'entourage de Parizeau, il y a cependant une personne dont la nomination a suscité passablement d'interrogations et de commentaires : il s'agit de sa femme, Lisette Lapointe[8]. Mère de deux enfants, Lisette Lapointe est une femme active, ancienne enseignante, qui a rempli diverses fonctions dans le parti depuis les élections de 1976. « Dans d'autres pays, cela pouvait se faire, pour un premier ministre, de donner à sa femme un certain nombre de dossiers très précis, dit Parizeau. Mais ici, cela ne s'était jamais fait; donc, c'était impossible à faire. On le comprenait à l'égard d'Hillary Clinton (qui s'est occupée du dossier de l'assurance-maladie aux États-Unis, pendant que son mari occupait la présidence); alors moi, j'ai fait ça avec la mienne. » Lisette Lapointe a beaucoup d'influence sur son mari. Elle devient sa conseillère. Son bureau est situé dans les anciens appartements de Robert Bourassa, juste à côté de celui du premier ministre, qui lui confie des mandats politiques. Elle participe à toutes les réunions de l'entourage de Parizeau. « Elle était après tout une employée du cabinet, dit-il. Il n'y avait pas de raisons pour qu'elle ne siège pas à toute une série de comités de stratégie à l'intérieur du cabinet. »

La présence de Lisette Lapointe à ses côtés ne manque cependant pas de provoquer un certain « chahut », selon l'expression même de l'ancien premier ministre. Son intégration à l'équipe Parizeau est passablement difficile et ses relations avec certains ministres, pas toujours agréables, tant s'en faut. « Dans des réunions, dit-elle, on dit parfois des choses qui ne sont pas tout à fait très gentilles pour le patron. Mais, si sa femme est là, on a peut-être peur que, le soir, il y ait des petites choses qui glissent. Cela prend un certain temps avant que la confiance s'établisse. » Ce que ne nie pas Parizeau : « Comme c'est ma femme, je n'allais pas nier que, le soir, quand on mangeait ensemble, on discutait certainement de ces dossiers. Elle m'a donné des conseils que j'appréciais beaucoup. Je n'allais tout de même pas, pour satisfaire ceux qui étaient jaloux, divorcer de ma femme sous prétexte que je devenais premier ministre. » Pour faire taire la critique, Lisette Lapointe ne touche aucune rémunération. Parizeau divise son propre salaire en deux : « Chaque quinzaine, je recevais mon chèque ; j'en gardais un, puis, le suivant, je l'endossais au nom de ma femme », dit-il.

Le rôle de Lisette Lapointe est double : en tant que femme du premier ministre, elle est appelée à le représenter à l'occasion et, en tant que conseillère, elle pilote des dossiers, regroupés sous l'étiquette d'« action communautaire », qui tentent de répondre à la volonté de Parizeau d'alléger le système bureaucratique, de l'humaniser et, de façon générale, d'apporter une certaine assistance aux organismes qui s'appuient sur le bénévolat. Le plus important de ces dossiers est sans contredit le Réseau des Carrefours jeunesse-emploi, programme en vertu duquel le gouvernement accorde son aide financière à un projet lorsque le milieu local des affaires, la municipalité, la commission scolaire, la caisse populaire, la paroisse, ont contribué à sa mise sur pied[9].

Lorsqu'il prend le pouvoir, Jacques Parizeau estime que Québec n'est pas une véritable capitale. Aussi, pendant la campagne électorale de 1994, il discute avec le maire Jean-Paul L'Allier et des gens d'affaires de la ville de Québec de la possibilité de créer une commission de la capitale nationale. Le samedi matin, ils vont visiter des quartiers en vue d'établir quelle pourrait être la contribution, financière ou autre, du gouvernement à certains projets majeurs de rénovation, le jour où le PQ prendrait le pouvoir. Il est important, dans l'esprit de Parizeau, que les rencontres officielles se fassent à Québec et que les grandes décisions se prennent dans la capitale. Il est donc essentiel que le premier ministre y habite. D'où l'idée, qui se concrétisera après l'élection, dès novembre 1994, d'une résidence[10] officielle, devenue, dans le discours populaire, « L'Élysette » ; Lisette Lapointe en est l'hôtesse. « Vous savez, dit-elle aujourd'hui, cela n'avait rien d'un Élysée, même petit : il y avait une ruelle en arrière avec des cordes à linge !

Mais c'était une résidence très bien, très belle… » La maison, offerte au premier ministre par la Chambre de commerce de Québec, ne coûte donc rien aux contribuables puisque Parizeau en paie le loyer. Il y a réception tous les jeudis soirs. Pendant le court laps de temps où Parizeau a été premier ministre, quelque 5 000 personnes, selon l'estimation de Lisette Lapointe, ont été reçues à la résidence officielle : « C'était la première fois, pour bien des citoyens, qu'ils pouvaient côtoyer pendant deux heures leur premier ministre », dit-elle.

Son Conseil des ministres et son Cabinet bien en place, Parizeau va ensuite s'assurer que ce seront des souverainistes qui prendront la direction des grandes sociétés d'État, surtout de la Caisse de dépôt et placement. Créée en 1965 pour gérer les fonds qui proviennent des caisses de retraite, des régimes d'assurance et des organismes publics québécois, elle a, au 31 décembre 1994, un actif total de 45,9 milliards de dollars. « La mission de la Caisse, dit Jean Campeau, c'est la rentabilité, faire de l'argent pour les citoyens et citoyennes du Québec et supporter l'économie du Québec. Alors, le président de la Caisse, dans un temps comme (celui de) la souveraineté, aurait fait attention au portefeuille des obligations du Québec, à ses portefeuilles d'obligations et d'actions. Alors, est-ce que cela aidait d'avoir un souverainiste à la présidence ? Peut-être, mais d'abord, il fallait que l'individu soit compétent. » La Caisse a un portefeuille d'obligations de 24 milliards de dollars et détient 14 milliards d'actions dans des entreprises canadiennes et québécoises. Elle est le plus important actionnaire au Canada. Le gouvernement modifie la loi de la Caisse de façon à ce qu'une seule personne occupe la présidence du conseil et la direction générale et, le 1er avril 1995, Jean-Claude Scraire, que Campeau a recruté à la Caisse quatorze ans plus tôt, en devient le président-directeur général.

Pour Hydro-Québec, Jacques Parizeau voit grand. Outre l'énergie, il entend lui faire jouer un rôle important dans l'univers de la câblodistribution et de la téléphonie. « Hydro-Québec, c'est le vaisseau amiral des sociétés d'État, dit-il. Ses rapports financiers sont presque aussi importants que ceux du gouvernement du Québec. Il vaut mieux avoir, de ce côté-là, quelqu'un qui, sur le plan de l'orientation fondamentale, ait les mêmes vues. » Fin mars 1995, dix des dix-sept postes au conseil d'administration d'Hydro-Québec sont pourvus, la plupart par des gens proches du Parti québécois, et Yvon Martineau, le conseiller juridique de Parizeau, en assume la présidence. Un mois et demi plus tard, Richard Drouin, nommé par l'ancien gouvernement, abandonne ses fonctions de président-directeur général.

Au fur et à mesure que des postes se libéreront dans d'autres organismes d'État, Parizeau va s'assurer que l'on y nomme des responsables dont la vision des choses est arrimée à celle du gouvernement. C'est le cas notamment de la police qui aura, advenant l'indépendance du Québec, à absorber plusieurs agents de la Gendarmerie royale et à créer de nouvelles divisions d'enquête et de contrôle des frontières.

À ce moment-là, le premier ministre songe déjà à la création d'une armée. « Québec ne va pas être absolument sans armée, dit-il. Même si on la limite au minimum, même si cette armée sert à assurer des missions de paix, même s'il ne s'agit que d'avoir un certain nombre de gens qui ne se mettent pas en grève quand tout le monde l'est, il faut un minimum. » Il est évident, pour Parizeau, qu'une partie de son équipement existe déjà dans les forces armées canadiennes, mais qu'il faudra l'adapter. « Notre part des douze frégates canadiennes, c'est trois, dit-il. Qu'est-ce que vous voulez qu'on fasse avec trois frégates ? Puis, vous voyez le genre d'installations portuaires qu'il faudrait installer pour trois frégates ? Il vaut mieux les vendre et acheter des petites vedettes suédoises. On a besoin d'une garde côtière, nous, c'est tout ! » Mais Parizeau veut garder l'aéroport de Bagotville fonctionnel : « Les Américains ne nous permettront jamais de laisser un grand morceau géographique comme le Québec non patrouillé. Si on ne le patrouille pas nous-mêmes, ils vont le patrouiller pour nous, c'est clair ! » Dans l'esprit du premier ministre, il ne fait aucun doute que, dans le partage des actifs avec le gouvernement canadien, un certain nombre d'avions doit demeurer au Québec. « C'est une opération comptable, d'abord et avant tout », dit-il.

Parizeau n'a pas tort à propos de l'intérêt des Américains : ils suivent de très près ce qui se passe au Québec. Dès le lendemain de l'élection, le consul américain à Québec, Marie T. Huhtala, fait rapport au

Secrétariat d'État à Washington, à l'ambassade à Ottawa et aux autres consuls américains au Canada : « Le Parti québécois formera le prochain gouvernement du Québec, mais sa majorité est moins impressionnante que prévue, peut-on lire dans ce rapport. [...] Quatre dixièmes pour cent sépare les deux principaux partis, alors que le PQ a balayé la plupart des circonscriptions électorales à l'est de Montréal. [...] Le Parti Égalité a présenté 17 candidats, n'a gagné aucune circonscription et va probablement disparaître. [...] Dans son discours de la victoire, Jacques Parizeau a commencé sur le ton de la conciliation, mais il est vite passé à la bataille qui s'annonce. Utilisant à nouveau sa métaphore empruntée au hockey, il a dit aux électeurs que la deuxième période était terminée et que le temps était venu de passer à la troisième, le référendum[11]. » À compter de ce jour, l'intérêt du gouvernement américain pour les événements qui se déroulent au Québec ira grandissant, vers un appui de plus en plus prononcé aux forces du NON. Selon Parizeau, Marie T. Huhtala entretenait certains préjugés au sujet des souverainistes. « Un jour, aime-t-il rappeler, un journaliste lui demande : Est-ce vrai qu'advenant la souveraineté du Québec, les *Marines* vont débarquer ? Et elle répond : Oui, il est évident que j'aurai besoin de deux *Marines* pour garder la porte de la nouvelle ambassade des États-Unis à Québec. »

À Ottawa, l'élection d'un gouvernement souverainiste n'a pas été perçue par le cabinet fédéral comme une simple élection provinciale. « Nous étions conscients, étant donné ses rancunes, que M. Parizeau allait infliger au pays un autre tordage de boyaux, dit Brian Tobin. Nous étions conscients de la probabilité d'une campagne référendaire. Beaucoup a été fait. Vous avez vu beaucoup plus de drapeaux, plus de publicité autour des programmes fédéraux, des dépenses fédérales, le programme des commandites, etc. Tout tendait à accroître la présence du gouvernement fédéral dans la province de Québec[12]. » Le Conseil pour l'unité canadienne, déjà actif dans un certain nombre de programmes destinés à aider l'unité canadienne, accélère la cadence avec son programme Option Canada[13]. Aux côtés d'autres organismes voués aux mêmes objectifs, tels Conseil Québec, la Coalition des partenaires, Impact 95, le Conseil devient une sorte de carrefour rassembleur de militants animés par la volonté de faire échec au projet de Jacques Parizeau. Il réunit autour d'une même table des représentants de tous les milieux qui militent en faveur du fédéralisme, des gens d'affaires, d'anciens politiciens et des membres de partis politiques. Le chef du Parti progressiste-conservateur, Jean Charest, demande au sénateur Pierre-Claude Nolin de le représenter personnellement à ce Conseil : « Dès la fin de l'automne 1994, se souvient Nolin, M. Parizeau a publiquement parlé des fameuses tournées régionales. C'est à ce moment-là que le Conseil pour l'unité canadienne a convoqué sa première réunion sur le référendum. On a commencé à travailler ensemble. L'objectif était de faire le suivi de ces réunions régionales qui étaient, en pratique, des réunions mises en scène par les forces indépendantistes. » Le Conseil pour l'unité canadienne va être très présent pendant toute la campagne préréférendaire, jusqu'à l'émission des brefs le 1er octobre. Ne faisant pas partie du comité du NON, il se fera fort discret pendant la campagne proprement référendaire.

Le Parti réformiste n'a pas voulu être en reste et a demandé de faire partie du Conseil pour l'unité canadienne. « On lui a fait comprendre que c'était une affaire de Québécois, dit Nolin, et que, s'il avait à cœur la réussite de notre objectif, ce serait mieux pour tout le monde qu'il ne s'en mêle pas. » Le gouvernement fédéral dépensera 35 millions de dollars dans les mois qui précéderont le référendum, multipliant les panneaux publicitaires et les messages dans les médias. Un mois avant le référendum, le directeur général des élections du Québec, Pierre F. Côté, avouera son impuissance à faire respecter la Loi québécoise sur les consultations populaires, puisque les gouvernements n'y sont pas assujettis[14].

Il n'y a plus de doute qu'il y aura un référendum, mais quand ? L'appui à la souveraineté chute dramatiquement vers la barre des 40 %. À une réunion du Conseil des ministres, dès le 26 octobre, certains membres manifestent leur crainte qu'une consultation précipitée ne débouche sur un échec. L'incertitude est telle, dans le gouvernement et dans l'entourage de Parizeau, que l'on décide alors de lancer un appel à la mobilisation des troupes péquistes, et surtout, à la relance de la grande coalition qui avait permis de faire échec à l'Accord de Charlottetown, lors du référendum de 1992.

La première occasion en est fournie lors de la tenue d'un conseil national du Parti québécois, le 5 novembre. Selon Jean-François Lisée, Parizeau comprend l'importance de recréer la coalition, mais, au fond de lui-même, il a toujours des réticences. Son entourage lui a préparé un discours pour la réunion du conseil national; une phrase dit, en substance, qu'il y a d'anciens fédéralistes dans la salle, dont Jacques Parizeau le premier, et que le dernier entré doit laisser la porte ouverte à tous ceux qui veulent venir. Lisée rappelle aujourd'hui le doute qui assaille alors Parizeau : « Tout le monde est d'accord sauf qu'à la dernière minute, M. Parizeau a une hésitation : "Finalement, je vais y aller *ad lib.*", (dit-il). Je vois Jean Royer, Marie-Josée Gagnon, Éric Bédard, catastrophés. Ils réussissent, surtout Royer, à convaincre le premier ministre d'y aller avec le texte tel que prévu. » Dans son discours aux 350 délégués réunis, Parizeau s'en prend d'abord au pessimisme des militants devant le succès d'un référendum, puis il ajoute : « Le pessimisme n'est pas notre seul ennemi. Nous en avons d'autres : le radicalisme, l'esprit de chapelle, la partisanerie. Beaucoup de gens pensent que franchir le seuil de la souveraineté, c'est entrer dans une chapelle avec des dogmes et des rites. C'est le contraire. Ouvrir cette porte, c'est se retrouver devant plusieurs avenirs possibles[15]. » Lisée se rappelle que le discours est très bien reçu au conseil national : « Il a été applaudi à tout rompre. M. Parizeau sort, de ce premier test de l'idée d'élargissement, rassuré de sa capacité d'avoir son parti derrière lui. » Le premier ministre semble alors avoir épousé le principe de la « porte ouverte ». Trois semaines plus tard, dans le discours inaugural de la session parlementaire, il tend la main au chef de l'opposition : « J'ai bien peu d'espoir de le convaincre, lui personnellement, de venir faire la souveraineté avec moi. Mais, à travers lui, je tends la main à chaque Québécois fédéraliste ou indécis », propose-t-il. Daniel Johnson refuse évidemment la main tendue.

À ceux qui lui reprochent d'accorder trop d'importance à son projet d'indépendance et pas suffisamment à l'administration de la province, Parizeau répond : « Nous avons développé l'habitude de mâcher de la gomme et de marcher en même temps. » Et il entend le démontrer en prenant des dispositions pour, comme il le disait, « faire bouger les choses ». Il entend d'abord et avant tout assainir les finances publiques et réduire le déficit, qu'il évalue à « quelque chose comme six milliards » de dollars, lorsqu'il arrive au pouvoir. « Dès l'assermentation des ministres, évoque Jean Campeau, il nous avait donné, à la présidente du Conseil du trésor, Pauline Marois, et à moimême comme ministre des Finances, la mission de réduire le déficit à zéro, de mettre de l'ordre dans les dépenses et les revenus. » Parizeau tient à mettre son gouvernement à l'abri de toute accusation de mauvaise gestion : « Un déficit de six milliards, c'est extrêmement dangereux, dit-il. Si on veut faire le référendum, on se trouve constamment menacés par des cotes de crédit, des crisettes sur les marchés financiers, six milliards, c'est trop. » Pour ce faire, le gouvernement va bloquer les dépenses en appliquant une technique nouvelle dans l'administration des budgets ministériels. Chaque sous-ministre recevra une enveloppe fermée qui maintient les dépenses au même niveau que l'année précédente. Au sous-ministre ensuite de gérer cette enveloppe comme il ou elle l'entend, en accord avec son ministre. « Le déficit est tombé de six milliards à quatre, l'année du référendum », dit Parizeau, non sans une certaine fierté, à la fois d'avoir réduit le déficit et d'avoir redonné aux sous-ministres, qui sont des gestionnaires, le sens de l'initiative et "le goût des choses". »

Calmer l'ensemble du monde de la haute finance, voilà l'objectif de Parizeau. Avant les élections, à mesure que les sondages laissent entrevoir une victoire du PQ, les investisseurs modifient graduellement leur portefeuille. Les étrangers vendent des titres canadiens plus que d'habitude et les achats d'obligations augmentent sur des valeurs en dollars américains. Certains analystes attribuent ces manœuvres à la baisse des taux d'intérêt à court terme au Canada, mais d'autres y décèlent une certaine nervosité du marché. En fait, les investisseurs sont partagés sur l'attitude à adopter. Quelques jours avant l'élection, Bernard Landry a rencontré des analystes de l'importante société de bourse Solomon Brothers pour les rassurer sur la politique économique du Parti québécois. L'analyste de la société, Peter Plaut, jugea alors cette politique « financièrement conservatrice ». La victoire peu convaincante du Parti québécois fera le reste. Solomon Brothers prédit que le rendement des obligations canadiennes et québécoises sera supérieur à celui des obligations américaines[16]. Les investisseurs gèrent mieux leurs appréhensions et l'optimisme se manifeste de nouveau sur les marchés financiers. Le lendemain de l'élection, le dollar canadien grimpe de 1,05 cent à 74,15 cents américains, et les banques, de leur côté, abaissent leur taux préférentiel.

L'euphorie est cependant de courte durée : les taux reprennent leur mouvement à la hausse dès le mois de décembre et le dollar, à la suite d'une série de plongeons successifs et malgré les interventions de la Banque du Canada sur le marché des changes, touche, à 72,35 cents américains, son plus bas niveau depuis la mi-août et ferme l'année 1994 à un plancher de 71,05 cents américains jamais atteint depuis huit ans. Les analystes ne s'entendent pas sur l'interprétation à donner à ces fluctuations. « Rien à voir avec la démarche souverainiste de Jacques Parizeau[17] », dit l'économiste Benoît Durocher de la Banque Royale. « La situation politique du Québec est rendue à l'avant-scène et cela s'ajoute au fait que les taux d'intérêt montent aux États-Unis[18] », réplique le chef cambiste de la Banque Toronto-Dominion, Marc Desmeules.

Quoi qu'il en soit, le 15 novembre, Jacques Parizeau entreprend sa campagne de séduction. Devant les membres de la Chambre de commerce du Montréal métropolitain, dont son arrière-grand-père, Damase, fut l'un des fondateurs, il annonce qu'il est déjà en campagne référendaire et que le moment est venu de cesser de faire du surplace. Les applaudissements sont polis, mais nourris. Une semaine plus tard, c'est à Toronto qu'il transporte son message, devant les invités du Canadian Club, un message retransmis à l'ensemble du Canada anglophone par le réseau de télévision Newsworld.

Avant de se rendre au Club, il rencontre le premier ministre de l'Ontario. L'entourage de Bob Rae prétend que « c'est M. Parizeau qui s'est invité, pas nous ». La rencontre dure quarante-cinq minutes. « Ce fut une rencontre brutale, se souvient Bob Rae. Avant la rencontre, j'étais allé chercher l'avis de M. Chrétien et de M. Trudeau. Je les ai informés de ce que je me proposais de lui dire et les deux m'ont répondu que c'était bien. La rencontre a été très inamicale. Il n'y avait plus de protocole[19]. » Rae rappelle que lorsqu'il rencontrait Johnson, Bourassa, Chrétien ou Trudeau, ils utilisaient les deux langues indifféremment. Cette fois-ci, ce fut différent. « J'ai commencé à parler en français, dit Rae. Il m'a interrompu. Il a dit, de la façon dont lui seul pouvait le dire : "Mon cher garçon, nous serons plus à l'aise si nous parlons tous les deux en anglais." Et ceci avec un accent très anglais-anglais. J'ai été renversé. Ce ne fut pas une rencontre fructueuse. » Rae enjoint à Parizeau de tenir son référendum le plus tôt possible. « Je lui ai dit qu'il pouvait le tenir, mais que le gouvernement de l'Ontario ne se sentirait pas lié par un référendum tenu au Québec. Il a simplement répondu : "Je tiendrai le référendum quand le gouvernement du Québec le jugera opportun et avec une question qu'il jugera appropriée". » « Vous savez comment c'est, dit encore Rae. Habituellement, après ces rencontres en tête-à-tête, vous sortez tous les deux devant les caméras, les drapeaux derrière vous, genre spectacle à la *Mutt and Jeff*. L'un dit quelque chose ; l'autre rit, sourit, lui donne une tape dans le dos, et tout le monde se retire. Parizeau a dit : "Allons rencontrer les médias." J'ai répondu : "Je ne participerai d'aucune manière à votre spectacle, à votre jeu." Il était déconcerté[20]. »

Le premier ministre de l'Ontario refuse d'accompagner son homologue du Québec au Canadian Club. Ce qui n'empêche pas Parizeau d'y lancer à ses auditeurs un appel au respect mutuel, quoi qu'il arrive : « Si des politiciens de l'Ontario, si Messieurs Preston Manning, Rae ou Harris veulent venir faire valoir la cause de l'unité canadienne au Québec, nous serons amicaux et polis[21] », dit-il. Mais tel n'est pas l'essentiel de son propos. Il présente un tableau de la société québécoise dans sa tradition de tolérance et d'ouverture envers ses minorités, notamment anglophone ou autochtone. Il fait valoir la volonté du gouvernement québécois de garder le dollar canadien, « dont les Québécois en possèdent 110 milliards », et d'assumer sa part de la dette canadienne, dont « nous, Québécois, partageons la responsabilité ».

Deux mois plus tard, Parizeau est à Paris. Il en a l'habitude. Immédiatement après son élection à la tête du Parti québécois, il s'était rendu rencontrer Michel Rocard, alors premier ministre de France. Il lui a alors prédit deux choses : l'Accord du lac Meech ne passerait pas et le PQ ne prendrait pas plus de 40 % des votes aux prochaines élections provinciales, celles de septembre 1989. Ce qui se produisit. Or, selon Parizeau, les Français, depuis l'échec référendaire de 1980, ne prenaient plus tellement les souverainistes au sérieux. Ses prédictions s'étant avérées, ils ont commencé à le considérer, lui, comme quelqu'un de crédible. Parizeau est retourné en France chaque année par la suite et, chaque fois, il a été reçu par le président Mitterrand, grand ami de Trudeau et adversaire du séparatisme sous toutes ses formes, mais qui voyait en lui une sorte de police d'assurance au cas où le Québec deviendrait indépendant. Parizeau est donc fort bien accueilli à Paris lorsqu'il y revient en qualité de premier ministre du Québec, du 25 au 27 janvier 1995. Outre des personnalités politiques, il rencontre les patrons français. Il les rassure, notamment le président du patronat, Jean Gandois, dont l'entreprise a investi un milliard de dollars dans l'aluminerie de Bécancour. Un Québec indépendant, dit-il en substance aux chefs d'entreprise, ne coupera pas les liens avec le Canada ou avec le reste de l'Amérique du Nord. Il ajoute que l'ensemble des Québécois favorise les ententes commerciales internationales. C'est ce que ses auditeurs français voulaient entendre.

Plus que l'élection d'un parti souverainiste à Québec, c'est le déficit fédéral qui rend les investisseurs nerveux. La dette du gouvernement fédéral est alors de 550 milliards de dollars. Le gouverneur de la Banque du Canada, Gordon Thiessen, ne peut être plus clair : « Si le Canada n'avait pas une si grosse dette, dit-il, le fait qu'il y ait de l'incertitude au Québec serait préoccupant au plan social, mais ce ne serait pas inquiétant financièrement pour des investisseurs. Ce n'est qu'à cause des niveaux élevés de la dette et du déficit que l'incertitude politique ajoute une cause de préoccupation. C'est presque impossible de les distinguer[22]. » Comme pour confirmer les propos de Thiessen, le premier ministre Parizeau annonce, le 2 novembre 1994, que le Québec se dirige vers un déficit de 5,5 milliards de dollars, ce qui laisse entrevoir immédiatement une menace de décote du Québec et d'Hydro-Québec de la part des grandes agences de crédit. Leur cote est alors de A+, mais leur dette commune est de 106 milliards de dollars, l'une des plus importantes au pays en relation avec la taille de l'économie québécoise. Un mois plus tard, le ministre des Finances du Québec fait le point sur les finances publiques : le déficit s'élèvera à 5,7 milliards de dollars, en hausse de 1,3 milliard sur les prévisions budgétaires du gouvernement libéral précédent.

Campeau, qui aime comparer le Canada à un Titanic qu'il faut quitter au plus vite avant qu'il ne coule, accompagne Parizeau à New York, le 12 décembre, dans le but de rencontrer les maisons de courtage qui écoulent les obligations du Québec sur le marché américain et sur les marchés internationaux et de convaincre les agences d'évaluation de crédit qu'elles ne doivent pas abaisser la cote du Québec, étant donné que « les prévisions de l'ancien gouvernement étaient volontairement sous-estimées ». Le lendemain, la CBRS[23] met la cote du Québec sous surveillance et, deux jours plus tard, l'abaisse de A+ à A avec perspective négative. Par contre, une autre agence tout aussi importante, Standard and Poor's, annonce qu'elle ne modifiera pas la cote du Québec avant le prochain budget du ministre Campeau. Elle estime que le gouvernement est sérieux dans son intention de reprendre le contrôle des finances publiques et elle fait remarquer que « le projet souverainiste ne paraît pas diminuer la volonté du gouvernement péquiste de réduire son déficit[24] ».

Le milieu financier craint que le gouvernement fédéral n'opte pour une réduction trop timide de son déficit. Le 16 février 1995, Moody's, importante agence de notation de crédit, met la cote de crédit du Canada sous surveillance. Le dollar canadien chute à 70,80 cents américains et la Banque du Canada majore d'un demi-point son taux d'intérêt sur les prêts au jour le jour. Paul Martin est fort mécontent de l'évaluation de Moody's, mais deux semaines plus tard, dans son budget du 27 février, il promet une réduction du déficit et une diminution de 2,8 milliards de dollars des transferts fédéraux aux provinces, dont le Québec devra naturellement tenir compte.

Parizeau, qui n'a jamais caché que sa démarche politique était essentiellement économique, entend d'abord et avant tout démontrer que le Québec est viable. Son action repose sur trois moteurs économiques : les finances publiques, la monnaie canadienne et le libre-échange. Le commerce, qui s'est fait d'est en ouest depuis la création de la Confédération canadienne, devient progressivement nord-sud et va s'accentuer avec l'accord de libre-échange. Le Québec a maintenant plus de relations commerciales avec les États-Unis que le Brésil, l'Argentine et le Chili réunis. Parizeau sait fort bien que l'admission d'un Québec indépendant dans l'ALÉNA ne sera pas automatique, ne serait-ce qu'à cause du fait qu'un traité entre trois partenaires doit être modifié pour en admettre un quatrième[25]. Mais il a la conviction qu'à l'heure où s'amorce une réflexion sur la possibilité d'étendre le libre-échange aux trois Amériques, il est ridicule d'imaginer que le Québec en soit exclu. Il rappelle la conférence de décembre 1994, qui a réuni les chefs d'État de trente-quatre pays à Miami pour discuter de cette possibilité : « Les Américains ne peuvent pas imaginer un instant qu'on aurait une zone de libre-échange (ZLÉA) du pôle Nord à la Terre de Feu sans le Québec et Cuba, dit-il. Le commerce du Québec avec les États-Unis est trop gros pour qu'il puisse être exclu d'un projet comme celui-là. Ça ne tient pas debout, ni sur le plan juridique ni sur le plan politique. » Sa conviction s'appuie aussi sur des propos qu'il a entendus de la bouche de Peter Murphy, le haut fonctionnaire américain qui a négocié, pour les États-Unis, l'accord de libre-échange avec le Canada. C'était lors d'une visite à Washington, en novembre 1991. Parizeau prenait un repas dans un restaurant du State Department en compagnie d'un des sous-secrétaires d'État. Entre Peter Murphy. Des journalistes québécois, présents, se précipitent vers lui pour lui demander si le Québec, devenu indépendant, demeurerait dans la zone de libre-échange. « Puis Murphy les regarde et dit : "Pourquoi pas ?", se rappelle Parizeau. Ça s'est passé à trente pieds de moi ! Les journalistes étaient interloqués. Ils ont fait des titres énormes le lendemain… »

Parizeau sait fort bien que la sympathie de la communauté internationale lui faciliterait les choses. Il sait aussi qu'au nombre des dossiers qui pourraient lui nuire auprès d'elle, il y a celui des Autochtones. Une semaine après l'élection du 12 septembre, le grand chef des Cris, Matthew Coon Come[26], est à Washington pour rien de moins que demander aux États-Unis de protéger les Autochtones de la violence possible d'un Québec indépendant envers eux. Dans un discours au Centre d'études stratégiques et internationales, qui regroupe des intellectuels influents, notamment des fonctionnaires du State Department, il déclare : « Si les Cris veulent rester au Canada, nous aurons à faire face aux forces policières et à l'armée d'un État qui, lui-même, agira au mépris des lois canadiennes et du droit international[27]. » « Je savais que je frappais fort, admet aujourd'hui Matthew Coon Come. Je voulais provoquer une réaction du Canada et du Québec[28]. »

La réaction de Québec ne se fait pas attendre. Après son allocution, Coon Come prend l'avion pour Ottawa. L'appareil fait escale à Philadelphie et le leader autochtone demande à l'hôtesse de descendre pour faire un appel téléphonique. « Vous avez quinze minutes », lui répond-elle. « J'ai appelé Bill Managoose, qui était le directeur du Grand conseil des Cris, raconte Coon Come. Il m'a dit : "As-tu entendu ? Parizeau vient d'annoncer l'annulation du projet de Grande-Baleine !" Je demande à Bill ce que Parizeau a dit exactement. Il me répond quelque chose comme : "Il a annoncé qu'il le mettait sur la glace." Sur l'avion, entre Philadelphie et Ottawa, j'ai dû réfléchir… Nous voulions bloquer ce projet et voilà que le gouvernement en prenait la décision. Et je devais réagir à cela[29]… »

À sa descente d'avion, Coon Come loue le courage de Parizeau, mais, en même temps, il se méfie : « Mon père est un chasseur, il n'est jamais allé à l'école, il a toujours vécu de la terre. Il me disait : "Mon fils, quand tu vas à la chasse, sois assuré que tu connais les animaux, que tu les connais bien et que tu connais la terre. Si tu connais les accidents du terrain et le comportement des animaux, tu sauras comment les avoir." J'ai souvent pensé à ce qu'il me disait. Et je me suis rendu compte que je devais faire la même chose. Je devais penser comme si j'étais à la poursuite d'un animal et que ma survie en dépendait. Je devais tenter de penser comme l'animal. Et je me suis dit : À quoi Parizeau doit-il penser ? Il ne s'agit pas simplement pour lui de se dire : Nous en avons assez de ce Coon Come aux États-Unis. Il y a autre chose : peut-être nous tirer le tapis de sous les pieds parce que c'est le dossier qui nous donne le plus de visibilité[30]. »

Parizeau ne s'en cache pas : selon lui, les Cris empoisonnaient la vie du Québec dans le monde entier. Ottawa les finançait, ce qui leur permettait « la même fin de semaine » d'avoir des réunions « à Oslo, Paris et Rome ». Il abandonne donc le projet qui n'est d'ailleurs pas un projet du gouvernement mais d'Hydro-Québec. En 1994, la Société d'État fait face à un certain ralentissement de la consommation intérieure et ne vend pas beaucoup d'électricité aux Américains de sorte que Parizeau estime que le Québec n'a tout simplement pas besoin de Grande-Baleine[31]. Mais si, cette fois, il leur a littéralement coupé l'herbe sous le pied, il n'en a pas fini avec Matthew Coon Come et les Cris : il les retrouvera en travers de son projet en octobre 1995.

CHAPITRE III
Faire la souveraineté

M oins de trois mois après la formation de son gouvernement, le 6 décembre 1994, Jacques Parizeau révèle à l'Assemblée nationale du Québec son projet politique « pour résoudre de façon définitive le problème constitutionnel dans lequel se débat le Québec depuis plusieurs générations ». Il s'agit d'un avant-projet de loi qui propose que « le Québec devienne démocratiquement un pays souverain, capable de faire ses lois, de prélever ses impôts sur son territoire et d'agir sur le plan international […] ».

Le dépôt du document marque le premier pas dans le cheminement vers le référendum. « À partir de l'échec du lac Meech, explique Jean Royer, chef de cabinet de Parizeau, nous avions développé une thèse, un corridor qui faisait en sorte qu'à partir du libre-échange, à partir du moment où il y avait une certaine force de l'économie, à partir du moment où le reste du Canada avait dit vraiment non à une position minimaliste, nous arrivions avec un projet, qu'on voulait moderne, auquel l'ensemble des gens seraient associés. » Le recours à des commissions régionales de consultation de la population est l'astuce que les stratèges de Parizeau imaginent pour ne pas devoir faire adopter une déclaration solennelle sur la souveraineté par l'Assemblée nationale. L'aboutissement sera cependant le même, un référendum que Parizeau qualifie de « référendum d'exécution ». L'avant-projet de loi fait état d'une période de discussion avec le Canada « sur les mesures transitoires à prendre notamment sur le partage des biens et des dettes », mais, pour le premier ministre, c'est le référendum sur la souveraineté qui importe et il est ouvert aux compromis dans la mesure où la question fondamentale n'est pas altérée. Le processus menant à la souveraineté est clairement établi dans l'avant-projet de loi.

Des commissions seront d'abord formées. Composées de gens de différents milieux, elles se réuniront dans toutes les régions du Québec afin de recueillir le plus grand nombre de suggestions susceptibles d'améliorer cet avant-projet de loi. Cette période d'information et de participation de la population permettra de rédiger le préambule de la loi qui énoncera « les valeurs fondamentales et les objectifs principaux que veut se donner la nation québécoise », une fois acquise la souveraineté. À cette fin, le document laisse blanche une page intitulée *Préambule : déclaration de souveraineté*, titre suivi du commentaire « à venir ». Ce texte à venir posera les jalons nécessaires à la rédaction de la future Constitution québécoise. Le projet devra ensuite être adopté par l'Assemblée nationale. Enfin, il y aura un référendum. Si celui-ci confirme la volonté du gouvernement, il sera suivi de négociations avec le gouvernement fédéral avant l'accession, quelle que soit l'issue des négociations, du Québec à sa pleine souveraineté.

Le dépôt de l'avant-projet de loi suscite une réaction négative immédiate du chef de l'opposition : « Une bien triste journée pour la démocratie au Québec », dit alors Daniel Johnson. À l'Assemblée nationale, il conteste la légitimité de l'avant-projet de loi : « Comment le premier ministre s'imagine-t-il qu'il est légitime pour lui, comme chef du gouvernement, ou pour la majorité, ici, à l'Assemblée nationale, de demander à des gens à travers le Québec qui, jusqu'à plus ample informé, majoritairement, ne partagent pas son projet et son pari politique, comment va-t-il leur demander de compléter, à sa place, la déclaration de souveraineté ? Lorsqu'on est un parti souverainiste, il me semble que ça nous appartient de rédiger une déclaration de souveraineté[1]. » Le Parti libéral ne participera donc pas à la démarche de consultation auprès de la population. Bien plus, dès le lendemain du dépôt de l'avant-projet de loi, les libéraux tentent d'empêcher que le gouvernement confie à la Commission des institutions de l'Assemblée nationale le mandat de préparer la consultation populaire et ils quittent l'Assemblée nationale lorsque vient le temps de voter l'avant-projet de loi.

De son côté, Mario Dumont, chef de l'Action démocratique du Québec et seul député de son parti, affiche immédiatement ses couleurs : pas de souveraineté sans un partenariat avec le reste du Canada. Il se fait tirer l'oreille : « Je ne veux pas être un grelot de plus à la caravane souverainiste[2] », confie-t-il à un journaliste. Or, c'est précisément ce que craint le gouvernement : que la consultation populaire ressemble à une caravane péquiste, financée par le gouvernement, où les dés sont pipés, et les conclusions déjà connues.

Dans le camp fédéral, la réaction à l'avant-projet de loi se manifeste d'abord par un peu de cafouillage, vite rattrapé. Dans une entrevue au *Globe and Mail*, le président du Conseil pour l'unité canadienne, Michel Vennat, donne son appui à tous les fédéralistes qui veulent participer à la démarche de consultation de la population. L'erreur est immédiatement corrigée par le ministre fédéral des Affaires intergouvernementales. « Il ne faut pas participer à ce processus, déclare Marcel Massé. Pourquoi devrions-nous jouer le jeu de M. Parizeau ? Il pose des questions sur une loi qui n'est pas démocratique, et ce n'est pas la bonne question[3]. » Malgré les tentatives du Bloc québécois, à la Chambre des communes, d'amener le gouvernement à reconnaître la légitimité du processus retenu par Québec, le Parti libéral du Canada dénonce « l'astuce antidémocratique » du gouvernement péquiste et qualifie sa démarche de frauduleuse. Le premier ministre Chrétien, qui, au début des années 1970, déclarait que le gouvernement fédéral allait respecter le vœu des Québécois et accepter la séparation[4], soutient maintenant que l'avant-projet de loi est illégal et qu'aucune clause dans la Constitution canadienne ne permet à une province de quitter la Confédération.

Le texte de l'avant-projet de loi est à peine mis à la poste à l'intention des quatre millions de foyers du Québec, à la mi-décembre 1994, que la campagne référendaire laisse présager un affrontement profond non seulement sur la question qui sera posée, mais sur l'interprétation des résultats. Qu'est-ce qu'une majorité en démocratie ? La position de Parizeau sur ce point ne fait aucun doute et il profite de toutes les occasions pour la réaffirmer. Dans les jours qui suivent le dépôt de l'avant-projet de loi, Jacques Parizeau se rend à New York, où il rencontre des journalistes de plusieurs médias, notamment du *New York Times*, du magazine *Forbes*, de *Business Week* et du réseau PBS. Au cours d'une entrevue, que son entourage a obtenue de ce réseau[5] et qui est diffusée à la prestigieuse émission d'affaires publiques *McNeil-Lehrer Newshour*, il n'écarte pas la possibilité d'un référendum au printemps, mais, surtout, il en profite pour établir clairement qu'à l'instar des pays européens, où une majorité simple suffit pour adhérer à l'Union européenne, le Québec considérera comme suffisante une majorité de 50 plus un pour faire son indépendance.

Daniel Johnson réagit sur le champ : pour faire « le saut dans l'in-connu [...], dit-il, cette opinion doit être massivement, significative-ment et substantiellement celle d'un grand nombre de Québécois[6] ». Par contre, la stratégie du Parti libéral en vue de la campagne référen-daire demeure toujours imprécise et son chef sent que le temps presse. Il annonce donc, le 20 décembre, que son parti entend donner du contenu au NON, qu'un comité de réflexion sera mis sur pied pour formuler ce contenu et qu'il fera l'objet de discussions à son conseil na-tional, à la fin de janvier 1995. Le chef libéral doit renverser la popula-rité soutenue du Parti québécois, qui, à la fin de novembre, aurait obtenu plus de 50 % des votes si des élections avaient eu lieu, et la re-montée de l'ADQ, dont l'appui populaire rattrape progressivement celui du Parti libéral jusqu'à le rejoindre, à la fin de janvier 1995.

Au Parti québécois, depuis l'élection de septembre, les discus-sions se poursuivent autour de la date du référendum et de la ques-tion qui sera posée à la population, sans que Parizeau parvienne à faire l'unanimité. Dès la mi-novembre, il déclare : « Lorsque la Saint-Jean-Baptiste décernera ses prix, l'an prochain, nous aurons déjà décidé de devenir un pays. » Ce qui fait dire à Bob Dufour, l'ancien directeur de la campagne du Bloc québécois en 1993, qu'« il fixait qua-siment la date du 25 juin, il ne manquait que l'heure [...]. Tu sais, le 25, à midi ! Une stratégie ouverte comme ça, ce n'est pas toujours évident ». La précipitation de Parizeau indispose beaucoup Lucien Bouchard qui ne veut à aucun prix s'aventurer dans un référendum sans une certaine assurance de le gagner. « C'était sa grande peur, dit Dufour. Se lancer tête baissée dans un défi comme celui-là sans que les affaires (notamment le déficit du Québec) aient été analysées sous tous leurs aspects, c'était très hasardeux. M. Bouchard est quelqu'un qui prend le temps de regarder les affaires à tête reposée. M. Parizeau disait que, quand on a un programme, il faut qu'on le réalise et, si on est pour entrer dans le mur, on va enlever le mur ! »

Les souverainistes doivent composer avec une divergence majeure, qui les déchire, sur la date du référendum. « M. Parizeau disait : "C'est sûr que les Québécois préféreraient ne pas avoir à trancher cette question douloureuse, dit son conseiller Jean-François Lisée. Si on ne leur donne pas une date-butoir, ils ne prendront pas leur décision. On ne peut pas mobiliser sans date-butoir." M. Bouchard, lui, disait, comme il le répétera plus tard : "Tant qu'on n'a pas la conviction de gagner, il ne faut pas fixer de date-butoir." M. Parizeau ne voulait pas dire publiquement : on n'ira pas si on n'est pas sûrs de gagner, parce que c'est le contraire de la mobilisation. M. Bouchard et d'autres, comme M. Landry, voulaient le lui faire dire. Il y a eu cette danse entre M. Bouchard et M. Parizeau pendant plusieurs mois. Ça nous mettait en porte-à-faux un peu avec les gens du Bloc. » La peur de choisir rapidement une date pour le référendum, sans certitude quant à ses résultats, habitera Lucien Bouchard tout l'hiver. En février, dans une entrevue au journaliste Michel Vastel, il déclare : « Je ne veux pas qu'on fasse battre la souveraineté une autre fois. Car si on dit NON, on va en manger une maudite[7] ! »

La résistance ne vient pas que du Bloc. Parizeau a depuis longtemps fixé un échéancier et l'a réaffirmé dans les mois qui ont précédé l'élection de septembre : un référendum entre huit et dix mois après la prise du pouvoir. « Tout devait être fait pour que le premier ministre soit en mesure de déclencher le référendum dans la première année du mandat, dit Jean Royer. On n'était pas à une ou deux semaines près, mais on savait que ça devait se tenir en 1995. On a monté la structure du gouvernement pour que ce soit un gouvernement qui fonctionne, qui opère en sachant qu'il a à respecter une échéance. » Certains de ses ministres, Jean Garon notamment, souhaitent « qu'on fasse le référendum tout de suite et qu'on passe à autre chose », mais d'autres, et non des moindres, Bernard Landry, Jacques Brassard et Louise Beaudoin invitent leur chef à la prudence. Le climat au Conseil des ministres, et dans l'ensemble du parti, est tendu. Royer ne le nie pas : « Il y avait des gens qui nous disaient : "Avons-nous ce qu'il faut pour tenir un référendum et le gagner ?" C'est normal. Des gens doutaient : est-ce qu'on devait y aller maintenant, le reporter, attendre ? »

Le flottement autour de la date du référendum va durer tout l'hiver, le printemps et une bonne partie de l'été. « Au printemps, c'était tentant, dit aujourd'hui Jacques Parizeau, mais je ne nous trouvais pas prêts. Les sondages n'étaient pas particulièrement spectaculaires et, surtout, il ne fallait pas brusquer les commissions sur l'avenir du Québec. Il y a des limites à aller vite ! Il fallait leur donner le temps de fournir leurs conclusions, de les absorber, puis de traiter ça avec l'attention que ça méritait. » Le printemps éliminé, restait l'automne, « mais il était hors de question qu'on donne l'impression qu'on évacuait le printemps, dit Royer, pour éviter que ceux qui ont des échéanciers à rencontrer se disent : on a une saison de plus. Alors, jamais la pression n'a été relâchée, mais, moi, j'ai toujours eu l'impression que c'était l'automne ». Après l'été, toutefois, la fenêtre devenait étroite : il ne reste que deux mois. Au-delà du 1er novembre, les risques sont trop grands qu'une bonne partie du Québec, l'Abitibi, le Saguenay, la Côte-Nord, même la Gaspésie, soient empêtrés dans la neige.

Il n'y a pas que la date du référendum qui se fait attendre, il y a aussi la question. Tout le monde sait que celle que Parizeau souhaiterait poser serait aussi simple et directe que : est-ce que vous voulez que le Québec devienne souverain à compter de telle date ? Comme il doit composer avec des partenaires, il tergiverse, de sorte que chacun y va de sa suggestion. Les jeunes du parti s'impatientent. Le 12 janvier 1995, dans une lettre ouverte à *La Presse*, leur président, Éric Bédard, propose une question présentant une alternative : « Voulez-vous que le gouvernement proclame la souveraineté du Québec, conformément à la Loi déclarant la souveraineté, ou proclame son adhésion à la fédération canadienne, conformément à la Loi constitutionnelle de 1982 ? » Cette question va à l'encontre de ce qu'imagine Jean-François Lisée, pour qui une alternative simpliste, un choix net entre deux options doit être écarté : « La vie politique québécoise est sous un déluge de sondages depuis 40 ans, dit-il, et on sait qu'il n'y a pas de majorité pour l'indépendance du Québec et qu'il n'y a pas de majorité pour le fédéralisme actuel. Il n'y a que deux majorités possibles : le fédéralisme renouvelé ou la souveraineté du Québec avec une association, quelle qu'en soit la forme, avec le reste du Canada. Essayer de réduire les Québécois au fédéralisme actuel ou à la sécession sans volonté d'entente, c'est refuser leur réalité politique et leur volonté politique. »

Les concepteurs de la question référendaire doivent penser à une autre réalité : la réaction de Lucien Bouchard. Il ne veut rien entendre d'une question au choix. Il n'aime pas celle énoncée dans l'avant-projet de loi déposé devant l'Assemblée nationale qui se lit comme suit : « Êtes-vous en faveur de la loi adoptée par l'Assemblée nationale déclarant la souveraineté du Québec ? OUI ou NON ? » Si la question devait simplement présenter un choix entre deux options, la sécession ou le fédéralisme, Bouchard pourrait se retirer de la campagne référendaire. « Ça fait partie du jeu politique, commente Parizeau, qui ne nie pas qu'il y ait eu des affrontements sérieux. Quand vous voulez amener les gens à votre position, de temps à autre vous menacez de vous retirer. J'ai trop fait ça, moi, pendant trente ans pour commencer à reprocher aux autres de le faire. Plus vous vous rapprochez d'une échéance, plus vous tenez à ce que ça aboutisse. Dans ce sens, vous pouvez utiliser des choses comme la menace à certains moments pour obtenir ce que vous voulez. La politique n'est pas un métier d'enfant de chœur. » Comme pour la date, les désaccords autour de la question référendaire vont continuer jusqu'à ce qu'elle soit finalement connue, au début de septembre 1995.

La date du référendum et sa question sont d'une importance capitale, mais certains ministres sont hantés par des inquiétudes d'une autre nature, devant une campagne qui sera sans quartier. L'important était, selon Jean-Pierre Charbonneau, de dire la vérité à la population : « Parlons des conséquences qu'ils craignent, comme la perte des pensions de vieillesse et de tout le reste, dit-il au journaliste Pierre O'Neill du *Devoir*. Parce que, la peur, ça marche encore. Il faut reconnaître la légitimité de ces angoisses et aider les Québécois à les

surmonter[8]. » Pragmatique comme toujours, Guy Chevrette tranche :
« Arrêtons de spéculer sur nos chances de gagner dans dix mois. On a
un échéancier. Travaillons[9] ! »

Deux mois à peine après la formation de son Conseil des ministres, Parizeau doit faire face à une situation qui peut affecter la crédibilité de son gouvernement et l'oblige à revoir la composition de ce
Conseil : Marie Malavoy[10], ministre de la Culture et des
Communications, est forcée de démissionner pour avoir voté à une
élection alors qu'elle n'était pas citoyenne canadienne. Il nomme, pour
la remplacer, Rita Dionne-Marsolais, qui siège déjà au Conseil à titre
de ministre déléguée au Tourisme et responsable de la Régie des installations olympiques. La guigne le rattrapera dès janvier, en France,
lorsqu'on l'informera que sa nouvelle ministre a nommé à la direction
de Télé-Québec un personnage qui a des ennuis avec la justice. À sa
manière, lui qui avait choisi de n'assumer aucun ministère lors de la
formation de son Conseil des ministres afin de pouvoir se consacrer à
des dossiers qui lui tenaient particulièrement à cœur, comme ceux des
Autochtones et de l'autoroute de l'information, Parizeau décide alors
de se nommer lui-même ministre de la Culture et d'aller chercher,
« pour six mois », Roland Arpin au Musée de la civilisation de Québec
et d'en faire son sous-ministre. Il aime aujourd'hui rappeler qu'ils ont
ensemble bouleversé le ministère et fait aboutir des projets qui traî-
naient depuis plus d'un an.

Le jeudi 1er décembre 1994, l'ambassadeur des États-Unis au
Canada, James Blanchard, adversaire acharné de la séparation du
Québec, rend visite à Jacques Parizeau. « Comment va Lucien ? lui demande-t-il. Nous étions censés dîner ensemble la semaine dernière,
mais on m'a appelé pour me dire qu'il avait la grippe. » « Je pense qu'il
va bien », lui répond Parizeau. Blanchard se souvient que, lorsqu'ils se
sont quittés, « des gens couraient dans le hall et disaient : "Nous ne
l'avons pas encore dit à M. Parizeau[11]". » Ce que le premier ministre
ignore encore à ce moment-là, c'est que Lucien Bouchard, l'homme
sur qui peut reposer le succès de l'opération référendaire, hospitalisé
deux jours auparavant pour ce qu'on a cru être une simple phlébite,
lutte maintenant désespérément contre la mort.

La fin de semaine précédente, les députés du Bloc et les dirigeants du parti s'étaient retrouvés au mont Sainte-Anne pour y tenir un conseil général qui marquait en même temps le premier anniversaire de leur arrivée à la Chambre des communes. L'atmosphère était par conséquent à la célébration. Le samedi, Lucien Bouchard a passé la soirée dans une salle avec ses députés et a dansé — ce qui n'est pas dans ses loisirs habituels — avec Suzanne Tremblay, la députée de Rimouski-Témiscouata. « Le dimanche, quand il est monté dans sa limousine, il avait mal à une jambe, se souvient Pierre-Paul Roy, son chef de cabinet. Le lundi, on ne l'a pas vu, puis Gaston Clermont, qui était en quelque sorte sa nounou et un peu son chauffeur, nous a dit qu'il était à l'hôpital, qu'il avait une phlébite[12]. » En fait, c'est en rentrant du mont Sainte-Anne, dès le dimanche soir, que Bouchard se rend à l'hôpital Saint-Luc, où les médecins diagnostiquent une phlébite. Après lui avoir prodigué les soins et les recommandations appropriés dans les circonstances, les médecins lui suggèrent de rentrer chez lui et de se reposer un peu.

Mais les symptômes persistent et, dans la nuit du mardi au mercredi, le chef du Bloc retourne à l'hôpital. Des examens plus poussés révèlent alors qu'il est atteint de la maladie causée par la bactérie mangeuse de chair, la fasciite nécrosante[13], qui laisse bien peu de temps aux médecins pour réagir car elle peut entraîner la mort en moins d'une journée. « Mme Bouchard avait gardé cela privé, dit Pierre-Paul Roy. Elle ne voulait pas que cela soit rendu public à ce moment-là. C'est seulement le mercredi, à ma connaissance, qu'on l'a appris. » Les médecins de Lucien Bouchard prennent, le même jour, la décision d'amputer sa jambe gauche en espérant que l'intervention interrompra la progression de la terrible maladie. La vie de l'homme politique repose désormais entre les mains d'une équipe de médecins spécialistes, dont le Dr Pierre Ghosn qui doit pratiquer deux chirurgies majeures dans la seule nuit du mercredi au jeudi et six au total, pendant les 36 heures que va durer la période d'incertitude et d'angoisse.

À Québec, dans la matinée du jeudi, le bureau du premier ministre ignore toujours la gravité de la maladie du chef bloquiste. Après la visite de l'ambassadeur américain, Parizeau tient une réunion avec quelques adjoints, dont Serge Guérin, pour préparer une rencontre qu'il aura quelques heures plus tard avec des représentants de la compagnie Noranda. Jean Royer entre tout à coup au beau milieu de la réunion et annonce que Bouchard est en danger de mort. Jacques Parizeau est démoli. Il décide quand même de rencontrer les représentants de la Noranda, mais l'entretien ne dure que quelques minutes, et c'est Guérin qui poursuit la discussion. Parizeau s'entretient avec Jean Rochon, son ministre de la Santé. Il veut les meilleurs traitements pour Lucien Bouchard, dans la meilleure institution qui soit, et est prêt à mettre un avion à la disposition du malade s'il doit être transporté ailleurs. Rochon le rassure : il ne peut être en meilleures mains qu'à l'hôpital Saint-Luc.

Dans l'après-midi, le médecin traitant, le Dr Patrick D'Amico, émet un bulletin de santé laconique, annonçant que les médecins ont, au cours de la nuit, dû amputer la jambe gauche de Lucien Bouchard, mais il ne se prononce pas sur les chances de survie du patient. La radio répand la nouvelle sur l'ensemble du territoire québécois. Il est 17 heures. Le Québec, plongé dans l'angoisse, retient son souffle. « Le soir, se souvient Pierre-Paul Roy, les médecins nous avaient dit, je pense, qu'il avait comme 75 ou 80 % de possibilités de ne pas passer à travers. S'il passe la nuit, on va le savoir demain matin. » Les rumeurs les plus alarmantes se répandent dans la population et elles sont fondées : l'état de santé de Lucien Bouchard est pire qu'on peut l'imaginer, la bactérie menace de s'étendre à l'abdomen et au thorax. Et le fait qu'à la demande de la famille, les médecins ne communiquent plus de bulletin de santé vient ajouter à l'inquiétude et alimenter le foisonnement des suppositions les plus extrêmes.

« Les heures habituelles pour les points de presse ou les conférences de presse étaient passées, se souvient Parizeau. J'ai été dans l'immeuble de la tribune parlementaire. J'ai ramassé les journalistes que je pouvais trouver à ce moment-là. C'était le soir, il était autour de 19 heures, quelque chose comme ça. C'est là que j'ai offert mes vœux à Bouchard. J'étais complètement bouleversé. Tout ce que je pouvais dire, c'est : "Tenez bon, mon vieux !" Cela a été pour moi une sorte de choc psychologique, très, très profond... On ne peut pas concevoir quelque chose d'aussi abominable que ça. Je n'avais jamais entendu parler de ce genre de maladie, et je ne m'imaginais pas ce que ça pouvait être. C'était effrayant ! »

Devant l'hôpital Saint-Luc, une foule se rassemble pour une veille. À la Chambre des communes, la députée réformiste de Calgary South-West, Jan Brown, dépose une rose jaune, symbole d'espoir, sur le pupitre vide de Lucien Bouchard. « À mon départ d'Ottawa, tout était calme ce jour-là, se souvient Deborah Grey, une autre députée réformiste. Je revenais chez moi, à Edmonton. Quelque cinq heures plus tard, mon mari me prend à l'avion et me demande : "As-tu appris la nouvelle ? Lucien Bouchard est atteint de la maladie causée par la bactérie mangeuse de chair dans une jambe et ils ne savent pas s'il va passer la nuit." J'étais profondément attristée, car nous avions de bonnes relations. En route vers la maison, j'ai prié pour lui et je me suis demandé ce qu'il adviendrait de la cause du séparatisme. Il avait un tel magnétisme[14] ! »

Il n'y a pas que Deborah Grey et les fédéralistes qui se demandent ce qu'il adviendra du projet d'indépendance si Bouchard disparaît. Jean-François Lisée craint que la mort possible de Bouchard n'ait un impact considérable sur la psyché de la population québécoise : « Mon sentiment immédiat, c'était de me dire que son décès confirmerait, dans l'esprit de beaucoup de Québécois, que le projet souverainiste était victime d'une malédiction, dit-il. Qu'il était voué à l'échec. Au moment où on voulait essayer, on le perdait, il y avait quelque chose de maudit dans l'affaire. Cela aurait été très grave parce que cela aurait alimenté un sentiment presque atavique chez les Québécois de la défaite des grandes volontés politiques. [...] On sait que, politiquement, dans nos grandes décisions, dans la question nationale, l'histoire du Québec est l'histoire d'une série d'échecs, donc cela aurait frappé un courant existant et l'aurait creusé. »

Le même après-midi, Lisette Lapointe prononce une causerie à Québec lorsqu'elle apprend la tournure des événements. « Ce soir-là, on avait une réception, comme tous les jeudis, à la résidence, dit-elle. Comme on a appris la nouvelle à la dernière minute, c'était impossible d'annuler. » Les invités, Rosaire Bertrand, député de Charlevoix et président du caucus péquiste, et sa femme Line, partagent la consternation de Jacques Parizeau et de Lisette Lapointe : « La réception a été triste, tout le monde était sous le choc », dit Lapointe.

Parmi les personnes qui se trouvent aussi à la résidence officielle, ce soir-là, il y a le chef du protocole, Jacques Joli-Cœur. Il sait qu'advenant le décès de Lucien Bouchard, le Québec aurait la latitude voulue pour organiser des funérailles d'État, même si, en principe, les funérailles d'un chef de l'opposition à la Chambre des communes relèvent de la direction fédérale du protocole. Il demande donc au premier ministre quelles sont ses instructions. Parizeau lui répond : « C'est d'abord la décision de sa famille et de sa formation politique[15]. » Pendant ce temps, Lisette Lapointe et l'épouse de Rosaire Bertrand s'interrogent sur l'attitude à adopter dans les circonstances. « Line et moi étions assez proches d'Audrey[16], Line encore plus que moi, dit Lapointe. On a tenté de la joindre à la maison. La gardienne, dans tous ses états, nous répétait qu'elle était dans la douche et qu'elle n'en sortait pas. Alors, Line et moi, on a décidé d'aller à Montréal pour voir si Audrey n'avait pas besoin d'aide. »

Jacques Parizeau écrit une lettre à l'épouse de Lucien Bouchard et demande à Jean-François Lisée de la lui remettre en mains propres. En route vers Montréal, Lisée est habité par un sentiment qui ne le lâche pas : « S'il fallait le perdre, probablement qu'on perdrait tout. » Aux journalistes qui le prennent d'assaut à l'entrée de l'hôpital, Lisée répond simplement : « Je suis porteur d'une lettre. Je ne suis que le messager. » Il remet la lettre à Gilbert Charland.

Lisette Lapointe et Line Bertrand se font conduire à l'hôpital et y entrent par une porte dérobée de façon à éviter les journalistes qui font le pied de grue dans le hall. L'épouse de Lucien Bouchard, son frère Gérard et son entourage immédiat, Gilbert Charland et François Leblanc, se relaient à son chevet. La visite de Lisette Lapointe et de Line Bertrand est de courte durée. À leur sortie, Lisette Lapointe échange quelques mots avec les journalistes. Ce qui, dans un moment aussi pénible, provoque la colère d'Andrey Best. « Quand Audrey a vu, le lendemain, madame Lapointe se vanter de son geste à la télévision, elle a été choquée, dit Lucien Bouchard. Entre elles, c'est la rupture totale. Audrey ne veut plus m'accompagner quand elle sait que madame Lapointe sera là[17]. » « Audrey était très bouleversée, dit, pour sa part, Lisette Lapointe. Et je ne sais pas, à ce moment-là, il y a eu un malentendu terrible qui dure encore aujourd'hui. Je ne sais pas si elle a pensé que j'étais un peu l'émissaire du premier ministre pour aller voir ce qui se passait. Ce n'était tellement pas ça ! » Le froid entre les deux femmes va provoquer des tensions énormes entre elles pendant toute la campagne référendaire. « On se parlait d'une façon polie et très officielle, mais on n'a jamais pu reparler de ça », dit Lisette Lapointe. L'incident n'a pas, selon elle, affecté les relations entre Parizeau et Bouchard : « C'est un épisode de femmes », conclut-elle.

Il n'y a pas que le geste de Lisette Lapointe qui soulève l'indignation de l'entourage de Bouchard ce vendredi matin. Le chef du protocole, qui a interprété les propos de Parizeau comme une autorisation à tout prévoir, téléphone à Charland le vendredi matin pour lui parler de funérailles d'État, advenant le décès du chef bloquiste. Charland est furieux ; il vient d'apprendre que le malade est hors de danger.

Au même moment, à 8 heures, le comité référendaire, que dirigeait Louis Bernard, tient une réunion. « M. Bernard a demandé une minute ou deux de silence, dit Pierre-Paul Roy. On attendait des nouvelles. J'avais mon cellulaire. J'ai dit à Louis Bernard que Gilbert (Charland) avait peut-être déjà appris des médecins ce qu'il en était et qu'il m'appellerait. Effectivement, vers 8 h 15, 8 h 30, Gilbert m'a appelé pour nous annoncer : "Les médecins disent qu'il est sauvé ; il va passer à travers." »

Un peu plus tard, à l'ouverture des travaux de l'Assemblée nationale, le premier ministre se lève et déclare d'un ton solennel : « M. Lucien Bouchard est entre la vie et la mort. Je suis certain d'exprimer le sentiment des deux côtés de cette Chambre en disant que nos vœux et nos prières l'accompagnent pour qu'il survive à la terrible épreuve qu'il a connue. » Daniel Johnson parle alors d'une maladie effroyable. « J'étais attristé, dit-il aujourd'hui, de voir un homme d'une telle vigueur, d'une telle vivacité d'esprit, frappé par la maladie. » Mario Dumont tient des propos analogues, exprimant l'espoir de recevoir des nouvelles encourageantes le plus tôt possible.

Vers midi, le D[r] D'Amico consent à rencontrer les journalistes. Le malade est sauvé, annonce-t-il; « c'est un miracle, qu'il soit vivant! » Puis le Dr Ghosn rend publique une note manuscrite de Bouchard destinée à l'équipe médicale. On peut y lire : « Que l'on continue, merci. » La note va être vite récupérée par les partisans souverainistes et, la même journée, une banderole la reproduisant est déployée sur l'immeuble en face de l'hôpital. Les fédéralistes sont décontenancés : « À demi conscient, il a remis cette note : Que l'on continue… Il s'est créé une mystique de la personne autour de lui, comme autour de quelqu'un qui revient d'une expérience aux limites de la mort[18] », dit Allan Rock, le ministre de la Justice de Jean Chrétien.

Le samedi, en après-midi, Jacques Parizeau se rend, seul, à l'hôpital pour voir le malade, mais il doit se satisfaire d'un regard à travers une vitre, toute visite étant interdite. Il s'entretient avec Audrey Best et le D[r] D'Amico. Ce n'est que le lendemain qu'il pourra parler à Bouchard au téléphone, notamment de l'avant-projet de loi qu'il doit déposer deux jours plus tard à l'Assemblée nationale.

La semaine a été épouvantable pour Parizeau. Il n'y a pas d'atomes crochus entre Bouchard et lui et il lui est difficile de gérer leur relation. Néanmoins, il est personnellement très affecté par la maladie de Bouchard. « Pour des raisons non politiques, explique Jean-François Lisée, pour des raisons personnelles. On sentait qu'au-delà des divergences et de leur incapacité à vraiment connecter, un lien s'était créé, une complicité entre les deux. »

Bob Dufour, qui a été l'organisateur de la campagne du Bloc en 1993, et qui est très près de Bouchard, dit avoir senti une réelle sympathie à son égard dans l'ensemble du Canada. « Pour eux, M. Bouchard, c'était quelqu'un avec qui ils pouvaient parler, dit-il. C'étaient les commentaires qu'on avait des premiers ministres ou des gens de la classe politique des autres provinces, pas nécessairement d'Ottawa. Les gens avaient beaucoup de respect pour M. Bouchard. Ils trouvaient que cet homme-là était plus "parlable" que M. Parizeau chez qui on sentait plus de rigidité et beaucoup moins d'ouverture à la discussion. »

Ce n'est pas qu'en dehors du Québec que Bouchard projette l'image d'un leader plus flexible. Au Québec également, et Parizeau n'ignore pas que, sans lui, une frange importante de la population pourrait tourner le dos à son projet de souveraineté. Des membres de son propre parti en ont la conviction. Un mois auparavant, début novembre, André Boisclair, le jeune député de Gouin, à qui l'idée de *dépéquicisation* de la souveraineté a déjà valu une sérieuse réprimande de Parizeau, affirme que « ce n'est pas le Parti québécois, seul, qui pourra mener la campagne référendaire. Nous devons remobiliser nos partenaires de la campagne contre l'entente de Charlottetown. Il ne s'agit pas seulement de parler d'ouverture, il faut le démontrer dans nos comportements, dans nos attitudes, dans les décisions qui sont prises par le gouvernement[19] ». Parizeau n'est pas contre l'élargissement de la base militante : il aime rappeler qu'il a joué un rôle important entre Gilles Grégoire et René Lévesque lorsque, au congrès de fondation du Parti québécois, en 1968, le Ralliement national, avec ses quelque 5 000 créditistes, avait fusionné avec les souverainistes issus du Mouvement Souveraineté-Association. Il a cependant plus de difficulté à imaginer qu'il devrait composer, dans une action ponctuelle et concertée, avec des groupes dûment constitués qui conservent leur identité et leur orientation politique.

La cause étant plus forte que tout le reste, Parizeau, au conseil national du parti qui s'est tenu au début de novembre, a déclaré que « la porte ouverte », « la "remise à neuf" du "navire amiral" de la souveraineté ne suffisent pas. Il faut toute une "flotte" pour gagner[20] ». Au même moment, Monique Simard, qui vient d'être élue vice-présidente et directrice du parti, a fait savoir qu'elle entend s'engager dans « un formidable travail d'animation politique[21] ». Enfin, le 29 novembre, dans un geste que certains qualifient de « théâtral », Parizeau a tendu la main au chef de l'opposition à l'Assemblée nationale. Mais toutes ces ouvertures ont une odeur conjoncturelle.

Aujourd'hui, il fait un peu son *mea culpa* et, en même temps, celui du parti au sujet de l'appropriation du projet de souveraineté : « Cela a toujours été un peu le péché mignon du Parti québécois de considérer que le projet de souveraineté, c'est à lui, dit-il.

L'indépendance du Québec n'est pas l'affaire d'un seul parti. Le Parti québécois peut en être le fer de lance, il peut assurer les ressources nécessaires, mais ce n'est pas son projet. » C'est pourquoi, dès la création des commissions régionales, Parizeau a tendu la main à Daniel Johnson. « C'est dommage que les libéraux n'aient pas voulu embarquer dans cette opération-là, ajoute-t-il, parce qu'à peu près tout le monde dans notre société, sauf eux, est embarqué. » Selon lui, la position de Johnson était tellement péremptoire que les tentatives d'attirer des libéraux ont tourné court.

Le 16 décembre, en l'absence de Lucien Bouchard, Gilles Duceppe dirige une équipe du Bloc québécois dans une réunion stratégique avec des représentants du Parti québécois. Au terme de la rencontre, les deux formations annoncent qu'elles vont fusionner leurs opérations et agir, jusqu'au référendum, comme s'il n'y avait qu'un seul et même parti. « C'est notre version de *Team Quebec* », lance Duceppe. « Ce ne sera ni la campagne du PQ ni celle du Bloc, dit pour sa part Bernard Landry. Ce sera la campagne des souverainistes. On donne l'exemple de l'abolition des frontières entre les partis. »

Malgré les propos de Landry, il devient de plus en plus évident, chez Parizeau et son entourage, que la campagne ne peut pas n'être que souverainiste. Ils ont besoin de présenter une opération arc-en-ciel à la population. Il y a donc, dans la mire du comité référendaire, les grandes centrales syndicales, la Société Saint-Jean-Baptiste et le Mouvement national des Québécois. Il faut créer des organisations pour le OUI, des regroupements de jeunes, d'économistes, de femmes, etc.

Et il y a Mario Dumont. Le 13 décembre, c'est l'offensive de séduction tous azimuts auprès de celui qui, croit-on, représente le mieux cette frange de nationalistes qui rejettent le fédéralisme tel qu'il est, mais qui ne sont pas souverainistes pour autant. Jean Royer et Jean-François Lisée rencontrent Dumont et tentent par tous les moyens de le convaincre de participer au travail des commissions. Mais le chef de l'ADQ demeure tiède devant le projet du gouvernement et il le fait savoir : « On était davantage intéressé à la photo […] qu'à la contribution de l'Action démocratique », déclare-t-il à l'issue de la rencontre. Il ajoute : « Je ne m'attendais pas à conduire le train, mais, au moins, à me trouver dans la locomotive, dans une situation où je pourrais influencer la démarche[22]. »

Les négociations entre le gouvernement et l'ADQ se poursuivent pendant une bonne semaine. Dumont veut garder son parti en dehors de la mouvance péquiste. Il entend garder le contrôle de ses troupes qui ne représentent que 6,3 % de l'électorat du Québec et qui pourraient rapidement se dissoudre dans la grosse machine péquiste. Parizeau le comprend et, de plus, il ne cache pas qu'il a du respect pour Dumont, qu'il trouve un « élément rafraîchissant » à l'Assemblée nationale. « Il posait des questions intelligentes, se rappelle-t-il aujourd'hui. Dans un langage un peu nouveau, pas du tout langue de bois, qui avait souvent beaucoup de sens. C'était agréable de pouvoir lui dire : "Écoutez, oui, on va regarder ça…" J'ai eu de très bons rapports avec lui à l'Assemblée nationale. »

La partie n'est pas facile. Dumont pose un certain nombre de conditions à sa participation aux commissions régionales. Il veut que la population se prononce, non seulement sur les modalités d'accession à la souveraineté, mais aussi sur l'opportunité d'y accéder. Il demande que les discussions soient ouvertes au point de permettre aux intervenants de débattre des options constitutionnelles de chacun des partis et que ces options soient énoncées dans un dépliant qui sera distribué dans tous les foyers avant que commencent les travaux des commissions. Il demande enfin que les partis, à l'Assemblée nationale, aient leur mot à dire dans le choix des présidents des commissions.

La pression est forte sur Dumont et son équipe : les Québécois, à 55 %, sont d'accord avec la démarche du gouvernement et souhaitent que les fédéralistes y participent[23]. Mais elle l'est aussi sur les souverainistes qui ont besoin de l'appui de l'ADQ. Le 16 décembre, par voie de communiqué, le premier ministre Parizeau fait savoir qu'il acquiesce aux conditions posées par l'ADQ. La réaction du chef de l'opposition ne se fait pas attendre : « Un épisode arrangé avec le gars des vues, dit Daniel Johnson. Dumont a déjà signifié qu'il était pour l'indépendance du Québec. Deux frères siamois arrangés entre eux[24] […]. » L'expression utilisée par Johnson devient, dans la presse anglophone : *The Tweedledum and Tweedledee of separatism*[25].

Le Parti libéral a-t-il, alors, laissé échapper une belle occasion de se rapprocher du courant nationaliste de la population ? « Ça me surprendrait que des gens (du parti) aient fait cet effort, dit aujourd'hui John Parisella, à l'époque chef de cabinet de Daniel Johnson. Ils ont convenu que M. Dumont avait fait son lit et qu'il n'était pas question pour lui de s'associer avec le Parti libéral du Québec pour défendre le fédéralisme. » En outre, il y avait passablement d'amertume chez les députés libéraux envers Dumont, qui, faut-il le rappeler, avait claqué la porte du parti à peine deux ans plus tôt et que certains considéraient comme un des facteurs importants de la défaite électorale de septembre 1994.

Les signes d'ouverture ne manquent donc pas en cet automne 1994, mais, alors que tous les partis politiques étaient représentés dans la commission Bélanger-Campeau, cette fois, sauf l'ADQ, il n'y a personne d'autre que des souverainistes dans le mouvement vers le référendum. Par conséquent, la participation de Bouchard est indispensable et, dans l'évaluation de Parizeau, l'ancien conservateur est très apprécié par ceux qu'il appelle « les vieux bleus », les gens de l'Union nationale d'autrefois, et il peut aller chercher « des gens à qui la mouvance péquiste tapait sur les nerfs ». C'est d'ailleurs Bouchard qui convaincra deux de ses collègues du gouvernement Mulroney, Monique Vézina, qui fut ministre des Relations extérieures, et Marcel Masse, ministre des Communications, d'assumer la présidence de commissions de consultation sur l'avenir du Québec. « Je ne suis pas une indépendantiste pure, dit la première. Mais on ne peut pas reculer de deux pas, lors du référendum. Il faut plutôt avancer d'un pas[26]. » « Si le fédéral ne présente que le *statu quo*, dit le second, et qu'il n'y a aucune voie possible de ce côté-là, je crois qu'on n'a pas le choix de voter pour la souveraineté[27]. »

Loin de décevoir Parizeau, la tiédeur de ces professions de foi s'inscrit dans son objectif arc-en-ciel. Son gouvernement nomme d'ailleurs, dans la dernière semaine de décembre, trois anglophones à des fonctions importantes : Kevin Drummond, ancien ministre libéral, à la délégation générale du Québec à New York, Peter Dunn, au bureau du Québec à Toronto et Francis Rae Whyte, au rectorat de l'Université du Québec à Hull. La coalition prend forme. D'anciens conservateurs, comme Monique Vézina et Marcel Masse, d'anciens libéraux, comme le maire de Québec, acceptent de s'associer à la grande démarche des commissions régionales sur l'avenir du Québec. Même Pierre Bourgault, qui, depuis la fondation du Parti québécois, a toujours eu des divergences avec les instances du parti, entre un jour dans le bureau de Jean-François Lisée pour lui dire : « Ça n'a jamais été mieux que maintenant ! » Les sondages grimpent lentement, « mais, malgré tout, les gens nous parlent constamment du danger d'un nouvel échec, dit Lisée. La hantise de l'échec existe et on est en train d'en sortir. Et on est certain que la présence de Lucien Bouchard, son charisme, fait partie de la combinaison ».

Lorsque Parizeau définit le rôle qu'il imagine, à ce moment-là, de faire jouer à Bouchard dans la campagne référendaire, celui d'un moissonneur de supporteurs mous, il sous-estime l'importance que la population du Québec attache à l'engagement du leader bloquiste non seulement dans la campagne, mais surtout après une victoire du OUI. Cette inquiétude s'est pourtant manifestée dès la prise du pouvoir du Parti québécois, en septembre. Un jour, Jean-François Lisée prononce une causerie au Saguenay sur la stratégie référendaire. « À la période de questions, une des premières est : que fera M. Bouchard après le référendum si le OUI gagne ? se souvient-il. Ma seule réponse était : c'est une excellente question, il faudra y réfléchir ! » Lisée revient à Québec et pose la même question à son entourage. La réponse est : « On n'y a pas songé. » « C'était une question extrêmement délicate, compte tenu des rapports Parizeau-Bouchard, ajoute Lisée. Alors, j'écris à M. Parizeau : il faut, assez tôt avant le référendum, établir quel sera le rôle de M. Bouchard qui est déjà le politicien le plus aimé, le plus respecté de l'histoire du Québec. [...] Si on ne dit pas, pendant la campagne référendaire, ce qu'il va faire après le OUI, nos adversaires vont dire : voter OUI, c'est perdre Bouchard, c'est se retrouver seulement avec Parizeau. »

Lisée revient régulièrement à la charge avec la question casse-tête. Dans son entourage, on est conscient de son importance, mais personne ne sent l'urgence de la régler, d'autant qu'on a le sentiment que Bouchard « n'est pas du genre à prendre une décision comme

celle-là longtemps avant le moment où elle doit se prendre ». Le problème demeurera entier jusqu'au milieu de la campagne référendaire
du mois d'octobre de l'année suivante. Pierre-Paul Roy, conseiller politique du chef bloquiste, ne nie pas que, dans l'entourage de Parizeau,
rien n'était réglé à cet égard : « On ne savait pas trop, de part et d'autre, quelle était la façon de positionner M. Bouchard dans la campagne
référendaire, dit-il. Mais sa ligne de conduite à ce moment-là, et
jusqu'au 7 octobre, a été de dire : "Moi, je vais jouer le rôle qu'on va
m'assigner dans la campagne." Il était conscient que c'était
M. Parizeau qui en était le maître d'œuvre. Je n'ai jamais entendu
M. Bouchard dire : "Ça va être ça, ou bien je n'embarque pas !" »

La convalescence de Lucien Bouchard est rapide. Son courage et
sa détermination émerveillent son entourage. Il ne manifeste aucune
volonté d'abandonner la politique. Au contraire. Sa popularité dans la
population continue de monter : la semaine suivant son hospitalisation, elle atteint un sommet rarement atteint par une personnalité politique au Québec, 72 % de la population dit avoir une opinion
favorable à son égard[28]. Il entreprend sa réadaptation avec une énergie
peu commune de sorte que, selon Bob Dufour, il devance le programme que les médecins lui avaient établi. Dans une entrevue qu'il
accorde au quotidien *Le Soleil* à la mi-février, Bouchard affirme que
« la politique me paraît plus importante que jamais. J'arrive de loin, j'ai
senti passer le souffle, dit-il. Quand on est passé par là, on ressent profondément la fragilité de la vie humaine, à quel point le temps nous est
compté. Par contre, on se dit : le temps qui m'est donné, je vais l'utiliser au maximum pour les vraies affaires. » Les « vraies affaires », pour
Lucien Bouchard, c'est d'abord la vie privée, « mais, ajoute-t-il, je me
suis ennuyé de la politique[29] ! » « Après sa maladie, se souvient Pierre-
Paul Roy, il m'avait dit : "Il y a autre chose dans la vie que la politique.
Retiens ça : les autres choses sont plus importantes." Pour
M. Bouchard, être en politique, ce n'était pas naturel. Il ne se voyait
pas comme un politicien de carrière. Il était un avocat, c'était ce qu'il
aimait. Sa famille est arrivée tard. Pour lui, sa famille, c'est une valeur
fondamentale. C'est sûr qu'il était en contradiction par rapport à son
engagement politique. »

C'est cependant l'engagement politique qui l'emporte et le retour de Lucien Bouchard à la vie publique se fait avec le plus grand éclat. Les médias sont prêts à tous les compromis pour pouvoir rapporter une petite tranche exclusive de l'enfer qu'il a vécu au cours des trois derniers mois. La presse parlementaire à Ottawa est sur les dents. Le gouvernement Chrétien en est à ce point conscient qu'afin de ne pas disparaître totalement des écrans, il a prévu annoncer, la même semaine, la date du prochain budget, un nouveau régime de pension pour les députés et un possible remaniement ministériel qui permettrait à Lucienne Robillard d'aller chercher, dans un siège au Conseil des ministres, le nimbe dont elle a besoin pour asseoir sa crédibilité dans la campagne référendaire. Rien n'y fait. Tous les calepins de journalistes, les caméras et les micros de la colline parlementaire sont braqués sur le chef du Bloc. Toute la stratégie du parti, qui négocie les entrevues comme au bazar, est orientée vers un point culminant : la visite du président Bill Clinton, prévue le 22 février. « Il [Lucien Bouchard] n'était pas tout à fait rétabli, avec sa prothèse et tout ça, dit Bob Dufour. Mais il avait décidé d'aller rencontrer M. Clinton. Car, évidemment, comme chef de l'opposition, il avait droit d'avoir une rencontre avec M. Clinton. »

Avant même de reprendre contact avec la Chambre des communes, Lucien Bouchard ouvre grand la porte aux rencontres avec les journalistes. Il accorde une première entrevue à Jean-François Lépine, diffusée à Radio-Canada à l'émission *Le Point* du dimanche 19 février. Pourquoi un retour aussi précipité ? « Ce qui se passe au Québec, c'est très actuel, c'est très intense, répond-il. On vit des moments décisifs pour notre avenir. [...] Je n'ai pas d'illusions sur ce qu'un individu peut faire en politique, mais, moi, c'est mon engagement public. » Il y réaffirme sa conviction que le Québec ne peut continuer dans le *statu quo*, « dans le marasme », et que la souveraineté est la seule solution. Il préconise une question qui saura susciter « une réponse claire et définitive » et il réitère sa position au sujet de la date du référendum : « Je ne peux pas considérer l'hypothèse où, délibérément, on accepterait d'exposer le Québec à un NON par rapport à la souveraineté, sachant ce qui arriverait par la suite... » Il affirme maintenant que la note « Que l'on continue », communiquée à la presse par les médecins pendant son hospitalisation, était bien un message politique. Le lendemain et le mardi, c'est le débordement : *Le Soleil* de Québec, *Le Droit* d'Ottawa, *Le Quotidien* de Chicoutimi, le réseau anglais de Radio-Canada et plusieurs journaux anglophones n'en ont que pour le retour de Bouchard. Ce n'est que le mercredi qu'il retrouve son siège à la Chambre des communes.

Le lendemain, un soleil resplendissant se lève sur une capitale fédérale en état de siège : ponts fermés, rues détournées, circuits d'autobus déviés, policiers omniprésents, autos noires qui roulent à vive allure. Jean et Aline Chrétien accueillent le président des États-Unis et Lucien Bouchard est présent, à titre de chef de l'opposition officielle de Sa Majesté. La Chambre des communes est pleine à craquer : députés, sénateurs, dignitaires, ambassadeurs, invités spéciaux. Dans son discours de bienvenue, le premier ministre Chrétien ne fait aucune allusion au projet québécois. Il se contente d'évoquer les liens économiques étroits qui existent entre les deux pays et souhaite que les États-Unis jouent un rôle de plus en plus important dans le monde. Mais Clinton, dont c'est la première visite officielle au Canada, fait bien ses devoirs : « Les États-Unis, comme beaucoup de mes prédécesseurs l'ont dit, entretiennent d'excellentes relations avec un Canada fort et uni », déclare-t-il. Interprétant les propos de Chrétien, pour qui l'amitié entre les deux pays en est une d'égal à égal, il ajoute : « Nous reconnaissons cependant, comme le premier ministre l'a dit il y a un moment au sujet de nos propres relations, qu'il vous appartient entièrement de décider de votre avenir politique ; c'est ça, la démocratie[30]. »

Le discours de Clinton a été soigneusement préparé par James Blanchard, l'ambassadeur des États-Unis à Ottawa, et le bureau du premier ministre. « M. Clinton a indiqué clairement qu'il n'était pas dans l'intérêt des États-Unis d'avoir un Canada brisé en deux, dit Eddie Goldenberg, qui a travaillé avec Blanchard à préparer la visite du président. Je ne crois pas que M. Chrétien ait eu à parler à M. Clinton à ce sujet, car le président était plus qu'heureux de le faire[31]. » Selon le journaliste Douglas Jehl du *New York Times,* le président avait soumis son discours à Jean Chrétien dans la soirée du mardi[32].

Si le président américain a adopté officiellement une position de non-ingérence, son ambassadeur au Canada ne s'est jamais fait scrupule de considérer la lutte au séparatisme comme une cause personnelle. Déjà en décembre 1993 — Jean Chrétien vient à peine de prendre le pouvoir — il s'en ouvre au ministre canadien des Affaires extérieures, André Ouellet : « [...] dans une conversation privée à bâtons rompus que nous avions au coin du feu, écrit-il dans un livre autobiographique, j'ai évoqué pour la première fois la possibilité que les États-Unis réévaluent leur position traditionnelle vis-à-vis de l'indépendance du Québec. Je me demandais si nous ne devions pas aller un peu plus loin. Et, une fois que j'eus évoqué cette possibilité, je n'ai pu me débarrasser du désir de faire quelque chose en ce sens[33]. » Il allait tenir parole, singulièrement lors de la visite de Clinton : « Chaque fois qu'un président des États-Unis était pressé de répondre, il disait toujours : "Oui, bien sûr, nous voulons que le Canada demeure uni", raconte l'ancien ambassadeur. Mais alors le State Department intervenait tout de suite pour dire : ce n'est pas notre position officielle. Alors, je voulais aller plus loin afin d'écarter l'impression que nous étions indifférents ou que la cassure du Canada était, de quelque façon, dans notre intérêt politique. Et j'étais persuadé que Warren Christopher (le secrétaire d'État) partageait mon point de vue[34]. » La question du Québec n'a cependant pas été évoquée auprès du président au cours de la rencontre en tête-à-tête d'environ une heure et demie entre les deux chefs d'État, consacrée plutôt à des sujets d'intérêt bilatéral.

Les précédents inscrits dans l'histoire des visites présidentielles à Ottawa permettent tout naturellement à Lucien Bouchard de rencontrer Clinton, si l'emploi du temps de ce dernier le permet. Mais le chef bloquiste craint de voir le gouvernement fédéral manœuvrer de façon à ce qu'un tel tête-à-tête n'ait pas lieu. Aussi, le 3 février, dans une démarche assez inusitée, a-t-il présenté une demande officielle au gouvernement de lui ménager une rencontre officielle avec le président. Il veut convaincre Clinton d'adopter une attitude de neutralité bienveillante : « Je veux lui rappeler, autant que faire se peut, que les souverainistes sont des démocrates, que leur projet est fondamentalement démocratique, que ce n'est pas un projet anti-américain, au contraire, et que les Québécois ne sont pas des protectionnistes, que c'est nous qui avons imposé le libre-échange au Canada anglais », dit-il au journaliste Michel Vastel du *Soleil*. Et Bouchard sait qu'il peut compter sur la compréhension de l'ambassadeur du Canada aux États-Unis, Raymond Chrétien[35]. Les deux se connaissent depuis leurs études à l'Université Laval. Leurs chemins se sont croisés souvent depuis. Ils échangent des livres à l'occasion, car les deux adorent la lecture, et ils se sont vus à Washington où Bouchard effectuait une visite officielle à titre de leader de l'opposition, dans les semaines qui ont suivi la nomination de Raymond Chrétien dans la capitale américaine.

Le midi, lorsque le gouverneur général Roméo Leblanc reçoit le président américain à déjeuner, rien de la rencontre entre Bouchard et le président américain n'est réglé. Tout le gratin politique d'Ottawa est présent, une cinquantaine de personnes. « Jusqu'à deux heures de l'après-midi, raconte Raymond Chrétien, la rencontre aurait pu ne pas avoir lieu. Mais si elle n'avait pas eu lieu, nous aurions eu une autre sorte de problème, un problème médiatique peut-être difficile à régler. » Chrétien reconnaît que lui-même avait des réserves à l'idée de donner une telle visibilité au chef souverainiste. Mais il est appelé à jouer un rôle clé dans ces tractations parce qu'il jouit à la fois de la confiance du premier ministre et de celle de Lucien Bouchard. « J'avais parlé à James Blanchard, à André Ouellet, au premier ministre, raconte-t-il. Il me restait à parler à Lucien Bouchard. Nous pouvions jouer la candeur l'un avec l'autre, raconte Chrétien, et nous dire : "Lucien, ça ne marchera pas, nous ne pouvons faire ça" ; "Raymond, vous allez trop loin !" Qui était pour ? Qui était contre ? On était sept ou huit dans le petit groupe qui décidait de ces choses. »

Le premier ministre et son ministre des Affaires extérieures sont inflexibles sur un point : si la rencontre doit avoir lieu, un représentant du gouvernement canadien y assistera. L'ambassadeur soumet enfin les conditions établies par le gouvernement fédéral au chef souverainiste, des conditions qui n'avaient rien de contraignant pour Bouchard : la présence à l'entretien d'un représentant du gouvernement canadien, qui allait être Raymond Chrétien lui-même, l'interdiction de photographes et de journalistes et une rencontre de Clinton avec le chef du Parti réformiste, Preston Manning. « Évidemment, il se devait d'être d'accord, poursuit Chrétien. Il a dit : "Raymond, parfait!" On a réglé ça entre la poire et le fromage, chez le gouverneur général. Et nous avons terminé notre café dans la bonne humeur, car la rencontre aurait lieu. » Et ce sera à la résidence de James Blanchard.

Le déjeuner se termine vers 15 heures et chacun rentre chez soi. L'ambassadeur propose à Bouchard de le prendre à l'heure convenue dans sa voiture et de faire le trajet ensemble, un trajet d'une vingtaine de minutes jusqu'à la résidence de l'ambassadeur américain. « Je me rappellerai toujours, raconte Raymond Chrétien. Il faisait froid. Il faisait mauvais. Je n'avais pas de parapluie. Il grêlait. Il pleuvait. Pour moi, c'était une occasion de causer, plus longuement, plus facilement avec lui que lors du déjeuner. Alors, il m'a dit un petit peu comment il avait l'intention de procéder. Je lui ai répondu que, d'après moi, c'était la meilleure façon de faire les choses… Nous sommes arrivés. Je me rappellerai toujours, la voiture glissait, tellement la glace était dangereuse. J'avais vraiment peur que nous tombions en pleine face. On a marché tous les deux, je ne sais plus si c'était bras dessus bras dessous ou main dans la main, mais essayant de ne pas tomber, pour nous rendre au haut des marches du perron, tellement c'était glissant. Tous les gardes du corps, au lieu de nous regarder, regardaient vers les montagnes, vers les arbres, comme si une menace allait venir du ciel. Alors, totalement isolés, montant les marches… c'était quand même extraordinaire comme scène! »

Pendant ce temps, Blanchard met son président au parfum : «Voici ce qui se passe. Peu importe ce que vous direz à cet homme, lui dit-il, il va l'interpréter comme un appui à la séparation. Si vous dites : "C'est une belle journée", il va dire aux journalistes que vous êtes pour l'indépendance du Québec. Vous devez faire attention. Je dirais le moins de choses possible. Posez quelques questions, soyez gentil. Il s'agit d'un gars correct, on l'adore dans sa province, mais il veut être le roi du Québec[36]. » Et, quand Blanchard voit le photographe de la Maison-Blanche s'approcher, il lui lance : « Non, pas de photos, non.

Je veux que vous disparaissiez. Je ne veux même pas qu'il voit qu'il y a un photographe autour[37] ! »

La rencontre, prévue d'une durée de vingt minutes, a lieu dans une petite pièce adjacente au grand salon. Il y a six personnes : Clinton, Anthony Lake, son conseiller en matière de sécurité, Blanchard, Bouchard, Gilbert Charland, son chef de cabinet, et Raymond Chrétien. La conversation s'engage sur des banalités : le temps est épouvantable ; Bouchard connaît bien les États-Unis, un pays qui fascine ses enfants ; sa femme est Américaine. « Bouchard a choisi de s'asseoir à côté de Clinton, raconte encore Blanchard. Il lui dit : "J'ai voulu que vous voyiez un séparatiste en chair et en os. Pour la plupart des Québécois, c'est Québec qui compte, pas le Canada. Nous sommes une nation différente. Nous sommes démocratiques. Nous sommes pacifiques. Rien ne va changer avec l'indépendance. Nous continuerons d'avoir de bonnes relations avec vous. Nous serons l'un de vos partenaires commerciaux importants. Nous respecterons les alliances et les traités. Nous aimons les Américains. Nous partageons les mêmes valeurs que le reste du Canada, mais nous voulons mettre un terme aux duplications et aux antagonismes." Puis, Bouchard fait l'historique du mouvement souverainiste au Québec[38]. » « Il l'a fait de façon très structurée, très organisée, se rappelle pour sa part Raymond Chrétien. Tout le monde l'a écouté. Il l'a fait de façon sereine, non passionnée, très correcte, et, bien sûr, en anglais. »

Puis, selon Blanchard, il y a eu une longue pause : « Bouchard a semblé surpris que Clinton ne réponde pas, ne dise rien. Finalement, Clinton a demandé : "Quelle est la population du Québec ?" C'était exactement ce qu'il fallait faire. "Sept millions", avons-nous répondu, tous ensemble. Puis, une autre pause. Raymond ne disait rien. Lake non plus. J'ai alors brisé le silence : "Je veux vous rappeler, ai-je dit, que nous vous avons rencontré parce que vous êtes le leader de l'opposition, pas parce que vous êtes un leader séparatiste." Puis, le président a demandé : "Comment va votre maladie ?" "Ça va, merci", a répondu Bouchard. Puis il s'est levé et il est parti[39]. » Dans l'antichambre, Preston Manning attendait son tour.

Invité le lendemain à commenter sa rencontre avec Lucien Bouchard, le président Clinton déclare aux journalistes : « J'ai rencontré M. Bouchard parce qu'il est le leader de l'opposition. Il se trouve qu'il est séparatiste et il a exposé sa cause clairement et de façon articulée. Je crois que les gens qui pensent comme lui auraient été enchantés de la clarté avec laquelle il a expliqué sa position[40]. » Dans les journaux américains du vendredi, le voyage de Clinton à Ottawa est noyé dans une information, jugée plus importante, au sujet d'un ulcère dont souffre le secrétaire d'État, Warren Christopher.

CHAPITRE IV

Le cheminement

L e premier terrain sur lequel Jean Chrétien choisit de se battre, c'est celui de la constitutionnalité du projet québécois. « Ce n'est pas dans la Constitution, dit-il le 20 décembre, dans une entrevue de fin d'année diffusée au réseau CTV. C'est l'une des questions auxquelles ils devront répondre : avec qui négocieront-ils[1] ? » « Ils », ce sont évidemment les souverainistes. Chrétien s'appuie sur une déclaration qu'a faite, la semaine précédente, son ministre de la Justice, Allan Rock, au cours d'un dîner offert par la revue *Cité libre* à Ottawa. « Il n'y a rien dans la Constitution qui permet à une province de se séparer du Canada, a-t-il alors déclaré. Dans mon esprit, c'est inconstitutionnel. Mais la question est technique. C'est aux Québécois de répondre. Ce qui importe, c'est leur volonté. Ma réponse est une réponse de politicien, non d'avocat[2]. » Le thème de l'allocution d'Allan Rock était *La société juste, 25 ans après*, mais le sujet du référendum a vite remonté à la surface pendant la période de questions : « On a maintenant un projet de loi déposé devant l'Assemblée nationale à Québec, lui a-t-on demandé, il est possiblement inconstitutionnel. Qu'est-ce que vous allez faire ? » L'ancien ministre se souvient aujourd'hui de cet événement : « Ma réponse — et j'y ai repensé souvent par la suite — fut : s'il y a un référendum, et si la question se pose, nous allons le gagner ou le perdre selon notre capacité de persuader les Québécois que le Canada demeure le meilleur choix. C'est une provocation, de soulever des questions légales. Nous n'allons pas le gagner avec un torrent d'arguments constitutionnels et une équipe de constitutionnalistes. C'est une question fondamentale pour les Québécois de décider si, oui ou non, le Canada est la meilleure option pour eux et pour leurs familles[3]. »

Le vice-premier ministre du Québec, Bernard Landry, ne rate pas l'occasion de mettre Chrétien dans l'embarras face à son ministre et à la position qu'il a lui-même adoptée dans son autobiographie[4] : « Le premier ministre mène un combat d'arrière-garde en mettant en doute la constitutionnalité d'une déclaration de souveraineté du Québec après un OUI au référendum, dit-il. Le ministre de la Justice, Allan Rock, a été beaucoup plus sage[5] ! »

Aussi sage soit-elle, la position de Rock suscite la controverse au Canada anglais : « Il est renversant que le ministre de la Justice écarte la question de la constitutionnalité de la sécession, écrit William Johnson dans *The Gazette*. Il confirme la position de Jean Chrétien et de ses ministres. Je crois qu'ils sont profondément dans l'erreur[6]. » Par contre, l'*Ottawa Citizen* accueille la position du ministre de la Justice avec bienveillance : « Contester la constitutionnalité de la législation québécoise, publie-t-il en éditorial, manque, au mieux, de pertinence, et, dans la pire des hypothèses, devient une distraction dangereuse[7]. »

La question n'est cependant pas que théorique. Si le projet de sécession du Québec ne peut s'appuyer sur aucune disposition de la Constitution canadienne, on estime, à Ottawa, que des partisans de l'indépendance pourraient recourir à la violence pour obtenir des changements constitutionnels. Or, dans un tel cas, le Service canadien du renseignement de sécurité (SCRS) serait justifié, en vertu de son mandat, d'infiltrer des mouvements favorables à l'indépendance. « Le SCRS peut s'intéresser à une ou plusieurs personnes de quelque parti politique que ce soit qui prôneraient des changements constitutionnels par des moyens violents », déclare devant un sous-comité de la Chambre des communes Me Michel Robert, membre du Comité de surveillance des activités de renseignement de sécurité[8]. Les souverainistes ont trop à l'esprit les techniques policières de la GRC dans les années 1970 pour ne pas être très attentifs à cet aspect de la bataille qui s'annonce.

Pour Jacques Parizeau, la question de la légalité ne doit même pas se poser. Selon lui, Chrétien a beau dire que, nulle part, la Constitution ne permet à une province de faire sécession, dans le droit britannique, ce qui n'est pas interdit est autorisé. Il évoque le fait qu'en 1992, Robert Bourassa a exigé, et obtenu, parce que la Constitution ne l'interdisait pas, le droit pour le Québec de tenir son propre référendum sur l'entente de Charlottetown. Il prend exemple sur le même référendum pour soutenir que, si le principe du 50 plus un était valable à ce moment-là, il doit être respecté en 1995.

Ce qui préoccupe les stratèges fédéraux, c'est l'empressement que pourrait mettre Parizeau à déclarer la souveraineté du Québec advenant une victoire du OUI, peu importe sa majorité. « M. Parizeau n'avait pas de compromis dans sa formule à 50 plus un, dit Jean Pelletier, qui était alors chef de cabinet du premier ministre Chrétien (à ne pas confondre avec Jean Pelletier, qui dirige le Service des documentaires à Radio-Canada). Il serait allé de l'avant. Cela aurait été un chaos épouvantable sur le plan politique au Canada s'il avait fallu que ce soit 50 plus un, mais pour le OUI. » Ce qu'ajoute ensuite Pelletier indique bien pourquoi, dans l'esprit des fédéralistes, le référendum de 1995 n'a pas la même signification que celui de 1980. « J'ai toujours pensé que M. Lévesque ne voulait pas briser le Canada, dit-il. Il voulait un autre *deal*. Ce n'était pas nécessairement la séparation pure et dure qu'il recherchait. » Daniel Johnson ne pense pas différemment : « Le référendum de 1995 n'était pas purement consultatif, dit-il, dans la mesure où le gouvernement du Québec, une fois l'offre de partenariat déposée, sans préciser combien de temps l'autre partie avait pour répondre, pouvait déclarer la souveraineté du Québec à l'Assemblée nationale. Donc, une déclaration unilatérale de l'indépendance, finalement, après une offre de partenariat, discutée ou pas, c'était ça, la démarche de Parizeau, et il ne s'en serait pas privé ! »

Pourtant, Jacques Parizeau est en quelque sorte lié par l'avant-projet de loi qu'il a déposé, au début de décembre 1994. L'article 2 du projet prévoit que « le gouvernement est autorisé à conclure avec le gouvernement du Canada un accord consacrant le maintien d'une association économique entre le Québec et le Canada ». « Afin, peut-on lire dans les notes explicatives, de préserver la libre circulation des biens et services, des capitaux et des personnes qui existe déjà et qui doit être développée. » Parizeau va donc négocier.

Mais ces négociations, il les prépare : « Tout ça ne se fait pas en un jour, dit-il. C'est pour cela que le délai d'un an, dont on parlait, était nécessaire. Il fallait le plus tôt possible avoir un certain nombre d'idées assez précises sur ce qu'on avait l'intention de faire. » C'est à un haut fonctionnaire qu'échoit la responsabilité de préparer les négociations. Carl Grenier est sous-ministre adjoint au ministère des Affaires gouvernementales, de l'Immigration et des Communautés culturelles. Prêté pour la circonstance au Conseil exécutif, il dirige une équipe d'une vingtaine de personnes dont le mandat est d'articuler la position du gouvernement du Québec. Advenant une victoire du OUI, c'est lui et son équipe qui assisteront, sur le plan technique, le négociateur en chef dans son argumentation auprès des représentants du gouvernement fédéral.

Personne ne s'illusionne sur le climat qui enveloppera ces négociations, mais Mario Dumont croit que le Canada anglais n'aura pas le choix : « On boude pendant un bout, puis, après, il y a une couple de sujets qui nous forcent à nous asseoir à la table, dit-il, évoquant son expérience des négociations. Au début, on ne s'entend pas, mais alors, quand on entend le tic tac du cadran, le temps, puis les événements, puis la pression populaire font à un moment donné que le gros bon sens prend le dessus. »

Dans la « couple de sujets » qui pourraient forcer les deux parties à s'asseoir à la table, et dès le lendemain d'un OUI, il y a l'isolement des provinces de l'Atlantique. Il sera nécessaire, selon Parizeau, de signer immédiatement un accord qui permettra « la libre circulation des véhicules, des avions, des bateaux, des trains entre l'Ontario et le Nouveau-Brunswick. » Ne serait-ce qu'à cause de cette nécessité, il ne peut imaginer le gouvernement fédéral disant : nous ne sommes pas prêts à signer, nous ne voulons pas vous parler... « Ce n'est pas sérieux ! », dit-il. Quant au reste, pour l'économiste qu'il a toujours été, il s'agit d'abord et avant tout d'une opération comptable. « On a droit au quart, un peu moins que le quart, des actifs du gouvernement fédéral, dit-il. Cela dépend du critère : est-ce que vous utilisez la population, est-ce que vous utilisez le produit national brut ? Et il est évident que, le pourcentage en question, vous allez l'appliquer à la dette fédérale. » Une dette qu'il évalue autour de 400 milliards de dollars. Le gouvernement québécois s'appuie, dans son cheminement au sujet du partage des actifs et des passifs, sur les conclusions de la commission Bélanger-Campeau, rendues publiques en 1991, et, surtout, sur une étude qu'il a commandée à deux actuaires, Claude Lamonde et Jacques Bolduc, selon laquelle le Québec irait chercher beaucoup plus de dettes que d'actifs[9]. Parizeau sait fort bien que « certains ajustements seront nécessaires », au sujet des actifs immobiliers fédéraux, par exemple, ou encore en ce qui concerne la portion de la dette relative au Régime de pensions du Canada que le Québec n'a pas à assumer puisqu'il n'y a jamais souscrit. Il estime cependant que le principe du partage est, selon lui, assez simple[10].

S'il lui est possible de prendre des dispositions pour accroître la crédibilité de sa démarche auprès des Québécois, le gouvernement Parizeau se heurte cependant à une autre sorte de difficulté contre laquelle il ne peut rien : le Canada anglais n'est pas prêt à négocier une association économique avec le Québec, ni politiquement ni techniquement. Le 15 janvier 1995, un débat réunit, à l'Université McGill, 200 intellectuels de tout le pays afin d'en analyser les possibilités et les conséquences. L'un d'eux, le professeur Alan Cairns, de l'Université de la Colombie-Britannique, est catégorique : « Même s'il le voulait, dit-il dans une conférence diffusée par les deux chaînes d'information continue de Radio-Canada/CBC, le Canada sera incapable de négocier la séparation du Québec dans un délai de douze mois. Ce ne sera pas comme en Tchécoslovaquie, où les deux camps étaient organisés. Le Canada anglais traversera une période de grande instabilité qui sera marquée d'excès de langage. » Et il ajoute : « Rien n'assure qu'il sortira un seul peuple du reste du Canada[11]. »

Au gouvernement fédéral, peu de gens continuent de croire qu'un jour, un nouveau gouvernement du Parti québécois retentera le coup de 1980. Aussi, tout le monde est pris par surprise lorsque le gouvernement Parizeau enclenche le processus référendaire immédiatement après son élection. Il ne faut pas oublier que le gouvernement Chrétien n'est au pouvoir que depuis un an et que le précédent, celui de Brian Mulroney, a tout misé sur les accords de Meech et de Charlottetown plutôt que sur une stratégie de lutte à une offensive souverainiste. « Le plan de match n'est pas fait, il faut le faire vite, reconnaît Jean Pelletier. À Ottawa, une certaine partie de la fonction publique, qui détenait l'Évangile et la vérité, disait que ce n'était pas nécessaire de faire quoi que ce soit, que ça n'arriverait pas… Quand le référendum a été déclenché, l'appareil fédéral a réalisé qu'il était un peu démuni et il a été obligé de réagir en vitesse et de mettre sur pied une équipe pour créer une boîte responsable du référendum. Elle a été confiée à un haut fonctionnaire, Howard Balloch, qui est entré au Conseil privé à titre de sous-secrétaire du Conseil des ministres pour l'Opération unité[12]. Cette équipe a patiné plus vite, elle a couru plus vite pour rattraper le temps perdu. On n'était pas prêt parce qu'on n'avait pas envisagé qu'il aurait pu y avoir un OUI comme ultime réponse. On avait toujours été persuadé que le NON l'emporterait. » Au moment où s'engage la saison référendaire, le gouvernement fédéral n'a pas de plan de campagne et n'a pas fait l'unanimité dans le camp fédéraliste, ce qui expliquera en partie la confusion qui marquera pendant plusieurs mois la stratégie du NON.

Il y a une autre raison pour laquelle le gouvernement fédéral ne se prépare ni à une lutte référendaire ni, à plus forte raison, à des négociations : en s'y préparant, il pourrait laisser croire qu'il n'écarte pas la possibilité d'une victoire du OUI. Or, sa stratégie est et sera, jusqu'au début de la campagne référendaire, de tenir pour acquis que le NON l'emportera, et haut la main. « Le sentiment général, à Ottawa, était que nous ne devions préparer aucun plan alternatif, dit Allan Rock. Je ne me souviens pas qu'il y ait eu d'instructions spéciales à cet effet en provenance du bureau du premier ministre ou d'ailleurs. Mais je crois qu'il était convenu que nous n'allions pas nous engager dans des projets alternatifs, car, ce faisant, nous aurions fait preuve de faiblesse. Cela aurait été connu et nous aurions passé pour des peureux, nous aurions donné de la crédibilité au camp du OUI, en reconnaissant qu'il pouvait gagner. Les gens nous auraient alors demandé ce que nous projetions de faire. Il y avait donc une sorte d'entente tacite qu'aucun ministère n'allait s'engager dans quoi que ce soit qui aurait pu ressembler à : qu'est-ce qu'on fait si le OUI gagne[13] ? » Le ministre de l'Industrie du gouvernement Chrétien, John Manley, se souvient aussi qu'il n'était pas possible d'établir une stratégie : « On pensait que, s'il y avait une stratégie, cela pourrait, si c'était su, créer l'idée que c'était clair, c'était fini. Cela pourrait encore aider la cause du OUI. » La tension que vivent alors les membres du Conseil des ministres menace de perturber la vie familiale, et certains, comme Manley, choisissent de ne pas transporter leur inquiétude à la maison : « Je ne voulais pas que mes enfants, à l'école, si d'autres enfants leur demandaient ce que leur père pensait, se retrouvent dans la situation de répondre : "Il pense qu'on va perdre" ou "On va peut-être perdre" ou "Il est très inquiet" ».

S'il n'est pas prêt à se lancer dans la campagne référendaire, le gouvernement fédéral est encore moins disposé à se prononcer sur l'opportunité d'accepter la négociation avec le Québec. Il ne se trouve pas un seul de ses membres pour suggérer d'être beau joueur, advenant que le OUI l'emporte, et de s'ouvrir à la discussion, quitte à demander une prolongation du délai d'un an, s'il est trop court. De toute façon, une telle attitude irait à l'encontre de la stratégie qui se dessine graduellement depuis que le Parti québécois a pris le pouvoir. Plusieurs personnalités, influentes auprès de la classe politique, suggèrent au gouvernement fédéral d'adopter une position résolument hostile, susceptible de faire peur à la population québécoise. Deux exemples parmi beaucoup d'autres : Stanley Hartt, un ancien conseiller de Brian Mulroney, profite d'un colloque de l'Institut C.D. Howe pour inviter Chrétien à prendre l'engagement de faire souffrir le Québec au point de rendre la sécession impossible. Stéphane Dion, universitaire et conseiller du Conseil privé à l'époque, déclare, à la même occasion : « Plus ça fera mal, plus l'appui à la souveraineté baissera[14] ! »

Au moment où s'engage la campagne préréférendaire, la situation demeure confuse à Ottawa : comment faire face à la stratégie du gouvernement du Québec ? Faut-il, dès maintenant, laisser croire que le gouvernement fédéral reconnaîtra la victoire des indépendantistes si le OUI gagne et, dans cette hypothèse, quelle attitude adopter dans la négociation ? D'autant que d'autres joueurs prétendent avoir voix au chapitre : les provinces veulent avoir leur mot à dire, et spécialement dans une ronde de négociations, si elle a lieu. L'Ontario, en tout cas, se prépare, depuis qu'une victoire du OUI ne peut être définitivement écartée. Deux équipes, l'une relevant du ministre des Finances et l'autre du ministre des Affaires intergouvernementales, sont mises sur pied. « J'ai appris très rapidement que New York, Londres et les grands centres financiers dans le monde n'aimaient pas cette sorte d'incertitude, rappelle aujourd'hui Mike Harris, qui était, au moment du référendum, premier ministre de l'Ontario. Aussi, nous travaillions à une stratégie destinée à les convaincre que ce référendum ne signifiait rien d'autre que la routine habituelle. Nous anticipions alors des discussions très difficiles avec le Québec. Et, en aucun temps, nous n'avons eu l'impression que le gouvernement fédéral allait parler pour nous. Nous aurions parlé pour l'Ontario, pour les Ontariens. Les premiers ministres, ensemble je crois, auraient fait savoir que ce qu'ils avaient compris, qu'ils avaient prévu, qu'ils avaient demandé, c'est de faire partie de ces discussions, de ces négociations[15]. » Un premier ministre ne partage pourtant pas cet avis. Frank McKenna, du Nouveau-Brunswick, est catégorique : ni lui ni Jean Chrétien ne pourront s'asseoir en face du négociateur du Québec. « Je n'ai aucune autorité pour négocier au nom du Canada, dit-il. Le premier ministre du Canada n'a pas le mandat de négocier la séparation du Québec du Canada[16]. »

En 1995, Preston Manning siège à la Chambre des communes, en qualité de chef du Parti réformiste[17]. À la recherche d'une solution à la question québécoise, il entreprend la démarche, plus sérieuse, de consulter l'Acte de l'Amérique du Nord britannique. Il rappelle qu'au moment de la création de la Confédération canadienne, en 1867, le Québec et l'Ontario étaient réunis en une seule province, la province du Canada. Lorsqu'elle a été fractionnée, les biens de cette province ont dû être répartis entre les deux nouvelles. « Il y avait des immeubles qu'elle avait achetés, des terrains qu'elle avait acquis, et qu'il fallait diviser, dit-il, en riant. Je crois qu'on a créé une commission à cette fin, avec un commissaire pour chaque nouvelle province. Ils ont travaillé pendant trente-cinq ans à essayer de s'entendre sur, en somme, une petite quantité de biens et une petite dette. Ils n'ont jamais réussi. Pouvez-vous imaginer le problème si le Québec se séparait ? Si vous ne pouvez vous entendre dans un contexte de confédération, pouvez-vous imaginer le problème, si le Québec s'était séparé[18] ? »

Pris de court et sollicités par autant d'avis contradictoires, Jean Chrétien et ses conseillers retiennent l'option de la confrontation, la seule capable de créer un consensus au Canada anglais : plutôt que de parler des possibilités de négociation, ils choisissent plutôt de faire échec au projet lui-même.

L'ouverture à la négociation ou son rejet pur et simple ne constitue pas le seul dilemme auquel est confronté le gouvernement fédéral. Pourra-t-il ou devra-t-il empêcher un Québec indépendant de continuer d'utiliser son dollar ? Le débat autour de cette question n'a pas cessé depuis que la position de Parizeau a été connue à ce sujet et les arguments auxquels ont recours les spécialistes des deux camps ne la rendent pas plus claire aux yeux de la population.

Au printemps de 1995, un document confidentiel circule dans les couloirs du parlement fédéral. Il émane du Conseil privé. Intitulé *Le dollar canadien et la séparation du Québec*, il a été préparé pour étoffer le discours du premier ministre Chrétien pendant la campagne référendaire. Selon ce document, Parizeau ne dit pas la vérité aux Québécois lorsqu'il prétend qu'un Québec indépendant pourrait continuer d'utiliser le dollar canadien. L'étude soutient que le Québec pourrait utiliser la devise canadienne pendant quelque temps, mais qu'il devrait vraisemblablement créer sa propre monnaie. Pourquoi ? Le monde financier perdrait confiance, les capitaux fuiraient le Québec et le gouvernement Parizeau n'aurait d'autre choix que de se doter d'une devise bien à lui pour régler des problèmes de liquidité. La même étude rappelle que l'union monétaire entre la République tchèque et la Slovaquie a été de bien courte durée lorsque la Tchécoslovaquie a éclaté en 1991, parce que les banques slovaques n'ont pu résister à la prise d'assaut dont elles ont été l'objet. Le document évoque alors la possibilité que « le castor » remplace un jour « le huard » ou que la monnaie québécoise soit le dollar américain[19].

À la mi-mars, dans une étude que publie l'Institut C.D. Howe, l'analyste politique William R. Robson prétend qu'il serait non seulement possible, mais souhaitable que le Canada et un Québec indépendant aient la même monnaie. Selon lui, le Québec n'aura cependant pas le choix de se doter d'une devise propre si les grandes institutions du reste du Canada, dont la Banque du Canada, refusent de collaborer avec celles du Québec, par exemple afin d'empêcher une fuite des capitaux et le retrait massif des dépôts. Robson reprend l'exemple de la Tchécoslovaquie pour dire que le Québec, comme la Slovaquie, trouvera plus avantageux de créer sa propre monnaie. L'étude de Robson reçoit la semaine suivante un appui de taille lorsque, au cours d'une conférence de presse du gouverneur de la Banque du Canada, lors du dépôt de son rapport annuel, le premier sous-gouverneur, Bernard Bonin, déclare, en réponse à un journaliste qui l'interroge sur l'utilisation par le Québec du dollar canadien : « Tout ce que je serais porté à vous dire à ce sujet, c'est de vous renvoyer à l'étude que Bill Robson vient de publier au C.D. Howe Institute. Bill Robson est un des meilleurs analystes au Canada sur les questions monétaires[20]. » Bonin précise sa pensée dans une interview au *Soleil*, quelques semaines plus tard. Selon lui, dans une zone de libre-échange, le Canada, les États-Unis, et même un Québec indépendant devraient avoir une monnaie commune : « Économiquement, c'est faisable, dit-il. C'est politiquement que ça accroche ! » Il n'a pas changé d'idée à ce sujet depuis les études qu'il a préparées pour le gouvernement Lévesque.

Jacques Parizeau tient mordicus à une monnaie commune parce qu'elle met le Québec à l'abri des sautes d'humeur du Canada. « Aussi longtemps que nous appartenons à la zone qui utilise le dollar canadien, nous sommes intouchables[21] », dit-il. Il est convaincu qu'il n'aura pas à vivre, en 1995, l'expérience de René Lévesque qui, en 1980, a dû affronter le sarcasme de ceux qui parlaient de « la piastre à Lévesque à 65 cents ! » Selon lui, le simple fait que les Québécois détiennent le quart de la masse monétaire canadienne suffit pour que le gouvernement canadien renonce à empêcher un Québec indépendant d'utiliser sa monnaie. Enfin, Parizeau imagine difficilement le Canada refuser une monnaie commune alors que l'Europe va dans la direction contraire avec le traité de Maastricht, signé trois ans plus tôt, et l'adoption de l'euro comme devise unique, l'année même du référendum québécois. Parizeau est à ce point convaincu que le Canada ne pourra pas l'empêcher d'utiliser sa monnaie, qu'il a fait inclure dans l'avant-projet de loi sur la souveraineté du Québec que « la monnaie qui a cours légal au Québec demeure le dollar canadien ». Pour lui, les mouvements de capitaux à très court terme, amplifiés par les dérivatifs[22], font rentrer au Canada de l'argent qui dépasse largement celui qui découle des transactions commerciales ou de l'exportation. Dans un tel environnement, qui peut devenir hostile en peu de temps, qui peut même jeter une monnaie par terre en quelques jours, Parizeau ne peut imaginer le Québec ayant sa propre monnaie.

La question des frontières occupera assurément une place importante dans une éventuelle négociation. Le gouvernement québécois devra trouver des solutions à deux problèmes de taille : le cas des peuples du nord de la province et celui des anglophones de l'ouest de l'île de Montréal, qui posent tous deux crûment la question de l'intégrité du territoire. Le Parti québécois a affirmé à plusieurs reprises, pendant la campagne électorale de 1994, sa position sur la question territoriale : il n'y aura qu'un seul ordre juridique au Québec et tous les recours seront envisagés pour protéger l'intégrité du territoire, sa reconnaissance devenant une donnée fondamentale à toute négociation avec les peuples autochtones. Mais, à peine élu, le gouvernement fait face à une levée de boucliers de la part des chefs autochtones. Réunis au lac Delage, ceux-ci réaffirment le droit de leurs peuples à se gouverner eux-mêmes et leurs droits ancestraux sur le territoire. Le gouvernement réplique en insérant dans l'avant-projet de loi sur la souveraineté du Québec, déposé le 6 décembre à l'Assemblée nationale, la disposition suivante : « (La nouvelle Constitution du Québec) doit reconnaître aux nations autochtones le droit de se gouverner sur des terres leur appartenant en propre. Cette garantie et cette reconnaissance s'exercent dans le respect de l'intégrité du territoire québécois. » Trois jours plus tard, par la voix de leur porte-parole, Zebedee Nungak, les Inuits font appel au gouvernement fédéral pour qu'il vienne à leur secours[23]. Nungak est ce même porte-parole inuit, qui, à Toronto, lors de la conférence constitutionnelle de février 1992 sur l'identité, les droits et les valeurs canadiennes, a déposé une carte amputant le Québec des deux tiers de son territoire. Cette carte faisait fi des lois canadiennes et québécoises qui, en 1898 et 1912, avaient rattaché au Québec tout le nord du Québec et l'Abitibi, jusque-là territoires de la Couronne[24].

Une semaine après le dépôt de l'avant-projet de loi, les Premières nations du Canada, par la voix de leurs chefs, rappellent au gouvernement fédéral ses obligations historiques à leur égard. Fin décembre, le gouvernement québécois, dans un geste qui veut témoigner concrètement du sérieux de sa politique vis-à-vis des revendications autochtones, propose aux peuples attikamek et montagnais la création de territoires d'une superficie de 4 000 kilomètres carrés destinés à leurs activités traditionnelles, de zones de ressources à gestion partagée de 40 000 kilomètres carrés et d'aires de conservation de 10 000 kilomètres carrés[25]. La position de Jacques Parizeau s'appuie sur le fait qu'en signant la Convention de la Baie-James et du Nord québécois, les Cris et les Inuits ont renoncé à tout droit territorial, principalement dans l'article 2.1 de la convention : « En considération des droits et avantages accordés aux Cris de la Baie-James et aux Inuits du Québec, les Cris de la Baie-James et les Inuits du Québec cèdent, renoncent, abandonnent et transportent par les présentes tous leurs revendications, droits, titres et intérêts autochtones, quels qu'ils soient, aux terres et dans les terres du territoire et du Québec et le Québec et le Canada acceptent cette cession[26]. » Parizeau commente : « Nous, il y a un principe à l'égard duquel on n'a jamais changé. On reconnaît onze nations autochtones au Québec, on leur reconnaît le droit à l'autodétermination, on leur reconnaît le droit de participer activement à leur développement, dans le maintien de l'intégrité du territoire québécois. Jusqu'à ce que tout le monde soit prêt à discuter dans un cadre comme celui-ci, moi, le *statu quo* ne me dérange pas. »

Les Cris ne l'entendent pas de la même façon. Matthew Coon Come reprend son bâton de pèlerin pour dénoncer la position du gouvernement québécois. Il n'ignore pas que, si le OUI l'emporte, le Québec devra chercher une reconnaissance internationale, dont celle des États-Unis. « Nos voisins de la porte à côté auraient certainement eu un gros mot à dire, si la chose était arrivée[27] », dit-il. À la mi-novembre, en voyage aux États-Unis, il s'en prend au premier ministre du Québec : « Dans une nouvelle tentative pour nous enlever notre statut et nos droits, M. Parizeau soutient autant comme autant que nos droits autochtones sont éteints. D'abord, nous ne sommes pas d'accord. Il s'agit d'une prétention dont M. Parizeau devrait avoir honte[28]. » Il ajoute qu'une telle prétention doit être condamnée comme colonialiste et raciste et se retrouver « dans la poubelle de l'histoire de l'apartheid[29] ».

Dans les faits, Matthew Coon Come fait preuve d'une remarquable habileté : l'occasion est belle et il ne la rate pas. Il reconnaît aujourd'hui que l'élection d'un gouvernement qui préconisait la sécession du Québec lui a permis de relancer la cause des droits des Autochtones sur toutes les places publiques. « Pourquoi ne pas saisir la chance qui passe ? dit-il. J'ai établi clairement que nous ne voulions pas faire obstacle à la volonté du Québec de définir son avenir ou d'exercer son droit à l'autodétermination. Nous disions : si vous revendiquez le droit à l'autodétermination, ne niez pas le même droit aux gens des Premières nations, dans ce cas-ci, aux Cris du Québec. C'est le langage que nous utilisons dans la communauté internationale[30]. » Dans la semaine qui suit l'élection du gouvernement du Parti québécois, Coon Come obtient le mandat de tenir son propre référendum dans son peuple. « Il y aurait eu des organismes de défense des droits de l'homme qui auraient demandé : que se passe-t-il avec le référendum que les Cris ont tenu ? dit-il. Nous avons voulu créer une situation où il n'y aurait pas de double standard[31]. » Coon Come admet que les circonstances lui offraient également la possibilité d'exercer beaucoup de pression sur le gouvernement fédéral : « Nous avons créé une situation où nous mettions le Canada dans une position très difficile. Nous voulions éviter que le gouvernement fédéral transfère simplement au Québec ses responsabilités de fiduciaire sur les Indiens et leur terre au Québec, sans notre consentement[32]. » Et il ajoute avec une certaine candeur : « S'il n'y avait pas eu de gouvernement du Parti québécois, nous n'aurions probablement pas cette discussion. Mais parce qu'un référendum était inévitable, nous avons décidé de réaffirmer nos droits[33]. »

La campagne du chef du Grand conseil des Cris auprès des Américains agace profondément le gouvernement québécois. « C'est du grand guignol », déclare David Cliche, le responsable du dossier autochtone pour le PQ, qui choisit de ne pas répondre à l'attaque du leader cri[34]. Grand guignol ou pas, la démarche de Matthew Coon Come a un impact sur ceux qui prennent les décisions importantes à Washington. « Sa déclaration n'est pas passée inaperçue, croyez-moi, dit Raymond Chrétien, qui était alors ambassadeur du Canada dans la capitale américaine. Elle n'a probablement eu aucun effet sur l'ensemble des États-Unis, mais sur les personnes qui comptent à Washington, oui, indéniablement[35]. » L'ancien diplomate se souvient qu'à la Chambre des communes, à ce moment-là, un député avait demandé si l'ambassadeur du Canada avait vu le discours de Coon Come avant qu'il le prononce. « Non, (je ne l'ai pas lu). Qui étais-je pour dire au leader de la nation crie quoi dire ou ne pas dire[36] ? », répond aujourd'hui Raymond Chrétien.

Le problème territorial dépasse la simple revendication des Cris. Même si le gouvernement du Québec reconnaît aux Autochtones le droit à l'autodétermination, pour l'Assemblée des Premières nations, l'autonomie gouvernementale est indissociable de la terre et quatre nations revendiquent des territoires qui débordent les frontières du Québec : les Innus de la Côte-Nord, les Micmacs de la Gaspésie, les Algonquins dans l'ouest de la province et les Mohawks de la région de Saint-Régis. Et la menace s'ajoute à la position de principe : le chef du Congrès des peuples autochtones, Jim Sinclair, qui représente plus d'un demi-million d'Amérindiens vivant hors réserve au Canada, promet une crise semblable à celle d'Oka si le gouvernement québécois ne change pas sa position sur la question territoriale.

Pendant que les Autochtones réclament leur part du Québec, Jacques Parizeau risque de devoir faire face à une autre menace de modification des frontières de son nouveau pays. Elle viendrait de l'ouest de Montréal. La graine est d'ailleurs en terre depuis au moins quinze ans. Lors du premier référendum, des anglophones de cette partie du Québec avaient évoqué la possibilité de se rattacher à l'Ontario. Dans un livre[37], publié en 1980, William F. Shaw et Lionel Albert ont entrepris de répertorier des morceaux du Québec qui pourraient ne plus en faire partie s'il devenait indépendant. L'un de ces morceaux est l'ouest du Québec, de Montréal à la frontière ontarienne. Après avoir amputé le Québec d'une bonne partie du nord de la province[38] et de toute la partie sud qui longe le Saint-Laurent[39], les auteurs ajoutent : « Parmi les territoires affectés, il y aurait la partie ouest de l'archipel de Montréal, la vallée de l'Outaouais et ses vallées tributaires, la région du Témiscamingue et la Basse Côte-Nord[40]. » La carte qui accompagne ce passage dans le livre de Shaw et Albert réduit le Québec à une bande, située sur la rive nord du Saint-Laurent, qui s'arrête à la hauteur de l'île d'Anticosti.

La réplique de Parizeau à ces prétentions est d'ordre constitutionnel. Selon lui, depuis 1871 et dans la nouvelle Constitution de 1982, le principe demeure le même : on ne peut pas changer les frontières au Canada sans l'accord de la province concernée[41]. Une réplique que Shaw et Albert ont prévue, quinze ans avant le référendum de 1995 : « Si le Québec décide de cesser d'être une province, la Constitution ne s'applique plus[42]. » Mais Parizeau argumente sur le même terrain : « Tant que le Québec est dans la Confédération, dit-il, le gouvernement fédéral ne peut pas changer les frontières du Québec. Et quand le Québec n'est plus dans la Confédération, si le Canada veut changer les frontières du Québec, qu'est-ce que c'est ? C'est de l'agression sur le plan du droit international. Avant, il ne peut pas. Après, il est trop tard ! »

Quant aux populations anglophones qui habitent l'ouest de Montréal, elles jouiront, dans un Québec indépendant, des mêmes protections qu'elles ont dans le Canada actuel et le gouvernement en prend l'engagement dans son avant-projet de loi : « (La nouvelle Constitution) doit inclure une charte des droits et libertés de la personne. Elle doit garantir à la communauté anglophone la préservation de son identité et de ses institutions. »

Jacques Parizeau, par contre, ne conteste pas la légalité de la frontière du Labrador, enlevé au Québec en 1927 par une décision du Conseil privé de Londres et rattaché à Terre-Neuve, à l'époque colonie britannique. Pour lui, le gouvernement du Québec, par toutes sortes de gestes, depuis 1927, a confirmé cette frontière et l'affaire est classée depuis longtemps. Mais la délimitation des frontières maritimes sera plus complexe. De l'Atlantique jusqu'à l'île d'Anticosti, le golfe Saint-Laurent n'a rien d'une mer intérieure. Il est ce que Jacques Parizeau appelle « une mer ouverte ». Étant riverain d'une mer ouverte, un Québec indépendant a droit, selon les règles de partage, à douze milles et à la moitié des eaux qui le séparent de ses voisins, Terre-Neuve et le Nouveau-Brunswick. La baie d'Hudson présente une problématique différente du fait qu'elle est une mer intérieure. Par conséquent, le Québec, comme province, n'a aucune compétence ni à douze milles des côtes ni à un mille. Selon des textes anciens, sa compétence s'arrête « à la hauteur du poitrail d'un cheval » qui s'aventurerait dans l'eau à marée basse. Le gouvernement québécois n'écarterait pas la possibilité d'avoir à plaider sa cause devant la Cour internationale de La Haye, si nécessaire.

Quoi qu'il en soit, avant d'avoir à affronter ce genre de casse-tête, le gouvernement Parizeau doit d'abord franchir l'étape du référendum, et le gagner. Aussi, dès le 6 février 1995, dix-sept Commissions régionales consultatives sur l'avenir du Québec se mettent en branle. Elles mobilisent pas moins de 288 commissaires qui, en un mois, vont recevoir 4 591 mémoires et entendre près de 55 000 personnes. Le président de la commission de Montréal, Marcel Masse, résume ainsi l'esprit qui anime l'ensemble de la démarche : « Les gens veulent savoir en quoi et comment cet outil nouveau de la souveraineté va changer leur vie. La population veut savoir, en 1995, la souveraineté, pour faire quoi ? Et non plus la souveraineté, pourquoi seulement, comme en 1980. La souveraineté est un outil pour changer la société[43]. » Et le journaliste Gilles Lesage ne se méprend pas sur l'état d'âme des Québécois : « La soif de changement est immense. Le *statu quo* est honni, les griefs contre Ottawa sont nombreux. Mais la confiance envers Québec est limitée[44]. »

Le Parti libéral du Québec demeure absent de toute l'opération, mais le consulat américain à Québec s'assure d'avoir un observateur aux séances des commissions. Des rapports périodiques sont envoyés au Secrétariat d'État, qui donnent une bonne idée du climat de ces assemblées. Un exemple parmi d'autres, tiré du rapport consulaire du

28 février, sur la sixième réunion, le 24, de la commission régionale de la capitale nationale, intitulé *Une soirée avec une commission sur l'avenir du Québec* : « À la manière d'une assemblée municipale américaine, dirigée avec dignité et bonne humeur, telle a été l'impression qu'en a eue l'agent du consulat (*consulate officer*). Tenue dans l'auditorium d'une école de la petite ville de Saint-Marc-des-Carrières, à quelque 45 milles au sud-ouest de Québec, l'assemblée s'est déroulée devant une bonne assistance. Malgré de forts vents et de la poudrerie, 150 à 200 personnes ont occupé les deux tiers des chaises pendant trois heures. L'atmosphère en était une d'attente et d'attention, teintée d'un peu d'excitation. Seize commissaires, sous la présidence de Jean-Paul L'Allier, maire de Québec, étaient assis derrière deux rangées de tables, faisant face à l'assistance. Parmi eux, Richard Le Hir, ministre (à l'occasion, franc-tireur imprévisible) de la Restructuration, responsable de transformer un gouvernement provincial en gouvernement national. À la droite, une table pour les présentations et, à la gauche, derrière une petite montagne d'appareils d'enregistrement, les personnes responsables de rédiger un compte rendu de l'événement, pour consultation ultérieure et pour la postérité. La scène est décorée de bleu du Québec (non distinct du bleu du Parti québécois) et un drapeau provincial sert de toile de fond à la commission [...]. La grande majorité de l'assistance, manifestement en sympathie avec le projet de souveraineté, a applaudi chaleureusement les présentations en faveur de celle-ci. Néanmoins, les voix discordantes ou celles qui posaient des questions ont été écoutées avec respect[45] ».

L'intérêt pour les commissions a été soutenu pendant tout le mois où elles ont siégé. Jacques Parizeau aime rappeler qu'un soir, André Chagnon, le président de Vidéotron, dont le réseau québécois de télévisions communautaires retransmettait les séances, lui a téléphoné : « Vous savez ce que vous aviez comme auditoire, hier ? J'ai dit : non. Il a dit : 400 000 ! Pour une commission sur l'avenir du Québec ! »

Du 22 au 28 mars, à la suite des travaux des commissions régionales, la commission nationale se réunit au Manoir Montmorency, à Beauport, près de Québec. Elle reçoit tout d'abord une cinquantaine de mémoires soumis par des organismes régionaux, puis prépare, sous la présidence de Monique Vézina, les conclusions à soumettre au gouvernement. Le 9 avril, plusieurs commissaires se réunissent pour réviser une dernière fois le rapport qui aura sa version anglaise. On sait déjà qu'il recommandera la souveraineté politique comme outil essentiel au développement économique et culturel du Québec et la conclusion d'une association de nature économique avec le reste du Canada. Le 19 avril, au cours d'une cérémonie solennelle au salon rouge du parlement, Jacques Parizeau reçoit le rapport, mais s'abstient de le commenter avant de l'avoir lu attentivement, laissant à la présidente de la commission nationale et aux deux vice-présidents, Marcel Masse et Jean-Paul L'Allier, l'espace et le temps nécessaires pour le présenter aux journalistes.

Selon Mario Dumont, dont le parti a participé aux travaux des commissions, il est difficile d'évaluer l'influence que celles-ci ont pu avoir sur le cheminement du premier ministre Parizeau. « J'ai de la misère à dire que, les commissions, c'est ce qui a fait cheminer M. Parizeau, dit-il. Je pense que ce qui l'a fait davantage cheminer, c'est quelque chose de fort simple, qu'on pourrait appeler la réalité politique. Il avait en main les sondages, il regardait l'opinion publique. Une fois les commissions finies, la réalité fondamentale demeurait : poser aux Québécois une question et lancer l'idée d'indépendance du Québec, sans partenariat, sans rien. Les gens n'étaient pas prêts à ça. »

La commission nationale n'avait pas encore remis son rapport que la « réalité fondamentale » amène le premier ministre à repousser la date du référendum. À un congrès des jeunes péquistes, le 27 mars, il déclare que « les Québécois ne sont pas prêts à voter pour la souveraineté ». Le lendemain, c'est son vice-premier ministre qui évoque la même réalité, dans une analogie qui blesse profondément Parizeau : « Je ne veux pas, déclare Bernard Landry, être le commandant en second de la Brigade légère qui fut exterminée, en vingt minutes, en Crimée, à cause de l'irresponsabilité de ses dirigeants.[46] » À Ottawa, cette déclaration est perçue comme l'évidence que le projet de Parizeau prend l'eau. « Ce qui est arrivé, rappelle Eddie Goldenberg, du cabinet de Jean Chrétien, c'est que la séparation n'allait pas se faire. C'était ça, la réalité. M. Landry a dit qu'il ne voulait pas être le général d'une brigade légère. Alors, ce qu'ils essayaient de faire, c'était de trouver un moyen d'obtenir un OUI qui leur permettrait de se séparer, de poser une question qui ne serait pas claire[47]. »

Pour sa part, Jean-François Lisée atténue l'importance de la déclaration de Landry, du fait que Parizeau venait d'annoncer, la veille, que le référendum n'aurait pas lieu au printemps. « C'est sûr qu'on avait pris la décision bien avant, probablement en mars, qu'il n'y aurait pas de référendum au printemps, dit-il. On attendait simplement le moment de l'annoncer. Et on s'est dit : on va en faire l'annonce avant le congrès du Bloc québécois pour lever cette hypothèque, pour que le Bloc ait plus d'espace. C'est le lendemain que Bernard Landry a fait son point de presse sur le fait qu'il ne voulait pas être comme la Brigade légère et se faire décimer sans raison. Mais, la veille, l'ordre d'attaque avait été suspendu. En fait, Landry est un peu entré dans une porte ouverte. Évidemment, il voulait se positionner publiquement entre M. Parizeau et M. Bouchard […]. Il voulait apparaître comme un modéré dans ce débat. » Les échanges autour de la date du référendum occupent beaucoup de temps aux réunions du comité de stratégie qui se tiennent chaque mardi. « Il y avait des discussions entre M. Landry et M. Parizeau, poursuit Lisée, un peu de la même nature qu'entre M. Bouchard et M. Parizeau. M. Landry voulait avoir l'assurance qu'il n'y aurait pas de référendum sans une certaine probabilité de victoire et M. Parizeau refusait de le dire publiquement. Pour des raisons de mobilisation. Alors, il y avait un peu de tension. » Malgré le recul, dix ans après, le mot de Landry laisse toujours Parizeau amer : « J'aime mieux ne pas faire de commentaires, dit-il, parce que je pourrais devenir grossier. Et je n'aime pas être grossier. Mais ça fait partie des épisodes de l'existence. »

Les sondages viennent confirmer le flair de Landry. Dans la dernière semaine de mars, malgré toute la visibilité qu'ont donnée au référendum les commissions régionales, l'opinion publique n'a pas bougé d'un iota par rapport à la mi-décembre. À la question : « Si un référendum avait lieu aujourd'hui, voteriez-vous pour ou contre que le Québec devienne un pays indépendant », 41 % répondent OUI, 59 %, NON, après répartition des indécis (17 %). Chez les francophones, le pourcentage n'atteint pas 50 %. Il ne se trouve même pas une majorité pour appuyer un projet de souveraineté, advenant l'échec de négociations avec le Canada (44 % contre 56 %)[48]. Bien plus, le PQ a perdu des points au cours des trois derniers mois. Pendant ce temps, dans un sondage organisé par le Conseil du patronat du Québec, les chefs des grandes entreprises se disent peu impressionnés par la performance du nouveau gouvernement, et c'est Jean Chrétien, au pouvoir depuis un peu plus d'un an, qui obtient le meilleur résultat[49].

Parizeau se rend à l'évidence. Le 5 avril, devant la Chambre de commerce de la Rive-sud de Québec, il annonce officiellement le report du référendum. Il rappelle qu'il n'a jamais fixé de date ni de saison et soutient qu'il a besoin de temps pour analyser à fond les informations issues des commissions régionales dont les conclusions sont connues, mais dont le rapport n'a pas encore été déposé.

Bien que mobilisés, les responsables de la campagne du OUI se rendent également compte que le printemps n'est pas propice à une campagne victorieuse. « On aurait voulu un balayage plus imposant (à l'élection générale de septembre 1994) de façon à se situer pour un référendum plus rapproché, dit Alain Lupien, coordonnateur de la campagne de financement référendaire[50]. Mais, comme les résultats ont été inférieurs à notre attente, on savait très bien, à l'organisation, que ça allait peut-être faire en sorte de retarder le référendum pour reconstruire un *momentum*. » Il n'est pas le seul à penser ainsi, mais, tant que le premier ministre n'a pas fait connaître clairement ses intentions, l'organisation travaille, pour, toujours selon Lupien, « dégager des fenêtres d'opportunité, peut-être pour le printemps, au pis aller, pour l'automne qui va suivre. En matière d'organisation, il fallait laisser la fenêtre du printemps ouverte parce qu'il aurait pu se passer un moment magique, il aurait fallu être prêt. Mais la fenêtre d'opportunité pour l'organisation était plus intéressante à l'automne. Pour deux raisons. Premièrement, la question du *momentum* politique et, deuxièmement, comme il y avait eu restructuration à l'intérieur du parti, ça nous laissait davantage de temps pour faire une série de formations qu'on souhaitait faire. Pour préparer les troupes, on prévoyait quatre tournées de formation sur les plans du contenu et de l'organisation. Il fallait prendre le temps de faire ça ! »

Le moment où Parizeau annonce le report du référendum n'est pas fortuit. Dans deux jours, le Bloc québécois tiendra son congrès annuel et les propos de Lucien Bouchard, depuis son retour à la santé, sèment l'inquiétude dans l'entourage du premier ministre. Dès février, Bouchard a dit à un journaliste de Radio-Canada : « Je ne peux pas considérer l'hypothèse où, délibérément, on accepterait d'exposer le Québec à un NON... », et à un autre, du *Soleil* : « Je ne veux pas qu'on fasse battre la souveraineté une autre fois. » C'est donc avec une certaine appréhension que les stratèges de Parizeau voient venir le congrès du Bloc. « Nous avons été désagréablement surpris, dit aujourd'hui Jean-François Lisée. Car, lorsqu'il (Bouchard) revient, on n'est plus en montée (dans les sondages), on est dans un petit ressac. » Et il précise, évoquant le travail des commissions régionales : « Notre vision des choses, c'est qu'il y aura une phase d'écoute, puis un moment où on se remet en phase de proposition. Pendant la phase d'écoute, c'est sûr qu'on ne sera pas en remontée. Notre stratégie, à ce moment-là, c'était : remettons-nous en phase de proposition, avec les améliorations à apporter, compte tenu de ce qu'on a entendu, dans le sens de : je vous ai compris, on a modifié notre projet, voici notre nouvelle proposition. Et là, on se remet en mode vente. Mais, lorsque M. Bouchard fait ses interventions, il dit que ça ne va pas, qu'il faut changer de stratégie. Donc, c'est le début du virage. Ce qu'il dit n'est pas très opérationnel. Il ne dit pas qu'il faut changer de stratégie et par quoi la remplacer. C'est plutôt un signe de mauvaise humeur, une critique. Et notre réaction, c'est : qu'est-ce qu'il propose ? On le saura dans les semaines qui suivent, mais pas le premier jour. » Les déclarations de Bouchard créent donc un malaise réel, qui va persister de la mi-février jusqu'au congrès du Bloc et au-delà, alors que la stratégie d'une action commune menace d'éclater.

Le vendredi soir du 7 avril 1995, la grande salle du Palais des congrès de Montréal est pleine à craquer. Jacques Parizeau et son épouse sont assis dans la première rangée. Lucien Bouchard, le chef du Bloc québécois, doit ouvrir le congrès de son parti par une intervention qualifiée de « majeure » par ses adjoints. Au cours de la semaine, son entourage et celui du premier ministre se sont rencontrés, comme chaque semaine, et il a été question de ce discours. Tout le monde sait que Bouchard va lire un texte et, le jeudi, le groupe de Parizeau en prend connaissance. Jusque-là, tout se déroule normalement en dépit d'une certaine méfiance qui règne dans le camp du premier ministre vis-à-vis de l'autre camp. Le souvenir n'est pas effacé d'un Lucien Bouchard, ministre conservateur dans le cabinet de Brian Mulroney, qui participe à l'orchestration du « beau risque », alors que Jacques Parizeau quitte René Lévesque et le Parti québécois parce qu'il est contre cette aventure. « Il y avait un soupçon, qui était toujours là, que M. Bouchard n'était pas un vrai souverainiste », dit Pierre-Paul Roy, son chef de cabinet, qui ne cache pas que la vision qu'avait son chef de la souveraineté était plus proche de celle de René Lévesque que de celle de Parizeau. Depuis sa rencontre avec ce dernier, le 12 mars, alors que Lucien Bouchard a exposé de façon claire au premier ministre sa perception des événements, y évoquant même la possibilité d'un deuxième référendum, sa vision n'a pas changé. Aussi, « il y avait un soupçon plus ou moins de traîtrise qui traînait dans l'air », ajoute Roy.

Toute la journée du vendredi, Bouchard, son chef de cabinet, Gilbert Charland[51], et Pierre-Paul Roy reviennent sur le texte du discours qui va être prononcé le soir. Roy se souvient : « Une des grandes questions de M. Bouchard était : est-ce que j'utilise le terme "virage" ou non ? Il était conscient que la perception qu'on en aurait pouvait être un peu plus forte que ce qu'il voulait. Il cherchait le mot juste, mais, en même temps, il souhaitait que le message soit compris, qu'il soit clair. Il nous a demandé de lui trouver des synonymes du mot « virage ». On a sorti les dictionnaires… » Toute la journée, les conseillers de Bouchard cherchent, sans trouver. « Le texte avançait, poursuit Roy, mais cette phrase-là n'était toujours pas "canée", comme on dit. Et, à la fin de l'après-midi, quelqu'un a dit à M. Bouchard : "Écoutez, on a fait le tour de la question et ça s'appelle un virage." M. Bouchard a encore hésité, puis il a dit : "Ok, finalement, on y va !" » La secrétaire de Bouchard, Lise Pelletier, venue spécialement d'Ottawa, met alors la dernière touche au texte.

En fin d'après-midi, vers 17 h 30, Jean Royer, le chef de cabinet du premier ministre arrive au Palais des congrès. « M. Bouchard demande à me voir, se rappelle-t-il. Il me fait lire les modifications qui ont été apportées au texte. On y trouve le mot "virage". Et les illustrations du virage, qui apparaissent dans le texte, sont des exemples qui viennent directement du programme du Parti québécois. Moi, ça ne me pose pas de problème. Mais, même si ça m'en posait, le problème, ce n'est pas moi. Alors, j'en parle à M. Parizeau. » Royer lit donc le texte à son chef qui ne pose, lui non plus, aucune objection.

« Les travaux des commissions régionales, déclare Bouchard devant les délégués, ont démontré que nos concitoyens et concitoyennes n'étaient pas prêts à répondre tout de suite à la question référendaire. Ne serait-ce qu'à cet égard, elles auront rendu au Québec un service inestimable, à savoir de lui épargner un référendum prématuré, parce que tenu dans des conditions insuffisamment propices. Mais là où ces commissions se sont avérées encore plus utiles, c'est par l'identification et les interrogations que suscite encore la démarche référendaire. Ces commissions ont ainsi ouvert des avenues de réflexion que nous ne pouvons pas refuser. » Et il ajoute : « (Les Québécois) sont prêts à dire OUI à un projet rassembleur, le projet souverainiste doit prendre rapidement un virage qui les rapproche, qui le rapproche davantage des Québécois et Québécoises et qui ouvre une voie d'avenir crédible à de nouveaux rapports Québec-Canada répondant à leurs légitimes préoccupations. » Puis, il précise sa pensée : « Les souverainistes ont toujours insisté sur la nécessité de maintenir l'espace économique commun à la fois pour le Québec et pour le Canada. [...] Il nous faut réfléchir davantage sur les moyens concrets de le consolider. Il importe d'examiner sérieusement l'opportunité de l'encadrer par des institutions communes, voire de nature politique. La mise en place d'un nouveau partenariat économique entre un Québec souverain et le Canada pourrait découler d'un accord global. » Les deux mots clés sont lâchés : virage et partenariat. Il n'a utilisé le premier qu'une fois, l'autre, trois fois, dont une en référence à l'Union européenne.

Parizeau écoute sans broncher. « Il s'est fermé les yeux, se souvient Bob Dufour, directeur général du Bloc québécois, qui s'était assis dans la salle de façon à observer ses réactions pendant le discours de Bouchard. Il a écouté ça comme quelqu'un qui écoute de la musique ou qui écoute attentivement ce qui se dit ; il n'a eu aucune réaction. Des fois, tu peux sentir que quelque chose passe ou ne passe pas, que ça crée une émotion. Là, non. Je n'ai pas senti ça. » En fait, Parizeau semble satisfait. « La preuve, dit Royer, c'est qu'il est assis dans la première rangée et qu'il applaudit. »

Selon Dufour, l'attitude de Parizeau, pendant et après le discours de Lucien Bouchard, témoigne moins d'une approbation de principe aux propos de Bouchard que d'une volonté de ne rien laisser paraître de son désaccord devant les délégués au congrès : « La position de M. Bouchard, M. Parizeau la connaissait, dit-il. Mais si je vous disais que M. Parizeau était d'accord avec cette position-là, je pense que je vous conterais une grosse menterie. Quand un des partenaires importants, comme M. Bouchard, arrive avec une stratégie qui peut être différente, c'est sûr que ça vient un petit peu heurter M. Parizeau. Mais la position de M. Bouchard était partagée par des ministres importants du cabinet de M. Parizeau. » Lisette Lapointe, qui était assise aux côtés de son mari pendant le discours, ne nie pas que Parizeau a alors vécu une heure pénible : « Ce sont des moments plus difficiles, dit-elle, parce que Jacques Parizeau avait une façon de voir les choses. Mais, par contre, il tenait tellement à ce que ça fonctionne... » Dans l'entourage de Parizeau, personne ne se fait d'illusion sur le sens du mot « virage ». « Nous, dit Jean-François Lisée, rattaché au camp Parizeau, notre objectif, c'était de faire la souveraineté et on savait que, pour la faire, il fallait que les deux chefs, M. Parizeau et M. Bouchard, soient convergents. Donc, notre tâche, ce n'était pas de les diviser, mais de les réunir. Mais l'un des deux ne voulait pas jouer le jeu à ce moment-là. C'était Lucien Bouchard, qui avait mis le mot "virage" dans son texte. C'est un mot de code, mais, nous, on savait ce qu'il voulait dire : il voulait dire un deuxième référendum. Et il soulignait la nécessité d'un changement radical d'orientation de la proposition souverainiste. Il souhaitait une modification de la question référendaire pour qu'il y ait un second référendum. Donc, on faisait un premier référendum sur la souveraineté, en disant qu'on ratifierait l'entente avec le Canada dans un second référendum. Il voulait réintroduire la notion d'association, comme c'était le cas au référendum de 1980. »

Pourtant, jusqu'à la fin de la soirée du vendredi, tout va bien. À la réception qui est donnée pour le corps diplomatique, tout de suite après le discours, les deux hommes se parlent et rien ne laisse présager l'affrontement qui viendra dans les heures qui suivent. L'entourage de Parizeau commence cependant à maugréer, et de façon sérieuse, lorsqu'il prend connaissance de l'interprétation que les gens de Bouchard donnent au texte. « Dans notre langage, on appelle ça *spiner*, dit Jean Royer. L'entourage (de M. Bouchard) s'est mis à influencer la presse dans sa perception : le virage était plus important qu'il en avait l'air, c'était un virage majeur, et il était important que le Parti québécois, ou les souverainistes de façon générale, acceptent d'élargir l'offre qui devait être faite au reste du Canada. Cela a commencé le vendredi soir et le samedi. En politique, la perception devient vite la réalité, la vérité. Oui, les gens du Bloc ont mis de la pression. » Lisée est encore plus catégorique : « Nous, on minimisait (l'impact du discours) sur la foi du texte lui-même. Lui, il donnait le signal à ses conseillers d'aller dire le contraire aux journalistes, que c'était un vrai signal, très fort. »

Le samedi matin, les manchettes des journaux font que la tension monte encore entre les deux camps. Bouchard en rajoute devant les journalistes : « En attendant que M. Parizeau prenne une décision, je dois attendre, mais je ne signe pas de chèque en blanc. M. Parizeau est le chef, avec un mandat majoritaire, ce qui lui donne une marge de manœuvre considérable, mais, en politique, les marges de manœuvre ne sont jamais absolues. Il est évident que Jacques Parizeau travaille avec des partenaires, et avec une opinion publique[52]. » Le chef du Bloc évoque même la possibilité de reporter le référendum au-delà de 1995. Et, pour ajouter du poids à sa position, il fait adopter par les congressistes une résolution qu'il présente lui-même, recommandant le partenariat avec le Canada. « M. Parizeau a peut-être été un peu choqué par le fait d'être placé devant cette situation, mais il connaissait la position de M. Bouchard là-dessus, ce n'était pas un secret », dit Pierre-Paul Roy.

Le dimanche, Jacques Parizeau se trouve à Québec où, aux côtés de son ministre Jean Garon, il inaugure les États généraux de l'éducation. À un journaliste qui lui demande s'il se considère toujours comme le leader des troupes souverainistes, il répond : « Je ne sais pas.

J'espère qu'il y en a plusieurs. Je sais toutefois qu'il y a seulement un premier ministre à la fois[53]! » Bouchard répond immédiatement à Parizeau qu'il n'y a, oui, qu'un seul premier ministre, mais qu'il a lui-même ses propres responsabilités. « M. Bouchard n'était pas aux ordres de M. Parizeau, conclut Roy. Ni à la commission Bélanger-Campeau ni au Bloc québécois, ni dans la campagne référendaire. (La déclaration de Parizeau) l'a un peu piqué parce qu'il ne remettait pas en question le fait que M. Parizeau soit premier ministre du Québec et le principal porteur de ballon. Mais il ne pouvait pas se faire envoyer sur les fleurs non plus, en se faisant dire : Bouchard, si ça ne fait pas son affaire, qu'il aille jouer ailleurs! »

Le lundi matin, 10 avril, Lucien Bouchard demande au président de la commission politique du Bloc, Daniel Turp, de « mettre un peu de chair autour de l'os du partenariat », avant de participer à l'émission *Le Midi Quinze* à la radio de Radio-Canada. L'échange entre l'animateur Michel Lacombe et le chef du Bloc prend, à un moment donné, l'allure suivante :

Lacombe : Pourquoi avez-vous tenu à parler vous-même de virage?

Bouchard : Parce qu'il faut un virage. Manifestement, il faut un virage et il me paraît que ce que les gens demandent, c'est un virage. Est-ce qu'on va faire un référendum si on arrive à l'automne puis qu'on ne change rien, qu'on se rend compte qu'on est toujours à 40, 44, 43 %, est-ce qu'on fait un référendum pour le perdre? Moi, s'il y a une chose que je ne veux pas, Monsieur, ce n'est pas moi qui va décider, mais, s'il y a une chose que je ne souhaite pas, c'est d'assister ou de participer à une campagne référendaire qui nous conduirait d'une façon assurée à l'échec. Je ne veux pas que le Québec se fasse *batter* une deuxième fois.

Lacombe : Assister ou participer?

Bouchard : On se posera toutes les questions. Mais je ne veux pas assister à ça. Participer? J'ai dit : on verra.

Lacombe : Vous venez de dire à M. Parizeau, si je comprends bien : si vous faites le référendum, alors qu'on sait qu'on le perd, je ne le fais pas avec vous.

Bouchard : Non, je n'ai pas dit ça.

Lacombe : Non ?

Bouchard : Je n'ai pas dit ça, je ne l'ai pas encore dit en tout cas. J'ai dit que je ne veux pas assister à ça. M. Parizeau nous a rappelé, hier, qu'il était premier ministre et qu'il n'y en avait qu'un. Je pense que nous le savions déjà tous un peu. J'ai dit moi-même à plusieurs reprises, durant la fin de semaine, que M. Parizeau est le premier ministre du Québec. C'est évident, prenons les évidences, il est en plus le leader souverainiste. C'est lui le grand leader souverainiste, je le sais. Je sais aussi qu'il peut tout décider tout seul. Mais, pour gagner, il faut être ensemble.

Jean-François Lisée, dans sa voiture, entend les paroles de Bouchard. « Je l'entends dire, je n'ai pas les mots exacts, qu'il n'est pas absolument certain qu'il participera à la campagne référendaire s'il n'est pas satisfait de la question ou de l'orientation, se souvient-il. J'ai pensé : Wow ! Il vient de dire ça publiquement. Alors là, on vient de monter de trois étages dans la crise. Là, on est vraiment en crise majeure. Il y a une menace publique, confirmée par un de nos deux chefs, de ne pas participer s'il n'est pas satisfait. Je trouvais qu'on était vraiment au bord du gouffre. »

Parizeau est-il au courant des propos de Bouchard ? Une demi-heure après l'émission radiophonique, devant la Chambre de commerce de Laval, Jacques Parizeau parle comme s'il relevait le gant : « Il y a quelqu'un qui a la responsabilité d'avoir à décider et je suis cette personne. Je vais avoir à décider et personne ne peut décider à ma place[54]. » Mais Lisée n'est pas à Laval. Il se précipite au bureau et raconte à Jean Royer ce qu'il vient d'entendre. Comme leur chef est déjà d'assez mauvaise humeur, tous deux décident — « candidement », dit Lisée — de ne pas lui rapporter les propos de Bouchard. Ils craignent sa réaction lors d'une rencontre, prévue depuis plusieurs jours, qui doit se tenir l'après-midi même et qui va réunir autour de la table les Partenaires pour la souveraineté, les groupes communautaires, les syndicats et des gens d'affaires. Et aussi Parizeau et Bouchard. « Tout ce qu'on voulait, ce jour-là, c'était de survivre et d'envoyer un signal de dialogue, dit Lisée. On voulait dire : les choses qui ne fonctionnent pas, il faut en discuter. C'est tout ce qu'on voulait, ce jour-là. »

Les Partenaires pour la souveraineté viennent au secours des deux conseillers de Parizeau. Serge Turgeon, alors président de l'Union des artistes, dit : « On a l'impression que vous jouez une pièce de théâtre, mais vous n'êtes jamais sur la même page. On pourra dire de vous : ils s'aimaient beaucoup, mais jamais en même temps ! » Les représentants de la CSN, de la FTQ et les autres envoient tous le même message : « Parlez-vous. Entendez-vous ! » « On voyait, rappelle Jean-François Lisée, que M. Bouchard attendait de M. Parizeau un signe d'ouverture, qu'il dise : "Écoutez, je ne suis pas très content de la façon dont c'est en train de se passer, mais il est certain qu'on est destinés à s'entendre." Ce signe n'est pas venu. Et M. Parizeau attendait de M. Bouchard un signe d'autocritique, qu'il dise par exemple : "Écoutez, il y a des coups de gueule, on se connaît, mais l'important, c'est de s'entendre." Ni l'un ni l'autre n'a envoyé de signal, les deux étaient très fermés. »

Après la rencontre, Bouchard, flanqué de ses conseillers, se dirige vers l'ascenseur. Lisée les suit : « Ma volonté, c'est de leur dire que ça ne se peut pas que ce soit fini. Mais je n'ai rien à dire parce que je ne peux pas porter de paroles que je n'ai pas entendues (de la bouche de mon chef). » Les portes de l'ascenseur se referment. Lisée regarde Bouchard et ses conseillers partir, se disant : « Ils s'en vont. Ça n'a pas de sens, ça ne peut pas se terminer comme ça. » Le point de rupture est atteint.

CHAPITRE V

Le partenariat

Jean-François Lisée rentre à la maison, profondément inquiet. Il prend sur lui de faire ce qu'il n'a jamais fait auparavant. Il décroche le téléphone et appelle Lucien Bouchard. Il lui dit : « M. Bouchard, je pense qu'on est au bord du gouffre. Il ne faut pas que qui que ce soit fasse un pas en avant. Sachez qu'il y a, au sein de l'équipe Parizeau, des gens qui pensent qu'il faut réparer ce qui s'est passé. On ne peut pas faire la souveraineté sans l'union des deux chefs. » « Je ne disais pas que j'étais d'accord avec lui, rappelle aujourd'hui Lisée. En fait, j'étais en désaccord avec cette idée de deux référendums, cela aurait été, stratégiquement, un désastre. Je voulais aussi lui envoyer un autre signal : il fallait se parler ! » Bouchard l'écoute attentivement. L'appel produit son effet : rien n'est dit par la suite qui soit de nature à envenimer les relations entre les deux camps. « On a pu alors commencer à envisager des scénarios de sortie de crise », dit Lisée.

Toutefois, dans les jours qui suivent le congrès du Bloc québécois, les communications demeurent rompues. Il ne se passe rien de négatif, mais il ne se passe rien de positif non plus. Et la crainte de l'entourage de Parizeau, c'est que tout le monde s'installe dans la crise. Malgré l'appel téléphonique de Lisée à Lucien Bouchard, chaque camp pourrait se replier sur ses positions, jusqu'à ce que la rupture soit consommée. « Il y a eu un moment où M. Parizeau, psychologiquement, était un peu sonné par ce qui s'était passé avec M. Bouchard et M. Landry, rappelle Lisée. Il a alors eu un peu le réflexe de se replier sur ce dont il était certain, le Parti québécois et ses alliés au sein du Parti québécois. »

Cinq ou six jours passent. Lisée décide alors d'envoyer une note à Parizeau. Il lui écrit, en substance, « que les chances de réaliser la souveraineté dans les conditions politiques actuelles sont nulles ; qu'il lui incombe, en tant que chef du mouvement souverainiste et premier ministre du Québec, de renouer le dialogue ». Lisée se souvient : « Je lui disais qu'il fallait créer une situation où il allait reprendre l'initiative, redonner les règles du jeu en modifiant sa position personnelle, en acceptant la discussion avec les autres, en signalant sa volonté de modifier la proposition, mais qu'il devait être le maître du jeu. » Dans cette même note, Lisée rappelle à Jacques Parizeau que, pendant la campagne référendaire, peu importe ce que sera le rôle de Bouchard, c'est lui, Parizeau, qui sera premier ministre et qu'il le sera toujours si le OUI l'emporte. « Il faut utiliser la force de Lucien Bouchard, lui conseille Lisée, mais, si on essaie de donner l'impression que vous n'êtes plus dans le jeu, nos adversaires utiliseront cette fausse impression pour rappeler aux Québécois qu'advenant une victoire du OUI, ce n'est pas Bouchard, mais Parizeau qui sera toujours là. On le paierait cher politiquement. Donc, même dans le "virage", il faut que vous soyez celui qui ramène les choses, en modifiant votre position, en ouvrant le jeu, en donnant de nouveaux paramètres dans lesquels les autres voudront jouer. » Non seulement son entourage doit-il convaincre Parizeau d'établir de nouvelles règles du jeu, mais il lui faut aussi convaincre Bouchard et tous les autres, qui ne sont pas dans le camp Parizeau, de sa réelle volonté de bouger.

Mais Jacques Parizeau est coriace. Quand Jean Royer lui demande s'il a lu la note de Lisée, il lui répond : « Je l'ai égarée. » On lui en imprime une copie, puis une deuxième. Parizeau ne veut simplement pas s'engager dans une discussion au sujet de son contenu. Enfin, un jour, dans l'avion gouvernemental, qui amène le premier ministre et son entourage de Québec à Montréal, Jean Royer juge le moment bien choisi et attaque. « Seuls, on n'a pas de majorité pour faire la souveraineté, dit-il à M. Parizeau. Les Québécois sont convaincus que vous ne voulez pas d'association avec le Canada. Bouchard et Dumont veulent l'association. Il y en a un qui n'en veut pas, c'est Parizeau. » Royer lui soulique que, lorsqu'on demande aux

Québécois s'ils sont pour la souveraineté avec une offre de partenariat, ils sont majoritairement en faveur. Royer et Lisée s'efforcent de persuader Parizeau qu'il ne s'agit pas, pour lui, de renier tout ce qu'il a déjà dit au sujet de l'association. Car, en fait, Parizeau conçoit une forme d'association, qu'il a déjà qualifiée d'« incontournable », dans une monnaie unique, dans la libre circulation des biens et des services, dans la mise sur pied d'un tribunal de résolution des conflits, etc. Mais il y a, dans la population, un problème majeur de perception, et Lisée le lui rappelle : « Les gens pensent que vous êtes contre l'association, donc ils sont contre la souveraineté. Il faut leur expliquer que vous êtes pour une forme d'association et que vous en envisagez aussi une forme un peu plus grande, si le Canada le veut, mais que ce n'est pas là une condition à la souveraineté. »

Parizeau les regarde et leur dit : « J'aurais espéré que les Québécois n'aient pas besoin de ça pour faire le pas. » Il leur rappelle que tout son être, et ses actions politiques dans le passé, n'avaient d'autre objectif que de convaincre les Québécois que c'est la souveraineté, en soi, qui est une bonne chose, et que ce n'est pas dans « la marge qu'il faut partager avec le voisin ». Les deux conseillers évoquent alors les conclusions des commissions régionales : « Elles nous ont dit : mettez-en plus ! », lui rappellent-ils. À la fin, Parizeau cède : il accepte ce qu'il appelle le *window dressing*, l'habillage, le décor autour de la proposition. Et il dit à ses deux conseillers : « Bon, je constate que vous avez raison. Ouvrons le robinet ! » « Cela voulait dire, explique Lisée : commençons à envisager la négociation qui mènera à l'accord tripartite. »

Avoir l'autorisation d'ouvrir les négociations avec le groupe du Bloc québécois et de l'Action démocratique du Québec est une chose, mais aboutir à des résultats qui satisfassent chacune des parties en est une autre. En ce qui concerne le Bloc, il y a de l'espoir : les divergences entre les partis ne sont pas de nature idéologique. « Nous n'étions pas en présence d'un Parizeau, qui veut un Québec souverain, et d'un Bouchard, qui veut une refonte du fédéralisme », dit Jean-François Lisée. Les projets politiques des deux parties se rejoignent. Ils ne sont pas distincts. L'affrontement est essentiellement de nature stratégique.

Bouchard veut maintenir des liens importants avec le voisin canadien, Parizeau estime que ce n'est pas nécessaire, et probablement pas réaliste.

Il y a un deuxième niveau de difficulté : même si, dans l'esprit de Parizeau, le maintien de relations étroites avec le voisin canadien n'est ni réaliste ni nécessaire, les Québécois le veulent. Dans le camp du Bloc, l'inquiétude persiste. « Je ne suis pas l'exégète de la pensée de M. Parizeau, dit aujourd'hui Pierre-Paul Roy, qui était du camp Bouchard, mais, ce que je prétends, c'est qu'il y avait une appréhension forte que M. Parizeau voulait tenir un référendum coûte que coûte, quitte à le perdre. Ça, ça nous inquiétait beaucoup. Je ne dis pas que M. Parizeau ne voulait pas gagner le référendum, je n'en ai jamais douté… C'était le combat de sa vie. Mais, sur le plan de la stratégie et de l'approche, sa tolérance devant le risque de le perdre était beaucoup plus grande qu'elle ne l'était chez nous. » Jean-François Lisée le confirme : « M. Bouchard était beaucoup plus inquiet de la capacité de rassembler une majorité avec un projet strictement indépendantiste que ne l'était M. Parizeau. »

Avec le recul, Jean Royer, le chef de cabinet de Parizeau, estime, de son côté, qu'il ne faut pas exagérer cette crise, car « des crises en politique, il y en a et il faut avoir la capacité de les régler ». Il ajoute, indiquant par là que la principale difficulté consistait à ramener à sa vraie dimension la perception que le public pouvait avoir du différend entre les deux parties : « M. Parizeau et M. Bouchard étaient constamment mis dans une situation où, s'ils n'employaient pas les mêmes mots pour décrire une même situation, on parlait d'état de crise. Il n'y avait pas une semaine où l'on ne retrouvait pas, dans un article de journal : M. Bouchard veut le job de M. Parizeau ! Pas une semaine où l'on n'avait pas l'impression qu'il y avait une crise entre M. Parizeau et M. Bouchard. Tout cela faisait une bonne nouvelle. Nous devions composer avec ça ! » Malgré l'optimisme modéré de son chef de cabinet, Parizeau n'aura pas la tâche facile et il devra jeter du lest, au point de modifier considérablement sa proposition telle qu'elle était énoncée dans l'avant-projet de loi.

L'Action démocratique du Québec a, pour sa part, accepté de participer aux consultations des commissions sur l'avenir du Québec.

C'est, pour le Parti québécois, un pas dans la bonne direction, mais cette participation ne signifie pas pour autant que Mario Dumont et sa troupe sont prêts à s'engager résolument, dans l'état actuel des choses, aux côtés du PQ dans la campagne référendaire. À vrai dire, Dumont cherche une niche pour son parti dans l'affrontement qui s'annonce. Il sait bien qu'il ne peut rester sur la touche, mais, comme il l'a fait avant de jouer le jeu des commissions régionales, il va négocier un certain nombre de conditions. Puisque la position du Bloc québécois est nettement plus près de la sienne que celle du Parti québécois, c'est de ce côté qu'il va chercher alliance.

Deux semaines avant que la crise n'éclate au grand jour entre le Parti québécois et le Bloc québécois, Dumont tend une perche au camp de Lucien Bouchard. La Commission nationale sur l'avenir du Québec siège au Manoir Montmorency. Elle reçoit une cinquantaine de mémoires, dont celui de l'ADQ[1]. La veille, le comité exécutif de ce parti a réuni en conclave ses forces vives, dont des délégués de circonscriptions électorales et les commissaires qui ont été membres de diverses commissions régionales. L'objectif de cette réunion : redéfinir la position constitutionnelle du parti, à la lumière des opinions du public recueillies dans les séances des commissions. Cette nouvelle définition devra s'inscrire quelque part dans le débat politique qui s'engage. Le mémoire de l'ADQ reflète les discussions et les conclusions de cette réunion. Jean-François Lisée est au Manoir Montmorency, tout comme Pierre-Paul Roy, et les deux en écoutent attentivement la lecture, sachant que, s'ils veulent recréer la grande coalition de 1992, ils doivent chercher dans cet exposé la petite ouverture dont ils ont besoin pour rejoindre Mario Dumont.

Le manoir est bâti sur l'un des plus beaux promontoires de la région de Québec. De sa terrasse, on a une vue magnifique sur la chute Montmorency, le fleuve Saint-Laurent et l'île d'Orléans. Mars, au Québec, offre des journées splendides et, en cette dernière semaine, il n'est pas avare de ses charmes. À un moment, Pierre-Paul Roy décide de sortir et s'appuie à une balustrade pour contempler la beauté du paysage. Quelqu'un s'approche de lui : c'est André Néron, le chef de cabinet de Mario Dumont[2]. « André Néron me fait part que

M. Dumont est intéressé à rencontrer M. Bouchard, se souvient Pierre-Paul Roy. Eux, (l'ADQ dans son mémoire à la commission), ils étaient toujours dans la stratégie du rapport Allaire[3]. Je dis à André Néron que, si jamais il est question d'aller plus loin, s'il est question d'une entente quelle qu'elle soit, cela ne peut pas être sur la base de leur mémoire. Il me répond que, de toute façon, c'est une position de négociation. » Pierre-Paul Roy informe alors Lucien Bouchard de cette conversation, qui a eu lieu deux semaines avant le congrès du Bloc québécois.

C'est ainsi que, le lendemain du congrès du Bloc québécois et dans le climat glacial de ses relations avec Jacques Parizeau, Lucien Bouchard demande à son chef de cabinet de contacter André Néron. Ce qu'il fait immédiatement. « Je lui ai dit : "Viens avec un mandat parce que, moi, j'en ai un", dit Pierre-Paul Roy. Mon mandat, c'est d'explorer. Il ne s'agit pas de négocier une entente… Il s'agit de voir si elle est possible." » Les deux hommes conviennent d'un rendez-vous. « Il me semble que c'était le 13 avril, ajoute Roy. Quand Néron est arrivé, je lui ai demandé s'il avait un mandat. Il m'a répondu : "Oui, c'est Mario Dumont qui vient de me laisser ici, au restaurant." Ce fut ma première rencontre officielle avec André Néron. » Ce que Roy retrouve aujourd'hui, dans ses notes se rapportant à ce tête-à-tête, c'est une mention très nette qu'« il ne fallait pas que la notion de partenariat rende la souveraineté conditionnelle ». Les deux hommes se quittent avec l'engagement de faire rapport à leurs chefs respectifs et de se revoir par la suite.

Entretemps, malgré sa volonté de projeter une image d'harmonie autour de lui, Parizeau rencontre une certaine résistance au sein de sa députation et de son Conseil des ministres. Les sondages d'opinion jouent contre lui. Depuis que Lucien Bouchard a parlé de « virage », un premier sondage Léger et Léger, publié le 21 avril 1995 dans *Le Journal de Montréal* et le *Globe and Mail*, donne la souveraineté perdante à 44,3 % contre 55,7 %, mais la souveraineté-association gagnante par 53,1 % contre 46,9 %. Le *Globe and Mail* titre : *La souveraineté est gagnante si le Québec conserve un lien avec le Canada*[4]. Bernard Landry, Richard Le Hir, Serge Ménard, Jean-Pierre Charbonneau,

Joseph Facal, André Boisclair et Jacques Brassard réclament de plus en plus fort un changement de stratégie vers une plus grande ouverture.

Il devient de plus en plus évident que les péquistes, outre les partisans bloquistes qui leur sont en grande majorité acquis, doivent absolument chercher l'appui des adéquistes. Au lendemain de l'échec de l'Accord du lac Meech, de nombreux libéraux désabusés se sont tournés vers la souveraineté. La plupart d'entre eux sont revenus au fédéralisme lorsque Robert Bourassa a rejeté le rapport Allaire et accepté l'Accord de Charlottetown. Mais un bon nombre d'entre eux n'ont pas suivi. « Ils avaient fait ce flirt avec la souveraineté, dit Jean-François Lisée. Donc, ils étaient disponibles. Mais ils ne nous écoutaient pas, ils n'écoutaient pas M. Parizeau. Ils écoutaient un peu plus M. Bouchard, et beaucoup plus M. Dumont, qui est un ancien libéral. On était à un pour cent près, alors il n'y avait pas d'économie à faire. Je disais à M. Parizeau qu'il fallait une coalition la plus large possible. » Un jour, Lisée voit un macaron sur lequel il est écrit : *Je déteste Parizeau mais je vote OUI.* « Je me suis dit que c'était une très grande victoire, se souvient Lisée. Il faut rassembler suffisamment pour que des gens qui sont en désaccord avec nous sur toutes sortes de questions, votent OUI sur la question de la souveraineté. » Parizeau a été informé de l'existence de ce macaron, mais il n'en a jamais parlé.

Le 19 avril, la Commission nationale sur l'avenir du Québec dépose son rapport. Dans le grand salon rouge de l'Assemblée nationale, sa présidente, Monique Vézina, résume en deux temps le résultat des consultations, qui ont été conduites dans tout le Québec. « La souveraineté, dit-elle d'abord, est la seule option apte à répondre aux aspirations collectives des Québécoises et des Québécois. » Elle recommande ensuite fortement la recherche d'une union économique avec le Canada, allant jusqu'à proposer que « le projet de loi indique qu'un Québec souverain pourrait proposer et négocier des structures politiques communes et mutuellement avantageuses ».

Le message est clair : la population adopte le virage. Il ouvre surtout la porte au premier ministre, qui peut maintenant acquiescer à la volonté populaire et s'ouvrir à un lien économique avec le Canada sans donner l'impression qu'il cède aux pressions de Lucien Bouchard, avec qui il est toujours en froid. « Nous avons mis notre projet entre les mains des Québécois, dit Parizeau, en accueillant le rapport de la commission nationale. Nous voulions qu'ils l'améliorent et le transforment et, qu'en ce faisant, ils se l'approprient. Ils l'ont fait. » Et Parizeau constate publiquement que « les rapports que devrait entretenir le Québec souverain avec son voisin le Canada sont un sujet qui préoccupe beaucoup les Québécois ». « Vous nous dites d'abord, souligne-t-il, que les Québécois doivent prendre conscience de l'extraordinaire rapport de force qu'ils détiennent et qui fera en sorte que, quoi qu'il arrive, l'association économique s'imposera d'elle-même au lendemain de la souveraineté. » Il évoque les passages du rapport de la commission qui mettent en évidence le désir des Québécois de mieux définir quelles propositions d'institutions communes le Québec pourrait faire au Canada « afin, dit-il, de mieux encadrer, gérer, approfondir au besoin, cette incontournable association ». En lâchant le mot « incontournable », Parizeau tend la main au chef du Bloc québécois. Et, au cas où celui-ci ne la verrait pas, Parizeau ajoute : « J'y retrouve mes convictions et mon combat. Il me semble aussi y entendre des échos de propositions faites il y a peu par M. Lucien Bouchard. »

Le discours n'est pas improvisé. Il a été soigneusement préparé par l'entourage du premier ministre et soumis, avant lecture, à des représentants du Bloc, qui sont d'accord de façon générale avec son contenu, et à des représentants de l'ADQ qui, par contre, sont déçus du rapport de la commission parce qu'il ne va pas assez loin sur la voie d'un rapprochement avec le reste du Canada. « Ils ont proposé des modifications mineures que j'ai tout de suite intégrées, se souvient Jean-François Lisée, qui a rédigé le discours. (En fait) j'ai créé un genre d'escalier à trois marches (pour le premier ministre). Sur la première marche où il se trouvait, il y avait l'association incontournable, le dollar commun, etc. Puis, (sur la deuxième marche), des gens qui pensaient qu'une association était souhaitable, une association qui allait plus loin, comme un conseil conjoint de ministres Canada-Québec qui se réunirait de temps en temps. Et, enfin, sur la troisième marche, des gens qui pensaient qu'il y avait une autre forme d'association envisageable :

(par exemple), est-ce que les législateurs devraient avoir un forum conjoint ? » Lisée interprète la pensée de Jacques Parizeau au sujet de ces diverses options de la façon suivante : « M. Parizeau veut que tous ces gens-là se parlent et créent le camp du changement. "Moi, leur dit-il, je suis sur la première marche, mais, maintenant, j'accepte de parler avec ceux qui sont sur les deux autres marches." »

Jacques Parizeau conclut son discours en dégageant, du rapport de la commission nationale, « une ouverture sur les visions avancées par M. Mario Dumont et M. Jean Allaire ». Il réunit en somme tous les ingrédients nécessaires à la mise en place d'une grande coalition. Il donne en quelque sorte le signal du début des négociations entre le Parti québécois, le Bloc québécois et l'Action démocratique du Québec en vue d'une entente sur le partenariat.

Le chef du gouvernement est de toute évidence ouvert à un compromis du côté de Lucien Bouchard, mais il veut aussi forcer la main de Mario Dumont. Car, à ses yeux comme à ceux de Bouchard, l'ADQ se comporte vis-à-vis du référendum un peu à la manière d'une poule sans tête. À un journaliste qui, au cours d'une conférence de presse conjointe des deux chefs souverainistes, le 22 mars, demandait s'ils sont d'accord avec la démarche de Mario Dumont, Lucien Bouchard a répondu : « On ne peut pas répondre d'une façon aussi claire parce que M. Dumont n'est pas tellement clair lui-même. […] La démarche par laquelle il veut atteindre le but qu'il poursuit n'est pas claire parce qu'il y a comme un chaînon qui manque, un chaînon essentiel, un ressort fondamental, qui est le passage obligé par la souveraineté, faire le pays d'abord ! Et je n'ai pas entendu M. Dumont dire cela. »

Dans son témoignage devant la Commission nationale sur l'avenir du Québec, Mario Dumont est pourtant très limpide, au point où son discours fait ressortir l'écart fondamental qui le sépare de la position des deux autres chefs. Rappelant la tendance, qui s'est dégagée des consultations des commissions régionales, il déclare : « Allons-nous rejeter ce consensus possible du revers de la main parce que le gouvernement espère qu'un autre consensus se développera subitement autour de son option d'ici quelques mois ? Parce que certains espèrent que les Québécois verront soudain une lumière nouvelle dans un débat qui dure depuis plus de vingt ans? Et pour faire quoi? [...] Qu'on ressorte de cette commission-ci avec une toute nouvelle proposition référendaire, qui suggère d'une façon ou d'une autre un nouveau partenariat, une nouvelle union avec le reste du Canada, une union basée sur les principes de l'Union européenne. »

À la fin d'avril, le Parti québécois veut la souveraineté et n'a que faire d'une véritable association avec le reste du Canada. Le Bloc québécois, lui, ne croit pas la souveraineté possible sans une telle association. L'Action démocratique du Québec enfin réclame un nouveau partenariat, sans dire clairement si elle est prête à passer par l'étape de la souveraineté. Voilà donc où en sont les choses lorsque, une semaine après le dépôt du rapport de la Commission nationale sur l'avenir du Québec, le chef de l'ADQ, sans saisir la main tendue par Parizeau, crée une ouverture importante en direction des souverainistes. Il profite d'un débat à la Commission permanente des institutions de l'Assemblée nationale, qui étudie les crédits du ministère du Conseil exécutif, pour dire : « L'année qui vient sera, je l'espère, une occasion de trouver un projet qui puisse être rassembleur pour réparer l'erreur de 1982, pour redonner au Québec la place qui lui revient dans l'Amérique du Nord, pour redonner au Québec les pleins pouvoirs qui devraient être les siens. » Il ne voit toujours pas dans un référendum gagnant la panacée à tous les problèmes du Québec : « Le redressement économique et le redressement financier, dit-il, sont, à mon avis, d'une importance encore plus capitale. »

Mais Mario Dumont adopte une attitude qui va réjouir le cœur du premier ministre. Il s'en prend surtout à la position de Daniel Johnson, qui vient d'exprimer ses doutes sur la transplantation, au Canada, du modèle fédéraliste européen. « Si quinze États, (parlant) une douzaine de langues, dit-il, ont décidé, au fil des années, de partager leur souveraineté, en ne s'accrochant pas au passé et en ne faisant pas d'à-plat-ventrisme, mais plutôt à partir d'une approche d'expression de fierté de chacun des États et de réalisme économique [...], c'est qu'il y avait là-bas des gens qui avaient une vision d'avenir. » Et il lance cette flèche à Johnson : « La seule façon, dont le chef de l'opposition peut être convaincu que ce n'est pas réalisable (ici), c'est qu'il a une foi très profonde dans la mauvaise foi du reste du Canada. » Puis, Dumont complète sa pensée : « Je pense qu'il est acquis que, pour arriver à une union comme celle-là, il faut d'abord sortir de l'ordre constitutionnel actuel et que cela ne peut se faire que par l'expression de la population du Québec, dans un référendum, d'un droit à la souveraineté ou d'un mandat de souveraineté, exprimons-le comme on le veut. »

Les propos de Mario Dumont sont de la poésie aux oreilles du chef du gouvernement. Parizeau le remercie « de l'ouverture qu'il a manifestée » et lance ensuite : « Ce que le député de Rivière-du-Loup a fait, c'est, comment dire, d'indiquer une sorte de démarche, un référendum destiné à, disait-il, un mandat sur la souveraineté, et puis des propositions faites ensuite au Canada. On se rapproche, là ! […] Je pense qu'on peut faire un bout de chemin, un bon bout de chemin ensemble. »

L'espoir, que nourrit Jacques Parizeau de « faire un bout de chemin ensemble », repose moins sur une adhésion spontanée de Mario Dumont au projet de souveraineté que sur l'obligation dans laquelle celui-ci se trouve de choisir entre le OUI et le NON. La Loi sur la consultation populaire ne lui offre en effet aucune autre option. Le choix qu'il doit faire est déchirant. « Nous avions démissionné du Parti libéral au lendemain de Meech, reconnaît aujourd'hui Mario Dumont. Être dans le camp de Jean Chrétien et de ceux qui voulaient le *statu quo* n'avait pas de bon sens. En même temps, je n'aurais jamais été capable de voter OUI à un référendum sur la question initiale de M. Parizeau : Êtes-vous pour ou contre l'indépendance du Québec, OUI ou NON ? C'est ainsi qu'au cours des travaux des commissions sur l'avenir du Québec, on a défini cette idée d'un partenariat, d'une véritable confédération, l'idée d'un Québec souverain à l'intérieur d'un partenariat avec le reste du Canada. »

Pour Dumont, le partenariat est autre chose qu'un leurre, qu'une sorte de maquillage pour amener les Québécois à voter OUI. Il s'agit de refaire la Confédération, rien de moins. Dans le camp de Parizeau, on commence à se rendre compte qu'il faut cesser de tergiverser sur la notion d'association et envisager sérieusement de proposer à la population la mise en place d'un minimum de structures permanentes économiques et politiques entre le Canada et un éventuel Québec indépendant. D'autant plus que, du côté du Bloc québécois, on ne comprend pas toujours la valse-hésitation du premier ministre. « La question du partenariat n'est pas une surprise, rappelle Pierre-Paul Roy. Quand on a fait le livre en juin 1993[5], je me souviens qu'avant de le publier, il y a eu une rencontre au restaurant Le Caveau. M. Parizeau était présent, ainsi que Jacques Brassard et Bernard Landry. Jean Royer et Yves Martin aussi... Je me souviens que la réaction de M. Parizeau a été de dire : "Tant qu'il n'y a pas de trait d'union entre souveraineté et partenariat, je n'ai pas de problème." »

La notion de partenariat a également été évoquée dans des rencontres entre les deux chefs politiques dans les semaines qui ont précédé le congrès du Bloc québécois en avril 1995. « Peut-être trois semaines avant le congrès, il y a eu une rencontre du comité référendaire, se souvient le conseiller de Lucien Bouchard. C'était à l'hôtel Delta, je pense. M. Bouchard est revenu à la charge en disant à M. Parizeau : "Comprenez qu'on est en plein cœur d'un moment stratégique. Il faut peut-être adapter un peu notre stratégie. J'ai mon congrès, comprenez bien que je dois dire quelque chose. Alors, donnez-moi un peu de marge de manœuvre, faites-moi une ouverture." Et M. Parizeau n'a pas réagi négativement, mais pas positivement non plus. Tout le monde savait que ce n'était pas *sa tasse de thé*. Mais la question n'était pas de savoir si c'était la *tasse de thé* de M. Parizeau ou pas, la question était de savoir : qu'est-ce qu'on fait pour gagner le référendum ? » À la fin de la rencontre, Bouchard a dit à Parizeau : « Écoutez, on a encore quelques semaines, on restera en contact, puis, au moment du congrès, on verra. » « M. Parizeau n'a pas donné suite », dit Pierre-Paul Roy.

Il y a donc, au sein des souverainistes, deux thèses qui s'affrontent. La première consiste à dire : au lendemain d'un référendum gagnant, tentons de maintenir avec le reste du Canada une association minimale. « Pourquoi minimale ? explique Jean Royer. Parce que l'état d'esprit du côté du reste du Canada ne sera pas au développement d'associations très intégrées et très complexes. » Dans cette hypothèse, le négociateur pour le Québec serait une personnalité non politique. « On se disait, ajoute Royer, que si le négociateur est un politique assimilable à quelqu'un qui a le profil de M. Bouchard, c'était clair que les fédéraux nommeraient également à la table un politique. Or, on ne souhaitait pas qu'à la table de négociations, il y ait de la politique. » La deuxième thèse reposait sur une volonté de grande ouverture, dans une proposition au reste du Canada, de développement d'associations et de création d'institutions plus nombreuses. Cette dernière thèse avait le mérite d'être beaucoup plus rassurante pour les Québécois, mais Parizeau ne la partageait pas. Il disait, rappelle Royer, qu'au contraire, « dans un premier temps, pour les premières années, entendons-nous sur un minimum. Et quand, d'un commun accord, les deux parties voudront développer un degré d'association plus intégré, on le fera. »

Le rapprochement entre les tenants de ces deux thèses est cependant un passage obligé, si le camp du OUI veut le moindrement présenter une image cohérente. « Faire des élections quand il y a de la chicane, ça va mal, ça va mal… dit Bob Dufour, l'organisateur en chef du Bloc québécois. Parce que les gens, au Québec, aiment la bataille, mais ils n'aiment pas la chicane. Et, quand un parti politique se chicane, la population ne lui fait pas confiance. » Une autre raison pour laquelle le PQ et le Bloc sont destinés à s'entendre, c'est que, selon Dufour, 65 % de la clientèle bloquiste est aussi péquiste, mais qu'« il y avait environ 35 % des militants qui n'étaient pas nécessairement péquistes, mais qui trouvaient que M. Bouchard faisait un bon chef ». Parizeau doit par conséquent éviter d'indisposer ce tiers d'une clientèle qui lui est, en principe, acquise. Par ailleurs – et ça pèse lourd dans la balance –, le Bloc est un jeune parti, il n'a que trois ans d'existence. S'il a obtenu des résultats aussi spectaculaires, lors de l'élection fédérale d'octobre 1993, c'est surtout à cause de la popularité de son chef. Malgré ses talents d'organisateur de campagnes électorales, que même Jacques Parizeau sait reconnaître, Bob Dufour n'ignore pas que l'expérience et la main-d'œuvre en matière d'organisation, c'est du côté du Parti québécois qu'elles se trouvent. Par conséquent, Bouchard n'a pas le choix de s'appuyer sur une telle machine.

Dans le camp Parizeau, des stratèges voient dans la position de Bouchard la volonté de tenir un deuxième référendum, de rééditer, en somme, celui de 1980. Jean-François Lisée est de ceux-là. Pour lui, le discours de Bouchard, lors du congrès d'avril du Bloc québécois, ne laisse aucune équivoque sur deux éléments essentiels. Il veut réintroduire, d'une façon ou d'une autre, la notion d'association et, sur ce point, l'équipe Parizeau ne formule aucune objection, dans la mesure où il n'y a pas de trait d'union. Mais il veut aussi modifier la question référendaire pour qu'il y ait un second référendum. « Ça, c'était le cas au référendum de 80, dit Lisée. Donc, on fait un premier référendum sur la souveraineté en promettant de faire ratifier l'entente avec le Canada dans un second référendum. » Parizeau et son entourage ne veulent à aucun prix s'engager dans cette voie.

Les souvenirs de Pierre-Paul Roy sur la question du deuxième référendum donnent la mesure des malentendus qui persistent entre les deux équipes : « M. Bouchard ne voulait pas revenir à la démarche de 1980, dit-il. Il faut se rappeler que la démarche de 1980, c'était un mandat de négocier la souveraineté. Ce n'était pas la souveraineté, c'était la souveraineté-association avec un trait d'union. Ma compréhension, c'est que M. Bouchard ne voulait pas revenir à la démarche de 1980. Il avait la même appréhension : rendre la souveraineté conditionnelle au partenariat, c'était problématique, ne serait-ce que sur le plan de la stratégie. Je ne l'ai jamais vu proposer ça. Cela a été évoqué dans des discussions ici et là, mais cela n'a jamais vraiment fait l'objet d'une position arrêtée. »

S'entendre avec le Bloc présente, pour le Parti québécois, un certain nombre de difficultés, mais, compte tenu de la position affichée quelques jours auparavant par l'ADQ, les négociations avec l'équipe de Mario Dumont comportent un degré de difficulté un peu plus élevé. La perche tendue par André Néron à Pierre-Paul Roy, au Manoir Montmorency, appelle un dialogue, elle ne laisse aucun doute, mais c'est au Bloc qu'elle est tendue, pas au Parti québécois. Le Bloc et l'ADQ conviennent de se rencontrer. Ce premier tête-à-tête est suivi d'un deuxième, auquel participe cette fois Bob Dufour, puis d'un troisième. Toujours sans représentant du Parti québécois. « Et on a convenu qu'il y avait, semble-t-il, tant du côté de M. Dumont que du côté de M. Bouchard, une ouverture », dit Roy.

Les gens de l'ADQ, Néron, Jacques Gauthier, la présidente du parti, Ritha Cossette, et d'autres deviennent tout à coup pressés de rencontrer le chef du Bloc québécois. « M. Bouchard trouvait ça trop rapide, rappelle Pierre-Paul Roy. Il a dit : ''Maintenant qu'on pense (qu'il y a une ouverture du côté de l'ADQ), on va contacter le bureau de M. Parizeau.'' J'ai alors rencontré Jean-François Lisée. » Celui-ci est surpris des contacts déjà établis entre le Bloc et l'ADQ. « Je me souviens que la réaction de Jean-François n'était pas très chaude au point de départ, dit Roy. On était dans une période où les rapports avec M. Parizeau étaient assez froids. Eux, ils (étaient) dans une dynamique qu'il fallait y aller plutôt tranquillement. Je me souviens qu'à ce moment-là, Jean-François avait insisté pour dire : ''Je ne pense pas que ça va marcher, je ne suis pas sûr que c'est bon de faire rapport à nos deux chefs.'' Je lui ai dit : ''Moi, c'est le rapport que je vais faire à M. Bouchard.'' On s'est quittés là-dessus. » Lisée a rappliqué et, finalement, il y a eu création d'un comité tripartite, composé de Lisée et Jean Royer, de l'équipe Parizeau, Gilbert Charland et Roy, du Bloc québécois et André Néron et Jacques Gauthier, souvent remplacé par Claude Carignan, de l'ADQ.

Mario Dumont pose deux conditions à son appartenance au camp du OUI : que le partenariat fasse partie de la question référendaire et que la négociation avec le reste du Canada se fasse avant toute déclaration de souveraineté. « La journée où j'ai sorti ça, moi, le gars de 24 ans, chef d'un parti qui a eu 6,7 % des votes (à la dernière élection), j'étais quasiment la risée parce que M. Parizeau, lui, son idée était faite !, dit Dumont. Mais la réalité politique l'a rattrapé. »

« C'était la démonstration de notre capacité de rassemblement », dit aujourd'hui Jean-François Lisée qui, à ce moment-là, n'est pas insensible au fait que Dumont, dans un sondage de la fin mars, a rejoint Parizeau dans l'appréciation populaire, et que son parti obtient l'adhésion de 11 % de la population[6]. Même si l'ADQ n'a qu'un député et un appui populaire relativement modeste, il offre à Parizeau et à son équipe l'occasion de prouver à la population qu'ils sont capables d'ouverture : s'ils peuvent s'entendre avec un parti qui n'est pas souverainiste, les compromis sont aussi possibles avec les fédéralistes d'Ottawa dans des négociations ultérieures.

« Nos deux conditions n'étaient vraiment pas négociables, rappelle Mario Dumont. On pouvait négocier le choix des mots, on pouvait négocier bien des choses, mais le partenariat dans la question et la négociation avec le Canada avant la déclaration de souveraineté, c'était le solage à partir duquel on pouvait discuter. » Il demeure toutefois réaliste. « Quand tu as 6,7 % du vote, tu prends acte que tu n'es pas le premier ministre, dit-il. Ce n'est pas toi qui vas décider de la question, ce n'est pas toi qui vas aller négocier avec Ottawa. Alors, il faut que tu fasses des gestes qui vont te rapprocher. » Dumont veut faire sauter ce qu'il appelle le « cadenas », c'est-à-dire une forme de fédéralisme qui, depuis le rapatriement de la Constitution en 1982, est devenue une espèce de carcan. « Un vote pour le OUI, ça cassait le "cadenas", dit-il. Ça amorçait la négociation, des discussions, c'était ça qui avait le plus de chances de nous conduire vers un nouveau partenariat. » Dans l'esprit de Mario Dumont, le partenariat n'est rien d'autre qu'une nouvelle structure confédérative dans laquelle le Québec participe à « une union d'États, qui ont une forme de souveraineté ou d'autonomie ».

Lorsque les négociations commencent entre les trois formations politiques, l'ADQ est toujours enfermée dans la logique du rapport Allaire. Par conséquent, il est exclu de ravaler la notion de partenariat à une sorte de complément à la question, accroché quelque part dans une annexe. « Ce n'était pas sérieux! », dit Dumont. L'idée de partenariat doit être dans la question. Et le 5 mai, comme s'il voulait se prémunir contre tout compromis qui l'amènerait à renier sa position initiale, il rend public un document d'une trentaine de pages intitulé *La nouvelle Union Québec-Canada : institutions et principes de fonctionnement*. L'ADQ y fait sa profession de foi : dans une nouvelle relation avec le reste du Canada, le Québec conserve la juridiction exclusive sur une trentaine de domaines et consent à en partager une quinzaine avec le Canada dans des institutions communes qui dépendent de l'autorité d'un parlement de l'Union, doté de pouvoirs législatifs. Aussi bien dire qu'en dépit de l'optimisme de façade dont fait preuve Jacques Parizeau, les négociations seront ardues.

Jean-François Lisée prépare néanmoins un brouillon d'entente qu'il soumet d'abord à Louis Bernard, le secrétaire général du gouvernement. Bernard y apporte quelques modifications mineures, le signe à son tour et le remet à Parizeau. « Dans un premier temps, dit Lisée, ça lui allait. Toutes les semaines, je faisais rapport des progrès des négociations. Et parfois, parce que ça devenait concret, M. Parizeau résistait. Il y avait des moments où il n'était plus certain de vouloir aller jusque-là ! » Ce que Parizeau craint par-dessus tout, c'est que le succès des pourparlers avec Ottawa, sur notamment l'union économique, devienne une condition nécessaire à la déclaration de souveraineté. Donc, sur les points essentiels du projet d'entente, il est en premier lieu d'accord, ensuite, il résiste et, enfin, il cède.

En fait, l'équipe de Parizeau est inquiète, car elle craint une sorte d'alliance dans son dos entre le Bloc Québécois et l'Action démocratique du Québec qui proposerait alors la création d'un parlement commun élu, avec pouvoirs législatifs, tel que l'ADQ l'a avancé dans son document du 5 mai. « D'après moi, une telle proposition aurait été une erreur stratégique, dit Lisée. On a parlé d'une assemblée législative conjointe. Mais on a dit : si le Québec devient souverain, il y aura des élections. Puis, si un jour le parti de l'ADQ est élu et qu'il propose ce parlement commun, on verra. » Et la proposition de l'ADQ ne s'est pas retrouvée dans le projet de loi.

« Il est certain, dit encore Lisée, en revenant sur les deux mois de négociations et, surtout, sur celles qui se sont déroulées entre souverainistes, que Jacques Parizeau n'aurait jamais pu signer un document qui ne fasse pas du Québec un pays souverain représenté aux Nations unies. Ceci n'a jamais été mis en cause. Ce qui a été discuté, c'est le niveau d'importance de la proposition qu'on ferait au Canada anglais. » Les discussions entre les deux équipes sont par conséquent robustes, mais le respect de l'une pour l'autre permet de soutenir le dialogue. « Ça ne se vivait pas dans le drame, dit Pierre-Paul Roy. Il y a eu des tensions, mais il fallait gérer les relations entre deux hommes ! » Pour éviter d'en arriver à une fracture complète, ces deux hommes ne se rencontraient que lorsqu'il semblait y avoir un terrain d'entente.

Et, finalement, il y a eu entente, grâce surtout à Jean-François Lisée, le « conseiller à l'ouverture », comme aime à l'appeler Jean Royer, qui a réussi à surmonter ses réticences du début pour amener

Parizeau à jouer le jeu de l'arc-en-ciel. « Jean-François réussissait toujours à élargir un peu le corridor, dit-il. M. Parizeau s'est retrouvé, à un moment donné, dans des sentiers qui lui étaient moins familiers. Il y a des choses qu'au début, nous ne pensions pas avoir sur la table. Mais c'est en partie par les efforts de Jean-François qu'on est arrivés à l'entente sur le partenariat. » Finalement, Lisée, Gilbert Charland et André Néron rédigent une première version conjointe, puis plusieurs autres, du projet d'entente. « J'ai vu quatre versions successives, se souvient Parizeau. On allait jusqu'aux virgules, on changeait des mots... » Une version finale va finalement trouver consensus dans les trois camps et est signée en grande pompe, le 12 juin.

Dans le camp adverse, des observateurs suivent attentivement le déroulement de ces négociations — ce qu'ils peuvent en savoir — et en pèsent les conséquences. « Le camp du OUI a franchi une étape à ce moment-là, dit aujourd'hui Jean Charest, chef du Parti conservateur fédéral à cette époque. Il avait réussi à aller chercher Mario Dumont, qui était un peu mon équivalent dans l'équipe du OUI, c'est-à-dire un troisième participant qui s'adresse, comme moi, à un groupe d'indécis qui s'identifient davantage à lui. Moi, quand j'ai vu ça, je me suis dit : on a un adversaire qui est maintenant mieux outillé pour faire sa campagne référendaire. Le camp du OUI avait réussi à élargir, en quelque sorte, sa coalition. Et ça, d'instinct, je me disais : la bataille vient de changer ! » Pour sa part, Daniel Johnson doit assister, impuissant, au déplacement vers le camp du OUI d'une clientèle qui faisait partie, il n'y a pas si longtemps encore, du Parti libéral. Malgré tout, il se garde bien de tenter le moindre rapprochement avec Mario Dumont. « Il aurait utilisé ça à son avantage, dit Daniel Johnson, probablement pour nous dénoncer, comme il l'avait fait pendant des années. Il utiliserait le rameau d'olivier (qu'on lui tendrait, pour dire) : "Regardez, les libéraux courent après moi !" »

La stratégie de Johnson à cet égard est simple : démontrer que, « quand on s'affiche pour le OUI sur une question qui veut faire du Québec un pays souverain, c'est qu'on est souverainiste ». Et c'est sur ce plan qu'il entend attaquer la crédibilité de Mario Dumont et de son parti. John Parisella, à l'époque chef de cabinet de Johnson, tient le même discours : « Pour certains, cela a confirmé où Mario Dumont logeait, dit-il. Pour d'autres, cela a été perçu comme un effort du Parti québécois pour créer une certaine ambiguïté. M. Parizeau préfère toujours la question courte, directe, mais les stratèges péquistes préfèrent toujours une autre façon pour colorer, dorer la pilule. » Parisella est cependant conscient de la bombe à retardement que représente l'adhésion de l'ADQ au camp du OUI. « On avait vu Mario Dumont comme l'individu qui pouvait être la clé d'une victoire ou d'une défaite référendaire », dit-il maintenant. Son choix pour le OUI a forcé Johnson et les libéraux québécois à modifier leur discours en vue d'aller chercher une clientèle toujours fédéraliste, mais plus nationaliste. « Il ne fallait pas défendre le Canada au Québec, dit Parisella. Il fallait que Johnson défende le Québec dans le Canada. C'est une nuance importante. »

En signant l'entente du 12 juin, Jacques Parizeau ne met pas que de l'eau dans son vin en ce qui concerne la question référendaire. Il accepte de composer avec un partenaire, Lucien Bouchard, qui a une personnalité totalement différente de la sienne. Alors que Parizeau est l'homme de raison, l'analyste, le cartésien, le planificateur, Bouchard est un intuitif. « Les grandes stratégies discutées d'avance, ce n'est pas tout à fait son *bag*, dit Jean-François Lisée, lorsqu'il parle de Bouchard. Il se fie beaucoup à son instinct. Il joue au filet, la balle arrive, on la prend du mieux qu'on peut… Et il est vrai que les bonnes décisions se prennent au filet. La question de la préparation stratégique, c'était moins son fort. » C'est aussi la perception que Pierre-Paul Roy a de son chef : « On avait des discussions, dit-il. Quand il nous disait : "Je ne le sens pas", la discussion était finie. Je ne veux pas dire que c'est simplement un être d'intuition et de passion sans être un homme de raison, mais il avait une approche plus intuitive de la politique. »

Des gens qui ont fréquenté Lucien Bouchard disaient de lui qu'il était soupe au lait et qu'ils le trouvaient colérique. Georges Arès, un Albertain, l'a constaté à l'époque où Bouchard était secrétaire d'État dans le gouvernement Mulroney et responsable de la francophonie. Arès le rencontre, en sa qualité de président de l'Association canadienne-française de l'Alberta, pour débattre de la loi linguistique dans sa province. Il lui demande entre autres de prendre l'initiative d'une référence à la Cour suprême sur la question scolaire, d'aider au développement de la communauté francophone en Alberta et de conclure une entente avec le gouvernement provincial pour la traduction des lois. Bouchard cherche d'abord à amener son interlocuteur à réduire quelque peu ses attentes, mais celui-ci résiste. « Alors, il s'est fâché contre moi, dit Arès. Il m'a dit : "Monsieur Arès, vous êtes intransigeant!" J'ai répondu : "Monsieur Bouchard, lorsqu'on parle des droits de la communauté franco-albertaine, je vais toujours être intransigeant. On ne négocie pas les droits. Nos droits, ce n'est pas discutable!" Là, il s'est fâché encore plus et il est sorti de la salle. Ses adjoints politiques nous regardaient, puis ils ont dit : "M. Bouchard est parti. Pourquoi ne vous en allez-vous pas?" M. Bouchard est revenu quinze minutes plus tard. Il s'était calmé. Il a dit : "Bon, on reprend les discussions." Il était cette sorte d'homme. Il se fâchait, mais il pouvait se calmer assez vite. Moi, j'avais beaucoup aimé ça. Quand il y avait un intérêt plus grand, il pouvait reprendre la discussion. » « Le gros bon sens, explique Bob Dufour, l'organisateur du Bloc québécois. Oui, il a du tempérament. Mais après, la poussière descendait, puis on arrivait toujours avec une solution intelligente. Pour lui, dans le fond, sa philosophie politique était beaucoup basée sur le gros bon sens. »

Les opposants à Lucien Bouchard le craignent : « Un adversaire très dangereux, charismatique, prêt à dire n'importe quoi pour influencer son auditoire[7] », dit Eddie Goldenberg, de l'entourage de Jean Chrétien. « Il avait toujours l'air d'un nuage annonciateur d'orage, dit pour sa part Deborah Grey, députée réformiste, sa voisine de fauteuil à la Chambre des communes, lorsqu'il a quitté les rangs des conservateurs et siégé comme indépendant. Très intense, il semblait toujours ruminer quelque chose dans sa tête, c'est le mot qui me vient à l'esprit pour le décrire[8]. » « Ce qui rendait Bouchard dangereux pour le Canada, dit pour sa part Preston Manning, qui s'était vu ravir le titre de leader de l'opposition officielle par le chef du Bloc québécois, c'est qu'il avait une vision, un rêve d'un Québec indépendant et qu'il pouvait le transmettre autant avec émotion qu'en des termes rationnels[9]. » Le sénateur conservateur Pierre-Claude Nolin connaît bien Bouchard, dont il a organisé l'élection dans la circonscription électorale de Lac-Saint-Jean, en juin 1988. «Il était, à l'époque, un intellectuel, un avocat, un ambassadeur, loin d'être un politicien. Mais il a appris entre l988 et l995. (Il est devenu un politicien) habile, qui sait exploiter les erreurs de ses adversaires. Ses talents de négociateur, il a réussi à les transposer dans l'arène politique. Est-ce que c'est un politicien innovateur? Je ne le croirais pas. C'est un gars qui est conscient de son potentiel, de son image et il sait exploiter au maximum ses talents. Il n'y a pas de doute qu'il a levé le ton auprès de M. Parizeau.» Voilà l'homme avec qui le premier ministre du Québec doit composer, un homme désormais aguerri, sûr de lui, peu disposé à dévier de ses certitudes.

À leurs côtés, Mario Dumont, un jeune homme qui vient tout juste d'avoir 25 ans, est député depuis quelques mois seulement, seul occupant des banquettes de son parti à l'Assemblée nationale, dont il ne maîtrise pas encore très bien les règles. «En plus d'être au cœur des grands débats, il fallait que. j'apprenne l'abc de "c'est quoi être député", dit Mario Dumont. J'avais autour de moi une toute petite équipe, mais, à l'intérieur du parti, il y avait quand même des gens d'expérience, comme M. Allaire pour les affaires constitutionnelles. »

Selon Daniel Johnson, qui l'a connu à l'époque où Dumont était au Parti libéral, le chef de l'ADQ n'est pas un homme d'équipe. Rappelant un congrès de la commission jeunesse du parti à Sainte-Anne-de-la-Pocatière, en 1991, au temps où Dumont en assumait la présidence, Johnson se souvient qu'il avait été frappé par le fait qu'il avait été le seul député à s'être déplacé pour participer à un événement social dans le cadre de ce congrès. « M. Dumont n'avait pas établi de complicité avec le caucus, avec les autres instances du parti, dit-il. Ça m'avait étonné de voir à quel point il était esseulé, à l'occasion d'un événement qui était en général assez couru par un peu tout le monde, y compris les plus vieux. » « Dumont est un homme assez réservé, juge de son côté John Parisella. Certains diraient qu'il pourrait être assez froid. Ce n'est pas un émotif. Il a un peu le tempérament de Robert Bourassa. » Parisella rappelle qu'en 1992, au retour de Charlottetown, où Bourassa avait signé l'accord qui devait être soumis à un référendum, il a appelé Dumont pour lui expliquer la

démarche que le gouvernement entendait suivre. « Notre conversation a duré pas loin d'une heure, dit Parisella. Il a écouté très respec-
tueusement, à moins qu'il n'ait déposé le téléphone sur le comptoir.
Puis, la conversation s'est arrêtée là. J'ai appelé Bourassa pour lui dire
que j'avais fait la démarche. "Comment a-t-il réagi ?" m'a demandé
Bourassa. J'ai alors employé une expression anglaise pour décrire la
réaction de Dumont : *"Iced water in his veins !"* C'était une autre façon
de dire que la conversation avait été polie mais glaciale. » Pour
Parisella, Dumont était un jeune homme qui voyait la vie politique
exclusivement par les yeux du Québec et qui n'avait pas une grande
sensibilité envers le reste du Canada.

Le 12 juin, les trois chefs, dans la plus grande solennité, signent
une entente au Château Frontenac, à Québec. Mais, sur le plan des
troupes, il reste encore beaucoup à faire : assimiler le contenu de
l'entente, articuler leur stratégie et, surtout, leur discours en fonction
de la nouvelle orientation qu'elle leur impose. En plus de prévoir que
les trois partis politiques « conjuguent leurs forces et coordonnent
leurs efforts pour que les Québécois puissent se prononcer pour un
véritable changement, qui consiste à faire la souveraineté et à proposer un nouveau partenariat économique et politique au Canada », le
texte de l'entente, presque cinq pages bien remplies, stipule que cet
objectif commun sera intégré au projet de loi et à la question référendaire. Il prévoit également, pour contrecarrer toute crainte au Canada
d'une déclaration unilatérale d'indépendance de la part de Parizeau,
qu'un comité d'orientation et de surveillance sera créé, constitué de
personnalités politiquement indépendantes, dont le mandat sera
d'assurer que les négociations avec Ottawa se dérouleront de façon
correcte et transparente. Il énonce enfin que les négociations avec
Ottawa ne dureront pas plus d'un an et, qu'advenant le cas où elles
seraient infructueuses, l'Assemblée nationale pourra déclarer la
souveraineté du Québec dans les meilleurs délais (voir le texte de
l'entente à l'annexe A, page 466).

Si le gouvernement fédéral ne mesure pas encore l'importance de
l'entente que viennent de signer les trois partenaires, les Américains
s'y intéressent de très près. Dans les jours qui suivent sa signature, le

consulat américain à Québec envoie le message suivant au Secrétariat d'État à Washington : « Pendant des mois, les analystes à Ottawa ont ridiculisé le projet de souveraineté du Parti québécois. Ils ont prédit que le référendum serait reporté au-delà de cette année, peut-être indéfiniment. Tout indique ici, au contraire, qu'ils se sont sérieusement fourvoyés. Il y a toutes les raisons de croire qu'il y aura un référendum cette année avec 50 % de chances de passer. [...] Il est maintenant clair que Parizeau (qui a décidé de ne pas tenir le référendum au printemps) attendait que l'ADQ et Mario Dumont montent à bord. L'accord tripartite qui vient d'être signé entre Parizeau, Bouchard et Dumont, résultat d'une cour assidue, est un coup majeur pour la souveraineté. Parizeau essayait de gagner Dumont depuis que son parti avait remporté 6,5 % du vote à l'élection de septembre dernier, car ces votes, ajoutés au 44,7 % qu'avait remportés le Parti québécois, étaient suffisants pour faire gagner le référendum. L'acceptation par Parizeau d'une association avec le Canada, une fois la souveraineté acquise, est un bien petit prix à payer pour un tel appui. [...] Les Canadiens et les Québécois feraient bien d'attacher leur ceinture. Le train de la souveraineté a quitté la gare et prend de la vitesse. Nous sommes chanceux de pouvoir demeurer sur le quai. Il semble bien que ce sera un voyage mouvementé[10]. » La note du consul adresse de sérieux reproches aux libéraux de Daniel Johnson, qui « refusent catégoriquement de révéler la vision constitutionnelle qu'ils disent avoir en tête pour le Québec, préférant combattre chaque aspect du projet du gouvernement dans un roulement ininterrompu de discours négatifs[11] ».

En fait, le Parti libéral du Québec ne peut rien révéler de sa position constitutionnelle puisqu'il est encore à la définir. À la fin d'avril 1995, un document, préparé par son Comité sur l'évolution du fédéralisme canadien, dont des journalistes de TVA ont obtenu un exemplaire, propose l'intégration du Québec dans le giron constitutionnel sous trois conditions : un droit de veto sur tout changement de la Constitution, une plus grande flexibilité du fédéralisme et des accords fédéraux-provinciaux découlant de la reconnaissance de la spécificité du Québec. Il n'est plus question d'une reconnaissance de la société distincte. Le lendemain, Daniel Johnson qualifie le document de

« premier jet d'un brouillon aux fins de discussion, l'effort d'un jeune recherchiste » et le renie sommairement. « Commençons par rejeter la séparation », dit-il, donnant ainsi crédit à la lecture que le consulat américain fait de son attitude[12].

Le lendemain de la signature de l'entente, Jacques Parizeau, en compagnie de Jean-François Lisée et du chef du protocole, Jacques Joli-Cœur, se rend à Ottawa, à l'invitation des ambassadeurs de l'Union européenne. Ces diplomates se réunissent toutes les deux semaines et invitent des politiciens canadiens à venir les entretenir de différents sujets dans des échanges qui doivent demeurer strictement confidentiels. En ce 13 juin 1995, la rencontre a lieu à la résidence de Hans Sulimma, ambassadeur d'Allemagne. Elle réunit une quinzaine de diplomates. Ils veulent tous en savoir davantage sur les projets du gouvernement du Québec.

Le rituel est généralement le même à chaque réunion : apéritif, déjeuner, présentation de l'invité, cette fois par l'ambassadeur de France, puis allocution d'une quinzaine de minutes suivie d'une courte période de questions et réponses. Avant le repas, Jacques Parizeau prend un verre en compagnie de quatre ambassadeurs : Christian Fellens, de Belgique, fortement intéressé par ce qui se passe au Québec puisque son pays vit une situation biculturelle et bilingue comme le Canada ; Alfred Siefer-Gaillardin, de France, qui a pris l'initiative d'inviter Parizeau, même s'il n'est pas particulièrement ouvert au projet souverainiste ; l'ambassadeur d'Autriche et Jan Fietelaars, des Pays-Bas. La conversation se déroule en français, une langue que parlent la plupart des diplomates à Ottawa, mais que l'ambassadeur néerlandais ne maîtrise pas bien.

Qu'a dit exactement Parizeau pendant cet échange à bâtons rompus ? Le lendemain, l'un des quatre ambassadeurs, celui des Pays-Bas, se rend au ministère canadien des Affaires étrangères. Le gouvernement néerlandais tente alors d'obtenir l'appui du Canada lors d'un vote qui doit avoir lieu pour un poste qu'il brigue à la direction d'un organisme international. C'est l'occasion que Fietelaars choisit pour rapporter les propos de Parizeau. Ils auront l'effet d'une bombe, trois semaines plus tard, dans le débat référendaire.

Le vendredi 7 juillet, la journaliste Chantal Hébert, chef du bureau de *La Presse* dans la capitale fédérale, s'amène sur une colline parlementaire presque vide, où beaucoup de gens sont en vacances, y compris la secrétaire de son bureau. Elle n'a rien à faire. Pour s'occuper, elle choisit d'ouvrir le courrier, ce qu'elle fait rarement. Une lettre lui est adressée, venant du ministère des Affaires extérieures. Quelques semaines auparavant, à la demande de ce même ministère, elle a accepté de parler de politique canadienne aux ambassadeurs étrangers nouvellement affectés à Ottawa, ce qui se fait couramment dans la capitale, et sans rémunération. La journaliste se dit qu'il doit s'agir d'un mot de remerciement. Elle est toutefois un peu intriguée parce que l'enveloppe porte le logo du « ministère des Affaires extérieures » alors qu'elle sait très bien que, depuis l'élection du gouvernement Chrétien, le ministère s'appelle « ministère des Affaires étrangères ». Elle ouvre l'enveloppe. Celle-ci contient la copie d'une note de service, rédigée par des hauts fonctionnaires et adressée à d'autres fonctionnaires, rapportant leur rencontre avec l'ambassadeur Fietelaars.

« (L'ambassadeur) leur avait raconté, dit Chantal Hébert, qu'on avait demandé à M. Parizeau ce qui se passerait si, une fois que les Québécois auraient voté OUI, ils voulaient changer d'idée ? M. Parizeau avait répondu : "Cela ne peut pas arriver, c'est impossible. Une fois que les Québécois auront voté OUI, ils vont être comme des homards." La note est en anglais : *in a lobster pot*, dans une trappe à homards. » La note, d'à peine dix lignes, est datée du 19 juin et a été envoyée à un certain nombre de fonctionnaires par Michel Duval, le directeur des relations avec l'Europe occidentale au ministère des Affaires étrangères. Aucun mot, aucune indication, aucune présentation ne l'accompagnent. « Il devient tout à coup très clair que vient de tomber sur mon bureau quelque chose qui va rendre mon vendredi un peu moins tranquille », ajoute Chantal Hébert.

Elle vérifie l'identité et les fonctions de ceux à qui la note a été adressée. Tout est correct. Elle communique avec les ambassades pour découvrir que l'incident est connu par beaucoup de monde dans le cercle diplomatique, surtout depuis la réception que l'ambassade américaine a donnée, le 4 juillet, à l'occasion de la fête nationale des

États-Unis. À Ottawa, « un journaliste apprend rapidement qu'on peut savoir plus vite comment un cabinet va être remanié, en ayant de bonnes sources à l'ambassade des États-Unis plus qu'en ayant de bonnes sources au bureau du premier ministre, dit Chantal Hébert. Donc, c'est un bon endroit pour commencer (une enquête). Les deux (premières) ambassades où j'ai téléphoné, y compris celle des États-Unis, m'ont répondu spontanément : "Oui, absolument!" Il y a même un diplomate qui m'a dit : "C'est la bouchée la plus délicieuse de la semaine dans la communauté diplomatique à Ottawa. Tout à fait suave, cette déclaration de homards!" »

Dans cette histoire, la journaliste Chantal Hébert a deux problèmes : elle n'a pas réussi à parler à quelqu'un qui a été témoin des propos de Parizeau et — le principe de l'équité l'exige — elle doit obtenir une réaction du chef du gouvernement québécois. Comme elle ne veut pas se faire bloquer du côté de Québec, elle choisit de raconter l'histoire de la note comme une bonne histoire de fin de semaine au directeur des communications du Bloc québécois à Ottawa, Alain Leclerc. Elle termine la conversation en disant à son interlocuteur : « Excuse-moi, je dois écrire mon article ! » Elle savait qu'elle allait faire mouche.

Quinze minutes plus tard, Jean-François Lisée, le conseiller politique de Jacques Parizeau, lui téléphone. C'est un démenti officiel, net, sans appel. « C'est une invention du diable ! », dit Lisée. Mais, comme plusieurs personnes s'échangent déjà l'information, cela fait pas mal de monde dans le même complot. Alors, le ton de Lisée passe à la menace. « Il a commencé à s'inquiéter de ma carrière, se souvient Hébert. Il m'a expliqué que, si je publiais cette histoire le samedi, le dimanche, ma carrière serait terminée, qu'on allait me démentir sur la place publique, que ma crédibilité de journaliste était détruite. »

Chantal Hébert n'est pas du genre à se laisser intimider. Aussi, Lisée change-t-il de stratégie. Il demande un sursis : si La Presse accepte de retarder la publication de l'histoire au lundi, il trouvera trois ambassadeurs qui viendront la démentir publiquement. « Il m'a demandé : "Si je te fournis trois ambassadeurs qui disent que ce n'est pas vrai, vas-tu publier (l'histoire)?", dit Hébert. Je lui ai répondu :

"C'est sûr que, si je publie, leur démenti va faire partie de mon papier." » Comme c'est l'été et qu'il y a beaucoup de journalistes en vacances, la direction de *La Presse*, à Montréal, ne craint pas que la nouvelle sorte dans un journal concurrent et accepte de reporter sa publication au lundi. Mais Hébert est inquiète : si un cadre important de son journal parlait à Parizeau et se laissait convaincre qu'il n'a jamais tenu ces propos… ? Si ce cadre lui disait, à elle : « On ne touche pas à cette histoire ! » que ferait-elle ? Le réseau TVA a été mis au courant, lui aussi, de l'affaire et Benoît Aubin, le directeur de l'information, a choisi de la taire.

Le lundi, Marcel Desjardins, le directeur de l'information à *La Presse*, fait savoir à Chantal Hébert qu'il tient à publier l'histoire, et dès que possible. À 15 heures, Lisée appelle la journaliste : il a trouvé trois ambassadeurs qui vont communiquer avec elle. Une heure plus tard, le téléphone sonne. C'est l'ambassadeur de Belgique. « M. Jean-François Lisée m'a demandé de vous appeler, dit Christian Fellens, qui ne cache pas son malaise devant ce qui se passe, tant pour Parizeau que pour le corps diplomatique. C'était un déjeuner privé, ajoute-t-il, et, les paroles qu'il a prononcées, c'était dans un contexte de confiance. » Hébert est renversée : elle s'attendait à un front de dénégation de la part de tous les diplomates qui prendraient la peine de l'appeler. Elle prévient Fellens : « Vous comprenez que je vais vous citer. Vous comprenez aussi que vous me confirmez que M. Parizeau a dit ce qu'on raconte. » L'ambassadeur le confirme, mais ajoute que ce n'est pas très diplomatique d'en faire état dans les journaux. Hébert sent le besoin de lui expliquer que le métier de journaliste est sensiblement différent de celui de diplomate. Il le reconnaît, déplorant toujours qu'un homme public ne puisse pas s'exprimer en privé sans que ce soit rapporté. « Ma main tremblait, se souvient Hébert. C'était incroyable ! Cet ambassadeur, je ne l'aurais jamais trouvé, il ne m'aurait jamais rappelée et, s'il l'avait fait, il m'aurait dit qu'il n'avait pas à me répondre ! Et voilà que le bureau de Parizeau m'envoie un ambassadeur, qui accepte d'être cité et me confirme que Jacques Parizeau a dit que les Québécois seraient comme des homards ! Ce monsieur ne m'a jamais rappelée pour me dire que je l'avais mal cité ! »

Hébert a à peine raccroché que le chef du protocole de Parizeau, Jacques Joli-Cœur, la contacte pour lui affirmer qu'il n'a jamais entendu de tels propos dans la bouche de Parizeau. Quand il sait que Hébert a parlé à Fellens, il met fin à la conversation. Puis, nouvel appel téléphonique : c'est Fietelaars, « très agité, pour affirmer que M. Parizeau n'a pas dit cela, raconte la journaliste. Quand je lui ai demandé pourquoi il l'avait raconté aux Affaires étrangères, la conversation est devenue très, très confuse ».

Le premier article de Chantal Hébert est publié le mardi matin. Elle a suffisamment confiance en ses sources pour écrire : « Pour le premier ministre Jacques Parizeau, il importe que le nouveau projet souverainiste pousse une majorité de Québécois à sauter dans la marmite de la souveraineté. Après cela, ils seront aussi irrémédiablement voués à la séparation du Québec du reste du Canada que "des homards jetés dans l'eau bouillante". Voilà, en substance, l'analogie, confirmée par des sources diplomatiques, mais vigoureusement contestée par le gouvernement québécois. [...] » Le titre, à la une de *La Presse*, ne trompe pas : « Après un OUI, les Québécois seront comme des homards, *dixit* Parizeau à un groupe d'ambassadeurs européens à Ottawa ».

Si elle a la note et la confirmation de son contenu, la journaliste ignore toujours qui la lui a envoyée. Elle ne devait pas tarder à obtenir la réponse. Alvin Cader est un correspondant parlementaire de la radio de la CBC. Il était à la fête du 4 juillet, à l'ambassade des États-Unis. À cette réception la plus courue de toute la capitale, il est possible de rencontrer diplomates, ministres, sous-ministres, hauts fonctionnaires, dont certains, au troisième ou quatrième verre, perdent leur langue de bois. « Une source bien placée dans le gouvernement fédéral s'est approchée de moi, raconte Cader, pour me parler d'une note. Il était convaincu que ça allait humilier ou même discréditer M. Parizeau, si ça sortait. Il était déterminé à ce que ça sorte et à ce que ça sorte au Québec d'abord[13]. » Cader ne connaît pas le contenu de la note, sinon qu'il s'agit d'une histoire extrêmement dommageable pour Parizeau, et sa source ne veut pas lui en parler parce qu'il faut qu'elle sorte d'abord en français.

Cader n'identifie pas son informateur, mais on sait maintenant qu'il s'agit de Howard Balloch, sous-secrétaire du Conseil des ministres pour l'Opération unité[14]. Cader fouille l'histoire et ne trouve rien. Le lundi soir, il reçoit un appel de l'ambassadeur des Pays-Bas. « Il y a des gens qui disent que c'est moi qui ai répandu cette histoire de homards. Ce n'est pas vrai », lui dit en substance Jan Fietelaars. Le journaliste ne comprend rien. Il ne sait rien de cette histoire de crustacés, et encore moins ce que l'ambassadeur néerlandais vient y faire. La gibecière du journaliste est bien vide : un haut fonctionnaire lui raconte une histoire sans vraiment la lui raconter et un ambassadeur s'empresse de la démentir. Aux informations du mardi matin, ignorant la nouvelle que *La Presse* va publier le même jour, Alvin Cader ferme le dossier : il déclare que les stratèges de l'Opération unité ont tenté de répandre une information humiliante pour Parizeau au sujet d'une de ses déclarations, mais que c'est un pétard mouillé parce que les personnes sensées avoir été témoins de cette déclaration la démentent.

Hébert n'en croit pas ses oreilles. Elle appelle Cader, qu'elle connaît bien. C'est alors qu'elle comprend que la fuite vient, non pas d'un haut fonctionnaire des Affaires étrangères, mais d'un responsable du Comité pour l'unité canadienne. Elle comprend aussi que la note vient d'un ancien fonctionnaire de ce ministère, qui a utilisé une vieille enveloppe. Avant d'être affecté au Conseil privé, Balloch travaillait au ministère des Affaires étrangères, qui s'appelait alors Affaires extérieures. Elle téléphone au Comité de l'unité canadienne et demande à parler à Balloch. Celui-ci reconnaît aussitôt qu'il était au courant de toute l'histoire, qu'il pensait qu'elle allait sortir un jour, qu'il en a parlé avec des journalistes dans les jardins de l'ambassade américaine, mais il nie totalement que c'est lui qui a envoyé la note de service aux journalistes.

Avec le recul, l'entourage de Parizeau donne une version différente de l'incident : Parizeau ne se souvenait pas d'avoir tenu de tels propos ; Jean-François Lisée n'avait rien entendu, Jacques Joli-Cœur non plus. « Notre première réaction a été : c'est une invention, dit aujourd'hui Lisée. On a voulu confirmer de bonne foi. On a consulté d'autres personnes présentes, des gens des ambassades européennes. L'une d'elles avait pris des notes. Alors, on s'est rendu compte que

Parizeau l'avait probablement dit. » Encore aujourd'hui, celui-ci refuse carrément de revenir sur le sujet : « Dix ans après, écoutez, ce n'est pas sérieux, dit-il. À un moment donné, tu sais, pais mes agneaux, pais mes brebis ! »

On ne connaîtra jamais les mots qu'a utilisés Parizeau et, encore moins, le contexte dans lequel il les a prononcés. Si on s'en remet à la version de l'ambassadeur belge, il aurait utilisé, en parlant des Québécois, l'exemple du casier à homards : « Vous entrez là et vous ne sortez plus[15] ! » L'ennui, c'est que casier à homards se traduit, en anglais, par *lobsterpot* et que *pot* se traduit, en français, par marmite. Il faut supposer que le manque de vocabulaire des fonctionnaires, à moins que ce ne soit leur ignorance de la langue française, ait fait le reste : le *lobsterpot* est devenu, au ministère des Affaires étrangères ou au Comité pour l'unité canadienne, une « marmite d'eau bouillante ».

Jean Chrétien et d'autres au gouvernement fédéral sont très réticents à exploiter l'histoire des homards à des fins de campagne référendaire. Mais certains fédéralistes ne peuvent résister : le groupe organisateur des conférences de Cité libre, dont le sénateur Jacques Hébert, veut refaire le « coup des Yvette » de 1980 et lance l'« ordre national du homard », distribuant des macarons aux couleurs de ce crustacé. L'initiative fait long feu et n'a aucun impact sur la campagne référendaire.

Sanctionné dans l'encre le 12 juin, le rapprochement entre Jacques Parizeau et Lucien Bouchard le devient dans l'opinion publique douze jours plus tard lorsque, côte à côte, ils participent, dans une mer de drapeaux fleurdelisés, au défilé de la Saint-Jean-Baptiste à Montréal. Malgré la douleur qui le tenaille et qu'il parvient difficilement à cacher, car la distance est longue et son opération ne remonte qu'à un peu plus de six mois, Bouchard parcourt la rue Sherbrooke jusqu'à la rue Papineau, aux côtés du chef du gouvernement, rayonnant devant les 100 000 personnes entassées sur les trottoirs, de quelques ministres, des présidents des centrales syndicales et de nombreux députés du Bloc québécois et du PQ. « C'est l'été de l'espoir, dit alors Parizeau. L'automne réalisera ce qu'on espère et le prochain défilé pourrait bien être une marche de la victoire. »

Trois semaines après la signature de l'entente, l'ADQ et Mario Dumont recueillent dans les sondages les mêmes 10 % de la faveur populaire, soit plus ou moins la même cote de popularité qu'à la fin de septembre 1994. La performance du Parti québécois n'est guère plus brillante. Mais le virage de Bouchard, en avril, et l'entente du 12 juin ont projeté la faveur du OUI en avant du NON. À la question « Êtes-vous en faveur de la souveraineté du Québec, assortie d'une offre formelle d'un nouveau partenariat économique et politique avec le reste du Canada ? », 45 % des répondants optent pour le OUI et 41 % pour le NON ; 14 % sont indécis[16]. L'été s'annonce sous de bons augures pour Jacques Parizeau et sa troupe.

CHAPITRE VI

« Acceptez-vous...
OUI ou NON ? »

Roy Romanow[1], le chef du gouvernement de la Saskatchewan, rencontre Jacques Parizeau pour la première fois à la conférence des premiers ministres qui se tient à St. John's, Terre-Neuve, du 23 au 25 août 1995. « Il a une personnalité extrêmement engageante, dit-il aujourd'hui. Il est vraiment charmant. Il a des convictions profondes, lorsqu'il s'agit du Québec. Il est passé de ministre à premier ministre afin de pouvoir agir avec plus d'autorité. Cela devenait plus nécessaire pour nous de discuter avec lui de façon très prudente[2]. »

En 1995, au Canada anglais, on connaît mal Jacques Parizeau. Certains ministres des autres provinces l'ont rencontré lors de conférences économiques ou fiscales, du temps où il était ministre des Finances, mais les nouveaux dirigeants provinciaux du pays, les Roy Romanow, Clyde Wells, Ralph Klein, Mike Harris, Michael Harcourt n'ont de lui qu'une impression superficielle. Romanow souligne encore aujourd'hui que, « dans les années 1970, on se demandait si Parizeau était devenu indépendantiste parce qu'il n'avait pu obtenir un poste de gouverneur à la Banque du Canada ou s'il avait des motivations plus valables. J'ai toujours cru qu'il avait d'autres motivations[3] ».

À compter de 1984, Parizeau n'apparaît plus dans le paysage politique du Québec. On l'a oublié. Fort de la victoire référendaire de 1980, le reste du Canada s'est senti rasséréné par l'« affirmation nationale » de Pierre-Marc Johnson, que l'on considérait comme une position encore moins radicale que celle de René Lévesque. Par conséquent, l'état d'esprit, qui s'était installé au lendemain du référendum de 1980, persistait : « Les gens n'ont pas pris au sérieux les intentions de René Lévesque, dit aujourd'hui David Collenette. Aussi, à l'approche du référendum (de 1995), l'opinion était que les Québécois ne voulaient pas former leur nouveau pays. (On disait :) Nous combattrons le OUI et nous vous battrons[4] ! »

Le sentiment qui prédomine à Ottawa vis-à-vis d'un éventuel référendum imprègne l'ensemble du pays. C'est dans ce climat peu réceptif, mais pas vraiment hostile non plus, que, flanqué d'une dizaine de fonctionnaires, Parizeau se rend à la conférence de Terre-Neuve. Elle est présidée par Clyde Wells, un adversaire acharné de l'Accord du lac Meech et de la reconnaissance constitutionnelle du caractère distinctif du Québec.

Le calendrier de la conférence interprovinciale de Terre-Neuve prévoit des discussions sur des questions, somme toute, peu provocatrices : commerce intérieur, développement économique régional, transport et environnement. En outre, dans le but de s'assurer que la rencontre se déroulerait dans l'harmonie, Clyde Wells a pris soin de ne pas inviter les organisations nationales autochtones, ce qui constitue une rupture par rapport à la formule qui avait été mise au point quatre ans plus tôt, à Whistler, en Colombie-Britannique.

C'est donc dans le cadre d'une conférence sans dossiers majeurs, dans un contexte de paix relative avec le gouvernement fédéral, que les premiers ministres découvrent leur homologue du Québec. Ils en tirent rapidement une conclusion préoccupante : « Il n'y avait aucun doute, poursuit Romanow. Le programme de Parizeau était de démontrer aux Québécois qu'il pouvait aller à la conférence annuelle des premiers ministres en tant que séparatiste et en revenir avec un accord. La conséquence serait qu'il pourrait dire aux Québec et au reste du pays : "Regardez, si nous nous séparons et devenons indépendants, les relations économiques et commerciales quotidiennes continueront comme si de rien n'était[5]." [...] Il était beaucoup plus engagé, beaucoup plus déterminé à parvenir à ses fins que Lévesque. Lévesque a toujours été perçu comme un démocrate dans l'âme. Je ne dis pas que Parizeau n'est pas un démocrate, il l'a démontré en 1995. Mais, si le

OUI avait gagné, nous aurions dû envisager que la prochaine étape pût être une déclaration unilatérale d'indépendance[6]. » Dans l'après-midi du 25 août, Roy Romanow déclare, au nom des neuf autres premiers ministres : « Il n'est pas question de négocier avec un Québec souverain ! » Plus tard, lorsqu'il évoquera cette conférence, Lucien Bouchard qualifiera Romanow et Wells de « spectres du passé, de commandos qui veulent stopper tout changement[7] ».

Pendant qu'à St. John's, les premiers ministres mettent fin à leur conférence, les médias publient un sondage de la firme Léger et Léger qui place les deux options à peu près à égalité : 49,5 % pour le OUI et 50,5 % pour le NON. À Ottawa, on commence à s'inquiéter. À la sortie d'une réunion du Conseil des ministres, André Ouellet, à l'époque ministre des Affaires extérieures, se confie à David Collenette : « Nous pouvons perdre le référendum », lui dit-il. Collenette lui répond : « C'est aussi mon impression lorsque je vais au Québec. Je ne suis pas Québécois, mais je parle français. Je comprends ce qui s'y passe. Je suis inquiet[8]. » Cependant, la question du référendum québécois demeure l'affaire du bureau du premier ministre. Si, pour les mandarins qui gravitent autour de Jean Chrétien, la consigne est de considérer la question référendaire comme une formalité, les membres du gouvernement en sont réduits à témoigner de leur inquiétude dans des conversations de corridors.

Bien qu'ils indiquent la possibilité d'une égalité des voix, ce qui devrait être de nature à lui inspirer confiance, les sondages préoccupent aussi l'entourage de Jacques Parizeau, mais pour d'autres raisons. Jean Royer s'en ouvre à Lisette Lapointe : « "Est-ce que vous pensez qu'il pourrait encore renoncer à faire le référendum maintenant?" m'a-t-il demandé », se souvient l'épouse de Parizeau. « J'ai été complètement saisie par cette phrase. J'ai pensé que c'était une boutade, mais ce ne semblait pas l'être. Probablement que, dans les personnes qu'il avait consultées, il y en avait qui avaient trop peur de perdre. » Ce qui tracasse « ceux qui ont peur de perdre », c'est l'interprétation que donnent, des sondages, quatre universitaires qui se sont penchés sur les consultations de l'opinion publique depuis 25 ans[9]. Leur conclusion n'a rien de rassurant pour les souverainistes : « Les sondages ont presque toujours donné quelques points de plus aux nationalistes que ceux qu'ils ont finalement recueillis. » Les auteurs rappellent que, lors du référendum de 1980, les sondages donnaient 48 % au OUI ; il n'en a obtenu que 40. Selon eux, l'erreur consiste à répartir les indécis proportionnellement aux résultats bruts de chaque camp, alors que les nationalistes ne vont chercher, en général, que le tiers des indécis, assez souvent le quart et parfois moins. Ils donnent en exemple un sondage publié par *La Presse* le 25 juin précédent : « La répartition brute est 45 % pour le OUI, 41 % pour le NON et 14 % d'indécis. Avec la répartition proportionnelle des indécis, le OUI se retrouve en avance avec 52 % contre 48 % pour le NON, mais, lorsqu'on opte pour une hypothèse plus réaliste (le quart des indécis au camp souverainiste), le NON l'emporte avec presque 52 %. Il faut se méfier. »

Au nombre de ceux qui se méfient, il y a Lucien Bouchard. « (Drouilly et les autres) disent qu'on va perdre le référendum, se souvient Bob Dufour. Comment voulez-vous qu'il (Bouchard) se sente ? Ça veut dire que, s'il continue d'aller de l'avant, il y a encore un risque de "planter", il y a des risques que ça ne se réalise pas, il y a des risques qu'il (Bouchard) devienne le fossoyeur du Québec. Imaginez, s'il embarque dans une stratégie où il est convaincu de perdre, et qu'il y va quand même, comment il se retrouve le lendemain ? Parce que, le lendemain, il faut qu'il retourne à Ottawa. Il est encore chef de l'opposition officielle. Alors, il veut absolument gagner. Il veut que toutes les conditions possibles et imaginables soient là. Il n'est pas question, mais alors pas du tout, de juste faire un essai…! »

Il n'y a pas que Roy Romanow qui craigne une déclaration unilatérale d'indépendance. Elle fait partie des arguments invoqués par un avocat de Québec, qui attaque devant les tribunaux la légitimité de la démarche du gouvernement. Au cours de l'été, Guy Bertrand[10] présente une requête en injonction devant la Cour supérieure pour faire annuler le référendum, sous le prétexte qu'il est illégal. Le juge Robert Lesage, le 31 août 1995, déclare la requête recevable et donne à Me Bertrand l'autorisation de procéder. Le gouvernement ne juge même pas utile de contester. Le lendemain, dans un geste qui a peu de précédents au Québec, les avocats du gouvernement quittent la Cour.

« Nous n'allons pas assujettir le droit de vote des Québécois à une décision de la Cour, ce serait contraire à notre système démocratique », dit Jacques Parizeau. Il annonce du même souffle que le calendrier référendaire ne saurait être modifié par des procédures juridiques et, comme la Cour ne peut faire témoigner un membre de l'Assemblée nationale pendant que celle-ci siège, il devance la rentrée parlementaire au jeudi 6 septembre afin de jouir de l'immunité parlementaire. Le 8 septembre, dans un jugement déclaratoire, le juge Lesage statue que la démarche gouvernementale est « manifestement illégale » et que le processus peut conduire à une déclaration unilatérale d'indépendance, prérogative que la Constitution canadienne ne confère à aucune province. Mais le juge déboute néanmoins la requête de Guy Bertrand de sorte qu'aucune injonction ne sera émise. Bertrand pavoise, heureux de ce que le tribunal souscrive à son argumentation, mais le ministre de la Justice du Québec, Paul Bégin, rejette les allégations d'illégalité et rappelle que le droit international permet des situations qui vont à l'encontre des dispositions d'une constitution nationale.

La démarche judiciaire de Bertrand a un effet boomerang. Du côté d'Ottawa, le jugement laisse tout le monde perplexe : si le référendum va à l'encontre de la Constitution, qu'il a le devoir d'appliquer, le gouvernement fédéral peut-il toujours y participer ? Si, comme le soutient le juge Lesage, la démarche référendaire constitue une « menace grave aux droits et libertés » protégés par la Charte, les fédéralistes peuvent-ils se faire les complices d'une telle démarche en s'y engageant ? Daniel Johnson sauve la mise en indiquant immédiatement la voie à suivre : le jugement ne modifiera pas la stratégie du camp fédéraliste.

Les tracasseries judiciaires, pas plus que les sondages, ne vont changer le plan que s'est tracé le premier ministre. Le 6 septembre, il dévoile le préambule du projet de loi sur la souveraineté. La cérémonie se déroule sur la scène du Grand Théâtre de Québec. Le poète-chansonnier Gilles Vigneault et la romancière Marie Laberge lisent le texte du préambule, rédigé par six personnes à partir des nombreuses dépositions devant les commissions régionales sur l'avenir du Québec. Outre Vigneault et Laberge, les rédacteurs sont Jean-François Lisée, le sociologue Fernand Dumont et deux constitutionnalistes, Andrée Lajoie et Henri Brun. Le texte (on retrouve le texte intégral du préambule à l'annexe B, p. 472.) s'ouvre sur cette envolée : « Voici venu le temps de la moisson dans les champs de l'histoire. Il est enfin venu le temps de récolter ce que semaient pour nous quatre cents ans de femmes et d'hommes de courage, enracinés au sol et dedans retournés. » Il se termine par la déclaration suivante : « Nous, peuple du Québec, par la voix de notre Assemblée nationale, proclamons ce qui suit : le Québec est un pays souverain. »

Il y a mille personnes dans le Grand Théâtre, mais Lucien Bouchard et Mario Dumont n'y sont pas. Tout en reconnaissant l'importance symbolique de la cérémonie, Dumont explique alors son absence : « Je n'ai ni refusé ni accepté d'y être, dit-il en substance. Je n'avais pas d'affaire là puisqu'il s'agissait d'une activité gouvernementale et que je n'y avais aucun rôle à jouer[12]. » Aujourd'hui, il tient cependant un discours différent : « On appelait ça la grand-messe, nous autres, dit-il. J'essaie d'être respectueux de ce qui s'y est fait, mais, pour moi, c'était un événement extraterrestre que toute cette affaire. C'était un événement pompeux. Quand je vois ces événements, les leaders sont aux premières loges, ils se lisent des poèmes, ils se font des chansons... J'ai toujours peur que cela traduise comme message : est-ce qu'on fait vraiment cela pour le peuple ? Cela devient un cérémonial pour les élites. » Des commentateurs dénoncent la cérémonie comme passéiste. Le lendemain, Jacques Parizeau se justifie à l'émission *Le Midi Quinze* : « Les racines, c'est les racines, répond-il au journaliste Michel Lacombe. Les racines, ce n'est pas passé de mode. Les Québécois ont toujours le goût de remonter dans leur histoire[13]. »

Quant à Bouchard, il se défend d'avoir manqué d'esprit de solidarité, soulignant qu'il était convenu que, pendant que Parizeau serait à Québec, il allait, lui, s'adresser à un autre millier de personnes, les étudiants du cégep Édouard-Montpetit, à Longueuil. La réalité est toutefois différente : « C'est une stratégie (la cérémonie du Grand Théâtre) qui n'a pas vraiment été partagée avec l'entourage de M. Bouchard, dit Pierre-Paul Roy, son conseiller d'alors. M. Bouchard ne voulait aucun triomphalisme et on trouvait qu'il y en avait un soupçon autour de cette opération. De toute façon,

M. Dumont ne voulait pas s'y associer. Je pense que nous ne sommes pas les premiers à constater que, parfois, M. Parizeau donnait un peu dans l'emphase. Et cela ne nous semblait pas être le moment de faire cela. »

Le projet de loi sur la souveraineté (le texte du projet de loi se trouve à l'annexe C, p. 477.) prévoit que le gouvernement du Québec va proposer au gouvernement du Canada la conclusion d'un traité de partenariat économique et politique « sur la base de l'entente tripartite du 12 juin » et qu'un comité d'orientation et de surveillance des négociations relatives au traité de partenariat sera créé pour suivre de près le déroulement de ces négociations. La création d'un tel comité n'est pas nouvelle : elle est connue depuis que les trois partis, qui formeront le camp du OUI, en sont venus à une entente, au début de juin. D'où vient l'idée de soumettre le déroulement des négociations à un contrôle indépendant ? « La création de ce comité était une demande de l'ADQ », déclare Jacques Gauthier, qui était, en 1995, président de la commission politique de l'ADQ[15]. D'ailleurs, à ce moment-là, un nom circule déjà pour en assumer la présidence : celui de Jean Allaire, cofondateur de l'ADQ et conseiller de Mario Dumont. Mais le nom de Jean Allaire circule aussi comme négociateur en chef : « Cela a été la position de l'ADQ », dit Pierre-Paul Roy. Aujourd'hui, Jacques Parizeau en revendique toutefois la paternité. « Je pense que c'est moi (qui ai eu l'idée), dit-il. Un certain nombre de gens, et pas mal de journalistes, disaient : "Écoutez, vous êtes à peu près la personne la moins crédible pour siffler la fin de la récréation. Il faut qu'il y ait quelqu'un qui ne relève pas de vous et qui puisse faire rapport à l'Assemblée nationale." Avec un comité de surveillance qui est au courant de tout ce qui se passe dans les négociations, on pourrait avoir une idée correcte de ce que chacun fait. C'est lui, le comité, qui avait à déterminer si les négociations n'allaient nulle part ! »

Il est vrai que les fédéralistes, de façon générale, n'ont pas confiance en Parizeau. Plusieurs croient que le projet de négocier n'est que de la frime. Aussi, Parizeau entend-il lui donner toute la crédibilité possible en confiant la présidence du comité d'orientation et de surveillance à une personnalité au-dessus de tout soupçon de partisanerie. Son choix : Claude Castonguay, ancien ministre libéral dans le gouvernement Bourassa, mais d'allégeance conservatrice[16]. « Le bureau de M. Parizeau m'a contacté et m'a dit que le premier ministre voulait me rencontrer, qu'il m'invitait à dîner un soir, sans que je sache à l'avance de quoi il s'agissait », se souvient Castonguay. La rencontre a lieu au restaurant Chez Pierre, rue Labelle, à Montréal. « C'est au cours de la conversation, ajoute Castonguay, que M. Parizeau m'a transmis l'invitation de présider un comité qui serait, advenant la victoire du OUI, un comité d'information et de surveillance des négociations. Je pense que l'idée générale était que les choses se déroulent de la façon la plus positive et la plus correcte possible et que l'Assemblée nationale et la population soient informées du déroulement des négociations. Il était important qu'il y ait quelqu'un qui puisse porter un jugement sur le déroulement des négociations. »

Castonguay respecte Parizeau. Il le connaît depuis les années 1960 alors qu'ils agissaient, tous les deux, comme conseillers du gouvernement Lesage. Il a eu, en outre, l'occasion de rencontrer des membres de sa famille, dont son père. Pourtant, il ne donne pas immédiatement sa réponse au premier ministre. Aucun nom n'est évoqué, au cours du repas, comme autres membres possibles du comité, sauf celui de l'ancien ministre de la Justice dans le gouvernement de René Lévesque, Marc-André Bédard. « Je me suis dit qu'il valait mieux attendre de voir quels seraient les résultats, ajoute Castonguay, qui ne favorise pas le OUI. On me consulterait en bonne et due forme au moment opportun sur les membres du comité. » Une partie de sa composition ne sera connue que le 6 octobre. Le nom de Castonguay n'y figurera pas[17], mais il est toujours pressenti pour en assurer la présidence.

Quoi qu'il en soit, le gouvernement québécois veut éviter que celui d'Ottawa laisse traîner les discussions en longueur et qu'il doive, lui, assumer l'odieux d'avoir à déclarer qu'elles ne mènent nulle part. C'est pourquoi le projet de loi prévoit que les négociations « ne doivent pas dépasser le 30 octobre 1996, à moins que l'Assemblée nationale n'en décide autrement ». Et ce sera sur la base du rapport que le comité de surveillance fera à l'Assemblée nationale que celle-ci décidera de décréter la souveraineté ou de prolonger le délai d'un an accordé aux négociations.

Dès le 5 septembre, la veille même du dépôt du projet de loi, 40 000 recenseurs prennent la route et sillonnent la province pendant cinq jours, rédigeant la première liste permanente d'électeurs de l'histoire du Québec. Pour la première fois aussi, les recenseurs peuvent, en cas de doute, exiger une pièce justificative d'identité, ce qui suscite inquiétude et appréhension chez les fédéralistes, dont certains craignent l'intimidation dont pourraient être victimes les membres de groupes ethniques. Les chefs des quatre communautés autochtones de Kahnawake, Obedjiwan, Mingan et Kanesatake empêchent les recenseurs d'entrer sur leur territoire pour y inscrire les 7 000 personnes en âge de voter qui y habitent. Par contre, les Québécois vivant hors du Québec s'inscrivent en masse ; ils sont près de 15 000 à le faire. Au 12 septembre, la liste compte 4 817 407 d'inscrits, un nombre sans précédent dans l'histoire du Québec, qui, la révision des listes terminée, atteindra 5 087 000 électeurs.

Depuis le temps qu'elle est attendue, la question référendaire est enfin connue le 7 septembre. Elle est ainsi formulée : « Acceptez-vous que le Québec devienne souverain après avoir offert formellement au Canada un nouveau partenariat économique et politique dans le cadre du projet de loi sur l'avenir du Québec et de l'entente signée le 12 juin 1995 ? OUI ou NON ? » En la présentant, le premier ministre entend dissiper toute équivoque : « Si on choisit le Québec comme son pays, cela signifie qu'on ne choisit pas le Canada », déclare-t-il, rejetant ainsi toute possibilité d'un deuxième référendum si le OUI l'emporte. Daniel Johnson jette aussitôt l'anathème sur la question, anathème qui le poursuivra pendant toute la campagne référendaire : « Elle est confuse ! », lance-t-il, car elle donne l'impression que les citoyens se prononceront sur autre chose que la « séparation politique ». Il déplore l'absence du mot « pays », dans la question, soupçonnant le premier ministre de vouloir camoufler les véritables conséquences d'une victoire du OUI. « Pour nous, *voulez-vous vous séparer du Canada ?* c'était cela, la question, dit John Parisella. (La question de M. Parizeau) était essentiellement la même qu'on avait posée en 1980, même si la question de M. Lévesque avait trente-six mots, sans aucune référence à la souveraineté, à la séparation ou à la création d'un pays souverain. » La question de 1995 est quatre fois moins longue que celle de 1980 et tient en quatre lignes, contre dix-huit en 1980, mais la stratégie du NON s'annonce déjà la même que quinze ans plus tôt : « Nous, on avait dit, en 1980 : Voulez-vous vous séparer, oui ou non? C'était aussi simple que ça, dit encore Parisella. Le monde a répondu non à 59 % contre 41 % parce qu'ils avaient compris cette question-là. Il est évident qu'en 1995, c'était encore notre stratégie : créer, par le biais de nos porte-parole, de notre campagne, de notre publicité, cette même question dans l'esprit de l'électeur. »

Le quotidien *La Presse* sollicite l'opinion des sondeurs sur la question référendaire : elle est un peu longue, mais elle est simple, avec des mots que tout le monde comprend, en somme, la meilleure que les leaders du OUI pouvaient poser puisqu'elle évoque la souveraineté, mais aussi le partenariat avec le Canada. Pour sa part, dans une observation, qui lui vaut immédiatement la réprimande de quelques députés libéraux, le directeur général des élections, Pierre F. Côté, déclare qu'elle est claire, courte et sans équivoque.

Le soir du dépôt de la question, Louis Rukeyser, l'animateur de la prestigieuse émission *Wall Street Week Business Show*, est à Montréal. Il enregistre, à la Bourse, une émission spéciale sur le Canada, qui sera regardée par des millions d'Américains. « Le référendum ne me concerne pas », dit-il, s'alignant sur la position officielle de son pays, mais il n'en ridiculise pas moins la question : « Si les Québécois comprennent ce qu'est la question, ils méritent tous un Ph. D.[18] ! », dit-il. Le marché le contredit. Le même jour, l'agence de cotation Dominion Bond Rating Service (DBRS) fait savoir qu'elle n'entend pas changer la cote de crédit du Québec, même si le OUI l'emporte. « L'agence modifierait la cote s'il y avait des changements dans la situation fiscale ou une détérioration réelle de l'économie », déclare l'analyste Jeff Moore, qui précise toutefois que la séparation du Québec ferait grimper son déficit à neuf milliards.

« La question n'était pas aussi claire que je l'aurais voulu, reconnaît aujourd'hui Jacques Parizeau, parce qu'elle faisait allusion à un projet de loi et à une entente. Mais nous nous sommes assurés au maximum de la connaissance de cette entente et de ce projet de loi en les envoyant à tous les citoyens. » Le texte du projet de loi sur l'avenir du Québec, sur la souveraineté et sur l'entente tripartite a été tiré à trois millions d'exemplaires, plus cinq cent mille en anglais et quelques milliers en cri et en inuktitut, et envoyé dans tous les foyers du Québec.

Le projet de loi sur l'avenir du Québec, que Parizeau dépose le 7 septembre 1995, est passablement différent de l'avant-projet de loi soumis aux députés, en décembre 1994. Un an plus tôt, le gouvernement s'engageait à proclamer que « le Québec est un pays souverain »; maintenant, c'est à l'Assemblée nationale qu'il confie le soin de proclamer la souveraineté. En outre, on trouve dans le projet de loi des éléments qui n'étaient pas dans l'avant-projet de 1994 : c'est le cas de l'offre de partenariat avec le reste du Canada, la durée des négociations, l'affirmation du caractère francophone du Québec, l'approbation par la population, dans un second référendum, de la constitution du nouveau pays.

Dans le camp du OUI, les troupes attendent le signal, tout en soupçonnant que les violons ne sont pas encore parfaitement ajustés entre les stratèges politiques. « On était prêts sur le plan de l'organisation, dit Alain Lupien, le coordonnateur de la campagne de financement du OUI, mais, sur le plan politique, c'était autre chose. On savait qu'on avait affaire à deux personnalités, M. Bouchard et M. Parizeau. Il fallait se laisser distraire le moins possible par l'actualité. Sur le plan de l'organisation, l'actualité sert à mobiliser les gens, mais on évite l'actualité quand ça ne fait pas notre affaire. » Si l'actualité projette dans l'opinion publique les tensions qui existent entre les deux chefs, Lupien doit aussi arrimer deux permanences, celle du Bloc québécois et celle du Parti québécois. « Il y avait, je ne dirais pas une rivalité, mais une certaine compétition entre elles », dit-il. Il y a en effet des tiraillements dans plusieurs circonscriptions. Les partisans du Bloc québécois qui, deux ans auparavant, étaient des conservateurs, des libéraux, des péquistes et des nationalistes de tous les horizons doivent se fondre dans le Parti québécois pour ne former qu'une seule et unique organisation. L'opération ne se fait pas toujours sans heurt. Il ne faut pas non plus indisposer les organisateurs de l'ADQ, mais de ce côté, « l'apport a été essentiellement celui de son chef, pour l'aspect de la promotion, ajoute Lupien. Sur le plan de l'organisation, cela n'a pas apporté d'eau au moulin, nulle part sur le terrain. En tout cas, on ne l'a pas senti ! »

Il ne manque maintenant que la date du référendum. Le 8 septembre, lendemain du dépôt du projet de loi, les intentions de Parizeau deviennent transparentes. Dans l'interview qu'il accorde au *Midi Quinze*, il déclare qu'il veut respecter les travaux de l'Assemblée nationale, qu'il doit écarter le 6 novembre, car c'est le lendemain des élections municipales, qu'il garde le 13 novembre comme deuxième choix, et que, finalement, ce sera le 30 octobre. Le 11 septembre, il confirme, en inaugurant le débat sur la question référendaire, devant tous les députés et un groupe de parlementaires français en visite au Québec, que le référendum aura bel et bien lieu le 30 octobre. Puis, comme s'il était déjà en campagne référendaire, il se lance immédiatement dans une charge contre Jean Chrétien, dont il dénonce « l'arrogance face au Québec », et contre Daniel Johnson, qui, selon lui, partage « la vision unitaire » de Chrétien.

Ainsi enclenché, un affrontement sur le projet souverainiste et la question référendaire s'engage, robuste, où s'entremêlent les énoncés politiques et les attaques personnelles. Mario Dumont accuse Daniel Johnson de tenir un discours « de peur, peur du risque, peur d'avoir peur, peur de bouger ». Il s'en prend aussi à Jean Chrétien, l'accusant de « rejeter la notion de société distincte pour le Québec » lorsqu'il déclare : « On est distincts, pas besoin de l'écrire dans la Constitution. » Johnson proteste : « Il n'y a pas de honte à voter NON ! » Christos Sirros attaque les indépendantistes qui, selon lui, pratiquent un « nationalisme d'exclusion » en accordant plus d'importance au vote des francophones. Parizeau rétorque que c'est Daniel Johnson qui pratique l'exclusion pour avoir dit, en campagne électorale, qu'il serait le premier ministre de tous les Québécois, sauf les séparatistes. Dumont présente une motion réclamant que Jean Chrétien s'engage à reconnaître les résultats du référendum. Daniel Johnson s'insurge contre cette motion, déclarant qu'il n'était plus sûr, lui-même, d'accepter la règle décisive d'une majorité de 50 % plus une voix. « On ne détruit pas un pays sur un recomptage judiciaire », dit-il. Dumont réplique que le chef de l'opposition s'écrase devant le fédéral. On tire de l'intérieur à l'extérieur de l'Assemblée nationale : Liza Frulla accuse de racisme Marcel Masse, président du Conseil de la langue française, parce qu'il a dit que « les francophones réaliseront qu'ils n'ont pas le contrôle de leur destinée si le NON l'emporte ». Le ton est donné : Yves Duhaime se demande si Lucienne Robillard a ce qu'il faut pour défendre la « race » québécoise, elle qui est députée fédérale de Saint-Henri-Westmount. Et le ton ne change pas, même après que le premier ministre a mis fin aux débats de l'Assemblée nationale, le 20 septembre, après trente-sept heures de chicanes annonciatrices de six semaines d'empoignades sans quartier.

La campagne n'est pas officiellement commencée, elle ne le sera que lorsque les brefs seront émis, le 1er octobre. Mais la fin de semaine du 9 septembre, deux événements, prévus depuis un certain temps, permettent à des porte-parole de la coalition du NON de lancer les premières flèches. À Orford, Jean Charest appelle à la mobilisation des Québécois pour le NON. S'adressant à 150 membres du conseil provincial du Parti conservateur, il annonce une réforme en profondeur du fédéralisme canadien parce qu'« un certain réalisme fiscal va imposer au Canada une remise en question de l'État ». « Une réforme qui va aller dans le sens des revendications du Québec », dit-il, rejetant la thèse qui veut qu'une victoire du NON condamne le Québec au *statu quo* pour des années à venir. Pendant ce temps, à Montréal, une adversaire de Charest dans l'arène fédérale, mais son alliée contre les souverainistes, communique sa vision de l'avenir si le OUI gagne : « Ce sont les jeunes qui vont payer le plus pour la séparation », assure Lucienne Robillard, représentante du gouvernement Chrétien dans la coalition du NON, devant les jeunes libéraux fédéraux du Québec, réunis en conseil général. Quant à Robert Bourassa, il juge la démarche du gouvernement québécois « inédite et hautement discutable ». Selon lui, la proposition que le gouvernement québécois fera au Canada anglais lui sera inacceptable parce qu'il lui propose un maximum d'intégration économique en même temps qu'un minimum d'intégration politique. Il n'est pas le seul ancien premier ministre à s'en prendre à la voie choisie par Parizeau : Pierre-Marc Johnson, ancien chef du PQ, annonce qu'il ne participera pas à la campagne référendaire parce qu'il n'est pas d'accord avec la stratégie du gouvernement.

Il est d'ores et déjà évident que les fédéralistes vont jouer la carte de l'économie. Le 13 septembre, Jean Chrétien accueille, dans la capitale fédérale, le premier ministre Goh Chok Tong de Singapour, en visite officielle au Canada. Il en profite pour « isoler » un Québec souverain des marchés asiatiques : « Si le OUI triomphe au référendum, déclare-t-il, la société Bombardier de Montréal, qui prépare une proposition pour construire le métro de Singapour, et d'autres perdront la possibilité de commercer avec les nations de l'Asie-Pacifique. »

Le catastrophisme, qui teinte le discours des fédéralistes dans les premiers jours de septembre, s'appuie sur des indicateurs qui ne peuvent laisser personne indifférent, depuis que le sondage de Léger et Léger a donné les deux options presque nez à nez. Le dollar chute. La Banque du Canada doit relever son taux d'escompte de 35 points, face à une devise qui est descendue à 74,13 cents sur les marchés asiatiques. En deux jours, le dollar a perdu un cent. Dans la seule journée du 13 septembre, il perd plus d'un demi-cent à cause d'une rumeur qui veut que le OUI l'emporte avec 70 % des votes. Les propos que tiennent les partisans des deux camps et ceux, discordants, des spécialistes de la question monétaire contribuent également à accroître la volatilité du dollar et des titres canadiens. Lucien Bouchard déclare que, si le NON l'emporte, le combat pour la souveraineté du Québec va se poursuivre. « La hausse du taux d'escompte et la baisse du dollar ont été provoquées par le référendum », dit un porte-parole de la Banque canadienne impériale de commerce. « Une dépréciation de 5 à 10 % du taux de change et des augmentations de taux d'intérêt de 100 à 200 points de pourcentage sont tout à fait plausibles si le camp du OUI gagne le référendum », soutient le professeur Maurice Marchon, de l'École des hautes études commerciales[19].

Dans la première semaine de septembre, les investisseurs canadiens, surtout torontois, se sont défaits en masse de leurs titres canadiens et, dans la deuxième semaine, c'est au tour des étrangers[20]. Au

Japon, la Banque centrale intervient et des spéculateurs vendent des titres canadiens, rachetés immédiatement par des Américains. Depuis que le monde financier connaît la date du référendum, portant avec elle la certitude qu'il n'y aura pas de retour en arrière, le dollar a perdu deux cents en trois jours. « On peut commencer à parler de crise », dit un économiste du Mouvement Desjardins.

En publiant, le 9 septembre, les données de son sondage, qui plaçait les deux options sensiblement sur un même pied d'égalité, le président de Léger et Léger déclarait que les électeurs associés au OUI étaient plus susceptibles de changer d'opinion que ceux du camp fédéraliste. Il ne croyait pas si bien dire. Le vendredi 15, revirement : un sondage SOM, effectué entre le 8 et le 12 septembre pour le compte de *La Presse* et Télé-Québec, indique que le NON est en avance par huit points. L'optimisme revient dans les bureaux de courtage. Le dollar fait un léger gain de 13 centièmes de point et, le samedi, des cambistes canadiens entrent au bureau en pleine nuit pour acheter des dollars canadiens à l'ouverture du marché de Londres. Au lever du soleil, le samedi 16, le dollar avait fait un autre gain de 25 centièmes. Les titres canadiens s'en trouvent renforcés. Les placements à court terme rapportent près de 2 % de plus que leurs pendants américains. La fuite de capitaux ? Elle est beaucoup moins prononcée qu'en 1980. Les villes frontalières, Hawkesbury notamment, en profitent. Mais il s'agit là d'une attitude de panique irrationnelle : sortir son argent du Québec pour le placer en Ontario ou au Nouveau-Brunswick plutôt que de le convertir en dollar américain, c'est tout à fait inutile et illogique, car, s'il y a crise économique au Québec, il y aura également une crise profonde au Canada.

En dépit du lien que politiciens et analystes établissent entre la nervosité du marché et le référendum, la place boursière ne vit pas là une expérience nouvelle ; celle-ci se manifeste chaque fois qu'un événement politique d'une certaine importance se produit. En 1992, lors du référendum de Charlottetown, le dollar avait connu une dégringolade semblable par rapport à la devise américaine. La situation témoigne simplement d'une volonté des investisseurs de repositionner leur portefeuille avant le référendum, d'autant qu'ils connaissent l'état de l'endettement du Québec. Néanmoins, le ministre des Finances du Québec, Jean Campeau, sent le besoin de rassurer les banques : elles auront accès au marché québécois dans la mesure où une entente avec le gouvernement fédéral permettrait aux banques québécoises de jouir des mêmes privilèges au Canada anglais.

Au milieu des bourrasques de ces premiers jours référendaires, une voix vient appuyer le NON, mais ce sont les partisans du OUI qui se frottent les mains. Mike Keane, valeureux capitaine des Canadiens de Montréal, déclare qu'il ne voit pas bien pourquoi il apprendrait le français. Il le saura deux mois plus tard : il sera échangé à l'Avalanche du Colorado[21]. Un autre événement, plus sérieux celui-là, vient projeter sur la couverture de la campagne préréférendaire par les médias un embarras de suspicion et de méfiance. Le 13 septembre, le journaliste Jean Bédard, correspondant du Réseau de l'information au Parlement de Québec, trouve un document sur son bureau. Il en ignore la provenance, et l'enveloppe ne porte aucune mention de l'expéditeur. Une note cependant l'accompagne. Elle précise que le document circule parmi les dirigeants du Parti libéral du Québec et qu'il s'agit d'un plan de changement constitutionnel concernant le Québec. Le document contient, entre autres, deux propositions : l'une fait du Québec une province bilingue, l'autre reprend le projet d'Accord du lac Meech. Bédard sait qu'il a l'exclusivité de l'information. Il ne vérifie pas l'authenticité du document, se doutant qu'au PLQ on en niera le contenu. Cependant, ses onze années d'expérience au Parlement de Québec, sa profonde connaissance du cheminement constitutionnel du Parti libéral, la formulation du document et sa présentation technique, tout tend à dissiper le doute dans l'esprit du journaliste : ce document est authentique. Bédard diffuse la nouvelle, prenant la précaution de dire que le document n'est qu'un dossier de travail et ne représente pas la position officielle du Parti libéral. Daniel Johnson convoque immédiatement une conférence de presse pour dénoncer le « coup monté par le OUI » et, le lendemain, à l'Assemblée nationale, il lance : « À qui profite le crime ? » Il n'y changera rien. La nouvelle est reprise par les médias, pas toujours avec la prudence dont a fait preuve le correspondant du RDI. Bédard en paiera le prix : il sera réprimandé par sa direction, retiré de la couverture de la campagne et suspendu deux semaines[22].

Lorsqu'il a formé son Conseil des ministres, Jacques Parizeau a confié à Richard Le Hir le soin de préparer une série d'études sur les conséquences de la souveraineté. L'ancien président de l'Association des manufacturiers du Québec est un homme déçu de ne pas avoir obtenu le ministère de l'Industrie et du Commerce comme, dit-il, on le lui avait promis lorsqu'il a accepté d'être candidat aux élections de 1994[23]. Il s'attelle néanmoins à la tâche et recrute une brochette d'universitaires et de spécialistes qui produisent, au cours de l'année, une quarantaine d'études dont Parizeau espère qu'elles démontreront les mérites de la souveraineté. Le Hir dépose la première étude, et elle est d'importance, le dernier jour d'août 1995. Elle comble d'aise le premier ministre. Selon deux actuaires, Claude Lamonde et Pierre Renaud, « le déficit budgétaire d'un Québec souverain s'élèverait à 7,9 milliards de dollars en 1996-1997, une amélioration de plus de 7 milliards par rapport à la situation évaluée pour 1993-1994[24] », sous le gouvernement libéral de Daniel Johnson. Ce qui fait dire à Jacques Parizeau, le 7 septembre, que le déficit du Québec, après la séparation, atteindrait un peu plus de huit milliards, « un peu élevé mais supportable », provoquant immédiatement une réaction de l'Institut C. D. Howe : « C'est bien peu, dit Bill Robson, principal analyste de l'organisme, en comparaison d'évaluations qui sont faites à l'extérieur du gouvernement par des personnes dont certaines sont sympathiques à la cause de la souveraineté[25]. »

Mais, le 14 septembre 1995, une nouvelle étude, qui n'est pas déposée officiellement par Le Hir, celle-là, établit le déficit pour l'An 1 d'un Québec souverain à trois milliards de plus que l'étude de Lamonde et Renaud. Préparée par Georges Mathews, économiste et démographe à l'Institut national de la recherche scientifique, elle est contestée et empêchée de publication par l'Institut lui-même. Il n'en faut pas davantage pour que les libéraux accusent le gouvernement de ne révéler que les études qui font son affaire, et l'INRS, d'être devenu une « succursale » du gouvernement du Parti québécois[26]. Le directeur d'INRS-Urbanisation, qui a chapeauté les deux études,

Jean-Claude Thibodeau, doit alors intervenir et confirmer que c'est bien l'Institut qui a bloqué la publication de l'étude Mathews parce qu'« elle soulève des interrogations importantes sur le plan méthodologique ». En fait, l'INRS a suggéré à Mathews de publier la problématique soulevée par son document dans une collection interne afin de soumettre sa méthodologie à la critique de ses collègues scientifiques. L'économiste en est humilié. Dans un long texte publié par *Le Devoir*, le 16 septembre, il défend sa démarche : « En tant que chercheur, dit-il, j'attache la plus grande importance à la rigueur intellectuelle. Et le souverainiste que je suis refuse et refusera toujours de fonctionner avec des étiquettes. Il n'y a pas une science souverainiste et une science fédéraliste. Il y a simplement des analyses rigoureuses et d'autres qui ne le sont pas[27]. »

Le calcul d'un déficit à venir n'est pas chose simple. Selon le budget présenté en mai 1995 par le ministre des Finances Jean Campeau, les revenus du Québec seraient, pour 1995-1996, de 38 milliards, tirés de l'impôt sur le revenu, qui rapporte 19 milliards, des taxes à la consommation, pour 7 milliards, et des permis, amendes, etc. pour un autre montant de 2 milliards. En tout, 28 milliards, provenant des contribuables québécois, somme à laquelle s'ajoute 2 autres milliards, alimentés par les sociétés d'État, Loto-Québec, la Société des Alcools et Hydro-Québec. Les 8 derniers milliards viennent, essentiellement, des transferts fédéraux. Par ailleurs, les dépenses (santé, éducation, aide sociale, sécurité publique, agriculture, culture, etc.) sont de l'ordre de 36 milliards, auxquels s'ajoute le coût de la dette, pour un total de 43 milliards[28]. Les contradictions entre les différentes études s'expliquent par la façon d'ajouter aux revenus l'argent que les Québécois envoient à Ottawa, sous diverses formes et pour diverses raisons, et les dépenses que le gouvernement fédéral engage au Québec, y compris les transferts fédéraux. Elles viennent aussi des difficultés à établir les économies obtenues par l'élimination du chevauchement des services fédéraux et provinciaux : « 2,8 milliards », dit Parizeau ; « un milliard », disent Mathews et deux autres chercheurs, Claude Fluet et Pierre Lefebvre[29]. Les contradictions découlent enfin de l'impossibilité de prévoir de façon précise le ralentissement de l'économie, si ralentissement il y a, dans un Québec souverain.

C'est Daniel Johnson qui, le 18 septembre, dévoile l'étude préparée par Claude Fluet et Pierre Lefebvre, deux économistes de l'UQÀM. Ceux-ci proposent six scénarios d'évaluation du déficit de l'An 1, qui irait de 9,5 milliards au minimum à 14,1 milliards au maximum. « Une autre étude, arrêtée en chemin par l'INRS parce que jugée insatisfaisante », clame Parizeau à l'Assemblée nationale, le même jour.

Dans les faits, quatre études sont bloquées par l'INRS, puis, finalement, rendues publiques par le Secrétariat à la restructuration : il s'agit de deux études préparées par Georges Mathews sur les finances publiques et l'union monétaire, de celle de Fluet et Lefebvre et d'une dernière, produite par le professeur Ivan Bernier de la faculté de droit de l'Université Laval, expert en droit économique international. Ce dernier provoque de façon toute particulière la colère du gouvernement parce qu'il remet en cause deux des positions que celui-ci défend depuis plusieurs mois : l'adhésion à peu près automatique du Québec à l'Accord de libre-échange nord-américain et le maintien d'une union économique étendue avec le Canada. Selon Bernier, il faudrait parler plutôt d'union douanière que d'union économique parce que le Canada ne permettrait pas à un petit pays comme le Québec d'intervenir dans sa politique économique[30].

C'est le coordonnateur des études à l'INRS, Pierre Lamonde[31], qui les a débloquées : « L'étude de MM. (Claude) Lamonde et (Pierre) Renaud a eu la chance de sortir plus vite que les autres, mais elle n'était pas cautionnée plus que les autres. Celles qui sortent aujourd'hui suscitaient des réserves gouvernementales. Mais, pour trois d'entre elles, l'INRS ne partageait pas ces réserves et considérait que le mandat avait été réalisé de façon adéquate, compte tenu de leur budget modeste. » L'INRS considère l'étude Fluet-Lefebvre comme valable, mais reconnaît qu'elle est demeurée « sur une tablette temporaire durant tout l'été[32] ».

À l'autre bout du pays, l'Institut Fraser, de Vancouver, ne fait pas dans la nuance. Le déficit de l'An 1 se situerait entre 19 et 25,8 milliards, estime son directeur du Centre international d'étude de la dette publique, Robin Richardson[33]. Sa dette ferait passer le Québec du 28e au 19e rang dans la liste des pays les plus endettés, derrière Madagascar et juste devant la Jamaïque. La charge de cette dette serait de 23,7 milliards, comparativement à 15,3 si le Québec reste dans la Confédération. Enfin, les Québécois recevraient moins que la moitié des services qu'ils reçoivent s'ils restent dans la Confédération[34]!

Le débat sur le déficit et la dette d'un pays du Québec est impossible à suivre : la population ne s'y retrouve plus dans cet amoncellement de chiffres où, dans les discours, les intérêts politiques prennent le pas sur la rigueur scientifique. La question des études provoque un chahut à l'Assemblée nationale. Injures et invectives fusent de toutes parts. Un député libéral traite Mario Dumont de « vendu » et un autre de « trou-de-cul ». Daniel Johnson dénonce le gouvernement qui « s'érige en dernier juge de ce qui est crédible et, surtout, de ce qu'on doit montrer aux Québécois avant le référendum en matière de déficit et de finances publiques ».

Le 19 septembre, le ton monte encore d'un cran lorsque le député de Châteauguay, Jean-Marc Fournier, révèle que le ministre Le Hir a accordé pour près d'un demi-million de dollars de contrats à trois sociétés qui ont des relations privilégiées avec un conseiller du Secrétariat à la restructuration. Le conseiller en question, c'est Claude Lafrance, avec qui Le Hir a travaillé à l'époque où il était président de l'Association des manufacturiers du Québec, et qu'il a recruté, en janvier 1995, pour assister le Secrétariat dans la gestion des études confiées au secteur privé. Lafrance est président de la firme Solin, dont Pierre Campeau a déjà été vice-président de 1989 à 1994, avant que Le Hir l'embauche comme sous-ministre. Campeau agit comme secrétaire général associé à la restructuration depuis le 31 octobre 1994. Lafrance, toujours président et unique actionnaire de Solin, détient les deux tiers des actions de Comsol et 20 % de Guay, Montpetit Services conseils, les trois firmes montrées du doigt par Fournier et qui ont des activités croisées dans les contrats qu'elles obtiennent du Secrétariat.

Le Hir riposte immédiatement en qualifiant les affirmations de Fournier de « très graves et d'opération de salissage ». Dès le lendemain, il demande au vérificateur général du Québec, Guy Breton, de faire enquête sur toute cette affaire, de vérifier, en somme, s'il y a eu conflit d'intérêts. L'opération camouflage ne fonctionne pas. Daniel Johnson demande la démission du ministre « parce qu'il a menti à la population et aux députés » : « Comment le premier ministre peut-il, sans rire, garder dans son cabinet le ministre délégué à la restructuration qui est le maître d'œuvre de la plus grande opération de manipulation et de cachotteries? » lance-t-il à l'Assemblée nationale.

Richard Le Hir est un parlementaire inégal. Chaque fois qu'il se lève à l'Assemblée nationale pour défendre une étude, il est rappelé à l'ordre… par les chercheurs eux-mêmes qui doivent corriger le tir. Déjà, durant l'été, il a mis le gouvernement dans l'embarras lorsqu'il a, au coût de près de 100 000 $, envoyé des résumés d'études de spécialistes — pas moins de 130 000 envois — à des conseils municipaux, des bureaux d'avocats et des directeurs d'écoles, le tout accompagné d'une lettre qui avait des allures de propagande : « Vous nous obligeriez, pouvait-on y lire, en acceptant de faire circuler ces *newsletters* dans l'institution scolaire que vous dirigez. » Parizeau est sur la défensive lorsqu'il s'agit de son ministre. Il ne peut, sans provoquer de dégâts, s'en défaire au milieu d'une course, où le moindre faux pas peut coûter des milliers de votes. Il le protège donc et le protégera jusqu'après le référendum. Mais pas pour longtemps. Les journalistes, qui, lors des campagnes électorales, ont l'habitude de « baptiser » les autobus dans lesquels ils voyagent aux trousses des chefs, ont nommé celui du OUI le « Hirobus » et celui du NON, le « Hiroplane ».

Le rapport du vérificateur général sera remis au gouvernement à la fin de novembre. Il est catégorique : en vertu des règles applicables et des dispositions en matière de conflits d'intérêts, « transiger avec soi-même fait partie des situations qui constituent des conflits d'intérêts. Claude Lafrance, qui devait agir comme conseiller du Secrétariat pour la réalisation des études de restructuration administrative effectuées par le secteur privé, était en situation de conflits d'intérêts réels ou potentiels[35] ». Les firmes auxquelles il est associé ont obtenu des contrats totalisant 430 000 dollars[36].

Pendant qu'à Québec, le débat fait rage autour des « études Le Hir », un sondage effectué dans l'ensemble du pays vient jeter le chaud et le froid sur les souverainistes : les Canadiens des autres provinces, à 51 % contre 41, estiment que le Canada devrait accepter de négocier avec un Québec souverain. Mais la majorité aussi s'oppose à ce que les Québécois utilisent la monnaie et le passeport canadien, tandis que 40 % des Québécois s'attendent au contraire. Et le plus inquiétant pour les souverainistes, c'est que 22 % des personnes consultées croient toujours que, même si le OUI l'emporte, ils continueront d'envoyer des députés à Ottawa.

Le dimanche 17, par une journée pluvieuse qui laisse deviner que l'automne s'en vient, la coalition du NON lance une grande offensive au centre sportif de Saint-Joseph-de-Beauce. Daniel Johnson s'enflamme devant 2 000 personnes : « Qui sont-ils pour me dire qu'ils sont plus Québécois que les gens réunis ici ? » Lucienne Robillard, qui l'accompagne, n'écarte pas la possibilité d'une entente commerciale entre le Canada et un Québec indépendant, mais insiste sur le fait que les Québécois perdront la citoyenneté canadienne. Michel Bélanger, qui préside le comité de coordination de la campagne du NON, soutient pour sa part que le Canada n'a aucune raison de négocier puisqu'en vertu des règles du commerce international, le Canada a accès de toute façon au marché québécois.

Quant à Jean Charest, qui est aussi à la tribune, il n'est pas en grande forme. Dans la semaine précédente, il s'est rendu sur la Côte-Nord et, sur la route de Sept-Îles à Montréal, il s'est arrêté ici et là, notamment dans Charlevoix, pour faire une pause dans ce long trajet en automobile. « Je n'avais pas les moyens de voyager autrement », rappelle aujourd'hui l'ancien chef du Parti conservateur, un parti qui avait alors perdu beaucoup de son lustre et dont la caisse était passablement moins garnie que du temps où Mulroney régnait à Ottawa. Au cours de ce voyage, Charest a attrapé la grippe, de sorte qu'à son arrivée en Beauce, il est fatigué et commence à perdre la voix. Dans la voiture qui le conduit à Saint-Joseph, il cherche, avec ses adjoints, une idée à exploiter. Quelqu'un suggère alors de parler de l'importance du passeport canadien. L'idée est bonne et, comme il n'a pas l'intention de parler longtemps, Charest décide de leur en montrer un. Mais il ne peut pas utiliser le sien parce que, au Canada, le passeport des parlementaires est vert, alors que celui de l'ensemble des citoyens est bleu. Il doit donc en emprunter un, et c'est finalement une des adjointes de l'organisation qui lui prête le sien. « Et là a commencé le fameux discours du passeport, qui a duré jusqu'au référendum », rappelle-t-il. Chaque fois, il utilise le passeport de quelqu'un d'autre. « Après, je n'ai jamais retrouvé le mien, ajoute-t-il. Quand, plus tard, une secrétaire de mon bureau a appelé Passeport Canada (pour le remplacer), une dame a dit : "Êtes-vous sûre que M. Charest ne l'a pas laissé sur un podium ?" » Charest a un certain succès avec son histoire de passeport, mais c'est l'industriel local, Marcel Dutil, de Canam Manac, qui retient le plus l'attention et qui sonne la charge au nom des gens d'affaires. Dans cette Beauce industrielle, le message de Dutil et des autres propriétaires d'industries est sans équivoque : « Les créateurs d'emplois votent NON », lance-t-il du haut de la tribune.

Et ils le font savoir haut et fort. Deux jours plus tard, Guy Saint-Pierre, président de SNC-Lavalin exprime sa crainte de voir s'installer au Québec l'instabilité qui règne dans l'ex-Yougoslavie[37] et trouve le Québec trop faible et trop petit pour négocier avec le reste du Canada. L'économiste Michel Bélanger[38] affirme qu'il est faux de prétendre que l'industrie et le commerce du Québec se développeront mieux dans le cadre de l'ALÉNA que dans une union avec le Canada. Le grand coup est cependant asséné par Bombardier. « Il est exclu, dit son président Laurent Beaudoin, qu'un État rapetissé aux dimensions d'un Québec indépendant puisse *supporter* de manière adéquate le développement d'une entreprise comme Bombardier[39]. » Et, comme si les propos de son président ne suffisaient pas, Bombardier demande à ses employés de voter NON et de souscrire à la caisse de la coalition du NON[40]. L'incident a l'effet d'une bombe. S'il faut en croire le député du Bloc québécois pour la circonscription de Richmond-Wolfe, Gaston Leroux, la haute direction a d'abord réuni une cinquantaine de cadres dans le but de les informer de la position fédéraliste de l'entreprise, les invitant à transmettre le message aux employés. « Un piège incroyable et malhonnête. Cela viole la démocratie », clame le député Leroux. La réaction de Guy Chevrette est encore plus violente : « Moi, ce qui me renverse, dit-il, c'est que seuls ceux qui peuvent siphonner les deux paliers de gouvernements s'affichent carrément dans le camp de la peur[41]. » « Une attitude révoltante », dénonce à son tour Clément Godbout de la FTQ. La centrale syndicale réplique à sa manière : au cours d'assemblées, les employés de la General Motors, à Boisbriand, et de Pratt et Whitney, à Longueuil, tous membres de la FTQ, se prononcent à l'unanimité pour le OUI. À La Pocatière, où Daniel Johnson reçoit un accueil poli et sans enthousiasme, des employés de Bombardier dénoncent la démarche de leur président et affirment qu'elle n'aura aucune influence sur eux. Selon *La Presse*, l'initiative de Bombardier n'a eu pour résultat que de sensibiliser à l'importance du référendum des employés qui voteront OUI en majorité. Malgré l'effet boomerang qu'a eu la déclaration de Laurent Beaudoin dans sa propre entreprise, les dirigeants d'autres entreprises, Benisti Import Export, fabricants des jeans Point Zéro, Imprimerie Admiral de Montréal et Dominion Textile demandent à leurs employés de bien réfléchir aux effets néfastes d'un OUI. Dans le cas de Benisti, cette demande est faite dans une lettre, en anglais seulement, intitulée *Declaration of Patriotism to Canada*. Un sondage du Conseil du patronat du Québec vient confirmer que ces prises de position ne sont pas des cas isolés : 88 % des chefs d'entreprise voteront NON au référendum.

Le 18 septembre, c'est la rentrée à la Chambre des communes. Et c'est la guerre. Jean Chrétien refuse de dire s'il reconnaîtra le résultat du référendum : « S'ils posaient la question *Voulez-vous vous séparer du Canada ?* point final, je dirais que je serais le premier à reconnaître le résultat, s'ils avaient l'honnêteté de poser une question absolument claire aux Québécois. » Réplique de Lucien Bouchard : « Selon que M. Chrétien parle en français aux Québécois ou en anglais à M. Manning, il a deux positions. » D'après le chef du Bloc québécois, Chrétien a dit à Manning qu'il ne reconnaîtrait pas les résultats du référendum à la question actuelle, ce qu'il n'ose pas dire clairement aux Québécois[42]. Preston Manning et son porte-parole en matière d'affaires constitutionnelles, Stephen Harper, font montre de plus d'ouverture et invitent Chrétien à avoir plus de respect pour l'intelligence des Québécois. « Que la réponse soit OUI ou NON, dit Harper, elle sera claire pour l'avenir du Canada. Le premier ministre doit reconnaître la réalité. » Et c'est Manning plutôt que Bouchard qui attaque Chrétien, enjoignant à celui-ci d'admettre qu'un OUI, quelle que soit l'ampleur de la victoire, signifiera la séparation du Québec. « Reconnaître une victoire souverainiste acquise de justesse serait irresponsable, réplique le premier ministre, car le scrutin du 30 octobre n'a qu'un caractère consultatif[43]. »

La fièvre qui dope la Chambre des communes s'empare de la fonction publique. Le secrétaire au Conseil du trésor, Bob Giroux, envoie une lettre à tous les fonctionnaires, leur rappelant certains principes à respecter s'ils décident de participer à la campagne référendaire. La note de Giroux est soigneusement formulée : « Étant donné la nature de ce référendum et son importance dans le Canada, dit-il, les employés doivent songer sérieusement à leurs responsabilités et à leurs devoirs dans le service public fédéral lorsqu'ils décident de participer à des activités rattachées au référendum. Ils doivent déterminer si leur implication peut affecter — ou sembler affecter — leur habileté à remplir leur devoir de façon efficace et impartiale[44]. » « Mesure d'intimidation ! », s'écrient les chefs syndicaux qui rappellent que, depuis un jugement de la Cour suprême rendu en 1991, les fonctionnaires ont le droit de participer à une campagne électorale.

La question de l'intégration des fonctionnaires fédéraux au service public québécois, advenant l'indépendance, va hanter le camp du OUI tout au long de la campagne. C'est Parizeau qui, le premier, a eu l'idée de cette intégration. « Cela me paraissait une question de justice un peu élémentaire, dit-il aujourd'hui pour expliquer son initiative. Dans beaucoup de petites villes ou de régions rurales du Québec, une fille a décidé d'aller travailler pour le fédéral, au bureau de poste, et une autre, de la même famille, a décidé d'aller travailler au palais de justice. Celle qui travaille au bureau de poste perdrait son emploi et l'autre le garderait. Il y a quelque chose de pas correct là-dedans. Alors, je disais : il va y avoir de toute façon un bureau de poste dans la ville en question. Alors, bien sûr, Madame, vous pouvez garder votre emploi... » Mais Parizeau était le seul à partager cette idée.

Déjà, à la fin d'août, Mario Dumont déclarait qu'il était « illusoire » de croire qu'un Québec souverain aurait la capacité d'absorber tous les fonctionnaires fédéraux du Québec. « C'est possible, mais est-ce qu'à long terme, on a besoin de tous ces gens ? » demandait-il. Cette histoire empoisonne les relations entre les trois chefs. Au cours d'une de ces réunions qu'ils ont périodiquement, Jacques Parizeau explique sa position à Bouchard et à Dumont. « Je lui ai annoncé séance tenante, dit le chef de l'ADQ, que, si j'étais questionné là-dessus, je ne ferais peut-être pas exprès pour mettre le trouble, mais que je dirais le contraire ! » Mario Dumont se dit incapable de soutenir le projet et, en même temps, de dénoncer les dédoublements de juridiction entre le fédéral et le provincial. « Cela a été un point de divergence entre nous et je pense que M. Bouchard était assez de mon avis. Cela a eu un impact sur le résultat du référendum », conclut-il. « Cela ne m'a pas fait gagner une voix dans l'Outaouais, reconnaît aujourd'hui Jacques Parizeau, mais cela m'en a fait perdre dans la ville de Québec, où les fonctionnaires se sont dit qu'ils allaient perdre leur emploi à cause de ça. Cela s'appelle une erreur, en politique. Oui, une erreur. »

Les 22 et 23 septembre, deux sondages viennent réconforter les fédéralistes. Selon la maison Créatec, qui a interrogé 1 004 personnes pour le comité du NON, l'écart est toujours de huit points, confirmé le lendemain par la firme Compas, qui souligne toutefois qu'il y a 24 % d'indécis. Seul le Saguenay-Lac-Saint-Jean fait allègrement bande à part : 56 % des électeurs voteraient OUI à la question référendaire[45]. Daniel Johnson est débordant d'optimisme, au point de minimiser ses propres attentes, advenant une victoire du NON. Devant un groupe d'organisateurs de son parti, réunis à Montréal, il affirme qu'un NON n'est pas une promesse de changements constitutionnels, mais qu'il garantit aux Québécois de rester Canadiens, de conserver le dollar canadien et de retirer tous les avantages des traités signés par le Canada[46]. Il souhaite que Jean Chrétien saute dans l'arène : « Il devrait participer, dit-il à l'émission *L'Événement* de TVA. Il est député de Saint-Maurice et premier ministre du Canada. »

Une bombe, imprévue et aux conséquences imprévisibles, vient, le dimanche soir, secouer l'enthousiasme des fédéralistes. Devant les membres du Conseil général du Parti libéral du Québec, réunis à l'hôtel Sheraton, à Montréal, un homme d'affaires, Claude Garcia, président de la Standard Life, lance : « Il ne faut pas juste gagner le 30 octobre, il faut écraser… » « Une phrase malheureuse », dit aujourd'hui le sénateur Pierre-Claude Nolin, très actif à l'époque dans l'organisation de la campagne du NON. « Une déclaration qui a eu un impact dans les médias, se souvient John Parisella. Je pense que la population reconnaissait qu'il y avait une certaine arrogance, une agressivité. Et les Québécois, même s'ils penchaient du côté du NON à ce moment-là, (se sont souvenus) de l'échec de Meech, de l'échec de Charlottetown, (ils avaient) le sentiment que le Québec n'avait pas été respecté. (La déclaration de Garcia) a donné l'impression que cette absence de respect se reflétait à nouveau dans le camp du NON. Elle a en quelque sorte stoppé le *momentum* qu'on avait à cette période-là. »

Cette fin de semaine du 23-24 septembre, la faveur du OUI est à son plus bas. « On a, je dirais, atteint notre plancher, dit Jean Royer, le chef de cabinet de Parizeau. À partir du moment de la fameuse déclaration de M. Garcia, je sens que s'installe une tendance inverse. »

Les problèmes de Claude Garcia ne s'arrêtent pas là. Claude Corbo, recteur de l'Université du Québec à Montréal, dont l'actuaire préside le conseil d'administration, se dissocie des propos de l'homme d'affaires. Le président Patricio Salgado, de l'Association générale étudiante des sciences humaines, arts, lettres et communications, qui regroupe pas moins de 14 000 étudiants, réclame sa démission : « La grande majorité de la population étudiante de l'UQÀM est souverainiste, dit-il. Ceux que M. Garcia veut écraser, c'est nous ! » Les professeurs veulent aussi le voir partir. Quatre jours après avoir fait sa déclaration, Garcia présente des excuses, mais entend demeurer à son poste. Trois semaines plus tard, Corbo suspend Garcia et convoque une réunion spéciale du conseil, en novembre, afin de statuer sur son sort. Et, comme un malheur arrive rarement seul, le gouvernement refuse de renouveler automatiquement, comme il l'a fait depuis cinq ans, le contrat de 11,5 millions de dollars de la Standard Life, qui lui garantissait la gestion de l'assurance-salaire des 35 000 fonctionnaires membres de la FTQ. Il y aura désormais appel d'offres et Parizeau ne cache pas que la déclaration de Garcia y est pour quelque chose : « Il n'y a pas de vendetta contre Standard Life, dit-il, mais des déclarations politiques plutôt fanatiques ont attiré l'attention sur la compagnie[47]. »

Chaque camp puise maintenant dans ses tiroirs les plus profonds, à la recherche de l'argument-choc qui va, du côté du NON, accentuer la tendance, et, du côté du OUI, faire tourner définitivement le vent. Le ministre des Affaires étrangères, André Ouellet, et son collègue, le député Nick Discepola, de Vaudreuil, reprennent les arguments de Shaw et Albert[48] et parlent de partition. « Si les souverainistes sont prêts à diviser le Canada, alors qu'ils veulent un Québec indivisible, si le Québec se sépare du Canada, le *West Island* et l'Outaouais pourraient alors se séparer du Québec, déclare Discepola. Les Cris et les Mohawks pourraient aussi se joindre à nous. » Daniel Johnson a toutes les misères du monde à garder le discours du NON dans les limites de la rationalité : « La politique du Parti libéral du Québec est très claire, sent-il le besoin de préciser. Les frontières du Québec sont les frontières du Québec comme nous les connaissons aujourd'hui[49]. »

Le camp fédéraliste compte sur un allié puissant, James Blanchard, ambassadeur des États-Unis au Canada, qui s'agite comme s'il revivait la guerre de Sécession. Le 28 septembre, il se rend au bureau de John Rae, le frère de Bob, qui est vice-président de Power Corporation. « Depuis le discours du président Clinton à Ottawa, en février 1995, écrit-il dans son livre, je me demande constamment comment les États-Unis peuvent aider la cause de l'unité canadienne d'une façon qui ne se retournera pas contre nous ou contre Ottawa. John considérait qu'il serait utile pour moi d'en discuter avec lui et le sondeur du camp fédéraliste, Maurice Pinard[50]. » Pinard lui confirme ce que les sondages de l'ambassade américaine lui indiquent déjà, que les Québécois aiment le président Clinton, qu'il est même plus populaire que Parizeau et Chrétien. C'est alors que Pinard lui suggère de ramener Clinton dans le décor : « Ça ne nuirait pas que le président dise quelque chose de bien à propos du Canada », dit-il à Blanchard.

Toujours en se défendant de se mêler de ce qui ne le regarde pas ou de ce qui ne concerne pas son pays, l'ambassadeur déclare, le lendemain, devant les membres de l'Institut canadien des affaires internationales, que les séparatistes se trompent s'ils croient que l'admission d'un Québec indépendant dans l'ALÉNA se fera facilement ou automatiquement. Il reconnaît maintenant qu'il s'agissait d'une stratégie de sa part plus que d'une certitude : « Je prévoyais des questions sur notre position et je comptais les utiliser pour contrecarrer la prétention des séparatistes, écrit-il. C'est exactement ce qui s'est passé. Les journaux ont rapporté mes propos de différentes façons, mais ils ont compris le message : la couverture, en général, a aidé les fédéralistes[51]. »

Le lendemain, 30 septembre, Blanchard joue au golf avec Jean Chrétien. « Le premier ministre était confiant, écrit-il. Selon lui, les fédéralistes allaient, dans un mois, remporter une victoire décisive. Nous étions tous confiants et les sondages nous justifiaient de l'être[52]. » Il n'a pas tort. Mis à part le sondage de l'agence Decima Research, qui n'accorde qu'un point d'avance au NON, les autres annoncent une nette défaite du OUI. Léger et Léger accorde une avance de six points et demi à l'option fédéraliste et, lorsqu'on demande aux Québécois de choisir entre la souveraineté et le *statu quo*, 45 % d'entre eux préfèrent le *statu quo* et 39 % seulement penchent du côté de la souveraineté[53]. C'est, à quelques décimales près, les résultats de 1980. Même la question référendaire a du plomb dans l'aile : il y a 8 % de plus de Québécois qui répondraient NON si elle leur était posée en ces derniers jours de septembre (entre le 20 et le 25).

Ce dernier sondage indique cependant un clivage dans les opinions qui va influencer fortement la stratégie de chacun des camps dans le dernier mois : le NON l'emporte haut la main à Montréal, par 61 % contre 39 %, mais le OUI est en avance par deux points dans le reste du Québec. Une autre constatation va contribuer à modifier le discours des souverainistes : le OUI l'emporterait avec 53 % des voix si les Québécois étaient certains qu'un Québec souverain serait associé avec le reste du Canada. Les fédéralistes vont donc s'acharner à démontrer que le partenariat n'est pas acquis tandis que les souverainistes soutiendront que le Canada n'a pas le choix.

CHAPITRE VII

À la recherche
d'une stratégie gagnante

Il reste à peine un mois avant le référendum, et le camp du NON tire encore à hue et à dia. Malgré l'avance que lui accordent les sondages, Daniel Johnson n'ignore pas qu'il aura fort à faire pour amener les différents porte-parole de sa coalition à tenir un discours cohérent. « Quand on est le chef du NON, dit-il aujourd'hui, on a, premièrement, à mettre de l'avant les arguments qui démontrent à nos concitoyens pourquoi voter OUI n'est pas avantageux, puis, deuxièmement, on incarne par définition, par choix, par notre conviction, l'appartenance canadienne des Québécois. » Il entend démontrer qu'on peut être fédéraliste sans nécessairement appuyer le gouvernement qui est en place à Ottawa, ce qui indique déjà les doutes qu'il entretient au sujet de la popularité du Parti libéral fédéral. « Il ne s'agit pas d'être pour ou contre les politiques que le gouvernement canadien du jour peut représenter, ajoute-t-il, mais d'exprimer la défense des intérêts du Québec avec un programme de gouvernement qui est fédéraliste. » Le chef du camp du NON reconnaît que cette simple vision des choses complique le débat au sein de sa coalition. À la fin de septembre 1995, à quelques jours du début de la véritable campagne référendaire, les membres de la fanfare fédéraliste ne marchent pas du même pas. « Les autres membres de la coalition, rappelle Johnson, y compris le Parti Égalité que la loi nous forçait à prendre avec nous, arrivent carrément avec toutes sortes d'autres arguments qui n'ont rien à voir avec la vision que nous, du Parti libéral du Québec, avions des

Québécois en tant que Canadiens. Ça n'avait rien à voir. C'est ça, la vraie difficulté pour le chef du NON, d'être le chef d'une coalition de gens qui sont à peu près partout, dans le portrait non souverainiste. »

Il faut donc, pour Daniel Johnson, composer avec la formation politique des anglophones de l'ouest de l'Île de Montréal, qui tiennent un discours sans compromis, teinté de référence à la partition du Québec et au déplacement des frontières. Il doit composer avec les anciens libéraux nationalistes, tout en évitant de tendre une perche à Mario Dumont pour qui « il n'y avait aucune espèce de passerelle ou de pont que, lui, était disposé à jeter et certainement pas à traverser ». Finalement, le chef de la coalition du NON doit composer avec les différents partenaires résolument fédéralistes, dont le Parti libéral du Canada qui n'est pas le moindre.

Le gouvernement fédéral peut, en principe, se tenir à l'écart du référendum. À Ottawa, on s'est interrogé un moment sur l'opportunité de participer ou non à la campagne. « La question fondamentale, c'est en 1980 qu'elle s'est posée, pas en 1995, dit aujourd'hui Jean Chrétien. En 1980, il y avait eu un débat au Cabinet. Beaucoup de ministres disaient que le Canada était indivisible. (Mais) on va miser sur la démocratie. Si les gens, clairement, pas sur des questions ambiguës, puis à 50 % plus un, ne veulent pas rester au Canada, alors, on acceptera. En 1995, il était trop tard pour dire : on ne participe pas ! Mais on avait des réserves. S'il y avait eu un vote positif, ça aurait donné une arme considérable à ceux qui voulaient faire la séparation, même s'ils n'ont jamais écrit le mot "séparation" dans la question. »

La Constitution canadienne ne prévoit pas de mécanismes dans le cas d'un référendum sur la séparation. « Eux (les souverainistes), ils faisaient leurs règles, ajoute Chrétien. Moi, je dis que j'avais le droit de faire mes propres règles. J'étais premier ministre du Canada, le pays avait le droit de parler. (Car) ça aurait eu des conséquences pour le reste du Canada. » À l'appui de sa position, Chrétien évoque la division des Indes coloniales entre l'Inde moderne et le Pakistan, et celle du Pakistan, qui a créé le Bangladesh. « Il y avait toute cette notion, qui avait été débattue, de la partition même du Québec, ajoute-t-il. Le Québec de 1763, c'était pas mal plus petit que le

Québec d'aujourd'hui. Alors, il y avait beaucoup d'espace pour une bonne discussion, qui aurait été intéressante. Mais je suis bien content de ne pas l'avoir eue ! »

Il n'y a, en fait, qu'un ministre, Ron Irwin, des Affaires autochtones et du Nord canadien, qui s'oppose à ce que le gouvernement canadien participe au débat référendaire, ce qui n'est pas nouveau puisqu'il avait les mêmes réserves en 1980. Mais ils sont plusieurs à regretter d'être piégés par le choix que Pierre Elliott Trudeau a fait, en 1980, de participer au référendum. Parmi eux, il y a David Collenette, l'un des ministres les plus influents du cabinet Chrétien. « Il (Trudeau) a légitimé le fait qu'un vote pour le OUI conduirait à la séparation, dit-il. Je n'ai jamais accepté cela et je crois que la majorité des Canadiens hors Québec ne l'accepterait jamais. Aussi, en 1995, nous avons eu le même problème : nous avions créé un précédent. Si le OUI l'emportait, c'était la fin de ce pays. C'est ce que disaient fondamentalement certains politiciens fédéraux influents. C'était une erreur[1]. »

Puisque la Constitution canadienne est silencieuse sur la question, c'est le ministre de la Justice, Allan Rock, qui devient, par delà toutes les analyses politiques qui peuvent en être faites au cabinet fédéral, celui qui a la responsabilité d'encadrer juridiquement l'action du gouvernement sur une possible division du pays. Il est donc au centre des premières discussions qui, au début de 1994, avant même l'élection du Parti québécois, se sont déroulées à Ottawa sur une possible séparation du Québec. « Certains ont suggéré d'affirmer que le Canada était indivisible et de déclarer qu'un référendum ne pouvait se tenir sur la question de la séparation parce que le Canada ne pouvait être divisé, se souvient aujourd'hui Allan Rock. Mais nous avons vite convenu qu'une telle position ne pourrait tenir la route. Je crois que c'est le premier ministre qui, tôt en 1995, a dit que nous avions passé le pont, que nous ne pouvions revenir en arrière et dire maintenant que le Canada ne pouvait être divisé, parce que, en 1980, nous avions accepté que la question soit posée à la population[2]. » Pour sa part, John Manley ne se souvient pas qu'on ait, au Conseil des ministres, envisagé de s'abstenir de participer : « Il ne s'agissait pas de contester la légitimité du processus référendaire, si les choses tournaient mal, dit-il.

Nous étions pour la plupart d'avis qu'il fallait nous battre et le faire autant que nous le pouvions du point de vue du fédéral plutôt que d'attendre que les Québécois aient répondu à la question sans que le reste du Canada ait fait entendre sa voix[3]. » L'ennui, avec une position comme celle de Manley, c'est que l'organisation du NON ne veut pas voir les politiciens fédéraux se mêler d'un référendum qui ne concerne que les Québécois.

Ce qui facilite le choix du gouvernement fédéral, et plus particulièrement celui de Jean Chrétien, de participer au référendum, c'est l'assurance qui l'anime de l'emporter facilement. « Nous étions presque certains de gagner et de gagner haut la main, dit aujourd'hui Eddie Goldenberg, conseiller de Jean Chrétien. Il aurait été difficile d'expliquer pourquoi nous n'aurions pas participé à la campagne[4]. » Mais le flair politique de certains membres du Cabinet, dont Brian Tobin, les empêche de partager l'optimisme du bureau du premier ministre. « Nous avions confiance, mais nous savions que ce serait plus serré qu'en 1980, que ce ne serait pas un partage 60-40, se souvient Tobin. Nous vivions des circonstances beaucoup plus sérieuses. N'oubliez pas qu'en 1980, M. Trudeau détenait 74 des 75 sièges du Québec. Lévesque était populaire, mais Trudeau l'était aussi. En 1995, nous n'étions pas la majorité au Québec[5]. »

Le Parti libéral du Canada va donc s'intégrer au camp du NON. Mais pour y jouer quel rôle? Selon Preston Manning, le gouvernement n'a aucun plan pour contrer la démarche des souverainistes. « Lorsque j'ai rencontré M. Chrétien pour la première fois, après les élections de 1993, dit-il, je lui ai demandé : "Et alors, le Québec?" J'ai eu le sentiment qu'il n'y avait aucune stratégie fédéraliste gagnante. Il m'a donné l'impression, qu'il a maintenue tant qu'il a pu, que tout allait bien, qu'il contrôlait toutes les variables, que le Canada était le meilleur pays au monde et qu'il suffisait de le dire pour que personne ne le quitte[6]. » L'ancien chef réformiste aime rappeler que, lorsqu'en 1963 Lester B. Pearson a informé son père, alors premier ministre de l'Alberta, du mandat de la Commission sur le bilinguisme et le biculturalisme, Ernest Manning a déclaré : « "Ceci ne va pas résoudre le problème de l'unité du pays." Il m'a dit : "Nous nous en allons vers une véritable crise sécessionniste[7] », se souvient Preston Manning. La peur d'une séparation du Québec, chez le leader réformiste, remonte à cette époque-là ; il a alors suivi le conseil de son père et s'est mis à l'étude des conditions politiques qui ont conduit les États-Unis à la guerre de Sécession.

Hanté par ses lectures sur la guerre civile américaine, Preston Manning craint les conséquences d'un refus, par le gouvernement fédéral, de reconnaître une victoire du OUI. Il se méfie de Jean Chrétien parce que, selon lui, il n'est pas un démocrate. « Il a dit, un jour, à la Chambre des communes, qu'il détestait ces référendums. Il ne croit pas dans le fait que le peuple puisse intervenir directement dans les affaires publiques. Si le référendum avait indiqué un mandat clair, pour le meilleur ou pour le pire, et s'il l'avait foulé au pied, je ne crois pas que nous l'aurions appuyé. Car, s'il peut refuser le jeu démocratique dans ce cas-ci, il le refusera dans d'autres[8]. »

En fait, Jean Chrétien accorde une signification différente, et moins formaliste, à une consultation populaire. « Ça veut dire quoi, un référendum ? dit-il. C'est comme un ouvrier. J'étais avocat de syndicat quand j'ai commencé dans la vie publique. Dans des assemblées de syndicats, quand le gars vote pour la grève, ce n'est pas qu'il veut la grève. Il veut qu'on se serve du mandat de grève pour avoir une augmentation de salaire ou de meilleures conditions de travail. Le désir profond, c'est d'avoir un bon contrat. Alors, les gens, qui voyaient le vote pour le OUI comme un mandat de négocier, étaient un peu dans cet esprit-là. Ils voulaient donner un instrument au gouvernement du Québec pour faire plus de pression afin d'obtenir un certain nombre de choses qui, parfois, étaient plus ou moins définies. »

C'est donc à la tête d'une troupe passablement hétéroclite que se retrouve Daniel Johnson lorsqu'il devient officiellement chef du camp du NON, à la fin de septembre 1995. En plus d'avoir à composer avec un homme, Jean Chrétien, dont il ignore les intentions. Il connaît cependant l'intérêt qu'il porte à tout ce qui se passe au Québec, une province qui aurait bien pu devenir son arène politique. Cet homme, qui souhaitait être architecte, est venu à la politique pour ne pas contrarier son père. Willie Chrétien, machiniste dans une papeterie de Shawinigan, rêvait par-dessus tout de voir un de ses fils devenir politicien. À 13 ans, le petit Jean baigne déjà dans la politique : il distribue des dépliants aux portes, colle des affiches aux murs et dispose les chaises dans la salle de réunion de l'hôtel de ville. À 15 ans, il discute politique avec son père autour d'une table de billard, près de chez eux. À la fin de ses études classiques, son père lui dit : « Tu iras en droit. » « Dans le temps, se souvient aujourd'hui Jean Chrétien, quand papa ou maman disait quelque chose, vous écoutiez ! J'ai donc obéi à mon père et je me suis inscrit à la faculté de droit. Il disait : "Tu ne seras pas élu si tu es architecte. Tu seras élu dans Shawinigan si tu es avocat[9]." »

Admis au barreau en 1958, il pratique sa profession dans sa ville natale en attendant l'occasion de se lancer en politique. Il n'y a pas de circonscription provinciale disponible, mais il y en a une au fédéral, Saint-Maurice-Laflèche. En 1962, les libéraux fédéraux ont perdu cette circonscription électorale aux mains des créditistes de Réal Caouette. Comme le gouvernement libéral de Lester B. Pearson est minoritaire, les Canadiens retournent aux urnes l'année suivante. Les libéraux doivent se choisir un candidat dans la circonscription électorale de Saint-Maurice-Laflèche. « J'ai choisi Ottawa parce que mon comté est devenu ouvert au fédéral, dit Chrétien. J'aimais la politique. Que ce soit au fédéral ou au provincial, ça ne me dérangeait pas beaucoup. » Il remporte l'élection, mais se rend compte bien vite qu'il a un sérieux handicap pour qui veut faire carrière à Ottawa : en effet, il parle à peine l'anglais.

L'année suivante, René Lévesque, ministre des Richesses naturelles dans le gouvernement québécois de Jean Lesage, lui propose, au cours d'un déjeuner au restaurant Georges V (à Québec), de quitter la politique fédérale et de venir siéger à Québec. La circonscription provinciale de Saint-Maurice est maintenant libre ; René Hamel, le ministre de la Justice dans le gouvernement Lesage, a été nommé juge. « Tu n'as aucun avenir à Ottawa, dit René Lévesque à Jean Chrétien. Dans cinq ans, Ottawa n'existera plus pour nous[10]. » Chrétien en conclut alors que Lévesque est déjà séparatiste et, comme celui-ci ne peut lui garantir de ministère, c'est à Jean Lesage lui-même qu'il va s'adresser. Sans être trop explicite sur un poste au Cabinet, le premier ministre lui fait un excellent accueil de sorte que Chrétien doit choisir entre venir occuper un poste important dans le gouvernement québécois ou s'accrocher à celui, minoritaire, de Lester B. Pearson à Ottawa.

Chrétien a-t-il été, à un moment ou l'autre de sa vie, tenté par l'aventure séparatiste? « Un petit peu[11], dit-il aujourd'hui, à cause du congédiement d'un fonctionnaire fédéral, Marcel Chaput, au seul prétexte qu'il était francophone et très nationaliste[12]. J'étais vraiment malheureux à cause de l'incident Chaput et, au cours d'un *lunch* avec des collègues à Trois-Rivières où se trouvait le palais de justice, je dénonçais violemment le Canada anglais. Un de mes amis m'a alors dit : "Jean, tu n'es jamais sorti du Québec. Tu ne connais pas le Canada…" C'était dur à prendre. Dans l'auto, en revenant chez moi à Shawinigan, une vingtaine de milles, j'ai conduit les premiers cinq milles, furieux contre lui, les cinq suivants, en réfléchissant à ce qu'il m'avait dit, et les cinq derniers en me disant qu'il avait raison. Je parlais de quelque chose que je ne connaissais pas[13]. »

Quarante ans plus tard, il ne tarit pas d'éloges envers ce pays qu'il a appris à connaître. « C'est un pays exemplaire, dit-il. À cause de sa diversité, de sa tolérance, on n'a pas de problèmes de religion, on n'a pas vraiment de querelles linguistiques ingérables, on a toujours trouvé les bonnes solutions… » Jean Chrétien aime passionnément son pays, qu'il ne peut imaginer sans le Québec, et il n'en aime pas moins le Québec, mais à sa manière. « Quand vous allez aux Nations unies, c'est très plaisant de voir votre drapeau, là, mais il faut fouiller pour le trouver. Il y en a beaucoup. Il y a des pays qui ont 35 000 habitants et qui ont des drapeaux! Je me rappelle la photo du 50ᵉ anniversaire des Nations unies; ils n'ont jamais été capables de reconnaître tout le monde! On était tous des chefs d'État… Alors, il faut placer ça en perspective. J'ai toujours pensé que, si nous sommes encore francophones, c'est parce que le Canada existe. Mon père a passé sa jeunesse à Manchester, au New Hampshire. S'il était resté là, je serais probablement un anglophone aujourd'hui! »

Son discours aux Québécois en sera donc un d'amour, rempli d'émotion, plutôt que des réflexions sur des litiges Québec-Ottawa qui traînent depuis des années et des différends qui n'en finissent plus de brouiller les relations entre les deux niveaux de gouvernement. Avec un tel partenaire, Daniel Johnson, dont le discours en est plutôt un de fédéralisme rentable, sait qu'il doit laisser l'espace nécessaire à l'émotion, mais il sait aussi qu'elle ne suffira pas. « Bien sûr que le côté émotif était important, mais, ceux qui disent ça, c'est parce qu'ils ont vécu 1980, dit son conseiller politique John Parisella, qui rappelle alors la grande assemblée du 14 mai au centre Paul-Sauvé. C'est sûr que c'était émotif : le drapeau… Et, même à l'époque, on parlait des Rocheuses. Mais il fallait être réaliste. S'il y avait eu un référendum sur la souveraineté trois jours ou trois semaines après l'échec du lac Meech, ça passait ! Il ne fallait pas oublier ça. L'échec de Charlottetown, les Québécois ont senti qu'ils y avaient été marginalisés. On est en 1995 (pas en 1980), on sort d'une récession, la deuxième en quinze ans, notre dollar plonge, on a deux échecs constitutionnels, on a failli flirter avec la souveraineté… Je pense que l'émotion, là, il faut aller la chercher loin ! C'est bon pour le vote fédéraliste inconditionnel, mais ça ne fait rien pour le vote fédéraliste nationaliste. Puis ce vote-là, il faut faire appel à la raison (pour aller le chercher), pas juste à l'émotivité. C'est peut-être un peu trop facile de dire qu'il fallait amener de l'émotivité, c'est perdre de vue ce qui s'est passé entre 1980 et 1995. Il n'y avait rien dans la réforme du fédéralisme qui permettait de dire à des jeunes qui n'avaient pas voté en 1980 : Allons-y ! Meech et Charlottetown étaient trop récents. » Mais on ne donne pas de leçons sur la façon de parler aux Québécois à un homme que les sondages, en 1968, considèrent comme un candidat valable à la succession de Jean Lesage, et qui, à l'automne de 1976, est approché pour devenir chef du Parti libéral du Québec lorsque Robert Bourassa quitte la scène politique au lendemain de la victoire du Parti québécois. « J'ai failli venir ! » dit Jean Chrétien.

À un mois du référendum, Jean Chrétien estime qu'il connaît suffisamment le Québec pour ne pas douter des résultats. « Je n'étais pas son conseiller, j'étais ambassadeur des États-Unis, dit James Blanchard. Mais nous étions de bons amis ; nous le sommes toujours d'ailleurs. Il était réellement persuadé que les Québécois, s'ils savaient ce sur quoi ils allaient voter, voteraient NON. Je crois que la plupart des Canadiens n'ont pas compris à quel point il pouvait être dur envers les séparatistes. Ils croyaient que, parce qu'il parlait français, qu'il était francophone, il pouvait gérer cette affaire. Les Canadiens ne se sont pas rendu compte que, parce qu'il était un fédéraliste pur et dur, il suscitait beaucoup de colère et d'hostilité à son endroit, au Québec[14]. »

Daniel Johnson connaît peu Jean Chrétien. Il s'en méfie, car il n'est pas loin de penser que le premier ministre du Canada a manœuvré, avant les élections de septembre 1994, pour que ce soit le Parti québécois qui remporte les élections afin de pouvoir « en découdre une fois pour toutes avec les souverainistes ». Pendant la campagne référendaire de 1980, Johnson a bien prononcé quelques discours, mais, comme il n'était pas encore député, en aucun temps il ne s'est trouvé sur la même tribune que Chrétien qui, lui, était très actif en tant que porte-parole du gouvernement fédéral. « Je ne l'ai pas vraiment côtoyé, dit-il. Ce n'est pas quelqu'un que je connaissais personnellement et avec qui j'avais échangé de quelque façon. » Après le budget fédéral de 1994, devenu premier ministre du Québec, il a ouvertement manifesté son mécontentement envers Chrétien et son gouvernement, de sorte qu'à l'approche du référendum, les deux hommes n'ont pas de relations particulièrement amicales.

Chrétien fait partie du problème auquel doit faire face Daniel Johnson : empêcher les fédéralistes, qui, depuis 1980, ont continué de faire la sourde oreille aux revendications du Québec, de venir, par leur présence dans la campagne référendaire, alimenter le discours des souverainistes. Mais il est beau joueur. Le 24 septembre, au cours d'une interview à l'émission *L'Événement*, au réseau TVA, il ne bronche pas lorsque l'animateur, Stéphan Bureau, lui rappelle l'attitude intransigeante de Chrétien à l'endroit du Québec ; il souhaite même que le premier ministre canadien participe à la campagne. Mais, au 4354 de la rue Saint-Denis, où s'organise la campagne du NON, on entend tenir les politiciens fédéraux et tous ceux qui ne sont pas Québécois en dehors de la bataille. Le débat se fera exclusivement entre Québécois. « Le message de la coalition, et surtout des libéraux provinciaux, était que la campagne était une campagne québécoise, rappelle Eddie Goldenberg. (Selon eux), faire participer des gens de l'extérieur du Québec aurait été contreproductif. Il y avait consensus là-dessus. Et comme, pendant tout ce temps, les choses allaient très bien, la stratégie semblait fonctionner[15]. »

Le camp du NON parvient donc à tenir les politiciens fédéraux à l'écart, et Jean Chrétien respecte la stratégie, comme l'ensemble de ses ministres. Mais non sans une certaine grogne. « Vous aviez M. Johnson qui disait : nous allons nous occuper de ça ; vous autres, les gars d'Ottawa, restez en dehors de ça ! rappelle David Collenette. M. Chrétien était chatouilleux là-dessus. Mais les sondages nous donnaient dix points d'avance et Jacques Parizeau n'était pas René Lévesque, il n'avait pas la même crédibilité. Il y avait donc une certaine arrogance de notre part : nous allions gagner de toute façon, alors nous n'allions pas secouer la barque[16]. »

Jean Chrétien ne cache toutefois pas que l'exclusion des politiciens de l'extérieur du Québec suscite de vives discussions dans les officines de son gouvernement et dans le reste du pays. « Il y avait des gens qui étaient frustrés de ne pouvoir participer (à la campagne) parce que le groupe du NON avait décidé qu'il ne voulait pas avoir de gens de l'extérieur, dit-il aujourd'hui. C'était leur pays qui était en jeu et ils ne pouvaient rien faire. Je les comprends. » Parmi ces gens frustrés, il y a le ministre de l'Industrie, John Manley. « Je m'interrogeais sur la sagesse du comité du NON, mais j'étais prêt à l'accepter, dit-il maintenant. Mais c'était très frustrant, très difficile. Je crois que, dans tous les problèmes que j'ai affrontés en dix ans, comme le 11 septembre 2001 et le budget, la seule fois où j'ai perdu le sommeil, c'est pendant la campagne référendaire[17]. » Manley est hanté par la vision de gens qui se précipitent vers les banques pour retirer leur argent, si le OUI gagne. « Les banques doivent avoir une certaine liquidité en leur possession, dit-il, mais, si les gens les prennent d'assaut la même journée, il peut y avoir un problème[18]. » Il se tracasse aussi au sujet des entreprises qui peuvent déménager, autant pendant la campagne référendaire qu'après, surtout si le OUI l'emporte. « Il était très difficile de prendre des mesures en fonction de ces éventualités, dit-il. Si vous en preniez et que ça devenait connu, ça pouvait, jusqu'à un certain point, nuire à la campagne[19]. » Manley croit que Jean Chrétien doit s'engager dans la campagne, et dès le début. « Il était Québécois, il était le premier ministre du Canada, dit-il. Si j'étais premier ministre du Canada, je ne resterais pas silencieux pendant un tel débat. »

La frustration atteint tous les membres du caucus libéral. Si l'un d'eux veut intervenir, il n'a d'autre choix que de s'en remettre à Alfonso Gagliano, alors secrétaire d'État aux Affaires parlementaires, qui agit comme coordonnateur des interventions. « Les collègues québécois du caucus entendaient toutes sortes de choses de leurs commettants : c'est formidable, nous aurons le passeport canadien, le dollar canadien, et nous serons Québécois, raconte Jane Stewart, la députée de Brant, en Ontario, qui préside le caucus[20]. De plus en plus, la frustration augmentait. Il n'y avait pas de mécanismes qui nous auraient permis de nous engager. Si quelqu'un avait des suggestions, des idées, il devait passer par le bureau de Gagliano. Nous avions le sentiment que ce n'était pas notre affaire. Ce profond sentiment d'inutilité suscitait une frustration qui, parfois, devenait de la colère[21]. »

« Il y en a qui se sont mis à penser à toutes sortes de scénarios, dit Jean Chrétien. Il y en avait qui en proposaient des vertes et des pas mûres, mais on les laissait de côté. Quand vous êtes le chef, c'est vous qui décidez. » Malgré tout, personne ne suggère que l'état-major des armées canadiennes développe, comme c'est habituellement le cas en période de crise, des liens plus étroits avec le pouvoir politique. Chrétien affirme que, parmi « les vertes et les pas mûres » qui lui ont été soumises, on ne lui a pas proposé de déployer l'armée au Québec : « Envoyer…? Voyons donc! dit-il. Il y a des gars qui ont besoin de noircir du papier. Ils (les militaires) n'ont jamais parlé de ça avec moi. Je n'ai pas parlé de ça avec le ministre de la Défense de l'époque. Je suis sûr que non. Si, en tout cas, on m'en a parlé, ça ne m'a pas frappé. »

Mais Jean Chrétien, qui n'est pas homme à éviter la bagarre, est lui-même fortement contrarié d'être confiné, malgré quelques sorties prévues par le camp du NON, à un rôle de spectateur : « J'étais un peu frustré d'avoir accepté le conseil de rester sur la touche, de ne pas participer, dit-il, rappelant qu'en 1980 le comité du NON ne voulait pas voir Trudeau à la tribune non plus et qu'il en était également déçu.

Je m'étais opposé à Meech et certains disaient que la population n'était pas contente. Ce que je pense, c'est que la population n'est jamais mécontente lorsqu'en politique, vous dites ce que vous pensez[22]. » Il est prévu que le premier ministre canadien fera quelques discours pendant la campagne et c'est avec une certaine appréhension que le comité du NON voit venir, prévue pour le début d'octobre, sa première participation, pourtant au cœur de son royaume, Shawinigan. Il est aux côtés de Johnson, de Jean Charest et de Lucienne Robillard. Son discours est quelconque : il est possible d'être distinct, Québécois, et d'être Canadien en même temps, dit-il en substance, dénonçant par ailleurs l'offre de partenariat comme « une insulte à l'intelligence ».

Les organisateurs du NON grimacent : « Lorsque M. Chrétien a fait des grandes manifestations, je pense à Shawinigan, on perdait des points dans les sondages, dit l'un d'eux, le sénateur Pierre-Claude Nolin. Il n'était pas notre meilleur joueur. » Selon Nolin, Jean Charest était de loin plus populaire que Chrétien. Or, Charest, bien que Québécois et chef d'un parti fédéral, comme Chrétien, pense que la stratégie du NON est la bonne. « J'étais d'accord pour une raison fort simple, dit-il. C'était difficile de voir dans la configuration de la campagne quelle pouvait être la contribution de gens qui arrivaient de l'extérieur. Il fallait que ce soit une affaire entre Québécois parce que ça concernait les Québécois. Si on avait donné l'impression aux Québécois qu'il y avait quelqu'un de l'extérieur qui tentait de diriger leur choix, je pense que ça aurait eu l'effet inverse. »

Alors, pourquoi Charest participe-t-il à la campagne, et pas Chrétien ? « Le Parti libéral du Québec est distinct du Parti libéral du Canada, avance comme explication Jean Pelletier, le chef de cabinet de Jean Chrétien. Et il faut se rappeler que Daniel Johnson est d'une famille conservatrice. Alors, il pouvait être libéral à Québec, mais, à Ottawa, il était plus l'allié des conservateurs. » Eddie Goldenberg est du même avis, mais il élargit les affinités conservatrices de Johnson à l'ensemble du Parti libéral du Québec : « Entre 1984 et 1993, dit-il, le Parti libéral était très près des conservateurs de Brian Mulroney. La famille Johnson a traditionnellement été du côté de l'Union nationale. Et, quand Daniel Johnson s'est joint au Parti libéral du Québec, il s'y est joint comme fédéraliste, pas comme un libéral fédéral. Certains estimaient qu'il pourrait être plus à l'aise comme conservateur pour ce qui était de sa politique fédérale[23]. »

Face au référendum, le chef du Parti libéral du Québec et le premier ministre canadien se rejoignent sur un point : ils sont tous deux opposés à l'indépendance du Québec. Mais, pour le reste, ils doivent définir un *modus vivendi* qui n'est pas facile à trouver. « Je pense bien que M. Chrétien et M. Johnson étaient condamnés à s'entendre, mais cela ne leur était pas absolument naturel de collaborer, dit Jean Pelletier. J'ai toujours senti que, pour le Parti libéral du Québec, c'était un référendum québécois. C'était difficile pour eux de dire à Chrétien : "Vous, vous n'êtes pas un Québécois du tout !" On ne voulait pas la présence des libéraux fédéraux dans la campagne. On la voulait la plus discrète possible. » Dans de telles circonstances, Pelletier devait calmer les députés libéraux fédéraux du Québec, qui comprenaient difficilement pourquoi on les tenait en laisse. « Il a fallu trouver des formules et des ententes *ad hoc* de jour en jour pour finalement bien assurer la présence des fédéraux dans le comité du NON, ajoute Pelletier. Je ne dis pas qu'on ne s'est pas chicanés. On ne s'est pas dit de gros mots, mais on sentait que nous étions reçus à la table avec une certaine réticence. Je l'ai toujours sentie. »

Dans le bureau de Jean Chrétien, tout en respectant la stratégie établie par Johnson, on continue de réfléchir au rôle que le premier ministre pourrait jouer. « J'étais d'avis que son rôle devait être très stratégique, dit aujourd'hui l'un de ses principaux conseillers, Eddie Goldenberg. Il y avait un très sérieux danger que le poids de ses interventions se déprécie s'il se retrouvait à la télévision tous les soirs. Quand vous parlez tout le temps, personne n'écoute lorsque vous avez quelque chose de vraiment important à dire. Je croyais que quelques apparitions stratégiques seraient beaucoup plus valables, comme M. Trudeau, qui était intervenu trois fois en 1980[24]. »

Il est alors convenu que Lucienne Robillard, la ministre du Travail, jouerait dans le comité du NON le rôle que Jean Chrétien a joué aux côtés de Claude Ryan en 1980. Le choix n'est pas fortuit.

Robillard a été ministre dans les Cabinets de Robert Bourassa et Daniel Johnson. « Elle fonctionnait bien avec les libéraux provinciaux, explique Goldenberg, qui reconnaît cependant qu'elle a été quelque peu mise de côté par la coalition du NON pendant la campagne. « Elle a été marginalisée un petit peu pendant la campagne, dit-il, risquant une explication : les choses allaient tellement bien que les organisateurs du Parti libéral du Québec ont presque perdu de vue l'objectif du référendum et ont commencé à regarder la campagne comme une occasion de vraiment battre le Parti québécois, comme la première étape d'une prochaine élection provinciale[25]. » Daniel Johnson ne partage pas l'avis de Goldenberg au sujet de Robillard. « Si le Parti libéral du Canada décide que c'est madame X ou monsieur Y qui va être à tel rassemblement, qui va parler en leur nom comme membre de la coalition, sous le parapluie du NON, qu'il le fasse ! Je n'ai pas de raisons de croire que Mme Robillard n'a pas fait un excellent travail quand elle a eu l'occasion de le faire. Ce n'était pas à nous, du PLQ, de décider qui était là pour le PLC. Je dirais même, bien au contraire ! » Par contre, son ancien chef de cabinet, qui faisait partie du noyau stratégique du NON, ne nie pas que Lucienne Robillard ait pu se sentir mise de côté. « Le style de Mme Robillard n'était pas aussi percutant que le style de M. Chrétien en 1980, dit John Parisella. En 1980, Chrétien n'était pas impopulaire. Donc, avec son style fougueux, coloré, il était vraiment un atout assez important. Mme Robillard a un style beaucoup plus réservé, elle n'avait pas une ascendance sur la scène fédérale, elle était une personne qui avait *gradué* du côté provincial. »

En fait, Lucienne Robillard a été éclipsée par Jean Charest. « Comme orateur, sur le plan de son charisme, ajoute Parisella, M. Charest était un de ceux qui avaient résisté à la vague libérale de 1993, au Québec en particulier. Il avait cette fraîcheur du politicien jeune, qui avait quasiment gagné la course au leadership conservateur contre Kim Campbell. Et il avait le sens de l'image, de la caricature, (souvenez-vous du) fameux passeport. Donc, Mme Robillard s'est sentie un petit peu coincée. Pour nous qui attachions de l'importance au volet des communications, c'était clair que le style de Mme Robillard n'attirait pas autant que celui de M. Charest. »

Il ne faut pas, enfin, sous-estimer les conséquences d'un différend important entre Lucienne Robillard et Daniel Johnson concernant la reconnaissance d'une victoire du OUI. La ministre fédérale a clairement établi sa position le 12 septembre, trois semaines avant que ne commence la véritable campagne référendaire : Ottawa devra reconnaître une victoire du OUI, même si l'écart est mince. « Nous avons toujours respecté la démocratie au pays, a-t-elle dit. Ottawa respectera le processus démocratique en cours au Québec[26]. » Une semaine plus tard, le 19, Daniel Johnson tient des propos beaucoup plus ambigus : il n'est plus sûr d'accepter la règle décisive d'une majorité de 50 % plus une voix. « On ne détruit pas un pays sur un recomptage judiciaire », dit-il. Robillard va faire amende honorable plus tard dans la campagne, mais une telle divergence d'opinions, non seulement entre elle et Johnson, mais vis-à-vis de la position de beaucoup de fédéralistes, si clairement manifestée au début de la campagne, suffit au camp du NON pour mettre Robillard à l'abri des questions des journalistes.

Plusieurs politiciens du reste du Canada piaffent d'impatience d'intervenir dans le débat référendaire. C'est le cas notamment de Preston Manning. Mais ni le bureau de Chrétien ni le comité du NON ne veulent le voir dans les parages. « Je ne suis pas sûr qu'étant donné la position du Parti réformiste, Preston Manning aurait été terriblement productif au cours de cette campagne[27] », ironise Eddie Goldenberg. Quant au sénateur Pierre-Claude Nolin, du comité central du NON, sa réponse est claire : « Manning n'a pas été invité. Il a demandé de participer (à la campagne). On lui a fait comprendre que c'était une affaire de Québécois et que, s'il avait à cœur la réussite de notre objectif, ce serait mieux pour tout le monde qu'il ne s'en mêle pas. Cela a tenu jusqu'au bout. Est-ce qu'il en a été frustré ? Oui, sûrement. Mais il a compris qu'au Québec, il faisait un peu plus partie du problème que de la solution. » Même Alliance Québec invite Preston Manning à demeurer à l'écart de la campagne. « Les forces du OUI vont se servir de lui dès qu'il mettra les pieds au Québec, dit Michael Hamelin, le président de l'organisme. Quand il se lève en Chambre et parle du référendum ou quand il pousse le premier ministre dans le coin, le Bloc québécois est le seul à sourire de

contentement[28]. » Ce qui valut à Alliance Québec le qualificatif de
« petit chien des libéraux » de la part de Stephen Harper.

Ce barrage n'empêche pas le chef du Parti réformiste d'être actif
à l'extérieur du Québec. Il ne tient pas moins de soixante-dix assemblées publiques dans l'ouest du pays, exigeant qu'un référendum ait
lieu si les Québécois votent majoritairement pour le OUI. Il propose,
à la Chambre des communes, une résolution sur le fédéralisme renouvelé, tentant d'amener le gouvernement dans un débat sur des changements constitutionnels et sur une majorité de 50 % plus une voix dans
un référendum, deux dossiers dans lesquels Chrétien ne veut absolument pas s'engager. En fait, il suggère vingt modifications à la
Constitution et présente vingt circonstances auxquelles le Canada
devra faire face si le Québec se sépare. Aujourd'hui, il est déçu des résultats obtenus : « Vous pouviez parler quarante minutes sur un nouveau fédéralisme et cinq minutes sur les conséquences du séparatisme,
dit-il, vous étiez sûrs que les médias n'allaient retenir que l'aspect négatif, car les conflits font beaucoup plus la nouvelle que les efforts
de coopération[29]. »

Manning n'est pas le seul qui, jugé indésirable au comité du
NON, choisit de travailler ailleurs au pays. Des premiers ministres
provinciaux, à défaut de pouvoir venir faire campagne au Québec,
transmettent des messages aux Québécois à partir de leur région.
À Victoria, le premier ministre de la Colombie-Britannique, Mike
Harcourt, affirme que sa province refusera de négocier une association
entre le Canada et le Québec dans l'éventualité d'une victoire du OUI,
évoquant même la possibilité de résiliation des contrats que des entreprises québécoises ont avec sa province. De son côté, réélu à la tête du
gouvernement du Nouveau-Brunswick pour un troisième mandat, le
11 septembre, Frank McKenna déclare, le lendemain, qu'il peut intervenir avec plus de crédibilité au Québec maintenant que le
Confederation of Regions Party (COR), parti résolument opposé au
bilinguisme, a été rayé de la carte électorale de sa province : « Notre
message en sera un d'amour, d'affection et de conciliation[30] », dit-il.

Un certain nombre de politiciens de l'extérieur du Québec, dont
le premier ministre du Nouveau-Brunswick, viennent offrir leur

contribution au comité du NON. McKenna connaît Daniel Johnson et plus encore John Parisella, « un bon ami et une personne que je respecte beaucoup[31] », dit-il. Certains de ses ministres viennent faire du porte-à-porte et « nous avons été probablement beaucoup plus actifs que ceux des autres provinces canadiennes, ajoute McKenna. Mais il y avait une certaine crainte que des gens, peu rompus aux nuances de la politique québécoise, se mêlent du débat et se retrouvent dans un champ de mines[32] ».

Donc, Daniel Johnson est le chef de la coalition du NON, mais il ne contrôle rien des éléments qui viennent de l'extérieur et qui peuvent, selon l'expression de McKenna, « se retrouver dans un champ de mines ». Don Boudrias, le député ontarien de Glengarry-Prescott-Russell, participe à la campagne dans la circonscription d'Argenteuil qui fait face à la sienne, de l'autre côté de la rivière des Outaouais. La mairesse d'Ottawa, Jacqueline Holzman, annonce, devant l'Ottawa Women's Canadian Club, qu'elle entend se mêler du référendum. À Gatineau (ancienne circonscription de Hull), le ministre fédéral des Affaires intergouvernementales, Marcel Massé, copréside le comité du NON aux côtés du conseiller municipal Claude Lemay et du député provincial Robert Lesage.

Mike Harris, premier ministre de l'Ontario, fait une entrée re-marquée. Dans un discours très attendu devant le prestigieux Canadian Club de Toronto, il déclare : « Laissez-moi être très clair. J'ai dit au premier ministre Parizeau, lors de la conférence interprovinciale de Terre-Neuve, qu'il y a un cadre qui régit les échanges commerciaux entre les diverses provinces d'un pays, mais qu'il n'en existe pas entre les pays eux-mêmes.[33] » Il rappelle que, si le Québec devient indé-pendant, il y aura une frontière entre lui et l'Ontario. Le discours a été préparé en consultation avec deux anciens premiers ministres de la province, le néodémocrate Bob Rae et l'ancien chef libéral, David Peterson. Il est télévisé à *Newsworld* et reproduit intégralement dans le *Toronto Star*. Pour bien marquer que c'est tout l'Ontario qui pense comme lui, Harris se fait accompagner au Canadian Club par Bob Rae et par le chef du Parti libéral, Lyn McLeod. Et, pour bien montrer qu'il n'est pas en contradiction avec le comité du NON, il s'est assuré de la présence à ses côtés de Michel Bélanger, l'une de ses têtes d'affiche. « Si le Québec se sépare, ajoute-t-il, une chose est certaine : les Québécois n'auront plus accès aux avantages d'être Canadiens et le Canada n'aura plus, envers le Québec, aucune obligation reliée à l'histoire ou à un quelconque intérêt national commun. » Le premier ministre ontarien a par ailleurs ajouté qu'une victoire du NON ouvrirait une ère de décentralisation et de flexibilité au sein de la Confédération[34], des propos qui lui vaudront, ainsi qu'à McKenna, une réponse cinglante de Lucien Bouchard, plus tard dans la campagne : « Cela a l'air d'un vieux film en noir et blanc déjà vu, dit-il, devant plus de 1 000 personnes, à Joliette. René Lévesque s'est fait faire le coup en 1982, ce qui l'a amené à mettre ses cartes sur la table. Mais, pendant la nuit, ils ont vidé la table. Non merci[35] ! (Quant à McKenna), il nous dit qu'il veut des changements. Je ne crois pas une minute de ce qu'il raconte. La dernière fois, on a conclu une alliance et on a perdu notre chemise[36] ! », ajoute-t-il, rappelant que le premier ministre du Nouveau-Brunswick a été le premier chef de gouvernement provincial à rejeter, dans sa formulation originale, l'Accord du lac Meech.

Ce sont ces politiciens que Daniel Johnson et le comité du NON ne veulent pas voir apparaître dans le débat. John Parisella explique un tel choix : « La classe politique canadienne, malheureusement, n'avait pas évolué vers une plus grande compréhension de la réalité du Québec. M. Manning niait l'existence d'une société distincte, majoritaire et francophone. Par ailleurs, on avait suffisamment de ressources : les députés du fédéral, les députés du provincial, le chef conservateur Charest, le chef libéral Johnson, M. Chrétien dans des interventions bien planifiées et Mme Robillard. On n'avait pas besoin de M. Manning et d'autres qui se sont opposés non seulement à Meech, mais à Charlottetown. Ça n'aidait pas, ça ! » Et pourtant, en dépit des efforts de ses stratèges pour juguler les exhortations et les menaces qui se font entendre hors des frontières et canaliser les interventions fédéralistes vers un message commun, comment Daniel Johnson peut-il orchestrer une telle offensive, de son siège de chef de la coalition ? Il confie la coordination des activités à un organisateur professionnel, Pietro Perrino[37]. Celui-ci se rend vite compte de la difficulté de faire travailler des fédéralistes ensemble, surtout lorsqu'ils proviennent de différents partis politiques. Il ne dispose que d'un budget de cinq millions de dollars et, déjà, au dernier jour de septembre, alors que la campagne officielle n'est pas encore commencée, il a dépensé 100 000 dollars en publicité. Perrino fait face à une mission impossible.

Et le feu s'allume au Nord. Les fédéralistes déploient leurs énergies du côté des Autochtones, les incitant à participer au référendum. « Il est toujours étonnant, constate Matthew Coon Come, que, chaque fois qu'il y a un scrutin serré, le gouvernement fédéral vienne toujours inciter les chefs autochtones à demander à leurs gens d'aller voter. Il y a eu des demandes. Les représentants du gouvernement fédéral sont venus pour nous apaiser et nous encourager à voter, car ils savaient probablement que la majorité d'entre nous voterait NON[38]. » Mais les Autochtones ne voteront pas au référendum québécois. Au contraire, les Cris font savoir qu'ils tiendront leur propre consultation le 24 octobre, six jours avant celle du Québec. Ils sont imités par les Inuits, qui envisagent également un référendum au sein de leur communauté deux jours plus tard. Le gouvernement Parizeau tente alors de couper court à tout débat sur la question par la bouche de David Cliche, adjoint parlementaire du premier ministre pour les Affaires autochtones. Tout en reconnaissant aux Autochtones le droit à l'autodétermination, Cliche réaffirme le principe de l'intégrité territoriale du Québec et rejette toute velléité de leur part de se séparer du Québec. Il engage, par ailleurs, le gouvernement d'un Québec indépendant à assumer les obligations d'Ottawa contenues dans la Convention de la Baie-James. Coon Come riposte : il y aura des batailles juridiques sur la question autochtone. Le dossier va poursuivre le camp du OUI tout au long de la campagne référendaire.

Le débat s'est depuis longtemps étendu au-delà des frontières canadiennes. Le 14 septembre, le jour même où Jacques Parizeau s'adresse à la communauté internationale pour la convaincre que le projet souverainiste « est empreint d'ouverture et de générosité, en particulier à l'égard des minorités et des nations autochtones », le gouvernement fédéral convoque ses ambassadeurs en poste dans un certain nombre de pays stratégiques, notamment la France, le Mexique et les États-Unis. Leurs directives : calmer les esprits et inviter ces pays à se conformer à la position canadienne.

Jacques Parizeau n'ignore pas qu'obtenir une reconnaissance diplomatique des États-Unis ne sera pas facile. Mais il a sa propre stratégie que, dans son entourage, on appelle « le grand jeu », une stratégie qu'il a déjà testée lors d'un dîner à Washington, le 4 mars 1993. C'était au Ritz. Il y avait alors plusieurs invités, dont Reed Scowen, le délégué du Québec, le numéro deux de l'ambassade du Canada, des amis du Québec, des lobbyistes et un membre du National Security Council, Barry Lowenkron[39]. Parizeau dit alors, en substance, aux Américains : « Nous comprenons que ce ne sera pas facile pour vous d'informer le Canada anglais que, pour des raisons d'intérêts évidents, vous n'avez pas d'autres choix que d'accepter un Québec indépendant dans l'ALÉNA. Aussi, le Québec demandera à la France de nous reconnaître d'abord. Ce sera ensuite plus facile pour vous de le faire, au moment que vous choisirez. » « À un moment donné, se souvient aujourd'hui Parizeau, la personne du National Security Council, qui est l'expression de la Maison-Blanche, tape sur la table et dit : "Jamais on ne permettra aux *Frenchies* de vous reconnaître, on vous reconnaîtra d'abord." Il y a eu comme un silence. C'était la doctrine Monroe[40]. » L'ambassadeur James Blanchard émet une opinion plus réservée : « Je ne crois pas que la doctrine Monroe soit un traité et je crois qu'elle importe peu. Je ne sais pas ce que James Monroe aurait dit d'autre que les États-Unis ont un intérêt particulier pour tout ce qui est nord-américain[41]. »

Par rapport à la France, le gouvernement du Québec a cependant, auprès de l'appareil politique, une bonne longueur d'avance sur Ottawa. Jacques Parizeau, qui se rendait régulièrement à Paris avant de devenir premier ministre, cultive ses relations depuis longtemps et a même réussi à entrer dans les bonnes grâces du président François Mitterrand, pourtant peu disposé envers le projet souverainiste du Québec. Lors du dernier voyage de Parizeau, en janvier 1995, Mitterrand est toujours président, mais c'est l'ancien président Valéry Giscard d'Estaing qui est à la tête de la Commission des Affaires étrangères de l'Assemblée nationale. Parizeau, accompagné notamment de

Jean-François Lisée et de Jacques Joli-Cœur, lui rend visite. « Là, on tombe sur quelqu'un qui connaît le dossier bien mieux que je l'aurais imaginé, raconte Parizeau. Il aborde tout de suite, de front, la question suivante : « Vous voulez que la France vous reconnaisse? Mais vous indiquez qu'on devrait vous reconnaître dès que vous aurez gagné le référendum. Un référendum, M. Parizeau, ce n'est même pas une intention. C'est, au mieux, une autorisation. Il faut que vous fassiez un geste qui engage le gouvernement du Québec. Une fois que vous aurez fait ce geste, la France peut vous reconnaître. Votre projet, dans l'état où il est, ne peut pas amener une reconnaissance par la France d'un Québec indépendant." » Cette rencontre allait déterminer la stratégie du gouvernement dans les jours qui suivraient immédiatement une victoire du OUI.

Le voyage du premier ministre du Québec à Paris lui permet de profiter du contexte politique français de l'époque et de marquer des points à plusieurs niveaux. Édouard Balladur est premier ministre et aspire à la présidence de la République qui deviendra vacante dans quatre mois, en mai. Jacques Chirac est maire de Paris et ambitionne également de remplacer François Mitterrand à l'Élysée. Le voyage de Parizeau, cela va de soi, a été organisé en collaboration avec le ministère des Affaires étrangères que dirige Alain Juppé, qui affiche en privé une certaine sympathie pour la cause souverainiste. En outre, le Québec a un allié puissant dans la capitale française : il s'agit de Philippe Séguin. Député depuis plus de quinze ans, ancien ministre et membre de très nombreuses commissions parlementaires, dont celle des Affaires étrangères, Séguin est, au moment du voyage de Parizeau, président de l'Assemblée nationale. Chirac, tout autant que Balladur, tente de s'assurer de son appui dans sa course à l'investiture de la droite.

La visite de Parizeau à l'Assemblée nationale prend alors l'allure d'une véritable visite de chef d'État. Le défilé de voitures noires transportant la délégation québécoise traverse Paris en pleine heure de pointe et pénètre dans l'enceinte du Palais-Bourbon par la porte principale, une grille qui n'a pas été ouverte pour un visiteur étranger depuis le passage du président T. Woodrow Wilson, il y a plus de trois quarts de siècle. Philippe Séguin accueille le premier ministre du Québec, et c'est entre deux haies d'honneur de la garde républicaine que les deux hommes gravissent les marches qui mènent au vestibule Casimir-Périer. «Votre présence ici, dit alors le président de l'Assemblée nationale devant plus de trois cents invités, en s'adressant à Parizeau, est, pour les Français, porteuse d'une promesse, celle que se donnent l'un et l'autre, non pas des cousins, comme on dit que nous sommes, mais mieux, des frères. Car nous vous reconnaissons, nous vous reconnaîtrons toujours comme tels. » Le mot « reconnaître » est des plus agréables à entendre pour Jacques Parizeau.

L'ambassadeur du Canada à Paris, en 1995, est Benoît Bouchard[42], un ancien ministre conservateur que le gouvernement Chrétien a maintenu en poste. Il a un objectif : « dédramatiser », selon son expression, la visite du premier ministre québécois. Lorsqu'on ouvre la porte principale du Palais-Bourbon à Parizeau, la tentation est forte, chez Bouchard, de faire connaître sa colère au Quai d'Orsay. Il se retient. Il s'ouvre également au compromis lorsque vient le moment de sa rencontre avec Jacques Parizeau. Le protocole canadien veut en effet que, lorsque le premier ministre d'une province est en visite officielle dans la capitale française, il rencontre l'ambassadeur du Canada... à l'ambassade canadienne. « J'ai évité d'exiger que nous nous voyions à l'ambassade, dit Bouchard. Pour ne pas faire d'histoire, nous sommes allés à la Délégation du Québec. » Avant l'arrivée de Jacques Parizeau, il a pris les devants, expliquant à la presse parisienne que l'ambassade canadienne avait à cœur de faire connaître la culture québécoise en France et qu'elle continuerait de le faire. À son arrivée à la Délégation du Québec, il est apostrophé par Yves Michaud, un ancien délégué général qui accompagne Parizeau. Benoît Bouchard raconte : « M. Michaud me dit : "J'ai lu votre déclaration dans les journaux et je ne suis pas d'accord avec vous que le Canada développe autant d'énergie sur la question de la culture." J'ai répondu : "Aussi longtemps que le Québec fera partie du Canada, l'ambassade du Canada à Paris va continuer de s'occuper des artistes québécois qui viennent à Paris, et de la culture en général." À ce moment, c'est M. Parizeau qui a répliqué en disant : "Monsieur l'Ambassadeur, je suis venu à Paris pour ça !"

J'ai répondu : "J'en suis très heureux, Monsieur le Premier ministre, je n'ai pas soulevé la question moi-même." »

Les relations entre l'ambassadeur du Canada et Philippe Séguin, le président de l'Assemblée nationale française, sont pour le moins « abrasives ». Une dizaine de jours avant l'arrivée de la délégation québécoise à Paris, un journaliste du *Globe and Mail*, Rhéal Séguin, a demandé à Benoît Bouchard si la souveraineté du Québec avait en France de puissants appuis. L'ambassadeur lui a répondu qu'à son avis, « les Français ne sont pas particulièrement intéressés » par la question. Le journaliste a alors relancé : « Et Philippe Séguin, il s'est prononcé ouvertement. » « J'ai répondu oui, se souvient aujourd'hui Benoît Bouchard, mais M. Philippe Séguin est un *loose canon*, qu'on a traduit en France par "électron libre". Évidemment, j'ai fait deux erreurs. La première étant d'utiliser un mot d'une autre langue, ce qui ne se fait pas dans ce genre d'interview. La seconde étant de l'avoir dit. Le problème n'était pas de le croire, je le crois toujours, mais de le dire. Un ambassadeur ne dit pas ces choses-là. Les éditorialistes du Québec étaient furieux, ceux du *Toronto Star* et du *Globe and Mail*, dithyrambiques. Il n'en a pas été question dans les journaux français. »

La visite à l'Assemblée nationale est suivie d'un dîner officiel, offert par le ministère des Affaires étrangères, en l'honneur de Jacques Parizeau. Benoît Bouchard compte parmi la vingtaine d'invités. À un moment, le ministre Juppé se lève et porte un toast : « Nous nous connaissons depuis tellement longtemps que, le jour venu, nous nous reconnaîtrons », dit-il. À ces mots, tout le monde se lève, sauf Benoît Bouchard, qui ne bronche pas[43]. C'est pendant cette soirée que Philippe Séguin est informé par une adjointe des propos de l'ambassadeur canadien à son sujet, publiés dans le *Globe and Mail*. Il ne saisit pas immédiatement ce que signifie l'expression *loose canon*, mais il l'apprendra rapidement.

Déjà responsable de l'accueil, digne d'un chef d'État, que l'Assemblée nationale française a réservé au premier ministre québécois, Philippe Séguin entreprend, à la dernière minute, d'organiser un entretien avec Jacques Chirac à l'hôtel de ville de Paris. Pour ne pas indisposer Balladur, dont Chirac sera l'adversaire à l'investiture de la droite à la présidence, et aussi pour respecter une longue tradition de prudence et de conservatisme, qui caractérise ce ministère, les fonctionnaires du Quai d'Orsay n'avaient pas prévu, pour Parizeau, de visite à l'hôtel de ville de Paris. Mais elle aura lieu, organisée à la toute dernière minute, deux jours après l'incident du Quai d'Orsay.

Jacques Parizeau se méfie de Chirac, qui a fraternisé, lors de rencontres de l'Association internationale des maires des villes francophones, avec le chef de cabinet de Jean Chrétien, du temps où Jean Pelletier était maire de Québec. De plus, il n'ignore pas que Chirac n'a jamais pardonné au Parti québécois d'avoir demandé son adhésion à l'Internationale socialiste, en 1982[44]. Enfin, peut-être aussi est-il au courant des propos qu'a tenus Jacques Chirac, à peine six mois auparavant, lors du passage de Jean Chrétien en France. C'était en juin 1994, lors du 50e anniversaire du débarquement de Normandie. Les deux hommes ne s'étaient jamais rencontrés auparavant. L'entretien a eu lieu dans les bureaux de Chirac, à l'hôtel de ville. Il a porté sur plusieurs sujets, dont l'inévitable triangle Québec-Paris-Ottawa. Jean Pelletier, le chef de cabinet de Chrétien, assistait à la rencontre. « M. Chirac a dit, à ce moment-là, que, depuis le référendum de 1980, il avait beaucoup réfléchi et qu'il en était venu à la conclusion que le fait français était mieux protégé par l'appartenance du Québec au Canada que par la séparation du Québec, se souvient Pelletier. Ça m'a rassuré. Je me suis dit : "Chirac sera toujours respectueux de la décision que les Québécois prendront, mais jamais il n'interviendra dans le débat en cours pour soutenir le camp souverainiste." » Quoi qu'il en soit, Parizeau s'amène malgré tout à l'hôtel de ville dans la voiture de Philippe Séguin, un peu inquiet de l'accueil qu'on lui réservera, mais, par ailleurs, confiant que le président de l'Assemblée nationale a tout prévu et que la rencontre se passera bien.

Au mât de l'hôtel de ville, deux drapeaux battent au vent : celui de la France et celui du Québec. « J'étais furieux, dit Benoît Bouchard. J'ai communiqué avec le Quai d'Orsay pour leur faire observer que je ne trouvais pas ça normal. On m'a répondu, de cette façon que les Français vous répondent parfois : "Monsieur l'Ambassadeur, nous n'avons pas à dire au maire de Paris quels sont les drapeaux qui doivent flotter au-dessus de l'hôtel de ville." En d'autres mots : "Nous

nous mêlons de nos affaires, mêlez-vous des vôtres[45] !" » À l'intérieur, l'accueil est chaleureux. « Si le référendum est positif, dit Jacques Chirac, un certain nombre de pays francophones, dont la France, devraient tout naturellement reconnaître la réalité d'une décision populaire, qui est l'expression d'une souveraineté populaire. »

Au même moment, Jean Chrétien est à l'autre bout du monde, en visite officielle au Chili. On l'informe des propos de Jacques Chirac. Il n'ignore pas que le maire de Paris traîne dans les sondages derrière Balladur. Aussi, sa réaction reste dans le ton : « Jacques Chirac a autant de chances de devenir président que le Québec de devenir souverain[46] », dit-il. Trois mois plus tard, Chirac sera élu président de la République française.

Jacques Parizeau rencontre ensuite tour à tour le premier ministre Balladur, qui a des mots encourageants pour son visiteur, et le président Mitterrand qui, bien que considérablement affaibli par le cancer qui le détruit, réserve au premier ministre un accueil chaleureux. Parizeau donne aujourd'hui une explication plus rationnelle de l'attitude favorable de Mitterrand à son endroit. « Pendant toutes ces années, Mitterrand n'aimait pas l'idée de la souveraineté du Québec, dit-il. Mais c'est comme s'il prenait une police d'assurance : tout à coup qu'ils y arriveraient ! (se dit-il). Et, très tôt, Mitterrand va m'ouvrir sa porte. En France, quand vous avez accès au président, vous avez accès à tout le reste. Je me rends compte cependant qu'il y a un certain blocage du côté du Quai d'Orsay. Alors, à un moment donné, Mitterrand me propose : "Désignez-moi quelqu'un qui servira aux contacts entre nous deux, sans passer par la machine." » Parizeau lui donne alors deux noms de personnes, des femmes, qu'il refuse encore aujourd'hui d'identifier, qui ont servi d'intermédiaires entre le premier ministre du Québec et le président de la République française. Ces deux femmes sont Louise Beaudoin, ministre dans son gouvernement et la journaliste Denise Bombardier[47].

« Je savais que le président Mitterrand ne prendrait pas position », dit pour sa part l'ancien ambassadeur Bouchard, qui résume ainsi le climat qui enveloppait la visite de Parizeau à Paris : « J'étais présent, j'étais invité partout officiellement, même lorsque M. Parizeau s'est adressé à l'Assemblée nationale. J'étais plus ou moins mal à l'aise parce que je n'étais pas dans un environnement tellement favorable. Évidemment, il y avait de la tension, il y avait, entre les individus, une certaine hostilité, mais je ne voulais pas que ça devienne, pour la presse, l'élément important. Ça s'est bien passé ! »

Cela s'est surtout bien passé pour le gouvernement du Québec qui a en outre l'assurance que plusieurs pays de la francophonie imiteront la France, le moment venu. « Pendant mon voyage, dit Parizeau, j'ai eu plusieurs contacts avec les pays de la francophonie. L'important, c'est que, quand les Français se manifestent, il faut que plusieurs pays de la francophonie puissent se manifester dans son sillage dans les jours qui suivent. »

C'est la première manche du « grand jeu ». La deuxième, du côté des États-Unis, est plus difficile. « La guerre civile américaine n'est pas si ancienne et les Américains se souviennent de l'horrible résultat de cette guerre, dit Raymond Chrétien, qui était ambassadeur du Canada aux États-Unis au moment du référendum. C'est le conflit le plus sanglant de leur histoire. Plus de 500 000 morts. Pour eux, toute situation, qui ressemble un peu à ce qu'ils ont vécu avant la guerre civile, leur fait peur, crée beaucoup d'émotions et de traumatismes. Je le vivais chaque semaine. Chaque fois que je faisais un discours aux États-Unis, je voyais toujours des visages angoissés quand cette question était abordée. Je pouvais voir leur cheminement intellectuel et les souvenirs horribles que cela leur rappelait. Donc, au départ, une terre infertile pour les thèses d'indépendance. »

Néanmoins, l'intérêt des Américains pour ce qui se passe au Canada et au Québec s'accroît de jour en jour pendant l'année du référendum, « un intérêt absolument étonnant, que je n'ai pas vu au cours de mon séjour de près de sept ans à Washington[48] », dit Raymond Chrétien. Ses fonctions l'amènent à voyager dans tout le pays, y compris sur la côte ouest, et, partout, il doit répondre à la même question : *what if ?* Il constate que la nervosité des Américains se manifeste même au sommet de la hiérarchie politique : « Le président Clinton, le vice-président Gore, le secrétaire d'État Christopher avaient sur le sujet une attitude attentive, prudente, préoccupée. Et avec raison », ajoute-t-il[49].

Le « jeu » de Jacques Parizeau n'échappe pas à l'ambassadeur. Celui-ci entretient d'excellentes relations avec son homologue français, François Bujon de l'Estang[50] qui a d'ailleurs été ambassadeur au Canada avant d'être affecté à Washington. « Je pouvais lui parler de n'importe quoi, y compris de la question du Québec, dit Raymond Chrétien. Lorsque vous représentez le Canada à Washington, il y a très peu de choses que vous ne sachiez pas[51]. Personne du Canada ou du Québec ne peut aller à Washington sans que je le sache. J'allais moi-même au Congrès, sur la Colline, et on me disait : "Nous avons rencontré la représentante du Québec hier et voici ce qu'elle nous a dit[52]." »

James Blanchard, l'ambassadeur des États-Unis au Canada, attache peu d'importance aux démarches entreprises par le bureau du Québec à Washington. Selon lui, le Canada est une confédération avec des provinces fortes et un gouvernement central faible. Mais les Américains voient les provinces comme ils voient leurs États et il ne leur viendrait pas à l'esprit que le gouverneur d'un de leurs États puisse venir à Ottawa conclure une entente avec le premier ministre canadien. Malgré cette conviction, l'ambassadeur américain sent cependant le besoin de se rendre dans sa capitale pour parler du référendum. « Je ne voulais pas, dit-il, qu'un journaliste, n'importe quel Québécois, vienne à Washington et dise : "Si nous nous séparons, allez-vous continuer de travailler avec nous ?" et que quelqu'un réponde : "Oui, oui, nous continuerons à vous aimer." La couverture, par la presse, de ce que les Américains auraient pu dire a été excessivement inexacte, y compris ce que j'ai dit moi-même ! N'importe quel concierge du Secrétariat d'État pouvait dire : "J'aime le Québec" et ça devenait : "Des fonctionnaires du Secrétariat d'État saluent un nouveau pays." Je suis allé au Congrès pour dire aux gens qui est une fonction importante : "Si quelqu'un vous demande si vous allez les appuyer, advenant l'indépendance, répondez : Oh, c'est une belle journée, n'est-ce pas[53] ?" »

Les incursions de l'ambassadeur américain dans les affaires québécoises indisposent sérieusement le camp souverainiste. Tant que Washington dit que « c'est aux Canadiens de décider », Parizeau et son entourage sont satisfaits. Mais ils craignent que James Blanchard ne pousse le président Clinton ou le secrétaire d'État à adopter une position plus ferme. « On sait qu'on a un problème avec l'ambassadeur Blanchard, dit Jean-François Lisée. Il est devenu presque le seul conseiller de poids sur la question canadienne et québécoise. Et on sait ce qu'il pense — il l'a écrit dans son livre[54] — que c'était une erreur pour les colons britanniques d'avoir laissé les Québécois parler français[55]. Donc, on part avec un dinosaure. »

Il s'agit cependant d'« un dinosaure » qui a du poids. Il est convaincu que l'admission d'un Québec indépendant au sein d'ententes du genre de l'Accord de libre-échange nord-américain ne sera pas automatique, et il le dit très fort. « Notre position d'amitié passive, dit-il, le fait d'affirmer qu'il appartient aux Canadiens de décider, a amené les radicaux, au Québec, à dire : "Les États-Unis s'en fichent pas mal. Nous participerons à l'ALÉNA, à NORAD, à l'OTAN, au pacte de l'automobile." C'est ce que j'entendais partout où j'allais. C'était ridicule. Il nous aurait fallu renégocier l'ALÉNA ; tous ces traités n'étaient pas automatiques[56]. »

Jacques Parizeau est parfaitement conscient que le Québec devra négocier son appartenance au libre-échange nord-américain. Mais son optimisme repose sur deux points : une étude que le gouvernement québécois a commandée à une firme d'avocats de New York et une clause de l'accord de libre-échange. L'étude, dont les conclusions ont été rendues publiques dès le 13 mars 1995, a été préparée par la firme Rogers & Wells, un cabinet de quelque 400 avocats, dont le principal associé est William Rogers, l'ancien secrétaire d'État sous la présidence de Richard Nixon. Son mandat : analyser la continuité, avec le Québec, de cinq accords existant entre les États-Unis et le Canada. La conclusion générale de l'étude, qui s'appuie sur la pratique antérieure, considère comme probable que les États-Unis reconnaîtront le Québec « comme État successeur aux fins des accords bilatéraux ». « Quoique le Québec ne pourrait probablement pas faire valoir un droit formel automatique [...], il est extrêmement probable que les États-Unis permettraient au Québec de participer [...] », dit l'étude, dont les recherches ont été faites, sans mentionner le nom du Québec, auprès de plusieurs ministères américains.

La deuxième raison pour laquelle Parizeau ne doute pas que le Québec sera admis dans l'ALÉNA est une clause de cet accord, la « clause d'amarrage », mieux connue sous son vocable anglais de *docking clause*. Cette disposition est en quelque sorte une autorisation explicite accordée à d'autres pays d'adhérer à l'accord, enjoignant à ces pays de se conformer aux termes du traité. Le principe qui sous-tend cette clause rassure Parizeau. Mais, pour d'autres raisons, il s'en inquiète également. « Il est entendu qu'aucun nouveau pays ne pourra devenir membre de l'ALÉNA sans que les membres fondateurs puissent poser des conditions, reconnaît-il. Mais l'article en question du traité n'indique pas de quelles conditions il s'agit et, ça, c'est très embêtant. On comprend très bien qu'il s'agit de conditions quant à l'économie de marché, les règlements juridiques des conflits commerciaux... Mais, comme ce n'est pas très bien défini, il n'y a rien qui pourrait empêcher qu'une de ces *docking clauses* soit, je ne sais pas, la protection des anglophones au Québec. On a là comme un os, on a comme un problème. »

Il y a un autre problème : afin qu'il puisse être étendu à un autre partenaire, le traité de l'ALÉNA doit revenir devant le Congrès américain. « La simple inclusion de la clause d'amarrage ne signifie pas que les nouveaux pays puissent adhérer (au traité) sans une intervention du Congrès, peut-on lire dans un document du Washington Trade Reports, un organisme spécialisé dans l'analyse des marchés internationaux. L'ALÉNA prévoit l'admission d'autres pays, mais le Congrès s'est assuré d'une clause qui spécifie qu'aucune adhésion ne serait possible sans son autorisation expresse[57]. »

L'appartenance d'un Québec indépendant à l'ALÉNA n'est donc pas automatique et Bernard Landry simplifie les choses lorsqu'il invoque la règle de la succession des États pour dire que le Québec n'aura pas à négocier sa participation. « La voie qui s'offre au Québec est plutôt celle de la succession d'États, a-t-il déclaré en février, conformément à la pratique et au droit international, dont la Convention de Vienne sur la succession d'États en matière de traités. » Selon lui, la Convention de Vienne « pourrait baliser l'entrée du Québec dans l'ALÉNA[58] ». La Convention de Vienne prévoit en effet

que, sous réserve de certaines conditions, un État ayant acquis son indépendance peut devenir partie à certains traités multilatéraux signés
par l'État prédécesseur. L'ennui, c'est que le Canada n'est pas signataire de cette convention, pas plus que les États-Unis et le Mexique, et
que, de plus, la convention est inopérante, faute d'avoir été ratifiée par
un nombre suffisant d'États ; il en faut quinze pour qu'elle entre en vigueur, il n'y a que treize signatures.

Il faudra, par conséquent, que le Québec négocie son entrée dans
l'ALÉNA, une négociation qui pourrait même être serrée et difficile,
selon le professeur Joseph Jockel[59]. Dans une étude qu'il a menée pour
le compte du Center for Strategic and International Studies, il soutient
que les négociations nécessiteraient l'approbation, non seulement du
Congrès américain, mais également des gouvernements canadien et
mexicain. « L'admission immédiate à l'ALÉNA en vertu de la règle
de succession des États ne semble pas être du domaine du possible »,
a-t-il écrit. Le professeur Ivan Bernier, de la faculté de droit de
l'Université Laval, en est venu aux mêmes conclusions et a suscité la
colère du gouvernement en le mettant en garde contre une approche
trop simpliste de ce problème.

Du côté du Mexique, l'autre partenaire éventuel dans l'ALÉNA,
le Québec n'a rien à espérer. « Le Mexique, en étant accepté dans
l'ALÉNA, avait l'impression, comme dit le proverbe polonais, d'avoir
attrapé le petit Jésus par les pieds, dit Jacques Parizeau. Et tout ce qui
pouvait provoquer un peu de gêne et, à plus forte raison, d'indignation
à Ottawa, était, pour les Mexicains, tabou. Et le principal tabou, c'était
un Québec souverain. Alors, ils étaient vraiment de très mauvaise
compagnie. » Selon l'ancien premier ministre, les Mexicains et, singulièrement, l'ambassadrice du temps, Sandra Fuentès-Berain, étaient
fort embarrassés de ne pouvoir « faire passer les souverainistes québécois comme des affreux ou pour des gens qui ont le couteau entre les
dents », car ils savaient tous que Bernard Landry connaissait bien le
Mexique et y avait des relations importantes, du fait qu'il avait enseigné, en espagnol, pendant plusieurs années à l'Université de Mexico.
« Ils étaient un peu embêtés, ils manifestaient beaucoup de mauvaise
humeur en privé, disaient peu de choses en public », ajoute Parizeau.

Le gouvernement d'un Québec souverain va donc devoir négocier son entrée dans l'ALÉNA avec trois partenaires qui ne lui feront pas la vie facile. Il en va de même de son admission aux autres traités internationaux auxquels adhère le Canada, que ce soit celui du GATT ou de NORAD. D'ailleurs, aucune adhésion aux grands organismes internationaux n'est automatique. Aux Nations unies, par exemple[60], il faut un vote favorable de 9 des 15 membres du Conseil de sécurité et un appui d'au moins les deux tiers de l'Assemblée générale pour qu'un nouveau pays soit admis. À l'OCDE, il faut l'accord de tous les pays membres à une réunion du Conseil au niveau ministériel. En ce qui concerne l'APEC (la Coopération économique Asie-Pacifique), il y a, au moment du référendum, un moratoire sur les adhésions jusqu'en 1997 et, selon le gouvernement canadien, « un Québec indépendant ne ferait plus partie des pays de la région du Pacifique et serait vraisemblablement incapable d'adhérer à l'APEC ». Le Québec pourrait demander à faire partie de l'OEA, l'Organisation des États américains, mais il devra tenir compte du poids du Canada dans l'organisation puisqu'il contribue à 12 % de son budget. Quant à l'Organisation mondiale du commerce (OMC), le Québec devra négocier et les parties contractantes, notamment le Canada et les États-Unis, pourront demander des concessions commerciales, dans le domaine de l'agriculture, par exemple, ou dans d'autres secteurs névralgiques de l'économie québécoise. Pour le Fonds monétaire international (FMI) enfin, le Québec devra remplir les conditions d'adhésion et, s'il y est admis, il pourra siéger à la Banque mondiale, à la condition que les directeurs approuvent la recommandation des gestionnaires de la Banque. Au moment du référendum, le Canada était signataire de plus de 3 000 traités bilatéraux et multilatéraux. Autant d'inconnus pour le gouvernement d'un Québec indépendant.

Septembre 1995 prend fin sur une impasse à propos d'un éventuel débat télévisé. Une entente a été conclue entre Radio-Canada, TVA et Radio-Québec[61] en vue de présenter un face à face Parizeau-Johnson. Mais le camp du OUI estime indispensable que Jean Chrétien en soit, proposant alors un débat à quatre, auquel participerait également Lucien Bouchard. La première réaction du camp du

NON est plus que tiède : « Il n'y a qu'un chef du OUI et qu'un chef du NON », réplique Pierre Anctil, le chef de cabinet de Daniel Johnson[62]. En fait, le camp du NON n'est pas intéressé à voir reproduits en plein débat à la télévision les affrontements qui se déroulent presque tous les jours à la Chambre des communes. « Clairement, l'adversaire était devenu Lucien Bouchard, dit Johnson aujourd'hui. Il voulait en découdre avec Jean Chrétien. Sa tête de Turc, c'était Chrétien. Nous, les libéraux du Québec, il nous rejetait du revers de la main avec toutes sortes d'insinuations sur notre identité québécoise. Chaque fois qu'on parlait de débat, c'était un non catégorique du côté du OUI, sauf si Lucien Bouchard pouvait débattre avec Jean Chrétien. » Celui-ci décline l'invitation. Les réseaux s'impatientent et les négociations se poursuivent sans grand espoir de solution.

CHAPITRE VIII

Lucien Bouchard prend le ballon

La fièvre du référendum rejoint la population dans un terrain vague du quartier Plateau-Mont-Royal, à Montréal. Autour d'une quarantaine d'arbres en pot, de douze bancs publics, d'une vingtaine de corbeilles à déchets, au pied d'un gradin emprunté à un parc sportif, on se rassemble tous les midis, depuis le 2 octobre, pour entendre des artistes, des écrivains et des poètes, parler d'un Québec indépendant[1]. Sous un mur de briques sur lequel quelqu'un a écrit un extrait d'un poème de Gilbert Langevin, situé à l'angle de l'avenue du Mont-Royal et de la rue Hôtel-de-ville, le « parc éphémère » est une invention de l'artiste Gilles Bissonnette, dont l'appropriation collective est l'œuvre de François Gourd, un ancien dirigeant du Parti Rhinocéros. « C'était un espace qui n'avait pas de limite, un espace où tout pouvait se dire, tout pouvait se faire, se souvient Sophie Bélanger, à l'époque étudiante en sociologie à l'UQÀM. Il y avait des gens qui venaient là, qui avaient un point de vue superintellectuel, puis il y avait des gens qui étaient là pour des préoccupations philosophiques, artistiques ou culturelles… Il y avait un micro, ouvert presque en permanence, pour que tout le monde puisse venir s'exprimer. C'était beau à voir. » Dans cette atmosphère d'agora populaire, Sophie Bélanger a le sentiment profond de faire partie d'un ensemble. « D'un ensemble qui était cohérent, dit-elle, qui avait des bases, des fondements, des idées. »

Les artistes viennent, nombreux, se produire dans ce parc. Ils entendent, en quelque sorte, donner la réplique à un reportage de l'émission *Le Point* de Radio-Canada qui s'est interrogé, plus tôt dans la campagne, sur leur absence dans le débat référendaire. Le reportage n'était pas qu'un reproche à leur égard, il suscita également la brouille dans la colonie artistique : peut-on être neutre, ou favoriser le fédéralisme, sans être voué aux gémonies par ses pairs ? Un certain nombre d'artistes, accompagnés d'intellectuels, se sont compromis dans la publication d'un collectif[2] de témoignages pour le OUI, *Trente lettres pour un oui*, imaginé par Gilles Vigneault, dirigé par Andrée Ferretti et qui a l'appui de l'Union des écrivaines et des écrivains du Québec. Mais d'autres ont refusé de se joindre au groupe des trente. Le dramaturge René-Daniel Dubois est de ceux-là. Il clame, sans détour, qu'il en a ras le bol de la société québécoise et il revendique haut et fort le droit à la dissidence face au projet souverainiste[3]. D'autres, enfin, entendent n'être récupérés par aucun des deux camps. C'est le cas de l'humoriste Jean-Guy Moreau qui vient en témoigner dans le « parc éphémère » : « Je vous laisse vos drapeaux et vos slogans idéalistes. Je demeure caricaturiste. Je ne suis ni péquiste ni fédéraliste. Je ne veux être récupéré par personne. »

Le philosophe Marc Chabot a écrit dans *Trente lettres pour un oui* qu'« il n'y a qu'un moyen de se libérer d'une idée, c'est de l'accomplir ». La réalité prend cependant une dimension beaucoup plus complexe. Le camp du OUI a un mois, jour pour jour, pour « accomplir son idée », l'articuler et la faire accepter par une majorité des cinq millions d'électeurs. Le décret du gouvernement concernant la tenue d'un référendum est tombé le 1er octobre. Il tient en une trentaine de mots : « Il est ordonné, sur la recommandation du premier ministre, d'enjoindre au directeur général des élections de tenir un référendum le lundi 30 octobre 1995, dans chacune des circonscriptions électorales suivantes. » Suivent, par ordre alphabétique, d'Abitibi-Est à Westmount-Saint-Louis, les noms des 125 circonscriptions. C'est tout. Mais c'est en même temps le signal du départ, et le simple fait d'établir un calendrier déclenche la frénésie dans toutes les organisations. Les brefs sont immédiatement émis, à destination des présidents d'élection.

Le même jour, le premier ministre Jacques Parizeau s'adresse aux Québécois par la voie de la télévision. « Ce rendez-vous référendaire, leur dit-il, sera peut-être le dernier, la dernière chance que vous avez de se donner un pays bien à vous. » Il ajoute sur un ton dramatique : « Ce n'est pas donné à tous les peuples d'avoir une seconde chance[4]. » Daniel Johnson lui donne la réplique et indique du même coup le terrain sur lequel il entend se battre : un vote pour le OUI provoquera l'incertitude sociale, économique et politique. La campagne référendaire est officiellement lancée.

Si les idées qui doivent dominer la campagne sont encore embrouillées et les stratégies encore imprécises, les autocars du OUI, eux, sont prêts. L'un d'eux est mis à la disposition des trois chefs : ordinateurs, télécopieur, photocopieurs, même un lit et quelques fauteuils confortables pour leur permettre de prendre un peu de repos entre deux assemblées, tout y est. Derrière, deux autres autocars transporteront les journalistes et, si un troisième devient nécessaire, il y en aura un[5]. Car le référendum québécois suscite une curiosité non seulement au Canada, mais dans plusieurs pays des Amériques et de l'Europe. Pas moins de 70 médias internationaux se sont inscrits auprès du comité du OUI. « De nouvelles équipes arrivent, dont nous n'avons jamais entendu parler », dit Julie Arcand, responsable de la presse étrangère[6].

Il a fallu convaincre Jacques Parizeau de l'importance de mettre une caravane sur pied. Il ne croit pas à ce genre de campagne. Selon lui, l'autobus ne se prête pas à un débat d'idées. Il trouve qu'une caravane enferme le premier ministre ou le chef de parti dans une sorte de « couvent », dans une bulle, et qu'au bout de quelques jours, la couverture des médias devient anecdotique. « J'avais essayé de provoquer quelque chose qui était probablement trop radical pour passer, de faire accepter par M. Bouchard et M. Dumont qu'il n'y ait pas d'autobus, dit-il. J'ai toujours considéré que c'est extraordinairement malsain, l'atmosphère qui se dégage entre celui qui mène les opérations et les journalistes qui sont enfermés avec lui pendant des jours et des jours. » Mais, vaincu, il se rallie à l'opinion de ses stratèges.

Dans l'après-midi du 1er octobre, le comité exécutif référendaire du OUI, qui regroupe pas moins de vingt-six personnes, dont Parizeau, Lucien Bouchard et Mario Dumont, tient une première réunion dans un hôtel de Québec pour faire un constat assez décevant :

le OUI tire de l'arrière par cinq points dans les sondages. Il est par ailleurs quelque peu réconforté par une donnée qui se dégage de l'une des enquêtes, celle de SOM-Environics : 61 % des Québécois sont convaincus qu'une victoire du NON signifierait le maintien du *statu quo* constitutionnel pour plusieurs années[7]. Le même sondage révèle également que 84 % des Canadiens des autres provinces rejettent l'idée d'accorder des pouvoirs particuliers et un droit de veto à la seule province majoritairement francophone du pays, ce qui est de nature à amener de l'eau au moulin des indépendantistes, qui soutiennent depuis longtemps que le Québec ne sera jamais reconnu comme société distincte.

Et Jacques Parizeau s'en inspire dans son premier discours de la campagne : « Je comprends que les Canadiens ne veulent pas accepter qu'on soit un peuple, lance-t-il devant quelque 150 personnes réunies sur la place de l'hôtel de ville de Québec où, au matin du 2 octobre, il rend visite au maire Jean-Paul L'Allier. Mais nous sommes un peuple, nous avons toujours été un peuple et il faut que nous restions un peuple. » Il est accompagné de sa femme, Lisette Lapointe, et de Lucien Bouchard. Le maire L'Allier les assure de son appui inconditionnel, ce qui n'est une surprise pour personne puisqu'il a présidé la commission régionale de la capitale sur l'avenir du Québec.

La caravane s'engage ensuite dans sa première tournée, prenant le chemin de la Beauce, où rien n'est gagné. À Saint-Georges, les deux chefs du OUI rencontrent la presse locale, et Parizeau, se sachant dans un territoire qui ne lui est pas acquis, invite la population à opter pour la souveraineté, même si on ne l'aime pas, lui et son parti. Il sait de quoi il parle. Aux élections fédérales de 1993, la Beauce n'a pas emboîté le pas à la vague bloquiste, préférant élire un député indépendant. La ferveur nationaliste ne s'est pas développée durant l'année et, aux élections provinciales de septembre 1994, Beauce-Nord et Beauce-Sud ont élu des députés libéraux à l'Assemblée nationale.

Mario Dumont ne fait pas partie de la caravane. Il est à Laval, dans la région métropolitaine, où il tient une assemblée en compagnie de Jean Allaire. Comme pour donner du poids aux propos de Parizeau à Saint-Georges, il déclare que sa présence dans le camp du OUI n'en est qu'une de circonstance. « Je me battais contre le Parti québécois à la dernière élection et je vais encore me battre contre lui à la prochaine[8] », lance-t-il, indiquant clairement qu'il ne veut pas être avalé par la machine péquiste et qu'il fera campagne séparément. « On vivait aussi pour notre peau, dit aujourd'hui Mario Dumont. Le lendemain du référendum, on allait revenir dans le jeu de la politique et le PQ allait être notre adversaire. On aurait à préparer une prochaine élection. (Pendant le référendum), il pouvait y avoir 2 000 personnes venues m'applaudir, il y en avait peut-être 1 800 qui étaient péquistes. Ceux-là, à la prochaine élection, ils vont dire que l'ADQ, c'est un parti de malades, puis ils vont travailler contre nous. »

Sa survie et celle de son parti vont dicter au chef de l'ADQ la démarche qu'il va suivre tout au long de la campagne référendaire. C'est pourquoi il a exigé, et obtenu, de Jacques Parizeau une certaine liberté de mouvement au sein du camp du OUI. S'il se fond dans la masse, son parti risque de disparaître et, de plus, il n'est pas certain que Jean Allaire acceptera de faire partie d'un camp dont l'étiquette deviendra exclusivement souverainiste et qui sera perçu comme tel par l'ensemble de la population. Dumont se retrouve dans le camp du OUI parce qu'il ne peut pas se retrouver sur les mêmes tribunes que les libéraux, à qui il a tourné le dos trois ans auparavant. Et, comme il ne peut demeurer sur la touche dans un débat aussi fondamental pour le Québec, il a choisi le camp qui était le moins dommageable pour son parti. La position constitutionnelle de l'ADQ est, en 1995, inspirée du rapport Allaire[9] et ne rejoint ni celle, radicale, du PQ, ni celle, peu innovatrice, du Parti libéral. Par conséquent, Dumont a négocié et obtenu toute la latitude voulue pour mettre la pédale douce sur la souveraineté et orienter ses discours vers la question du partenariat. En outre, l'ADQ, en 1995, est un parti très jeune, qui n'a encore ni les ressources financières ni le personnel pour se donner des structures solides. « Il essayait de se tailler une place, dit aujourd'hui Guy Chevrette. Imaginez, il était seul de son parti à l'Assemblée nationale. Sa campagne, c'était son parti, dans le fond, qui la faisait, son "DG" et quelques attachés politiques qui l'encadraient. Il n'avait pas d'organisation, ou très peu. »

De Laval, Dumont, qui flaire la bombe dormante des fonctionnaires fédéraux, se rend à Hull où il prend la parole au Palais des congrès. « Le lendemain du vote, il n'est pas question de laisser tomber l'Outaouais, dit-il, prédisant même un certain essor, car la région "deviendra le pôle administratif du partenariat Québec-Canada". » Mais il affirme qu'à long terme, le Québec devra réduire sa fonction publique. « Il n'y aura pas de congédiements, dit-il, mais cela se fera par des moyens comme les mises à la retraite[10]. » Il prend ensuite le chemin de son territoire de prédilection, le Bas-du-Fleuve.

Daniel Johnson lance sa campagne le même soir, dans Laval également, mais devant un groupe de gens d'affaires. En choisissant un tel auditoire, il indique ce qui en sera le thème central pendant les vingt-huit jours qui restent avant le référendum : l'économie. « Le pouvoir que nous avons comme citoyens dans le cadre du libre-échange, dit-il, va disparaître avec la séparation du Québec. C'est pour cela que les souverainistes nous font croire qu'il existe un principe de succession automatique, alors que tous les diplomates américains ont dit qu'aucune assurance n'existait à cet égard[11]. » Il attache ainsi très tôt dans la campagne le thème de l'ALÉNA au drapeau du NON.

Jean Charest n'est pas aux côtés de Daniel Johnson pour le lancement de la campagne. Seul député conservateur du Québec à la Chambre des communes, il ne tient pas non plus à disparaître dans le bataillon des libéraux fédéralistes. Il aura, lui aussi, une lutte électorale à livrer dans deux ans contre les libéraux fédéraux, dont bon nombre d'organisateurs travaillent sur le terrain avec les libéraux provinciaux. En outre, le parti qu'il dirige est moins bien pourvu en trésorerie que le Parti libéral. Aussi, c'est à Ottawa qu'il prend le départ de la campagne, par une conférence de presse dans une petite salle du parlement fédéral.

Pendant ce temps, les premières conséquences d'une victoire hypothétique du OUI prennent une forme concrète à l'autre bout du pays : la ville de Surrey, en Colombie-Britannique, qui détient 30 millions de dollars d'obligations québécoises arrivées à échéance, annonce qu'elle n'en rachètera pas d'autres avant le 30 octobre, la loi de la Colombie-Britannique interdisant aux municipalités d'acheter des obligations à l'étranger !

Si on y regarde de plus près, le sondage de SOM-Environics[12] a de quoi semer la consternation dans le camp du OUI. À une question directe sur « la séparation du Québec du reste du Canada », 55 % des répondants favorisent le NON, contre 45 %, après répartition des indécis. Pour 46 % d'entre eux, la question référendaire demeure confuse. Le NON l'emporte un peu partout au Québec sauf dans la couronne de Montréal, dans celle de Québec et au Saguenay-Lac-Saint-Jean. Maigre consolation pour le camp du OUI, il l'emporte par deux petits points chez les francophones, une donnée difficile à interpréter puisque les deux tiers des Québécois se disent « profondément attachés au Canada, mais à peu près tous, attachés au Québec[13] ». De quoi donner des maux de tête aux plus brillants stratèges !

Avec des données semblables, le dollar prend du mieux : il gagne 25 centièmes à 74,8 cents américains le 2 octobre et 45 centièmes de plus le lendemain. Daniel Johnson en profite pour mettre en doute l'utilisation du dollar canadien dans un Québec indépendant. « Tous les pays, qui ont utilisé la monnaie d'un pays étranger, n'ont pu tenir le coup très longtemps, déclare-t-il devant les membres de l'Association des femmes d'affaires du Québec. Si un pays n'a pas sa propre monnaie, il ne contrôle pas ses taux d'intérêt, sa masse monétaire et son taux de change ; cela donne un pays qui ne peut pas prendre ses grandes décisions économiques[14]. »

Les sondages et la bonne tenue de la devise canadienne ramènent le sourire chez l'investisseur. « Tout le monde s'attendait à un marché financier agité. Ce fut le cas pendant une semaine et demie et, tout à coup, les marchés ont décidé que le NON semblait l'emporter », déclare Robert Fairholm, économiste en chef de la firme DRI/McGraw-Hill[15]. Certes, le fait que le Fonds monétaire international (FMI) revoit à la baisse la croissance économique du Canada, en raison de l'incertitude politique provoquée par la situation au Québec, jette un peu d'ombre sur le tableau et le gouverneur de la Banque du Canada, Gordon Thiessen, confirme que les marchés ont été « volatils » au cours des derniers mois. Il soutient toutefois que plusieurs facteurs laissent maintenant entrevoir des perspectives économiques très positives, et c'est ce que retiennent les gens d'affaires. Ils sont par conséquent optimistes et le président de Power Corporation, Paul Desmarais, leur demande de s'engager davantage dans la campagne référendaire. Le 3 octobre, il présente Laurent Beaudoin, conférencier invité au déjeuner-causerie de la Chambre de commerce du Montréal métropolitain, en ces termes : « Si nous sommes contre le projet souverainiste, nous avons le devoir, nous devons avoir le courage de le dire et d'assumer les conséquences de nos prises de position[16]. » Beaudoin, qui, dix jours plus tôt, dans une conférence de presse à Québec, a exprimé des doutes sur la capacité d'un Québec « rapetissé » de soutenir une entreprise de la taille de Bombardier, en remet en évoquant la possibilité que sa compagnie puisse déménager. « J'espère que les Québécois comprennent que le risque est quand même là[17] », a-t-il dit.

Les dangers de l'indépendance, au plan économique, alimentent tous les discours, même de ceux dont les fonctions imposent pourtant un devoir de réserve. Le 4 octobre, à Sainte-Foy, l'ambassadeur du Canada aux États-Unis prévient les membres de la chambre de commerce locale qu'une division Québec-Canada nuirait sérieusement, à Washington, aux intérêts des deux parties. « Les États-Unis sont devenus beaucoup plus isolationnistes depuis novembre 1994 et beaucoup moins enthousiastes au sujet du libre-échange, surtout depuis la crise du peso mexicain[18], déclare en substance Raymond Chrétien. En conséquence, il semble très peu probable que de nouveaux membres soient admis dans l'ALÉNA au cours d'une période qui ira bien après les prochaines élections présidentielles[19]. » L'ambassadeur canadien fait spécifiquement référence au Chili, candidat à l'ALÉNA, mais, interrogé sur le cas du Québec, il déclare que « les mêmes règles et les mêmes problèmes vont se présenter à n'importe quel candidat ». Le débat sur l'admission d'un Québec souverain dans l'ALÉNA, lancé par Daniel Johnson le premier jour de la campagne, durera jusqu'au jour du référendum. Au cours de l'échange avec les personnes présentes, Raymond Chrétien ajoute son optimisme à celui qui habite le camp du NON en disant qu'il a confiance que le Québec ne se séparera pas du Canada. Le consulat américain à Québec n'a pas mis de temps à faire rapport au State Department de la conférence de l'ambassadeur Chrétien[20].

Les interventions des gens d'affaires, et singulièrement celle de Laurent Beaudoin, provoquent la colère chez les leaders du OUI. Jacques Parizeau croit savoir qu'elles sont planifiées depuis plusieurs mois. À Montmagny, il prétend qu'elles ont été payées de contrats et de subventions. « On donne des contrats à des entreprises pour faire peur à leurs employés », tonne-t-il devant une soixantaine de militants[21]. À Charny, près de Québec, il se moque de Desmarais. « Ça fait longtemps qu'il est parti (du Québec), dit-il devant quelque 300 personnes. Il a vendu Domtar et le Montreal Trust, il a tout investi dans la société européenne Paribas. Il ne lui reste plus que *La Presse, Le Nouvelliste* et *La Voix de l'Est* et, s'il veut vendre la grosse *Presse*, je suis acheteur[22] », ironise-t-il. Puis, c'est au tour de Beaudoin de goûter à sa médecine. « Bombardier est ici parce que c'est une bonne affaire, dit-il. Cette idée de faire peur aux gens, ça fait vingt-cinq ans que ça dure : "Bougez pas, vous n'êtes jamais aussi beaux que lorsque vous êtes à genoux. Si, le moindrement, vous relevez la tête, je m'en vais." Je ne le crois pas[23]. » L'intervention des gens d'affaires et, surtout, la menace de Beaudoin, vont permettre aux leaders souverainistes d'évoquer des moments pénibles de l'histoire de la lutte pour l'indépendance du Québec. « Avant, c'était la Brinks et la Sun Life qui disaient aux Québécois de s'écraser. Aujourd'hui, c'est Standard Life et Laurent Beaudoin », dit encore Parizeau. Mais les propos les plus durs viennent du ministre Guy Chevrette : « Le secret d'un État-Power plane sur le Québec actuellement, dit-il. Brian Mulroney était proche de Power Corporation, Paul Martin est un bras droit de Power Corp., Jean Chrétien a des liens de famille avec Power, Daniel Johnson vient de Power et John Rae, l'un des principaux organisateurs du camp du NON, est vice-président de Power[24]. »

Le 5 octobre, la coalition du NON prend Montréal d'assaut en remplissant la salle du Metropolis. Daniel Johnson, Lucienne Robillard et Michel Bélanger se succèdent à la tribune, mais c'est Jean Charest qui soulève la foule en reprochant à Jacques Parizeau d'avoir refusé de rencontrer le premier ministre de Chine, Li Peng, lorsqu'il viendra au Canada le 13 octobre suivant. « Le piège du dogme de la séparation, dit-il, c'est la chaise vide. Pendant ce temps, il y a des occasions qui sont perdues au niveau de l'emploi, de la croissance écologique. » Il exhorte les gens à sortir de l'isoloir avec leur passeport dans les mains, le 30 octobre. « Ne le laissez pas à Parizeau », clame-t-il. On présente ensuite une vidéo, dont Laurent Beaudoin est la vedette, où il explique pourquoi il entend demeurer canadien, des propos qui lui valent des applaudissements nourris.

Le référendum alimente les discours de tous les politiciens, peu importe où ils se trouvent au pays. Le camp du NON veut limiter leur présence au Québec ? Qu'à cela ne tienne, ils s'expriment ailleurs et espèrent que les médias transmettront leur message aux Québécois. Jean Chrétien fait sa première sortie dans la campagne officielle, et c'est à Ottawa qu'il se manifeste. Inaugurant un nouveau campus à la Cité collégiale, le premier collège d'arts appliqués et de technologie de langue française en Ontario, il exhorte les personnes présentes à tenter d'influencer les Québécois. « Il est important, dit-il, que chacun de vous prenne le temps, au cours des trois prochaines semaines, de parler à des Québécois que vous connaissez et de leur dire que la famille française dans ce pays s'étend de l'Atlantique au Pacifique[25]. » Au même moment, à Vancouver, Paul Martin affirme que le Québec s'illusionne s'il croit que l'union économique entre le Canada et un Québec souverain se fera facilement. Selon lui, l'Alberta et la Colombie-Britannique, dont 3 % seulement des exportations prennent le chemin du Québec, vont rejeter l'union, même s'il est dans l'intérêt de l'Ontario de l'accepter[26]. À Toronto, l'ancien premier ministre de l'Ontario, David Peterson, s'inquiète de ce que le NON a atteint un sommet dans les sondages si tôt dans la campagne. « Je ne crois pas que nous devrions être arrogants à ce propos. Les sondages signifient toujours que 4,5 personnes sur 10 croient en une forme quelconque de souveraineté. La composante la plus consistante de la politique moderne, c'est sa volatilité[27]. »

Pendant ce temps, dans un territoire qui lui est acquis, le sien, Mario Dumont fait toujours cavalier seul, mais cette fois, dans l'autocar des chefs. Parizeau est demeuré à Québec pour une réunion du Conseil des ministres. Le chef de l'ADQ est par conséquent accompagné des journalistes qui voyagent à bord des deux autres autocars de la caravane. Il découvre alors que tenir le flambeau à la place du chef n'est pas chose facile. Après avoir visité une petite entreprise de Saint-Pacôme, qui produit du vin de framboise, il choisit, pour le trajet qui le conduira à Saint-Cyprien, de monter dans l'autocar des journalistes de la presse écrite plutôt que dans celui qui est réservé aux chefs. Il n'ignore pas que les derniers sondages placent le OUI plusieurs points derrière le NON. Au cours d'une conversation à bâtons rompus avec quelques journalistes, il s'attaque à ce qu'il appelle « une mentalité de *loser* » chez certains éléments du camp souverainiste. Il vise particuliè-rement le sociologue Pierre Drouilly et ceux qui, comme lui, pensent que les indécis, dans les sondages, ne doivent pas être répartis selon les opinions exprimées parce qu'ils sont rarement plus du quart à pencher du côté des souverainistes. « Être pessimiste en partant, afficher une attitude de perdant, je ne suis pas fort là-dessus, dit-il au cours d'un point de presse à Rivière-du-Loup. Quand je me lance en campagne, c'est pour gagner ! » Aujourd'hui, il aime rappeler qu'à compter de ce moment-là, dans toutes les régions du Québec, les militants adop-taient comme slogan « On va gagner ! »

C'est au cours du même point de presse que Mario Dumont, en réponse à quelqu'un qui lui demande ce qui arrivera si le NON l'em-porte, déclare qu'« il faut s'attendre à un redéploiement des forces na-tionalistes au Québec ». Même s'il a pris la précaution de souligner les qualités de Jacques Parizeau, les propos de Dumont donnent des sueurs froides aux organisateurs de la tournée. Ils tentent d'amener les journalistes à ignorer les propos du chef de l'ADQ, insistant sur le fait que la conversation n'avait aucun caractère officiel[28]. Malgré l'entente intervenue entre les trois chefs, le 12 juin, on sent que tout n'y est pas prévu et que la proximité des journalistes jour après jour peut, comme le craint Jacques Parizeau, créer un climat de familiarité propice à de petits dérapages.

Dans la journée du 4 octobre, une délégation du camp du OUI vient rencontrer le nouveau consul général des États-Unis à Québec, Stephen R. Kelly[29], qui a remplacé Marie T. Huhtala au cours de l'été. Ils sont trois : David Cliche, adjoint parlementaire et conseiller en matière d'affaires autochtones de Jacques Parizeau, Michel Lepage, le sondeur du camp du OUI, et Marcel Landry, ministre de l'Agriculture. Les trois ne cachent pas leur découragement. Cliche fait partie du groupe qui, tous les matins, se réunit pour analyser la stratégie de la campagne. « Si les prochains sondages ne montrent pas une amélioration de la position du OUI, dit-il carrément, la bataille pour la souveraineté est perdue. » Il évoque les derniers sondages qui donnent un avantage de 55 % — 45 % au camp du NON. « Le camp du OUI, ajoute-t-il, doit démontrer qu'il rétrécit l'écart pour développer le *momentum* dont il a très besoin. » Cliche dévoile devant le consul américain la stratégie du camp du OUI. « Les stratèges ont décidé, dit-il, que la seule façon pour eux de gagner est de se concentrer sur les francophones qui ont déclaré aux sondeurs qu'ils projetaient de voter NON. » Selon Cliche, cette stratégie se fonde sur l'évaluation qui est faite du vote des non-francophones : « Il y a 18 % des Québécois qui ne sont pas francophones, dit-il. 95 % d'entre eux vont voter NON et il n'y a rien que le PQ peut faire à leur sujet. » Il prétend qu'une fois les indécis bien répartis, 57 % des francophones voteront OUI. Il en faut presque 60 % pour contrecarrer le déficit anglophone.

Il pousse alors plus loin le dévoilement de la stratégie du OUI : au nombre des francophones qui voteront NON, plusieurs sont préoccupés par des considérations économiques, et cette angoisse se retrouve particulièrement chez les quelque 800 000 Québécois qui vivent de l'aide sociale et chez les femmes qui restent à domicile. Le camp du OUI va donc tout faire pour démontrer qu'un Québec souverain est économiquement viable. Deuxième élément de la stratégie : jouer sur la fierté des Québécois.

Des sondages internes indiquent cependant que l'écart se resserre, n'étant plus que de six points. Le 5 octobre, Michel Lepage revient au consulat et donne à Stephen Kelly tous les détails de ce sondage interne qui démontrent que le OUI a gagné beaucoup de terrain les 28 et 29 septembre. Les données sont d'autant plus intéressantes pour le OUI que, pour arriver à ces résultats, Lepage a accordé 70 % des indécis au NON. « La partie n'est pas gagnée, dit alors Lepage, mais il est possible de la gagner[30]. » Le même jour, la maison Léger et Léger publie les résultats d'une enquête d'opinion effectuée

218

entre le 1ᵉʳ et le 4 octobre[31]. Ils confirment les données de Lepage : le NON recueille 52,8 % des voix contre 47,2 % pour le OUI. Des résultats qui encouragent le camp du OUI. Une donnée cependant le préoccupe au plus haut point : la moitié des Québécois estiment que le NON domine le débat référendaire et il ne s'en trouve que le quart pour penser que c'est plutôt le camp du OUI qui parvient à imposer ses thèmes.

Malgré cette indication très clairement exprimée qui devrait l'inciter à explorer d'autres avenues, Jacques Parizeau ne change pas son discours : il continue d'en découdre avec les chefs des grandes entreprises. Devant la Chambre de commerce de Matane, il les dénonce comme « le chœur des "vociférants", avec Daniel Johnson comme chef de chœur ». « Que ce soit SNC, Bombardier ou la Banque royale, déclare-t-il, quand on est devenu milliardaire avec l'argent des Québécois (à l'aide du régime des RÉA[32]), on ne crache pas sur ceux qui n'ont pas réussi à s'en sortir aussi bien que nous[33]. C'est vous, par vos taxes et vos impôts, qui avez payé les privilèges fiscaux de tous ceux qui ont acheté la moitié du capital-actions de Bombardier. Maintenant, ils nous crachent dessus, mais c'est nous qui avons financé ça[34]. »

Pendant que les chefs des deux camps tentent, sur le terrain, de convaincre les Québécois des mérites de leur option respective, l'ambassadeur américain au Canada, James Blanchard, se rend à Washington pour essayer de sensibiliser des journalistes à l'importance de garder le Canada uni et d'en faire état dans leur média respectif. « Mon but était d'obtenir quelques appuis retentissants dans la presse et de m'assurer que personne au Congrès ne dirait quoi que ce soit de nature à enflammer le débat au Québec, écrit-il dans son livre autobiographique. Ma première rencontre fut avec E. J. Dionne et John Anderson du *Washington Post*. J'ai trouvé Dionne particulièrement intéressé parce que sa famille a ses origines au Québec. Je leur ai dit : "Les sondages sont bons. Ce pourrait être une victoire décisive. Mais tout peut arriver. La question manque de netteté. Le débat est émotif. Le tribalisme ethnique est en hausse. Le populisme aussi[35]." » Dix ans après, Dionne se souvient d'avoir rencontré Blanchard. « Son compte rendu de la situation m'a semblé correct, dans l'ensemble, dit-il aujourd'hui. J'ai connu James Blanchard au temps où il était gouverneur du Michigan. Nous parlions assez souvent du Québec entre nous car mon intérêt pour le Québec demeure très grand. Je m'amusais à lui dire que j'avais une vision québécoise des choses.[36] »

La campagne est à peine commencée que les appuis à l'un ou l'autre camp affluent, imprévisibles, venant des horizons les plus inattendus. De passage à Ottawa, où il s'est entretenu avec Jean Chrétien, le premier ministre de la Fédération russe, Victor Tchernomyrdine, déclare, au cours d'une rencontre avec les journalistes : « Nous souhaitons faire affaire avec un Canada uni. » Des Acadiens se mobilisent en faveur du NON derrière l'ancien président de la Fédération des francophones et Acadiens, le professeur Yves Fontaine de l'Université de Moncton. À Saint-Laurent, les étudiants du collège anglophone Champlain font savoir haut et fort, dans un sondage, qu'ils favorisent le NON à 92 %. Les appuis au camp du OUI ne sont pas moins surprenants. Le groupe d'extrême droite Heritage Front, considéré comme un mouvement néonazi par beaucoup d'observateurs, souhaite fortement la disparition du Québec de la Confédération canadienne, ce qui permettra d'abolir pour toujours le bilinguisme dans le pays. « Le Québec a tout à gagner en se séparant, dit son président Wolfgang Droege. Il sera un petit pays, comme il y en a plusieurs en Europe, facile à administrer. La qualité de vie des Québécois ne peut que s'améliorer dans un Québec souverain. Vous savez, les mêmes groupes ethniques partagent les mêmes objectifs[37]. »

Jean Chrétien se manifeste pour la première fois au Québec dans la soirée du 6 octobre, à Shawinigan. Il se retrouve, aux côtés de Daniel Johnson, Jean Charest et Lucienne Robillard, devant une salle qui réunit un millier de personnes. Il parle pendant quarante minutes, sans promettre quelque changement que ce soit qui serait de nature à convaincre les partisans du OUI de changer d'option. Il expose plutôt les avantages qu'ont les Québécois de vivre dans « un Québec fort dans un Canada uni ». Il vante la souplesse d'un pays qui permet au Québec d'avoir ses propres politiques et ses propres institutions comme la Caisse de dépôt et placement, la Régie des rentes et Hydro-Québec. Ayant encore à l'esprit les *Trente lettres pour un oui* et l'empoignade entre René-Daniel Dubois et Andrée Ferretti, présentée deux jours plus tôt au *Point*, il s'en prend aux artistes qui appuient le camp du OUI, leur rappelant que leur « gagne-pain », c'est le Conseil des arts du Canada et l'Office national du film, deux organismes fédéraux. Son discours est positif. Il évite de s'attaquer trop durement aux souverainistes, comme quelqu'un qui, fort des résultats des sondages des derniers jours, veut éviter de réveiller l'adversaire. Mais il ne peut résister, sachant qu'il réussira ainsi à soulever la foule, à la tentation d'emprunter au vocabulaire de Claude Garcia : il félicite Daniel Johnson et son équipe d'avoir « écrasé » leurs adversaires lors du débat à l'Assemblée nationale. La réplique ne tardera pas.

Mais l'adversaire est inquiet : ce n'est pas tellement que les voyantes, consultées autour d'une boule de cristal ou d'un jeu de cartes au Salon de l'ésotérisme de Montréal[38], prédisent une victoire écrasante du NON, mais le fait, brutal, que la campagne ne va nulle part. Il ne reste plus que vingt-quatre jours, un peu plus de trois semaines, et l'écart demeure toujours de cinq à sept points. Ce constat provoque une réunion importante qui se tient, à huis clos, le vendredi 6 octobre, à Montréal. En présence de Jacques Parizeau, les 16 responsables des régions et les présidents du PQ dans les 125 circonscriptions électorales font le point sur la stratégie du OUI. « Les gens souhaitent voir davantage M. Bouchard, dit le président de Montréal-Ville-Marie, Sylvain Lépine, au journaliste Denis Lessard de *La Presse*. C'est beau de faire son travail aux Communes, mais ils veulent le voir sur le terrain. » Même son de cloche de la part des autres présidents régionaux.

Jacques Parizeau les écoute : ce n'est pas la première fois qu'il entend les lieutenants du OUI réclamer plus de visibilité pour Bouchard. Quelques jours auparavant, à Québec, il a rencontré les présidents des circonscriptions de la région. « Je crois que c'était au Lœws, rappelle Alain Lupien, le coordonnateur de la campagne de financement du OUI. Cela s'était fait à huis clos. M. Parizeau recevait les commentaires de ses présidents et présidentes. Ceux-ci avançaient des hypothèses, dont celle de mettre M. Bouchard en avant. Il y a eu discussion et j'ai senti, quand les gens sont sortis de la réunion, qu'on venait de régler une grosse affaire ! »

La fenêtre est maintenant ouverte : la deuxième semaine d'octobre, la Chambre des communes ajourne ses travaux jusqu'au 16. Il est déjà prévu que, la semaine suivante, Bouchard s'installera dans l'autocar de la caravane pour deux ou trois jours. L'entente entre l'entourage de Bouchard et celui de Parizeau prévoit que le premier ministre fait sa campagne et que le chef du Bloc intervient autant que possible tout en assumant ses responsabilités de leader de l'opposition et de chef du Bloc québécois à Ottawa. Il est également prévu qu'il sera celui qui accordera les grandes entrevues aux médias. Le régime est exténuant pour un homme qui, moins d'un an plus tôt, a frôlé la mort et en est resté gravement handicapé : dans la première semaine du référendum, après avoir participé aux séances des Communes, il a quitté la capitale pour participer à trois assemblées au Québec. Mais c'est la première fois qu'il prendra la tête de la caravane.

La décision que Parizeau s'apprête à prendre aura une autre conséquence positive, non prévue et probablement pas évaluée à sa juste valeur : sortir Bouchard de la Chambre des communes serait une bonne chose pour le OUI. Dans une de ses chroniques, le journaliste Michel Vastel a écrit, peu de temps auparavant, qu'il fallait le sortir de là. « Bouchard n'avait pas été particulièrement bon pendant la période de questions, se souvient Eddie Goldenberg. Le premier ministre (Chrétien) offrait une meilleure performance. » Ce que soutient aussi Jean Chrétien, qui, dix ans après le référendum, aime encore rappeler la chronique de Vastel : « Ça allait très bien. Michel Vastel avait écrit : "M. Bouchard, vous devriez sortir de là parce que vous ne réussissez pas à la Chambre des communes." Les sondages étaient bons. » Dans les faits, la présence de Bouchard au Parlement fédéral permet à Jean Chrétien de marquer des points dans les médias !

L'idée de faire de Lucien Bouchard le négociateur en chef n'est cependant pas nouvelle. Elle remonte même à quelques mois. « Mon souvenir, c'est que l'idée est venue de Mario Dumont, dit aujourd'hui Jean-François Lisée. Mais on a eu un signal que M. Bouchard ne voulait pas être négociateur en chef, donc on a abandonné un peu cette idée. » D'autant plus qu'à l'époque, dans le projet du premier ministre, le négociateur en chef devait être quelqu'un de plutôt effacé, qui ne serait pas une personnalité politique, mais plutôt une sorte de technocrate dont le mandat serait de représenter le Québec dans une négociation qui s'annonçait, de toute évidence, serrée et complexe.

Bien qu'il ait déjà lui-même pensé au rôle de négociateur en chef, Lisée continue de chercher un rôle pour Lucien Bouchard, au cas où le OUI l'emporterait au référendum. « En août, dit-il, j'ai écrit une note à M. Parizeau, qui devait rencontrer M. Bouchard, en lui disant : "Vous pourriez proposer à M. Bouchard de présider le comité d'orientation. Dans ce cas-là, il ne serait pas votre négociateur, il serait dans un rôle de juge." Mais cela n'a pas eu de suite. » Une autre idée fait son chemin dans l'entourage de Jacques Parizeau. Après la proclamation de la souveraineté, il n'y aura plus de lieutenant-gouverneur. Qui alors deviendra le chef de l'État ? « On aurait pu dire qu'on allait créer le poste de président, dit Lisée, un président peut-être désigné par l'Assemblée nationale, avec des pouvoirs importants en matière de relations internationales, donc avec le Canada, notre nation voisine. J'essayais de trouver un rôle pour M. Bouchard. Mais on savait aussi que M. Parizeau n'était pas très chaud à l'idée de lui en parler et que M. Bouchard n'était pas très chaud d'en parler non plus. »

On cherche, mais l'idée de faire du chef du Bloc le négociateur en chef traîne toujours, parmi d'autres, dans les tiroirs. « Je vous dirais que, fin août, début septembre, ce n'était pas une idée sur laquelle on travaillait beaucoup », se souvient Jean Royer. Le camp du OUI multiplie cependant les sondages, tentant d'évaluer ses forces et ses faiblesses, à la recherche de stratégies qui pourraient augmenter ses appuis dans la population. Jean-François Lisée assiste à plusieurs groupes de discussion (*focus groups*). Puis, un jour, à défaut de pouvoir le rencontrer, puisque l'un est à Québec et l'autre à Montréal, il téléphone à Jean Royer. Il lui dit sa surprise de constater que, pour beaucoup de gens, une victoire du OUI signifie que M. Bouchard ne sera plus chef de l'opposition à Ottawa parce qu'il n'y aura plus de députés du Bloc à la Chambre des communes et que, par conséquent, à court terme, il ne jouera plus de rôle important comme député. Lisée suggère alors à Royer la conclusion qu'il en tire : « Qu'est-ce que tu penserais de l'idée de proposer (dans les groupes de discussion) un certain

serait pas une personnalité politique, mais plutôt une sorte de technocrate dont le mandat serait de représenter le Québec dans une négociation qui s'annonçait, de toute évidence, serrée et complexe.

serait pas une personnalité politique, mais plutôt une sorte de technocrate dont le mandat serait de représenter le Québec dans une négociation qui s'annonçait, de toute évidence, serrée et complexe.

Bien qu'il ait déjà lui-même pensé au rôle de négociateur en chef, Lisée continue de chercher un rôle pour Lucien Bouchard, au cas où le OUI l'emporterait au référendum. « En août, dit-il, j'ai écrit une note à M. Parizeau, qui devait rencontrer M. Bouchard, en lui disant : "Vous pourriez proposer à M. Bouchard de présider le comité d'orientation. Dans ce cas-là, il ne serait pas votre négociateur, il serait dans un rôle de juge." Mais cela n'a pas eu de suite. » Une autre idée fait son chemin dans l'entourage de Jacques Parizeau. Après la proclamation de la souveraineté, il n'y aura plus de lieutenant-gouverneur. Qui alors deviendra le chef de l'État ? « On aurait pu dire qu'on allait créer le poste de président, dit Lisée, un président peut-être désigné par l'Assemblée nationale, avec des pouvoirs importants en matière de relations internationales, donc avec le Canada, notre nation voisine. J'essayais de trouver un rôle pour M. Bouchard. Mais on savait aussi que M. Parizeau n'était pas très chaud à l'idée de lui en parler et que M. Bouchard n'était pas très chaud d'en parler non plus. »

On cherche, mais l'idée de faire du chef du Bloc le négociateur en chef traîne toujours, parmi d'autres, dans les tiroirs. « Je vous dirais que, fin août, début septembre, ce n'était pas une idée sur laquelle on travaillait beaucoup », se souvient Jean Royer. Le camp du OUI multiplie cependant les sondages, tentant d'évaluer ses forces et ses faiblesses, à la recherche de stratégies qui pourraient augmenter ses appuis dans la population. Jean-François Lisée assiste à plusieurs groupes de discussion (*focus groups*). Puis, un jour, à défaut de pouvoir le rencontrer, puisque l'un est à Québec et l'autre à Montréal, il téléphone à Jean Royer. Il lui dit sa surprise de constater que, pour beaucoup de gens, une victoire du OUI signifie que M. Bouchard ne sera plus chef de l'opposition à Ottawa parce qu'il n'y aura plus de députés du Bloc à la Chambre des communes et que, par conséquent, à court terme, il ne jouera plus de rôle important comme député. Lisée suggère alors à Royer la conclusion qu'il en tire : « Qu'est-ce que tu penserais de l'idée de proposer (dans les groupes de discussion) un certain

nombre d'hypothèses sur un rôle que M. Bouchard pourrait jouer ? »
Royer trouve que l'idée mérite d'être explorée, mais il ne prendra
aucune initiative en ce sens avant d'en avoir parlé à son chef et à Lucien
Bouchard. La prudence s'impose : dès le moment où l'on pose, dans
un sondage ou dans un groupe de discussion, une question sur un rôle
possible pour Lucien Bouchard après le référendum, les médias vont
s'emparer de la nouvelle. Royer informe donc Parizeau des craintes
qui se dégagent des groupes de discussion et téléphone à Bouchard. « Je
pense que cela l'a fait sourire plus qu'autre chose », dit-il. Royer n'évoque cependant pas, à ce moment-là, l'hypothèse de le voir à la tête de
l'équipe de négociation.

Par ailleurs, les premiers sondages indiquent immédiatement
qu'elle séduit et, ce qui est intéressant pour le camp du OUI, c'est
qu'elle séduit aussi un fort groupe de citoyens qui ne lui est pas acquis
d'emblée. Royer rencontre Parizeau et lui communique les premiers
résultats. « Je lui ai dit que je croyais qu'il y avait là un potentiel », se
souvient Royer, chez qui Parizeau savait reconnaître une certaine habileté dans l'analyse des sondages. Il m'a répondu : "Vous continuez
et, quand vous aurez parachevé vos travaux, on s'en reparle." »

La réflexion se fait aussi dans l'entourage du chef du Bloc québécois. Bob Dufour, l'organisateur du Bloc québécois aux élections générales de 1993, est convaincu depuis longtemps qu'il faut donner plus
d'espace à Lucien Bouchard. « Quelqu'un qui a une aura comme la
sienne, tu ne le fais pas jouer sur le banc, un gars comme lui, tu le mets
sur la glace, dit-il. Il était tellement populaire que M. Parizeau parlait
d'une icône. » Mais la décision appartient à Parizeau, et Bouchard est,
jusque-là, malgré quelques participations à des assemblées locales,
limité à un rôle à la Chambre des communes, qui lui donne peu d'impact sur la campagne.

Royer et Lisée poursuivent alors leurs enquêtes et ils en viennent
à la conclusion « qu'il y a là quelque chose qui est susceptible de créer
ce qu'on appelle, dans le langage des sondages, une tendance », selon
l'expression de Royer. Lorsque celui-ci fait savoir à son chef que les résultats de l'étude sont concluants, Parizeau lui dit : « Préparez-moi un
scénario de ce que pourrait vouloir dire la nomination de M. Bouchard

comme négociateur en chef. Et puis, on verra ! » Ce n'est ni une acceptation ni un rejet de l'idée. Mais le seul mandat qu'a Royer, c'est d'aller voir Lucien Bouchard et de lui expliquer les résultats, et, à moins
d'un refus catégorique de sa part, de concevoir un scénario menant
à l'annonce de sa nomination. Bouchard l'écoute, puis formule une
exigence : cette démarche doit demeurer absolument confidentielle.
Fait à noter : ces tractations se déroulent en septembre, avant l'ouverture de la campagne référendaire officielle, dont plus d'une semaine
avant l'annonce du 7 octobre.

C'est cependant dans la première semaine d'octobre que Jean
Royer présente son scénario au premier ministre. La campagne bat son
plein et celle du OUI ne parvient toujours pas à prendre son envol. Le
premier ministre annoncera, le vendredi, la nomination des cinq premiers membres du comité de surveillance des négociations avec le
Canada[39], mais cela ne suffira pas à renverser la tendance. Royer se
rend à la résidence de Jacques Parizeau, à Québec, et, dans le salon du
deuxième étage, il lui dit : « Vous m'avez demandé un scénario, le
voici ! » Le chef de cabinet de Jacques Parizeau est un homme méticu-
leux. Quand il présente un dossier à son chef, il le possède et est prêt
à le défendre. « Je savais que mon dossier était bon, dit-il. Mais
s'il m'avait dit, au terme de ma présentation, qu'il n'embarquait
pas — c'était lui, le patron — j'aurais assumé… On aurait continué, pas
juste moi, mais tout le monde. » La discussion sur le dossier lui-même
est de courte durée. Parizeau se rend à l'évidence : il faut projeter
Lucien Bouchard en avant. La discussion dure à peine une demi-heure,
et ils parlent plutôt d'organisation. Un ralliement à l'Université de
Montréal est prévu depuis une dizaine de jours. La conversation s'engage donc sur la façon dont les choses devraient se passer, ce qui devrait
s'y produire et sur les personnes qui seront présentes.

Mais pas un mot n'est prononcé entre les deux hommes sur ce
que la décision que Jacques Parizeau vient de prendre signifie pour
l'homme d'abord, puis pour le politique. On lui demande, au moment
où il va peut-être cueillir le fruit dont il rêve depuis vingt-cinq ans, de
se replier et de céder sa place de grand responsable de l'indépendance
du Québec à quelqu'un d'autre. « C'était difficile, je savais ce que ça

représentait, dit Royer. Mais quand il faut le faire, il faut le faire ! » Les deux hommes se connaissent bien, ils travaillent ensemble depuis plusieurs années et nourrissent l'un pour l'autre le plus grand respect. Mais jamais Parizeau n'a tutoyé Jean Royer ou ne l'a appelé par son prénom, une attitude qu'il conserve avec tous ceux qui sont proches de lui. Lorsqu'il se sent porté vers plus de familiarité, il utilise le seul nom de famille. Mais, ce jour-là, le moment est trop solennel pour se laisser aller à la familiarité. Lorsque Royer s'apprête à quitter la résidence, Parizeau l'interpelle du haut de l'escalier : « Monsieur Royer, lui dit-il, appelez M. Bouchard. Expliquez-lui ma décision et dites-lui que, demain matin, je l'appelle à dix heures pour la lui proposer. »

En sortant de chez Parizeau, Jean Royer téléphone tout de suite à Lucien Bouchard et lui dit : « J'ai vu M. Parizeau. Il est d'accord. Je dois vous expliquer la nature de sa décision pour savoir si vous êtes à l'aise avec tout cela. Il va vous en parler directement demain à 10 heures. » Il prend ensuite la route et arrive à Montréal vers minuit. Il fait un crochet par le comité central, boit une ou deux boissons gazeuses avec Hubert Thibault qui s'y trouve toujours, puis rentre chez lui. Jusqu'à ce qu'il parle à Bouchard, Thibault sera le seul informé de la décision de Parizeau. Tôt le lendemain matin, vers 7 h 30 ou 8 heures, Royer rencontre Lucien Bouchard, qui est resté à Montréal. L'entretien se passe bien. Quelques minutes après 10 heures, Royer reçoit un appel de Parizeau qui lui dit : « Je me suis entendu avec M. Bouchard. » Il continue : « Vous déclenchez… » « Ce qui voulait dire, explique Jean Royer : informer ceux qui doivent l'être, mais il n'y en avait pas beaucoup. Tout était basé sur l'effet de surprise. » Le secret sera bien gardé pendant quelques jours.

Le jeudi, Bouchard fait un crochet dans Papineau, puis s'envole pour le Saguenay-Lac-Saint-Jean. Le vendredi, il rend visite à un groupe de personnes âgées à Alma et rencontre des journalistes de la région. « La raison fondamentale de voter OUI sera de porter un jugement sur notre identité. Cela va aussi loin que ça[40]. » Mais pas un mot sur la bombe qui se prépare à exploser le lendemain.

Les pressions sur Jacques Parizeau ne lui venaient pas que de sa garde rapprochée. Certains ministres se rendaient compte que la campagne ne levait pas et qu'il fallait, rapidement, trouver un moyen de faire jouer à Lucien Bouchard un rôle plus important. Dans l'esprit de ceux d'entre eux qui avaient eu l'occasion de faire campagne avec lui, le doute n'était plus possible. Mais il fallait le dire à Parizeau. Guy Chevrette, Bernard Landry et Pauline Marois en discutent, ignorant que Jean-François Lisée et Jean Royer ont fait la même constatation et ont pris une initiative en ce sens. Ils décident qu'il faut que quelqu'un en parle au chef. L'occasion se présente le vendredi 6 octobre, dans un restaurant italien du nord de Montréal, où ils prennent un repas avec Parizeau, qui veut les consulter sur un point particulier de la campagne. « Ce fut un des moments les plus difficiles que j'ai vécus en politique, dit Guy Chevrette. J'ai trouvé ça terrible de lui dire. J'en tremblais, j'étais ému. Il a écouté sans broncher. Il ne faisait que se rouler la moustache, il n'a pas dit un mot, sauf, si ma mémoire est fidèle : "Je prends acte." » Tous ignorent que la décision est déjà prise et qu'elle sera annoncée dans moins de 24 heures.

Le samedi 7 octobre, l'auditorium de l'Université de Montréal est rempli. En arrivant, Jean-François Lisée croise la consule générale américaine à Montréal, Eleanor Savage, qui quitte la salle. Il lui montre l'horaire de la journée et lui indique l'heure exacte du discours de Parizeau. « Ne partez pas, lui dit-il, à cette heure-là, la campagne change. Vous devriez être là ! » La consule répond simplement qu'elle a autre chose à faire et elle poursuit son chemin. C'est l'un des rares événements dont les Américains n'ont pas été informés à propos de la campagne référendaire. Lisée entre et s'assoit au fond de la salle pour voir la réaction des 1 500 personnes rassemblées lorsque Jacques Parizeau annoncera la nomination de Lucien Bouchard.

« Il faut, commence par dire le premier ministre, que le chef négociateur soit une personne qui inspire une confiance profonde chez la majorité des Québécois qui ont voté OUI, mais aussi chez un grand nombre de Québécois qui auront voté NON[41]. Ça prend quelqu'un qui est un bon négociateur, qui connaît le Canada anglais, qui est un souverainiste[42]. » Et il lance : « Lucien Bouchard. » « C'est comme s'il y avait eu 100 000 volts dans les sièges, se souvient Lisée. Les gens ont bondi pour applaudir. C'était un moment magique. » Les deux hommes se font l'accolade et Bouchard s'amène au micro. Son discours est enflammé. Il revient sur le discours de Jean Chrétien, à Shawinigan : « M. Chrétien a dit, hier, qu'il était content parce que, pense-t-il, Daniel Johnson a écrasé le gouvernement Parizeau à l'Assemblée nationale. Écrasé, a-t-il dit. Et M. Johnson est très heureux. Il aime ça, du monde écrasé. C'est comme ça qu'il nous voit. » Puis il lance : « À trois semaines du vote, rien n'est fini, tout commence ! » Dans la salle, c'est une explosion de joie des militants, qui n'ont pas eu beaucoup d'occasions de se réjouir depuis le début de la campagne référendaire. Guy Chevrette n'a pas été mis dans le coup, comme la presque totalité des autres ministres. « À notre grande surprise, en tout cas à la mienne, dit-il, il annonce que son chef négociateur sera Lucien Bouchard. Ça a été l'euphorie. Je me suis dit : "Est-il habile ! Il a réussi à dire : c'est moi qui vais décider de la forme que va prendre le rôle de Lucien Bouchard. Vous avez fait votre devoir, vous me l'avez dit." Il est formidable ! »

« Cela n'a pas été une décision prise en catastrophe, dit aujourd'hui Jacques Parizeau. La Chambre des communes ajournait ses travaux pour une semaine. Il fallait que (jusque-là) M. Bouchard joue son rôle de chef de l'opposition. Il est évident qu'il avait une image publique bien meilleure que la mienne. Dans ces conditions, j'en avais discuté avec Jean Royer, c'était clair qu'il fallait une sorte de poussée additionnelle, que M. Bouchard intervienne, qu'il devienne le porteur de ballon. » Une décision, cependant, qui n'a pas été facile pour le chef du gouvernement. « On comprend ce que cela veut dire, dit Lisette Lapointe, l'épouse du premier ministre. Cela veut dire être numéro un ; Jacques Parizeau devient second. Je suis certaine que ce fut très, très dur pour lui. Mais, dans les réceptions qu'on faisait, dans les tournées, on voyait bien l'engouement autour de Lucien Bouchard. Jacques Parizeau voulait gagner. Alors, c'était la chose à faire. Puis il l'a fait de bon cœur. Je ne vous dis pas que cela s'est fait sans pincement à son orgueil, c'est certain. Mais il était prêt à tous les sacrifices. »

Ce matin du 7 octobre, qui s'ouvre sur la fin de semaine de l'Action de grâces, Jean Charest est chez son père, à Sherbrooke. Le téléphone sonne. Il monte dans la chambre de ses parents pour prendre l'appel. Quelqu'un lui annonce la nouvelle. « Je me suis dit : la campagne vient de changer », se souvient-il. Le défi pour Charest est d'autant plus difficile à relever qu'il connaît l'adversaire. Il l'a affronté lorsqu'il a dirigé le comité spécial sur les accords du Lac Meech dont les conclusions ont provoqué la démission de Bouchard du cabinet Mulroney. Les deux hommes ne se parlent plus. « Je savais que, politiquement, ce n'était pas facile de se mesurer à Lucien Bouchard. Il était très populaire, très aimé. Il avait un ascendant sur les foules. On a senti une différence immédiate dans la campagne. »

Quant à Daniel Johnson, il est pris totalement par surprise. « On ne peut pas voir venir cela, dit-il. Mais on peut comprendre. Souvenons-nous comment Bernard Landry, ancien militaire, avait fait savoir, avec sa brigade légère, qu'il ne voulait pas aller aussi vite. À l'époque, on pouvait sentir que Lucien Bouchard et Landry étaient du même avis. Ils avaient tassé Parizeau. C'était donc déjà arrivé, entre guillemets, quelques mois plus tôt. Cela pouvait (encore) arriver. Mais tasser le premier ministre du Québec, alors que c'est son projet, il faut le faire ! C'était assez inusité, donc imprévisible. » Johnson reconnaît que la manœuvre changeait la donne. « Bouchard était plus difficile à critiquer, poursuit-il. Les chiffres n'avaient pas d'importance pour lui, l'avenir économique du Québec, les finances publiques, cela n'avait absolument aucune importance. Son discours était un discours nationaliste, émotif, traditionnel. »

Les libéraux de Daniel Johnson estiment que Lucien Bouchard vient de bouter Jacques Parizeau par-dessus bord. « Cela représentait quasiment un coup d'État, dit John Parisella. Je n'aurais pas pensé que M. Bouchard aurait pu tasser M. Parizeau. Et là, on voyait que ça semblait être volontaire. Ce n'était pas évident ! J'étais un peu étonné qu'il n'y ait pas eu plus d'observateurs, dans les médias, pour questionner le bien-fondé d'avoir un chef à Ottawa qui venait remplacer le chef qui était premier ministre dûment élu au Québec. »

Selon Parisella, l'arrivée de Bouchard a changé totalement la dynamique de la campagne et a déstabilisé en grande partie la stratégie du NON. « On avait beau avoir un plan de campagne, ajoute-t-il, on était pris avec une espèce de coup de vent qui dépassait toute

rationalité possible. » Il admet que, même si le camp du NON avait
deviné la manœuvre, elle n'aurait quand même pas été facile à
contrer. « Les fédéralistes n'avaient pas de réussites derrière eux au
cours des dernières années, dit-il. Ils avaient juste des échecs. Puis,
ils n'avaient pas de chef aussi charismatique. »

Le chef du NON ne sous-estime pas son nouvel adversaire, bien
au contraire. Aujourd'hui, lorsqu'il revient sur la campagne référendaire de Bouchard, Johnson en garde encore un souvenir très vif : « Il
était très opportuniste. Il n'hésitait pas autant que M. Parizeau à
sauter sur n'importe quelle virgule, n'importe quoi… C'était un
avocat de litige, il ne faut pas l'oublier. Deuxièmement, son ton.
M. Bourassa disait toujours : "Lucien s'exprime comme un écorché vif
à temps plein. C'est un tribun de cette nature." Et, troisièmement,
c'était un bagarreur. Je n'avais pas eu l'occasion de me faire attaquer
personnellement, dans mon intégrité, dans mon identité québécoise.
Et cela, il l'a fait ! » Son ami, Bob Rae, l'ancien premier ministre de
l'Ontario, explique pourquoi, du côté des fédéralistes, la décision de
Parizeau a été une surprise : « On a surestimé l'ego de M. Parizeau et
sa détermination à diriger la campagne jusqu'à la fin, dit-il. Et on a
sous-estimé l'impact personnel de M. Bouchard. »

L'étonnement n'est pas moins grand au bureau de Jean Chrétien.
« Nous étions surpris, dit Eddie Goldenberg, le conseiller du premier
ministre. La première réaction, que certains d'entre nous ont eue, a été
de dire que la campagne du OUI devait être en grande difficulté. On
ne change pas de chef au milieu d'une campagne. » « Qui aurait pu
penser cela ? s'exclame pour sa part Jean Pelletier, le chef de cabinet de
Chrétien. M. Parizeau était premier ministre du Québec, c'était un référendum décrété par l'Assemblée nationale du Québec, suivant une
loi du Québec. Et le premier ministre du Québec qui va tout à coup
s'effacer devant un député fédéral, qui n'est même pas membre de
l'Assemblée nationale ! Qui aurait pu penser à cela ? » Rapidement, les
libéraux fédéraux en viennent à croire que ce n'est pas seulement le
rôle de négociateur que M. Bouchard assume, c'est le rôle de président
du comité du OUI. « On a vu M. Parizeau être littéralement éclipsé,
ajoute Pelletier. Cela a pris quelques jours avant qu'Ottawa réalise

exactement ce qui se produisait, quel était vraiment le rôle de M. Bouchard. » Quant à Jean Chrétien, il répète aujourd'hui ce qu'il a dit à l'époque : « C'était un signe que ça allait mal dans le camp du OUI. Quand M. Bouchard est devenu effectivement le nouveau conducteur de l'autobus, bah, je pensais que c'était le même autobus. »

À Ottawa, il n'y a pas que le bureau de Chrétien qui est pris par surprise. Toute la colline parlementaire est perplexe et s'interroge. « Pendant quelque temps, il y a eu une pause, dit Brian Tobin, ministre à l'époque. Vous savez, cette sorte de stupeur qui se produit lorsque vous conduisez votre auto et que, tout à coup, vous en perdez le contrôle. L'instinct vous dit simplement de tenir le volant et de vous laisser aller. Alors que vous devriez tenter de faire quelque chose pour vous sortir de ce dérapage. Je pense que la première réaction des responsables de la stratégie, autant au Cabinet qu'à l'extérieur, en fut une de paralysie[43]. » À Fredericton, le premier ministre du Nouveau-Brunswick est préoccupé : « J'étais très inquiet, dit Frank McKenna. Bouchard était charismatique, il avait du talent, mais aussi il était pur, en ce sens qu'on ne pouvait rien lui reprocher. J'avais très peur[44]. »

Pierre-Claude Nolin, l'un des importants stratèges du camp du NON, n'ignore pas ce que signifie l'arrivée de Bouchard en tête de la campagne du OUI. « Cela faisait notre affaire de voir M. Parizeau prendre toute la place, dit-il. Lorsqu'on a vu M. Bouchard arriver, c'était prévisible, mais on aurait rêvé, on aurait aimé que cela ne se produise pas. Mais cela s'est produit. On espérait que M. Parizeau n'accepte pas et prenne ombrage de l'importance à accorder à M. Bouchard. Mais cela ne s'est pas produit. »

Ce n'est pas que le leadership de la campagne du OUI qui change avec la nomination de Bouchard comme négociateur en chef. C'est aussi le message qui va, désormais, mettre l'accent sur le partenariat plutôt que sur la souveraineté. « M. Bouchard était plus marié que M. Parizeau à la notion de partenariat, dit aujourd'hui Mario Dumont. En tout cas, son image collait plus à cette notion-là. Le lundi matin suivant (l'annonce), quatre ou cinq jours après, dans toutes les régions du Québec, tous les militants du OUI ont adopté le slogan "On va gagner!" »

La stupeur des premiers jours passée, le camp du NON tente de s'ajuster. « Il a fallu changer notre façon d'entrevoir la suite des choses, dit le sénateur Nolin. Vous avez alors vu des premiers ministres des autres provinces affirmer que jamais ils n'accepteraient un partenariat comme celui que proposait M. Bouchard. Je pense à M. McKenna, entre autres. Et à M. Harris. » C'est cinq jours après la nomination de Bouchard comme négociateur en chef que le premier ministre de l'Ontario, devant le Canadian Club de Toronto, lance son avertissement au Québec : s'il devient indépendant, il devra, en tant que pays étranger, oublier la possibilité d'une union économique avec l'Ontario. « J'ai cru qu'il devenait important de servir un message aux Québécois, dit-il aujourd'hui. Et d'encourager les Ontariens à saisir toutes les occasions, qu'elles soient sociales, familiales, d'amitié ou d'affaires, de faire savoir aux Québécois que nous les considérions comme faisant partie du Canada. Et, deuxièmement, de dire aux Québécois qu'en Ontario, nous partagions certaines préoccupations très légitimes du Québec en matière constitutionnelle[45]. »

Harris fait, de la décision de Jacques Parizeau, l'analyse suivante : « S'il voulait demeurer premier ministre du Québec et chef du Parti québécois, on a vu que ce n'était pas un coup très habile. Si, en envisageant un échec au référendum, il considérait que son avenir était fini de toute façon, il a pris une décision brillante. Dans un cas comme dans l'autre, ça fait partie de l'Histoire[46]. »

Au sujet de Bouchard, Harris le compare à Pierre Elliott Trudeau. « Je déteste le dire parce qu'il est décédé, dit-il, mais je crois que Trudeau a presque détruit le pays. Je crois que ses politiques nous ont conduits à la ruine économique. Mais j'ai toujours admiré l'habileté politique de Trudeau. Il pouvait dire aux gens : ne vous inquiétez pas, je suis de votre côté, faites-moi confiance. Bouchard avait clairement cette qualité. Il était charmant, très convaincant, capable d'obtenir la confiance des gens comme aucun autre politicien québécois. Il avait du charisme[47]. » Pour sa part, Jean Chrétien ne parle pas de charisme, mais de discours faits sur mesure. « Il a réussi, dit-il, à toucher des notes qui ont provoqué un changement rapide qui nous a obligés à nous réveiller à cette nouvelle réalité. Qui n'était pas prévue. Eux-mêmes n'avaient pas prévu cela, pas plus que nous. » Il ne croit pas si bien dire.

« On n'a pas eu le temps d'en discuter pendant des semaines, reconnaît Bob Dufour, du camp du OUI et proche de Lucien Bouchard. Cela s'est fait tellement vite. On n'avait pas de stratégie par rapport à ça. » Alain Lupien voit, de son côté, les nombreux ajustements qu'il sera nécessaire d'apporter sur le terrain. « L'arrivée de M. Bouchard, ce n'était pas évident, dit-il. Parce que, pour l'organisation, c'est comme si on changeait de lieutenant en plein milieu. Chez les militants, il y a toujours ceux qui s'identifient plus à l'un qu'à l'autre. Il faut que, quelque part, les gens l'acceptent et qu'en même temps, cela ait un effet porteur. »

Outre les réglages qu'il faut apporter aux organisations sur le terrain et la consigne transmise de respecter la susceptibilité des partisans de chaque chef, la principale difficulté vient du réaménagement des autocars. En septembre, et dans la première semaine d'octobre, Lucien Bouchard était peu ou pas couvert par les médias. Il partait tous les jours d'Ottawa, où il continuait d'assumer ses fonctions de chef de l'opposition, et se rendait directement là où il devait participer à une assemblée. Mais la presse ne le suivait pas. « Donc, dit Jean-François Lisée, il fallait désormais le mettre dans l'autobus principal. Il fallait partager les jours de M. Parizeau, ceux de M. Bouchard et ceux de Mario Dumont, lorsque ce dernier serait présent. Les gens du Bloc en voulaient plus. Donc, il y avait une renégociation des autobus à faire. On aurait un deuxième autobus pour M. Parizeau. Cela a créé un certain nombre de moments intéressants ! »

Pour gérer ces « moments intéressants », Jacques Parizeau fait appel à Guy Chevrette. « Jean Royer m'a dit : "M. Parizeau te veut absolument au (comité permanent) national parce que ça brasse !", se souvient l'ancien ministre. Untel voulait faire un discours le soir, mais, tel chef, il fallait qu'il soit avec tel ministre, sinon il n'y allait pas. Ou l'inverse. Un ministre disait qu'il voulait être avec M. Bouchard, un autre voulait autre chose. Chacun cherchait à avoir de la visibilité. On disait, par exemple que Mme Marois devrait être avec M. Dumont, en Estrie. Oui, mais M. Dumont n'avait jamais de grosses assemblées !

Il n'y a pas eu de grosses chicanes. Ce sont les petites chicanes quotidiennes qui sont dures à gérer. C'est là aussi qu'on découvre les personnes. Ce qui me fatiguait le plus, c'était les *prima donna* : "Il faut que
je sois avec Lucien! Je ne veux pas aller avec Dumont. J'aime mieux
aller avec Lucien…" Je dois vous dire que ça brassait! »

Les trois partis politiques dans le camp du OUI ont leurs représentants au comité permanent national : Bob Dufour, du Bloc québécois, André Néron de l'ADQ, Monique Simard, vice-présidente du
Parti québécois, chacun assisté d'une équipe prête à défendre chère-
ment ce qu'elle estime revenir de droit à son chef. Jean Royer transmet
à Chevrette la volonté de Parizeau, mais le ministre des Affaires municipales habite Joliette, dans sa circonscription, où il doit s'assurer
d'une victoire convaincante du OUI. Il vient donc tous les matins à
Montréal, au comité permanent national, analyser les empoignades et
rendre visite à l'un ou l'autre des groupes pour le convaincre de mettre
de l'eau dans son vin.

À la fin de la première semaine de campagne, chaque camp a ses
ennuis. Mais ils sont bien différents, selon que l'on est dans le camp du
OUI ou dans le camp du NON. Le OUI tire toujours de l'arrière dans
les sondages par six ou sept points et certains indicateurs préoccupent
profondément ses organisateurs. Le dernier sondage SOM-
Environics, même s'il remonte à une semaine, indique que les 740 000
électeurs des 19 circonscriptions de la région de Québec ne favorisent
le OUI que dans une proportion de 47 %, à peine 2 % de plus que lors
du référendum de 1980. On soupçonne les fonctionnaires provinciaux
de nourrir un certain ressentiment envers le gouvernement. Dans une
déclaration au quotidien *Le Soleil*, la présidente de leur syndicat,
Danielle-Maude Gosselin, admet que la ferveur nationaliste des
35 000 employés de la fonction publique du Québec demeure tiède[48],
situation qu'elle attribue davantage à la morosité économique, qui enveloppe la région, qu'à un revirement de leur option politique. Mais,
quels que soient les motifs de leur mauvaise humeur, les stratèges du
OUI ont trois semaines pour la transformer en ardeur patriotique.

Pour eux, un coup de barre s'impose dans la région de Québec,
mais aussi dans toute la province. Outre le message de la souveraineté,

qui va toujours chercher son bassin d'adhérents, ils misent sur deux nouveaux facteurs : l'arrivée de Lucien Bouchard, qui propulse le partenariat comme élément central de la campagne, et la publicité, désormais autorisée. En effet, à compter du dimanche 8 octobre, le camp du OUI pourra dépenser un million de dollars en publicité, dont on espère beaucoup à cause de son caractère particulièrement agressif[49] : sur certains panneaux, la première lettre du OUI est remplacée par une pièce de monnaie, et c'est le huard canadien ! Les panneaux publicitaires prennent d'assaut les grandes routes et les rues importantes des villes et des villages. En vertu de la loi, les comités du OUI et du NON sont les seuls à pouvoir diffuser de la publicité, tant sur les panneaux, dans les journaux, que dans les médias électroniques. Et ils ne s'en priveront pas.

Si le camp du OUI doit réévaluer sa stratégie, sous peine de perdre le référendum, le camp du NON, pour conserver son avance, doit ajuster la sienne à la nouvelle menace qui vient de se dresser devant lui. « C'est très difficile, dans une campagne, de changer de stratégie, dit Bob Rae qui, en plus d'avoir une bonne expérience de politicien, est informé de ce qu'un changement de stratégie signifie pour le camp du NON par son frère, John, qui en est un membre actif. Devoir changer de stratégie, c'est ce qui a créé un problème. On l'a vu. C'était un problème énorme. » Lorsque Parizeau fait son annonce à l'Université de Montréal, Daniel Johnson est à Sept-Îles. Il doit improviser une tactique du moment et choisit de ne pas attaquer Lucien Bouchard, de crainte que ses propos ne lui éclatent en pleine figure. Il rappelle que le véritable chef du camp du NON est toujours Parizeau. « Ils tentent de transformer un référendum sur l'avenir du Québec en un concours de popularité[50] », dit-il. Puis il en tire une conclusion amusante : « En nommant Lucien Bouchard comme séparateur en chef, Parizeau a créé le seul emploi qui puisse être créé par la séparation politique du Québec. » Le mot est bon et provoque son effet.

Au comité permanent du NON, on est conscient du danger et la consigne est désormais formelle : pas d'erreur. « Comme on dit en anglais, *error free* était la seule option qui nous restait », dit

Pierre-Claude Nolin. Certains stratèges songent à sortir Pierre Elliott Trudeau de sa retraite. « Il n'en était pas question, ajoute Nolin. Certains l'auraient voulu. Il fallait absolument jouer toutes nos cartes, et les jouer adéquatement, sortir nos meilleurs atouts, ne pas prêter le flanc à un adversaire fort efficace qui aurait pu maximiser de petites erreurs. »

Mais, si on ne veut pas voir Trudeau s'identifier au camp du NON, doit-il en être de même de tous les politiciens fédéraux qui s'impatientent, à Ottawa, d'intervenir? « C'était devenu plus difficile, plus dangereux, dit Brian Tobin. Ce n'était plus le temps pour ceux qui n'étaient pas familiers avec le paysage québécois de s'y aventurer. (On nous disait :) "Laissez ça à ceux qui vivent au Québec, qui connaissent le Québec. S'il vous plaît, ne touchez pas à ça[51]." » Mais la consigne allait être plus ou moins respectée au cours des deux prochaines semaines, et pas du tout dans la troisième.

CHAPITRE IX
Le « miraculé »

La première assemblée du nouveau négociateur en chef, Lucien Bouchard, se tient, le dimanche soir, à Kingsey Falls, une petite ville des Bois-Francs, célèbre par un de ses fils, Conrad Kirouac, devenu le frère Marie-Victorin, et, par sa principale industrie, la papetière Cascades. L'organisateur du Bloc québécois, Bob Dufour, se souvient de la surprise qui attendait la caravane. « Au grand étonnement de M. Bouchard, dit-il, il était venu, dans une petite église, je pense, quelque chose comme 1 000 ou 1 200 personnes. C'était l'euphorie. M. Bouchard a eu de la difficulté à entrer dans l'église et à en sortir. On ne comprenait pas trop le phénomène. »

Ce soir-là, à Toronto, le ministre David Collenette regarde les nouvelles à la télévision, en compagnie de son épouse. Il voit les images de Kingsey Falls. Il cherche d'abord à comprendre, puis il va à la chaîne d'information continue du réseau français, le RDI. « Je me suis tourné vers ma femme et je lui ai dit : "Tu sais, nous avons des problèmes !", rappelle-t-il. J'ai eu tout simplement peur ! Et, dans les jours qui ont suivi, nous avons été quelques-uns à en parler entre nous[1]. »

Est-ce le hasard de l'organisation des tournées ou faut-il supposer qu'à la toute dernière minute, les stratèges ont compris que l'avenir du OUI était désormais accroché à l'idée du partenariat ? Toujours est-il que c'est avec Mario Dumont que le nouveau négociateur en chef du gouvernement québécois, à peine désigné, a pris la route le dimanche 8 octobre, à destination de Sherbrooke, Windsor et Kingsey Falls. Le message, que Lucien Bouchard apporte aux gens venus l'accueillir, est tourné vers l'avenir : au lendemain d'une victoire du OUI, dit-il en substance, il n'y aura plus de souverainistes au Québec, il n'y aura que des Québécois. Michel Bélanger, Daniel Johnson et Jean Charest vont devoir appuyer le projet québécois parce que le peuple l'aura décidé. Et, pour ce qui est des négociations avec le Canada, elles seront paisibles et rapides. Ce message soulève l'enthousiasme partout où Lucien Bouchard passe.

Avec Bouchard, le discours du OUI cesse soudainement d'être crispé. Il respire l'optimisme. Pendant que le chef du Bloc fait une courte halte à Windsor, Mario Dumont visite le musée J.-A. Bombardier de Valcourt, situé à une vingtaine de kilomètres. Il y tient des propos identiques : « Même le président de Bombardier sera parmi les premiers à promouvoir le projet de partenariat Québec-Ottawa », dit-il. Il rappelle que, toute multinationale qu'elle soit, la compagnie Bombardier doit se souvenir qu'elle existe parce que son inventeur québécois a su se battre pour la mettre sur pied et parce qu'elle s'est développée grâce aux taxes, notamment, des Québécois.

Lucien Bouchard, hier encore plutôt effacé derrière Jacques Parizeau, se lance maintenant dans la campagne comme un général d'armée. La manœuvre n'a pas d'égal dans l'histoire politique canadienne. On n'a encore jamais vu un premier ministre provincial, chef d'un gouvernement bien en place, confier à un député fédéral, qui ne siège pas à l'Assemblée nationale et ne représente donc pas son parti, le soin de défendre son propre projet dans une campagne électorale ou référendaire. La situation est nouvelle, étonnante, presque biscornue, de sorte que le camp du NON va tenter de l'exploiter à son avantage. Certains fédéralistes vont parler d'une situation qui a des airs de coup d'État, d'une tentative de putsch. D'autres tenteront plutôt de minimiser l'effet Bouchard en rappelant que, si le OUI l'emporte, c'est toujours Parizeau qui dirigera la barque. Certains y verront la preuve que la zizanie est en train de s'installer dans le camp du OUI, alors que d'autres soutiendront que c'est déjà fait, tel le *Globe and Mail* pour qui, plus que de zizanie, c'est de révolte dont il faut parler : « C'est une révolte, qui grondait dans les rangs souverainistes, qui a forcé Jacques Parizeau à remettre les rênes de la campagne du OUI au leader du Bloc québécois », écrit le correspondant du quotidien au Québec, Rhéal Séguin. Selon le journaliste, la nomination de Bouchard ne s'inscrit pas dans une stratégie longuement planifiée. « Selon des sources, qui ne veulent pas s'identifier, ajoute-t-il, les pressions pour placer M. Bouchard à la tête de la campagne ont surgi la semaine dernière lorsqu'il est devenu évident que le OUI s'en allait vers une défaite certaine[2]. »

L'article du *Globe and Mail* paraît le lundi matin. Quelques heures plus tard, c'est au parc éphémère[3], devant 300 personnes, que Lucien Bouchard lui répond : « La campagne n'est pas la campagne d'une seule personne. J'ai une expérience des négociations et je connais la scène fédérale depuis dix ans. Il ne s'agit pas de m'imposer comme figure principale. »

Le discours du camp du NON est ambigu : c'est toujours Parizeau qui sera le timonier après le référendum… à moins que Bouchard ne le tasse ! La question mérite d'être posée : Lucien Bouchard a-t-il voulu lui-même pousser Jacques Parizeau hors de son siège de chef du camp du OUI et, ultimement, de celui de chef du Parti québécois ? L'organisateur du Bloc québécois, Bob Dufour, le nie énergiquement : « On n'a jamais pensé à cela, dit-il. Il n'y a jamais eu de stratégie, on n'a jamais discuté, on n'a jamais abordé l'idée de prendre *la job* de M. Parizeau. » Et les témoignages recueillis sont unanimes : personne n'aurait pu tasser Parizeau à moins qu'il ne se tasse lui-même, et il l'a fait quand il a compris que c'était la seule façon de gagner son référendum. Dufour reconnaît cependant que les pressions étaient fortes. « J'en ai fait des tournées, j'en ai fait du terrain, je parlais au monde, j'avais le *feeling* du terrain, je savais comment les gens réagissaient, dit-il aujourd'hui. On se faisait dire : "Vous, M. Bouchard, vous devriez être à la place de M. Parizeau. Vous seriez un bien meilleur chef pour le PQ. Bien oui, on se faisait dire ça !" »

La manœuvre est à ce point inusitée, que même Lisette Lapointe sent le besoin de dire, dans une entrevue au *Journal de Montréal*, qu'« il n'y a pas de compétition entre Jacques Parizeau et Lucien Bouchard[4] ». Bouchard lui-même doit très rapidement clarifier sa position vis-à-vis du chef du camp du OUI. Il le fait dès le lundi 9 octobre, à l'émission

Le Midi Quinze de Radio-Canada en affirmant qu'il ne prend pas la place de Jacques Parizeau à la tête des forces du OUI. « Il demeure le *primus inter pares*, le premier intervenant, dit-il. Moi, j'exécute tous les mandats qu'on me confie. » Il profite de l'occasion pour dissiper aux yeux du public l'équivoque d'un deuxième référendum sur des négociations entre le Québec et Ottawa.

Tout au cours de la première semaine d'octobre, le camp du OUI a laissé l'impression qu'il n'était pas prêt. Il était en retard dans les sondages, il l'était aussi dans la campagne qui en était à ses premiers jours. Jusqu'au 1er octobre, la machine attendait le signal du décret pour se mettre en branle alors que, durant la dernière semaine de septembre, Daniel Johnson rodait ses tournées dans le Bas-du-Fleuve et à Montréal. Les affiches du NON étaient partout et les panneaux, retenus longtemps à l'avance, clamaient déjà haut et fort les vertus du fédéralisme. Leur message est agressif : les affiches bleues et rouges étalent le mot « séparation » coupé en deux par un énorme NON, ce qui donne « sépa-NON-ration ». C'est dans la plus parfaite illégalité que le camp du NON, au cours de la fin de semaine du 16 septembre, a fait installer des milliers de pancartes le long des autoroutes et des routes provinciales. Dans la ville de Québec, les affiches du NON décorent le boulevard Laurier, la Grande Allée, et elles sont même présentes dans les journaux et à la télévision. Dès le 19, le sous-ministre des Transports, Yvan Demers, a envoyé une lettre aux deux directeurs de comité, Benoît Savard du NON et Normand Brouillet du OUI, pour leur rappeler les conditions d'installation de panneaux le long des routes. La Loi interdit d'afficher « dans les emprises des routes en dehors de toute campagne référendaire ou électorale formelle[5] » et il n'y a pas de campagne formelle tant que les brefs n'ont pas été émis. Le sous-ministre intima au camp du NON l'ordre d'enlever ses affiches, à défaut de quoi ce sont des employés de son ministère qui le feraient. Le camp du NON a immédiatement demandé une injonction devant les tribunaux, invoquant qu'un fonctionnaire du ministère des Transports lui a donné l'autorisation d'afficher. L'injonction a été rejetée. La ville de Québec a exigé également des deux comités du OUI et du NON qu'ils respectent la loi jusqu'à ce que la campagne référendaire commence. Pendant tout ce temps, les affiches du NON restent en place pendant que le camp du OUI attend l'argent nécessaire, et l'autorisation de le dépenser, qui lui vient finalement, conformément aux dispositions de la loi, le dimanche 8 octobre.

À compter de ce jour, tout change, et ce n'est pas uniquement à cause des pancartes. « Avant la nomination de M. Bouchard, cela paraissait qu'il y avait comme une limite dans notre potentiel de votes, dit le chef de cabinet de Jacques Parizeau, Jean Royer. Des gens demeuraient hermétiques à notre argumentaire. Et, soudainement, des gens se sont dégagés, eux qui, la veille, étaient fermés. » Et ces gens vont bouleverser l'organisation de la campagne du OUI jusque dans ses moindres détails. Dès les premières sorties de Bouchard, il y a une effervescence autour de la campagne référendaire du OUI, « un engouement pour M. Bouchard qu'on n'espérait pas tant. Mais ça marchait! », dit Alain Lupien, coordonnateur de la campagne de financement du OUI. L'organisation du OUI avait établi un standard en ce qui concerne la grandeur des salles où se tiendront les assemblées. « Il a fallu tout revoir, ajoute Lupien. Il fallait même prévoir, par exemple, si nous avions une salle capable de recevoir 2 000 personnes, et ce que nous devions faire si ça débordait. Nous devions toujours avoir un équipement de son additionnel pour porter le message hors des salles. On n'arrivait pas à prévoir l'ampleur de chaque événement. Nous n'étions plus dans une dynamique où il fallait rapetisser les salles pour qu'elles aient l'air pleines, mais comment pouvait-on agrandir les salles pour faire entrer le maximum de personnes? »

Le camp du NON est secoué plus qu'il n'y paraît. « L'effet était réel, se souvient Jean Charest. Cela a changé la campagne référendaire. On a senti une différence immédiate. Au début, et moi inclus, on ne savait pas par quel bout prendre tout ça. Cela m'a rappelé la campagne fédérale de 1993. M. Bouchard était très populaire et, franchement, ses adversaires ne savaient pas comment l'aborder. On ne pouvait pas l'attaquer personnellement. Le camp du NON était simplement embêté et cherchait une façon de contrecarrer son effet sans avoir l'air de l'attaquer personnellement. » Quant à Bob Rae, il voit immédiatement que les enjeux de la campagne vont changer. Daniel Johnson doit changer son discours. Jusque-là, « homme pratique, qui, selon Rae, a une approche concrète des choses », il est parvenu dans une certaine mesure à maintenir le débat au niveau des relations qu'il faut améliorer avec le gouvernement fédéral. Mais, avec l'arrivée de Bouchard, « il ne fait aucun doute, ajoute Bob Rae, que la mythologie de Meech, l'argument des trahisons successives, des coups de poignard dans le dos, la nuit des longs couteaux, va lui servir à mobiliser le ressentiment des Québécois envers le Canada qui, selon lui, a tourné le dos au Québec. M. Bouchard a joué de cette mythologie dans la psychologie des Québécois[6]. »

Le camp du NON se sent impuissant à attaquer Lucien Bouchard dans sa carrière politique ; elle a été trop brève et il a bien géré ses dossiers. Il ne peut l'attaquer non plus dans sa vie personnelle, ce n'est pas dans la tradition politique de ce pays et, de toute façon, qu'aurait-on pu dire ? Mais alors, comment l'affronter ? Les stratèges fédéralistes décident d'organiser des groupes de discussion. « On a fait des études pour voir comment contrer l'effet Bouchard, admet aujourd'hui John Parisella. Est-ce que cet effet était si fort parce qu'il n'y avait pas de sens critique dans notre société ? Dans les *focus groups*, nous avons présenté des images de M. Bouchard aux participants, puis on leur a demandé : Est-ce que ça vous dérange ? Êtes-vous d'accord avec ça ? Quand ils n'étaient pas d'accord avec ce que M. Bouchard disait, ils répondaient : "Ce n'est peut-être pas ce qu'il a vraiment voulu dire !" » Selon Parisella, le problème à résoudre se situe dans l'univers de l'irrationnel, dans un univers où il n'y a plus de place pour le discours et l'argumentation.

« Moi, j'ai compris qu'il y avait quelque chose de changé, dit Daniel Johnson, quand des journalistes nous ont dit avoir vu quelqu'un toucher son veston [de Lucien Bouchard] avec un chapelet, à Sainte-Marie de Beauce ou je ne sais pas où. Je n'avais jamais vu ça. Peut-être dans d'autres pays, mais certainement pas au Québec, en 1995. Cela relevait en partie du phénomène de masse. On n'était plus dans un débat référendaire, on était dans un épisode qui tenait à la personnalité de quelqu'un, à son histoire, à son cheminement, à sa façon de s'exprimer. » Jean Chrétien, qui, dans sa vie de politicien, a pourtant fréquenté les personnages les plus singuliers, n'en revient pas : « Il y avait des gens qui lui demandaient quasiment de bénir le drapeau du Québec, voyons donc ! s'exclame-t-il encore aujourd'hui. Alors, c'était un peu inusité. J'ai fait beaucoup de politique, mais des situations comme celle-là, je n'en avais jamais vues. Ce n'était plus de la politique. Je ne veux pas faire allusion à M. Ryan, mais c'était comme la main de Dieu qui intervenait dans l'esprit de bien des gens. Nous avons dû composer avec cette réalité-là. Les gens pensaient qu'il était le Messie[7] ! » Le Messie ! Beaucoup d'anciens membres du camp du NON ont ce mot à la bouche pour décrire l'effet Bouchard. « Un soir, se souvient Pierre-Claude Nolin, en regardant les nouvelles, je voyais les gens devant M. Bouchard, des gens qui, finalement, voulaient le toucher. Je voyais des gens qui le regardaient un peu comme le Messie qui allait sauver les Québécois. C'était très préoccupant. »

Même dans le camp du OUI, on n'en revient pas. « C'était un miraculé, qui se promenait au Québec », dit Guy Chevrette. L'ancien ministre se souvient d'une assemblée à laquelle Bouchard participait, le vendredi 13 octobre, à l'école Marie-Charlotte de Joliette. Les gens voulaient lui toucher. « Les murs en craquaient, dit-il. Il venait de vivre la maladie de la bactérie mangeuse de chair, il avait lutté, il en était sorti, c'était quasi un miracle. Cela a eu un effet dans le public. Il était charismatique. » « Il était quasiment plus populaire que le frère André au sommet de sa gloire, confesse Bob Dufour. C'était presque religieux. » « Les gens voulaient lui toucher comme on veut toucher à un saint homme, comme s'il s'était rapproché de Dieu », se souvient Alain Lupien.

Pour Pierre-Paul Roy, qui faisait partie de sa garde rapprochée, plusieurs traits de la personnalité de l'homme peuvent expliquer l'effet Bouchard. « Il y avait d'abord une partie du même effet qu'avec René Lévesque, dit-il. Et puis, M. Bouchard, c'était un grand homme, débarqué d'Ottawa, qui sacrifiait une carrière de ministre et d'ambassadeur, qui devenait simple député, qui prenait l'autobus, qui formait un parti… Et il avait un côté rassurant, que M. Parizeau n'avait pas. C'était un homme qui avait beaucoup de charme et, en politique, il en usait consciemment et correctement. Et, évidemment, il y a eu la maladie. On ne peut pas faire abstraction de sa maladie. Cela a créé cette empathie-là. Ce fut un mélange de tout cela. »

Avec le recul, Jacques Parizeau établit un parallèle avec la trudeaumanie des années 1970. « Pierre Elliott Trudeau était suivi par des hordes de gens qui l'embrassaient, embrassaient ses vêtements, dit-il. Ce sont là des choses importantes. Il faut apprendre à s'en servir. Ce n'est pas quelque chose qu'on planifie, mais on peut l'aménager. Ce n'est pas par hasard si, parlant par exemple devant une chambre de commerce de Montréal, Pierre Trudeau était tout à coup entouré de vingt jolies femmes qui attendaient depuis une heure et demie à l'étage inférieur du Cercle canadien de Montréal. Vous savez, il y a du spontané et il y a du moins spontané ! » A-t-on, dans le camp du OUI, « aménagé » la « bouchardmanie » ? Jacques Parizeau ne se compromet pas : « Je n'en sais rien, répond-il. Parlez-en à son organisateur, un organisateur remarquable, le meilleur que je n'ai jamais rencontré ! » Pour l'organisateur, Bob Dufour, il n'est pas nécessaire d'orchestrer la « bouchardmanie ». « Le monde lui donnait la main, ils avaient l'impression de parler à un saint, dit-il, laissant ainsi entendre qu'aucune mise en scène n'était nécessaire. Cela n'avait aucun bon sens. Il y avait quelque chose là-dedans. J'ai fait beaucoup de politique. Un phénomène comme ça, je n'ai jamais vu ça ! »

Dans quelle mesure le handicap de Lucien Bouchard a-t-il fait de lui l'homme charismatique qu'il est devenu ? On se souvient que, pendant les jours de son hospitalisation, les trois quarts des Québécois déclaraient qu'ils avaient confiance en lui, du jamais vu dans des sondages sur une personnalité politique. A-t-il alors cherché à s'en servir pendant la campagne référendaire pour attirer plus de sympathie de la part du public ? « M. Bouchard ne mettait pas son handicap en évidence, dit Alain Lupien. Il n'a jamais accepté qu'il le limite dans ses activités. Dans les scènes qu'on avait à construire pour ses assemblées, il n'était pas question de faire des aménagements pour qu'il puisse se dérober par une porte de côté. Il voulait être l'homme politique qu'il était et marcher comme tous les autres hommes politiques doivent marcher. Souvenez-vous du défilé de la Saint-Jean. Il aurait très bien pu monter dans une auto, et la population l'aurait accepté. Non, il voulait marcher. Il n'a jamais cherché à mettre son handicap à profit. Il avait du charisme. Il n'avait pas besoin de mise en scène. »

Quelles que soient la perception de la population du nouveau rôle de Lucien Bouchard et l'importance que va prendre désormais la notion de partenariat dans la campagne du camp du OUI, Jacques Parizeau continue de se comporter comme le chef et de maintenir le même discours sur la souveraineté du Québec. Il a, les jours précédents, fort mal accueilli l'intervention des poids lourds de l'économie québécoise dans le débat référendaire. Sa riposte prend la forme d'une assemblée de quelque 400 chefs de petites et moyennes entreprises, qui ne sont pas hostiles à la marche vers la souveraineté. « J'ai demandé à Bernard Landry de réunir des gens d'affaires qui témoigneraient qu'ils sont Québécois et qu'ils ne sont pas une bande de complexés devant le Canada anglais[8] », dit-il. Mais c'est de Pierre Péladeau que vient le véritable coup d'assommoir à l'endroit des Beaudoin, Desmarais et Garcia, lorsque le président de Quebecor invite le chef de la direction de Bombardier à « se la fermer ». Tout en reconnaissant aux gens d'affaires le droit d'exprimer leurs préférences dans la campagne référendaire, il déclare, dans une entrevue téléphonique au *Devoir*, que c'est de la « connerie » que de prétendre qu'une entreprise de la taille de Bombardier puisse être sérieusement menacée dans un Québec indépendant. « Et ce n'est pas le rôle d'un chef d'entreprise, d'adresser une lettre à ses employés pour tenter d'influencer leur choix[9] », ajoute-t-il. C'est une mise au point qui a du poids, et les souverainistes applaudissent.

Pendant ce temps, le chef du camp du NON maintient le cap : il parle d'économie. Au royaume de Lucien Bouchard, devant une centaine de personnes réunies dans un hôtel de Chicoutimi, Daniel Johnson prévient que l'indépendance du Québec est une menace pour quelque 3 500 emplois, notamment à la base aérienne de Bagotville. « Si le Québec se sépare, dit-il, on ne sera pas plus fort, pas plus riche, et les jeunes auront moins d'emplois[10]. » Il met en relief la dépendance du Québec vis-à-vis des paiements de péréquation, « 3,5 milliards que le Québec reçoit, chaque année, de la Colombie-Britannique, de l'Alberta et de l'Ontario[11] ».

Dans le reste du Canada toutefois, ce n'est pas la péréquation qui préoccupe les Canadiens, mais le référendum lui-même, qu'ils considèrent comme l'un des plus grands problèmes auxquels doit faire face le Canada. Un sondage de la firme Angus Reid démontre que les habitants de la côte ouest sont plus préoccupés par le référendum que les Québécois eux-mêmes, une inquiétude alimentée par leur premier ministre, Michael Harcourt, qui en évoque « les terribles conséquences[12] ».

Le message de Harcourt est entendu. Sur le babillard d'un petit bar de l'Université Simon Fraser, des étudiants du Centre for Canadian Studies épinglent une invitation à une rencontre de tous ceux qui s'intéressent à ce qui se passe au Québec. Une étudiante à temps partiel, peintre paysagiste de son métier, répond à l'invitation. Avec quatre autres étudiants[13], Judith Atkinson décide qu'il faut dire aux Québécois à quel point, dans le reste du pays, on attache de l'importance à leur appartenance au Canada. L'idée retenue : envoyer le plus grand nombre de cartes postales possible aux Québécois. Comme elle enseigne au Shadbolt Centre for the Arts de Burnaby, elle mobilise ses jeunes élèves de six à neuf ans et installe, en face du petit bar de l'université, des chevalets où tous ceux qui le désirent, crayons-feutres à la main, peuvent fabriquer leur propre carte postale. Ceux qui n'ont aucune inspiration utilisent celles fabriquées par les enfants, accrochées bien à la vue, comme sur une corde à linge. Certains ont des adresses postales de Québécois, d'autres non. Qu'à cela ne tienne, dans une librairie pas très loin il y a les annuaires téléphoniques ! « Les gens faisaient la queue, se souvient Atkinson aujourd'hui. Pendant deux jours, sans arrêt. C'était plein de gens[14]. » Certains ont reçu des réponses à leur carte postale !

Une autre étudiante de l'Université Simon Fraser se passionne tout autant pour les événements du Québec, mais pour une raison différente : Anouk Bélanger, qui fait des études de doctorat à la School of Communications, est Québécoise. Elle décide d'expliquer à la population du campus, dans le journal de l'université, qu'un OUI ou un NON peuvent avoir de multiples significations. « J'étais tannée, dit-elle aujourd'hui pour justifier son article, de répondre aux gens qui voulaient juste savoir si j'allais voter OUI ou NON. J'étais tannée aussi de voir comment le OUI et le NON étaient compris là-bas dans les nouvelles des médias. Ça tournait toujours autour d'une logique économique. Il n'était pas question d'identité culturelle, d'identité nationale. » Dans ce petit texte, elle explique alors qu'il peut y avoir un OUI plus radical, un autre plus nuancé et un troisième exprimé simplement par dépit. Elle pense se débarrasser ainsi des nombreuses questions qu'on lui pose tous les jours. C'est le contraire qui se produit. Elle devient la référence et le service des relations publiques de l'université donne son nom à tous les journalistes de la ville qui veulent parler à un expert sur le sujet.

Anouk Bélanger accepte de participer, avec sa sœur Sophie en visite à Vancouver, à une tribune téléphonique, animée par David Abbott, un personnage au verbe flamboyant, qui ne craint pas de verser dans la démagogie. L'émission, prévue pour vingt minutes, dure deux heures et les deux sœurs en sortent marquées. « On allait à la radio avec un animateur qui aimait soulever la polémique, se souvient Sophie. Et on savait que nos opinions politiques étaient loin de faire l'unanimité ! » « On s'est beaucoup lancées dans la gueule du loup, dit sa sœur Anouk. Je me suis rendu compte qu'expliquer une position politique, quand tu ne possèdes pas bien la langue, c'est difficile. Celui ou celle qui ose le faire accrédite le stéréotype du Québécois qui se veut souverainiste, mais qui est incapable de dire pourquoi. La langue devient un peu un handicap et renforce le stéréotype d'une jeune émotive et irrationnelle qui a de la misère à s'expliquer[15]. »

L'économie continue de dominer le débat référendaire, d'autant que le dollar se comporte avec une certaine nervosité. Le mardi 10 octobre, la Banque du Canada relève son taux d'escompte de 13 centièmes, à 6,63 %, afin de soutenir un dollar qui perd graduellement du terrain par rapport à la devise américaine. Il en est maintenant à 74,89 cents américains sur le marché interbancaire nord-américain. À Québec, Jacques Parizeau prend, sur les ondes de TVA, l'engagement de ne pas augmenter le fardeau fiscal des Québécois pendant les deux années qui suivront une victoire du OUI. Il profite de l'occasion pour revenir sur les propos de Johnson à Chicoutimi. Selon lui, loin de provoquer la fermeture de la base de Bagotville, l'indépendance va lui permettre d'accroître ses effectifs, ce qui peut se traduire par quelque 250 emplois additionnels. Daniel Johnson, sûr de lui, sert à Parizeau une réplique fracassante : loin de créer des emplois, une victoire du OUI en ferait perdre 92 300 ! Il se défend d'être alarmiste, mais produit un éventail d'études d'experts, dont cinq font partie de la quarantaine commandée par le ministre Le Hir. « On constate l'unanimité parmi les chercheurs, dit le chef du NON. Aucune étude faisant état d'une amélioration de l'emploi au Québec en cas de séparation n'existe ou ne peut être trouvée[16]. » Faux, réplique Louise Harel, ministre de l'Emploi. Au contraire, un Québec souverain générerait quelque 25 000 nouveaux emplois, découlant d'une augmentation des investissements dans les domaines de la recherche et du développement ainsi que de l'achat de biens et services.

Les fédéralistes maintiennent le cap, continuent de taper sur le clou de l'économie et puisent dans les études Le Hir les éléments qui vont dans le sens de leur option. À Ottawa, Marcel Massé, ministre des Affaires intergouvernementales, annonce qu'à cause de l'incertitude politique, le ministre des Finances reporte au-delà du référendum l'exposé économique qu'il présente habituellement à la mi-octobre. Il ajoute que « la popularité de Lucien Bouchard est un élément négatif pour les marchés[17] ». Il se sert, lui aussi, d'une étude Le Hir, celle du professeur Marcel Saint-Germain, pour affirmer que « les pertes d'emplois dans la fonction publique seront très élevées, peut-être de l'ordre de 15 à 18 000 dans l'Outaouais ».

C'en est trop pour Lucien Bouchard. Dans la cour d'une usine, à Chambly, il lance à un groupe de journalistes : « Je ne veux rien entendre des études de Le Hir. Ce ne sont pas les miennes. Ce sont celles de Le Hir. C'est du passé pour moi. C'est la campagne passée. » Il admet qu'il n'a à peu près rien lu de ces 47 études qu'on a, un jour, déposées sur son bureau et qui ont coûté autour de 10 millions de dollars au Trésor public. Il n'en a que faire dans ses discours. Il y a cependant, pour le OUI, un os : Jacques Parizeau continue d'appuyer son argumentaire économique sur la plupart de ces études, qu'il considère comme très valables. Dix ans après, quand on lui rappelle cet

épisode, l'ancien premier ministre garde sa réserve olympienne : « Je
sais très bien à quel point lui-même allait se mettre dans une situation
extrêmement embarrassante, dit-il. On l'a vu, quand il est devenu
premier ministre et qu'il a voulu recommencer le combat pour la souveraineté. Il fallait qu'il fasse refaire une série d'études, dont il disait
qu'elles n'étaient pas pertinentes. En fait, il n'était pas au courant de ce
qu'il y avait dans ces études. Des études qu'aucun gouvernement responsable ne peut éviter s'il veut structurer un pays. Il apprendra à ne
pas faire des déclarations comme ça! » Guy Chevrette, qui a vécu le
malaise créé par la déclaration de Bouchard, l'explique à sa manière :
« Pour lui, dit-il, ce n'était pas l'accumulation d'études qui faisait
avancer le débat dans le peuple. Cela pouvait être important pour une
classe intellectuelle afin de préparer le passage du fédéralisme à la souveraineté mais il trouvait qu'on ciblait trop là-dessus. Pour lui, c'était
plutôt la fierté, notre capacité de faire… » Lucien Bouchard tente ainsi
d'écarter l'économie comme enjeu principal de la campagne. John
Parisella en tire la conclusion suivante : « Il n'y a personne pour lui
poser des questions sur ce qu'il a dit, remarque-t-il. La campagne est
devenue très axée sur la personne. »

Annoncée la semaine précédente par sa femme Mila à l'assemblée du NON au Metropolis, c'est dans le *New York Times* que l'ancien
premier ministre Brian Mulroney fait sa première sortie. Publié dans
la page d'opinion du grand quotidien américain sous le titre *Les séparatistes du Québec veulent le meilleur des deux mondes*, Mulroney se
moque des souverainistes. « Jusqu'où l'État canadien a-t-il poussé l'injustice pour justifier que l'on brise l'une des grandes nations de ce
monde? demande-t-il. Pas très loin, car les séparatistes promettent
qu'après la sécession, les Québécois pourront garder la citoyenneté canadienne, le passeport canadien, la monnaie canadienne et une union
économique avec le Canada. Quel toupet[18]! » Le texte est accompagné
d'une caricature : une grosse tête de bébé, une fleur de lys sur le front,
qui braille de grosses larmes identifiées d'un C pour Canada.

La réplique ne se fait pas attendre. « Comment se fait-il, lance
Lucien Bouchard au cours d'une conférence de presse à Sorel, que cet
homme éprouve le besoin d'aller se cacher aux États-Unis pour faire

ce genre d'intervention ? C'est là qu'il sera le moins hué[19] ! » Une allusion à l'accueil que de nombreux badauds rassemblés devant la basilique Notre-Dame de Montréal ont réservé à Mulroney lorsqu'en compagnie de sa femme, il est sorti de sa limousine pour assister, le 17 décembre 1994, au mariage de Céline Dion et de René Angelil. Le week-end précédant la publication de son texte dans le *New York Times*, Mulroney l'a passé à Colorado Springs, à un sommet d'anciens leaders de la planète, en compagnie de Margaret Thatcher, François Mitterrand, Mikhaïl Gorbatchev et George Bush, père. Deux d'entre eux, Bush et Gorbatchev, se croient autorisés à se prononcer sur le référendum. Bouchard ne laisse rien passer : au cours de la même conférence de presse, il les écorche au passage. Il rappelle que Bush est un ami de Mulroney, ce qui expliquerait son appui au NON, et que Gorbatchev, après avoir présidé au démantèlement de l'Union soviétique, a peu de leçon à donner aux Québécois, d'autant plus qu'il a traité ses minorités de façon « ignoble » et « inimaginable ».

À cinq jours de la date prévue pour la présentation d'un débat télévisé, le camp du OUI tergiverse. Il réclamait une répartition égale du temps d'antenne entre les conséquences du OUI et du NON. Il l'a obtenue. Il présente maintenant une série de nouvelles conditions et met en doute l'impartialité du consortium des réseaux de télévision. Dans les faits, il semble bien que le camp du OUI ne veut pas de débat télévisé. L'arrivée de Lucien Bouchard sur la première ligne a relancé la campagne souverainiste et les stratèges craignent de la ralentir par un débat qui placerait Jacques Parizeau, seul, devant Daniel Johnson. Le premier ministre a de l'assurance et connaît mieux ses dossiers que Lucien Bouchard, mais son ton doctoral et son humour parfois caustique font mauvais effet, lorsque servis en gros plan à la télévision. Lucien Bouchard, par contre, sait toujours trouver le mot juste, le ton qu'il faut et il a l'empathie qui peut permettre d'émouvoir deux ou trois millions de téléspectateurs. Par ailleurs, Parizeau ne peut déléguer son partenaire à un débat que, de toute façon, le camp du NON refusera et dont il ne manquera pas de faire des gorges chaudes. Il est, par conséquent, déjà dans la deuxième semaine du référendum, plus que probable qu'il n'y aura pas de débat.

Entretemps, Radio-Canada se met dans l'eau chaude en refusant de diffuser l'un des deux messages publicitaires du OUI. Le message est construit d'une succession de déclarations écrites : « Nous voulons un Québec fort », « Nous voulons un Québec français », « Nous voulons un Québec du plein emploi », avec, entre chacune des déclarations, des images de Jean Chrétien, Daniel Johnson, André Ouellet et Lucienne Robillard, qui lancent un NON retentissant. Radio-Canada exige que l'on démontre que chacun des NON est bien exprimé en relation avec chacune des déclarations. Il est évident que cette démonstration n'est pas possible. Mais, comme les autres télédiffuseurs n'ont pas les mêmes scrupules, Radio-Canada reçoit une volée de bois vert de la part du camp du OUI et des reproches du Comité des télédiffuseurs du Canada. « Rien ne contrevient à nos critères », déclare sa présidente, Patricia Beatty. « Une décision frileuse », juge le spécialiste des communications Claude Cossette.

Daniel Johnson, qui, jusque-là, donnait le ton à la campagne, sent que l'initiative lui échappe depuis l'arrivée de Lucien Bouchard. Il lui faut recentrer l'attention des électeurs sur Jacques Parizeau, qui sera toujours à la tête du Québec au lendemain du référendum. « À court d'arguments, ayant perdu le débat économique, Jacques Parizeau a décidé de mentir aux Québécois, lance-t-il devant les membres de la Chambre de commerce de Saint-Jérôme. Il a carrément recours aux mensonges lorsqu'il évalue le déficit d'un Québec souverain, lorsqu'il ne reconnaît pas les pertes massives d'emplois et lorsqu'il promet de ne pas hausser les impôts pour deux ans[20]. »

Malgré un sondage du Parti québécois, réalisé deux jours après la nomination de Lucien Bouchard auprès de 1 285 électeurs, qui place les deux options à peu près à égalité, le camp fédéraliste nie toujours l'évidence. Il soutient que ses propres enquêtes indiquent une avance du NON de six points et que, même si elle a perdu un point, l'option fédéraliste s'enracine de plus en plus dans les intentions des électeurs. Daniel Johnson prétend que le OUI est en panique, ce qui n'empêche cependant pas le huard de perdre encore quelques plumes, le marché boursier d'être de plus en plus nerveux, et Bob Rae de parler de tragédie qui n'est pas nécessaire.

Le mardi 11 octobre, les Cris réapparaissent dans le paysage référendaire. Ils publient un ouvrage de 500 pages, *Sovereign Injustice*[21], dans lequel ils réaffirment que les nations autochtones ont un droit à l'autodétermination, y compris celui de continuer de faire partie du Canada. L'ouvrage, qui reprend l'essentiel d'une étude présentée en février 1992 devant la Commission des droits de l'homme des Nations unies, s'appuie sur un large éventail d'analyses et d'études de spécialistes canadiens et internationaux. Il soutient notamment que le droit international ne fournit aucune base à un Québec qui voudrait conserver ses frontières actuelles. Le document n'est publié qu'en anglais, mais les Cris s'adressent aussi à l'ensemble des Québécois francophones par l'achat d'une pleine page de publicité dans la plupart des quotidiens de langue française. Elle contient, entre autres, une carte qui illustre ce qu'était le territoire cri avant qu'il ne soit rattaché au Québec en 1898[22] et que les Autochtones entendent conserver en propre, advenant l'indépendance du Québec. « Ils ont créé le Canada et personne ne nous a jamais demandé si nous voulions en faire partie. Pensez-vous que nous allions manquer le bateau, cette fois-ci[23] ? », dit Matthew Coon Come.

« Nous avons toujours été prudents dans ce genre de débat, ajoute le chef cri, parce qu'il s'agit des principes du droit à l'autodétermination. En vertu du droit international, est-ce que les Autochtones ont le même droit ? Quels sont les critères auxquels il faut satisfaire pour être reconnu comme peuple, comme nation ? Pour qu'on reconnaisse un droit à l'autodétermination ? Ce sont les points que nous avons voulu faire valoir[24]. » Coon Come ne cache pas que sa communauté a peur du Québec. « Il y avait la peur des représailles à cause de la position que nous avions prise, peur que le Québec envoie sa police. Nous nous disions que ce pourrait être pire (que ce que nous connaissons). Ils ont piétiné nos droits, coupé nos arbres, survolé nos terres et nous n'aurions rien dit[25] ? » Coon Come prétend que les Autochtones n'auraient jamais parlé de la sécession du Québec si le Parti québécois ne l'avait pas fait. Mais, une fois la chose possible, ils ont harcelé le gouvernement fédéral pour qu'il fasse connaître ses intentions, si le Québec devenait indépendant. « Nous n'aimons pas la Loi sur les Indiens, nous ne l'avons jamais aimée, dit-il. Pourquoi y a-t-il une loi sur les Indiens alors qu'il n'y en a pas pour le Juif, pour l'Italien, pour tous les autres immigrants qui sont venus dans ce pays[26] ? »

Le quotidien *La Presse* jette cependant un peu d'ombre sur les prétentions des Cris en révélant, deux jours plus tard, que les Autochtones n'auraient pas droit à la sécession[27]. S'appuyant sur un document interne du Conseil privé, dont la rédaction remonte à décembre 1994, le journal affirme que les Autochtones ne pourraient se séparer ni d'un Québec indépendant ni du Canada. Le document, rédigé en termes juridiques, précise toutefois — un peu de réconfort pour les Autochtones — que ce sont « surtout les facteurs politiques qui détermineront ce qui se passera vraiment », notamment la façon dont le Québec traiterait sa minorité indigène, si, par exemple, il y a violation flagrante des droits de la personne ou tentative de génocide. L'étude va plus loin : advenant l'indépendance du Québec, « il est impossible de dire ce que seraient les obligations du Canada à l'égard des peuples autochtones du Québec ». Ce sont les tribunaux qui auraient à trancher, et il n'est pas exclu que les obligations d'Ottawa soient totalement transférées au Québec.

Un appui inattendu au NON se fait entendre de la Basse-Côte-Nord. Le président de l'Association des pêcheurs soutient que, dans un Québec indépendant, ses membres vont subir d'énormes pertes parce qu'ils perdront l'accès aux zones de pêche des Provinces atlantiques. « Il y a deux industries sur la Basse-Côte-Nord, dit Randy Jones, la pêche et l'assurance-chômage. Et les deux sont de juridiction fédérale[28] ! » Le ministre fédéral des Pêches, Brian Tobin, ne laisse pas passer l'occasion : « Est-ce que les pêcheurs de la Nouvelle-Écosse, ceux de Terre-Neuve vont accepter que des gens d'un autre pays viennent pêcher juste au large de leur côte[29] ? » La réponse du camp du OUI est toute prête : « La simple géographie démontre bien que le Québec serait propriétaire, en toute souveraineté, d'une immense proportion du golfe du Saint-Laurent[30] », dit Bernard Landry. La réaction de Jacques Parizeau est plus cinglante : « M. Tobin s'est mis le doigt dans l'œil jusqu'à l'omoplate, dit-il. En devenant un pays souverain, on ouvrira aux pêcheurs du Québec, non seulement les eaux du golfe, mais également les eaux de l'extérieur[31]. » Malgré l'assurance affichée par les deux parties, le dossier des droits de pêche dans le golfe est à ce point difficile qu'advenant l'indépendance du Québec, il pourrait se retrouver devant la Cour internationale de La Haye. Le litige rappelle, en plus complexe, celui qui a existé entre le Canada et la France à propos des droits de pêche autour des îles Saint-Pierre-et-Miquelon et qui s'est retrouvé devant la Cour internationale.

À trois semaines du référendum, Jacques Parizeau doit encore se battre contre la notion de « fédéralisme renouvelé », qui lui revient tant des fédéralistes, soucieux d'offrir une alternative aux électeurs encore indécis, que des partisans du OUI. Ainsi, un homme d'affaires, Jean-Denis Côté du Groupe Masson, pourtant membre du Comité des gens d'affaires pour le OUI, affirme qu'il est fédéraliste, mais qu'il votera pour le OUI pour « donner un mandat fort à Lucien Bouchard afin qu'il ait plus de poids pour négocier en profondeur le renouvellement du fédéralisme[32] ».

Daniel Johnson n'ignore pas que ce sentiment est fort dans la population et, le 12 octobre, au cours d'une tribune téléphonique à la station CHEF de Granby, il promet, si le NON l'emporte, de travailler avec les premiers ministres des autres provinces à des changements au fédéralisme canadien. Lucienne Robillard et Jean Charest emboîtent le pas. En tournée au Saguenay-Lac-Saint-Jean, la ministre fédérale déclare que le Canada n'a pas d'autre choix que de s'ouvrir à une décentralisation des pouvoirs, tandis que le chef conservateur, devant le Jeune barreau de Montréal, affirme que le *statu quo* constitutionnel n'existe plus et que l'état des finances publiques obligera Ottawa à transférer de plus en plus de pouvoirs aux provinces. Mais c'est un argumentaire sans issue car, durant toute la période référendaire, les promesses de modifications au système fédératif se heurteront à la rigidité de Jean Chrétien et au scepticisme des souverainistes, qui ne rateront aucune occasion d'évoquer « la nuit des longs couteaux » et les deux échecs de Meech et de Charlottetown.

L'ambivalence des Québécois devient un sérieux problème pour les stratèges : les deux tiers demeurent profondément attachés au Canada ; la quasi-totalité, attachée au Québec[33] ; 68 % croient que la langue française y est menacée et la moitié estime que l'indépendance n'y changerait rien. Le 11 octobre, le Mouvement Québec français se lance dans la mêlée, à la défense de la langue. Le camp du NON, qui voit dans l'attachement des Québécois à leur langue un motif de voter OUI, sort un gros canon : Claude Ryan. Selon l'ancien directeur du *Devoir* et chef du Parti libéral, il est faux de prétendre que la langue est menacée de disparaître, et Montréal, de devenir une ville à majorité anglophone[34]. « La proportion des personnes qui ont le français comme langue maternelle a diminué de 1981 à 1991 de 9,1 % dans l'île de Montréal et de 3,1 % dans la ville de Montréal, admet l'ancien ministre responsable de la Charte de la langue française devant les Amis de *Cité libre*, réunis à la Maison du Egg Roll. Il refuse par conséquent de parler d'anglicisation galopante. D'autant qu'au cours des cinquante dernières années, de 1941 à 1991, le pourcentage de la population, dont la langue maternelle était le français, est passé de 81,6 à 82,5 %. »

L'exposé de Claude Ryan devant les Amis de *Cité libre* est cependant noyé dans un incident qui va alimenter les discours du OUI dans les prochains jours. La politologue Josée Legault est présente. Elle dirige un comité, mis sur pied par le gouvernement du Québec, qui est chargé d'évaluer la situation du français au Québec depuis l'adoption de la Charte de la langue française[35]. Tout juste avant le discours de Ryan, le sénateur Jacques Hébert s'adresse à quelqu'un à ses côtés, en pointant Josée Legault : « C'est ça, la vache séparatiste, dont je te parlais tout à l'heure », lui dit-il. Plusieurs personnes l'entendent et sa remarque parvient aux oreilles de Josée Legault. La politologue n'aurait probablement pas réagi si Hébert l'avait traitée de « maudite séparatiste », mais le mot « vache » est de trop : elle est insultée et elle le fait savoir. Dans un premier temps, le sénateur invoque les circonstances atténuantes : il s'agissait d'une conversation privée. Ce n'est toutefois pas suffisant et, cinq jours plus tard, il s'excuse : « Les mots utilisés sont absolument inacceptables », dit-il. Mais le mal est fait. Le camp du OUI s'empresse de faire imprimer des autocollants à l'emblème d'une petite vache et Jacques Parizeau s'en amuse devant une centaine de femmes, réunies dans un restaurant de Montréal, venues ovationner Josée Legault : il salue d'abord la tolérance de la politologue, puis lance : « Nous, du OUI, pensons que la tolérance, c'est vachement mieux que l'arrogance », ajoutant qu'une fois l'indépendance acquise, les Québécois n'auront plus à payer le salaire des sénateurs à Ottawa[36].

Le vendredi 13, une tempête politico-diplomatique éclate dans le ciel référendaire. Jean Chrétien offre une réception à Montréal, en l'honneur du premier ministre de la République populaire de Chine, Li Peng, en visite officielle au Canada. Tous les premiers ministres provinciaux sont invités, une invitation qui remonte à novembre 1994. C'est Li Peng qui a choisi l'année, 1995, pour marquer le 25e anniversaire du rétablissement des relations diplomatiques entre les deux pays, et c'est encore lui qui a choisi le mois de sa visite. Jean Chrétien ignorait, à ce moment-là, que le référendum aurait lieu à la fin d'octobre et il a décidé que la réception aurait lieu à Montréal parce que, lors du week-end choisi par le premier ministre chinois, le NPD tenait, à Ottawa, un congrès à la chefferie, où Alexa McDonough allait être élue. Invité depuis longtemps, ce n'est qu'au début d'octobre que Jacques Parizeau, dans une lettre au premier ministre canadien, refuse l'invitation, l'accusant de tenir une rencontre diplomatique à Montréal, en pleine campagne référendaire. En fait, Parizeau n'aime pas se retrouver sur le même pied que les neuf autres premiers ministres provinciaux. Cependant, la situation se complique dans le camp du OUI lorsque Lucien Bouchard annonce, au cours d'une tournée dans la région de Chambly, qu'il a, lui, sollicité une rencontre avec le dignitaire étranger, en sa qualité de chef de l'opposition officielle à Ottawa. La réponse du gouvernement fédéral lui laisse peu d'espoir : la demande est venue tardivement, on verra si un entretien peut être aménagé malgré l'horaire chargé de Li Peng. L'ambassadeur de Chine à Ottawa, la veille de la réception à Montréal, écrit à Bouchard : le programme du visiteur ne lui permet pas de rencontrer le chef de l'opposition.

Le même jour, deux sondages apportent aux deux camps de quoi se mettre sous la dent. Celui réalisé par la firme Gallup, au début de la semaine, auprès de 1 013 personnes, et publiée dans *La Presse*, maintient l'écart entre les deux options à six points en faveur du

NON. Les données, avant la répartition des indécis au prorata, indiquent que le OUI est toujours en deçà de 40 %, à quatre points du NON. Mais, le même jour, le *Journal de Montréal* révèle les résultats d'une autre enquête, de la maison Léger et Léger celle-là, effectuée auprès d'un même nombre d'électeurs : le NON ne détient qu'une avance d'un point et demi. Ce dernier sondage revêt un aspect particulièrement encourageant pour le camp du OUI : il a été pondéré à l'aide des statistiques du recensement de 1991 et, de plus, avant la répartition des indécis, le OUI est en avance par deux points et demi. Ce qui n'empêche pas le camp du NON de maintenir, publiquement, qu'il détient une majorité de 8 %. L'ancien ministre des Finances, André Bourbeau, dit même qu'il n'accorde pas beaucoup de crédibilité à la maison Léger et Léger. Même sérénité apparente du côté d'Ottawa : Jean Chrétien affirme qu'il n'est pas inquiet, que la stratégie va bien et qu'il faut la maintenir.

Derrière les portes closes, cependant, la peur s'installe dans le camp du NON : un sondage interne obtient les mêmes résultats que celui de Léger et Léger. Les stratèges cherchent toujours un moyen de contrer Lucien Bouchard et de recentrer leur campagne sur Jacques Parizeau. Ils entendent faire jouer un rôle plus important à Jean Charest, meilleur orateur et plus populiste que Daniel Johnson et Lucienne Robillard. Dans sa circonscription de Vaudreuil, où un millier de personnes s'entassent au centre communautaire de l'Île-Perrot, Johnson attaque : ce que Parizeau a toujours voulu, dit-il en substance, c'est la séparation, et la nomination de Bouchard comme négociateur en chef n'a aucune importance puisqu'il n'y aura rien à négocier. En fait, Johnson a désespérément besoin d'une injection d'adrénaline dans son camp, mais ce n'est pas de l'intérieur que lui viendra l'aide. C'est de Lucien Bouchard lui-même qui se met dans l'embarras.

Le camp du OUI constate, sondage après sondage, que les femmes sont plus tièdes que les hommes devant l'option souverainiste. Elles forment les deux tiers des indécis. Aussi, le camp du OUI décide-t-il de les prendre d'assaut. Des femmes de tous les milieux, artistique, politique, syndical, font du porte-à-porte, distribuent des dépliants et envahissent les stations de métro de Montréal.

Lucien Bouchard se lance également à la conquête de ce bloc, qu'il faut ébranler à tout prix sous peine de perdre le référendum. Le samedi 14 octobre, devant quelque 400 femmes réunies à Anjou, dans le nord-est de Montréal, il dénonce tout d'abord les coupes dans l'aide sociale que vient d'imposer le gouvernement Harris, en Ontario, puis il lance une phrase qui va le hanter longtemps : « Pensez-vous que ça a du bon sens qu'on ait si peu d'enfants au Québec ? On est une des races blanches qui a le moins d'enfants. Ça veut dire quelque chose, ça veut dire qu'on n'a pas réglé les problèmes familiaux[37]. »

Des paroles qui provoquent immédiatement un tollé dans les milieux les plus divers. Jean Charest se souvient de ce samedi. « J'ai tout de suite téléphoné au bureau de la campagne pour dire qu'il fallait répliquer à cela. » Le lendemain matin, il est à Toronto, où l'amènent ses responsabilités de chef du Parti conservateur et c'est de la capitale ontarienne qu'il dénonce les propos de Bouchard. « Je ne comprends pas ce qu'il veut dire, déclare-t-il. Si je comprends bien, dans un Québec indépendant, les femmes blanches pourraient avoir plus d'enfants. Tout ceci démontre que le leadership (du OUI) est hors de contrôle[38]. » « Revoyez cet épisode, dit Jean Charest aujourd'hui, et vous verrez comment les médias ont réagi. Ils ont immédiatement pardonné à Lucien Bouchard. Même Françoise David, de la Fédération des femmes du Québec, est venue à sa défense. » D'ailleurs, trois jours après la déclaration de Bouchard, l'épouse de Daniel Johnson, Suzanne Marcil, écrit à Françoise David pour lui demander de dénoncer les propos de Bouchard, « que je juge rétrogrades et humiliants ». La défense de Françoise David : « Le camp du NON tente actuellement de convaincre les femmes que M. Bouchard ne s'intéresse qu'à leurs fonctions reproductives. La manœuvre est grossière et nous rappelle les Yvette de triste mémoire[39]. » Et le lendemain, Françoise David se retrouve aux côtés de Lucien Bouchard lorsqu'il tente, en conférence de presse, de calmer la tempête.

« Si j'avais dit ça, évoque aujourd'hui Jean Chrétien, j'aurais été "passé au batte" comme on dit, d'une façon radicale. » Eddie Goldenberg a une explication à la tolérance des Québécois devant les propos de Lucien Bouchard : « Aucun autre politicien, qui aurait dit la même chose, n'aurait pas duré plus de cinq minutes. Mais les gens lui pardonnaient. Et ça s'explique, en bonne partie, par le fait qu'il s'était miraculeusement rétabli de sa maladie[40]. »

Pour la première fois depuis qu'il a été nommé négociateur en chef et qu'il mène la campagne tambour battant, Lucien Bouchard est sur la défensive. Le lendemain de sa déclaration, il tente de corriger le tir : « L'avenir du Québec appartient maintenant aux femmes, dit-il au cours d'une virée dans la circonscription de Hochelaga-Maisonneuve. C'est une lourde responsabilité, mais nous avons confiance en elles[41]. » Encore là, il provoque une réaction négative chez certains qui l'accusent de vouloir faire porter un possible échec du OUI sur les épaules des femmes. Il fait encore marche arrière : « Il ne me viendrait jamais à l'esprit qu'on pourrait reprocher aux femmes quoi que ce soit, quel que soit le vote exprimé », dit-il à quelques journalistes, qui le harcèlent de questions sur le sujet.

L'organisme SOS Racisme émet un communiqué pour dénoncer les paroles de Bouchard parce qu'elles « peuvent être perçues par les groupes fascistes et "suprématistes" blancs comme une légitimation de leurs actions[42] ». Les leaders du NON ne lâchent pas le morceau, emboîtent le pas à SOS Racisme et accusent Bouchard de racisme et de sexisme. « Selon les propos de Lucien Bouchard, pour être de bons Québécois, il faut être plutôt blanc que coloré », lance Jean Chrétien. Daniel Johnson pour sa part clame : « Lucien Bouchard a trouvé une solution pour les femmes qui ne peuvent trouver un emploi : rester à la maison, les pieds nus, et être enceintes[43]. » On tente, chez les femmes favorables au NON, de susciter une vague de fond à l'encontre des propos de Lucien Bouchard. Certaines d'entre elles l'accusent de vouloir faire des femmes du Québec « des pondeuses pour la patrie ». « Les propos de Lucien Bouchard sont inacceptables, tonne Chantal Corriveau, porte-parole d'un regroupement de femmes fédéralistes. Ils sont réducteurs et péjoratifs quant au rôle des femmes, ravalé à celui de "faire des enfants" et parce qu'ils ramènent le choix d'un peuple à une question de race[44]. »

Lucien Bouchard, qui voudrait bien que ses propos sur la démographie au Québec passent vite à l'oubli, tente une nouvelle esquive en expliquant qu'il a fait ces commentaires au cœur d'un discours où il déplorait que les Québécois ne puissent pas compter sur une véritable politique de la famille. Il ajoute, au cours d'un point de presse, que l'expression « race blanche » est un « terme utilisé par les démographes » et qu'il n'a jamais voulu laisser entendre qu'on pourrait « forcer » les femmes à avoir des enfants. « Je reconnais que c'est maladroit, inapproprié et de nature à faire croire à certaines personnes, qui ne sont pas de race blanche, qu'elles ne sont pas du peuple du Québec, dit-il aux journalistes. Ce n'était pas mon propos, je regrette cette déclaration, je la répudie. » Dans un communiqué, émis le mardi, le camp du OUI veut contrer ce qu'il appelle la « désinformation » et précise la pensée de Bouchard : « Il n'a fait que rapporter une observation scientifique faite par les démographes : le taux de natalité est à la baisse au Québec. »

Ce qui rend la défense de Bouchard difficile, c'est que les démographes, pour décrire l'état de reproduction d'une collectivité, ont rarement recours au taux de natalité, qui ne sert qu'à établir le rapport du nombre de naissances à la population moyenne pendant une période donnée. Il peut arriver que les femmes en âge de procréer soient moins nombreuses. Dans cette hypothèse, les femmes en âge de procréer peuvent avoir autant d'enfants, mais le nombre de nouveau-nés diminue dans le groupe. L'indice que retiennent généralement les démographes est celui de la fertilité, qui est le rapport du nombre de naissances au nombre de femmes en âge de procréer. Au moment de la déclaration de Bouchard, l'indice au Québec est de 1,6 enfant par femme et, en fait, il est en hausse depuis 1988, alors qu'il était descendu à 1,37, « le deuxième ou troisième taux le plus bas au monde », selon le démographe Georges Mathews. En 1995, il se situe au-dessus de l'indice de pays comme l'Allemagne, l'Autriche et l'Espagne, mais il est nettement en deçà de celui des États-Unis et des communautés allophones du Québec. Par ailleurs, il se compare bien à l'indice canadien qui est de 1,7[45]. Dix ans après, Guy Chevrette tente d'atténuer le sens de ce qu'a dit Lucien Bouchard : « Ce n'est pas la première fois, dit-il, qu'un chef est mal interprété ou mal cité… ou qu'il n'explique pas assez bien pour que les gens le comprennent. »

Le camp du NON sent toujours qu'il tient un filon intéressant et fait tout pour que la déclaration de Bouchard ne disparaisse pas des écrans. Daniel Johnson n'a que faire des excuses de son adversaire et, dans Portneuf, il se fait virulent : « Lucien Bouchard a été malhabile, indélicat et a démontré son ignorance, lance-t-il. Il ne connaît rien en politique familiale, rien en politique nataliste et rien en démographie. Il souscrit à une vision rétrograde du rôle de la femme dans la société[46]. »

Plus le camp du OUI cherche à se sortir de ce bourbier, plus les gaffes s'accumulent. La publicité s'en mêle : dans les journaux du lundi 16, les stratèges du OUI ont imaginé de publier une page de journal remplie d'offres d'emplois avec le thème bien en vue : « C'est comme ça que nous voyons l'avenir ! » Il y a un problème : ces petites annonces, qui sont une sélection d'offres d'emplois pour les femmes, sont peu reluisantes, certaines du genre « réceptionniste dynamique recherchée, belle apparence, etc. », étant carrément sexistes. Le directeur des communications du comité du OUI, Claude Plante, doit expliquer, l'air piteux, qu'il n'a pas lu les petites annonces lorsqu'il a approuvé la publicité. À Québec, au cours d'un ralliement du NON, Jean Charest saisit la balle au bond et lance un retentissant « Levez-vous ! » aux femmes partisanes du OUI tandis que la députée de Jean-Talon, Margaret Delisle, déclare que « les femmes du Québec ne marchent pas sous la menace de la baguette référendaire, qu'elle soit magique ou pas[47] ». La référence à la « baguette magique » n'est pas fortuite : elle veut rappeler une autre phrase échappée par Lucien Bouchard deux jours auparavant, alors qu'à la tête de la caravane du OUI, il s'adressait à un millier de personnes dans Hochelaga-Maisonneuve. « La souveraineté, a-t-il dit, cela a quelque chose de magique. D'un coup de baguette, ça transforme toute la situation. Ça provoquera, chez nous, la solidarité et le ralliement. »

Trois déclarations malheureuses de Bouchard, deux sur les femmes et une autre, simpliste, sur le passage « magique » du Québec de province à pays, n'y changent cependant rien. Malgré tous les efforts du camp du NON pour les ridiculiser, Lucien Bouchard continue de soulever l'enthousiasme, partout où il va, que ce soit dans Hochelaga-Maisonneuve, au cégep d'Ahuntsic ou sur l'Île-Perrot.

Le camp du NON n'en revient pas. « La baguette magique devait régler tous les problèmes, rappelle Jean Chrétien. Si j'avais dit des choses comme ça, je vois d'ici le *Globe and Mail*, le *National Post* et tous les autres m'abreuvant de critiques. Au Québec, personne n'a pris la plume pour écrire que ça n'avait pas de bon sens[48]. »

Pourtant, la guigne poursuit le camp du OUI. Une lettre, rédigée en français et en anglais[49], et adressée « à toutes les minorités culturelles du Québec », circule dans la municipalité de Brossard, à forte concentration multiethnique. « Je considère mon peuple comme étant patient, chaleureux et non violent, dit le message. Nous vous avons accueillis aimablement et avec chaleur en terre québécoise. [...] Vos cœurs et vos pensées sont axés vers vos pays d'origine, alors donc, vous avez deux patries. Étant descendant de défricheurs du Québec, qui sont morts en défendant la patrie, je n'ai qu'une seule patrie et je n'en veux pas d'autre. [...] Si vous avez trop de chagrin et de nostalgie de vos pays d'origine, retournez-y ! Si vous désirez vivre et prospérer en *anglais,* je suis persuadé que les *Anglais* des autres pays vous accueilleront. Un "non" de la part des minorités et immigrants à la souveraineté du Québec signifiera pour ma part que vous n'êtes pas intéressés à me respecter dans ma demeure et mon pays et que vous êtes tout disposés à vous allier avec les *Anglais* pour m'en exproprier. »

La lettre, qui a pour seule signature « André Prévost, patriote », est apparue, il y a déjà quelques jours sur la Rive-Sud. On en cherche l'auteur. Le fait que son nom ne figure ni dans l'annuaire téléphonique de Brossard ni sur la liste électorale de la circonscription de La Pinière, où se trouve cette municipalité, tend à accréditer la thèse de la diversion. « Qui a intérêt à ce que des choses comme celle-là se produisent ? s'interroge l'ancienne ministre péquiste Jocelyne Ouellet, qui préside le comité du OUI dans la circonscription. On ne peut pas faire autrement que se poser des questions[50]. » On soupçonne un coup monté par l'adversaire. Mais un journaliste local retrouve l'auteur, démolissant du même coup l'hypothèse d'une malversation du camp du NON. André Prévost existe bien et il habite Saint-Constant, municipalité située à proximité de Brossard. Il annonce au journaliste Léo Gagnon de l'hebdomadaire *Brossard Éclair* qu'il entend étendre son action dans d'autres localités. Puis, il ajoute : « Si le NON l'emporte, je ne crois pas que je vais l'accepter. Je vais réagir très méchamment. »

Quand l'information est reprise par les grands médias, elle crée une onde de choc et les ténors du OUI vont, au cours de la deuxième semaine de la campagne, profiter de toutes les occasions pour se dissocier de cette lettre et réaffirmer l'ouverture d'un Québec indépendant aux minorités culturelles. « Si cette lettre existe, dit Lucien Bouchard au cours d'une assemblée à Anjou, dans le nord-est de Montréal, où la minorité italo-québécoise est très présente, je rejette cette attitude. Il n'y a aucune différence entre les Québécois, de quelque origine qu'ils proviennent. » Puis, il accompagne Bernard Landry dans une rencontre avec un groupe de musulmans à l'hôtel Radisson Les Gouverneurs, à Montréal, où il déclare que « les Québécois savent que l'islam est une grande religion, une grande culture et une grande tradition ». Et Landry d'ajouter : « Vous êtes la preuve vivante qu'il n'est pas nécessaire de s'appeler Gagnon et Tremblay, ou d'avoir eu des ancêtres qui ont cultivé des terres à l'île d'Orléans, pour être profondément québécois », dit-il.

Du triomphe du défilé du 24 juin jusqu'au 1er octobre, le chemin qu'a eu à parcourir le OUI a été parsemé d'embûches, la deuxième semaine de la campagne a été difficile et ce qui en reste risque de l'être davantage. « J'avais très, très peur de la campagne référendaire, dit aujourd'hui Jean-François Lisée, en ce sens que, avec les scrums[51], les trois chefs se mettent à se contredire. »

Car l'enjeu du référendum reste ambigu dans le discours des porte-parole du OUI. Pour Jacques Parizeau, il est clair : c'est l'indépendance du Québec. Lucien Bouchard, par contre, ne peut la concevoir sans un partenariat avec le reste du Canada et sa campagne a d'autant plus d'impact auprès des électeurs qu'il est porté par une vague qui risque de faire disparaître totalement des écrans le premier ministre et chef du OUI. Quant à Mario Dumont, les stratèges du OUI savent qu'il n'est pas indépendantiste et que son appartenance à la coalition n'est que conjoncturelle. Le chef de l'ADQ peut passer quatre ou cinq jours sans parler de la proclamation de la souveraineté. Bien plus, il peut, à tout moment, prendre ses distances par rapport à elle.

Son alliance obligée avec les souverainistes fait mal à son jeune parti et il le sent sur le terrain, au fur et à mesure qu'avance la campagne.

Dix ans plus tard, Mario Dumont reconnaît que la signature de l'entente du 12 juin a été, de loin, le geste qui, politiquement, a coûté le plus cher à son parti. « On a perdu des membres, dit-il. Nos membres étaient conscients qu'il fallait que l'ADQ soit dans le camp du OUI, même si notre plan était d'avoir un référendum sur le partenariat. Mais (en voyant dans les médias) l'image des trois chefs, assis, à signer l'entente... C'est clair qu'il y a des membres qui ont quitté. » Pendant la campagne, Dumont doit donc s'acharner à expliquer la signification de cette image. « Il fallait dire que le projet du gouvernement venait de changer, ajoute-t-il, que c'était un nouveau projet dans lequel M. Parizeau était un joueur sur trois. C'était plus facile pour le Bloc et le PQ, mais nous, on représentait des nationalistes plus modérés, des gens qui étaient prêts pour la souveraineté, mais plus modérés, d'autres qui préféraient un grand renouvellement du fédéralisme, mais qui n'étaient pas prêts à faire le pas de la souveraineté... » Jean-François Lisée a donc peur de voir Dumont contredire Jacques Parizeau sur l'enjeu du référendum, et cette inquiétude va hanter les stratèges du OUI pendant toute la campagne.

La deuxième semaine se termine sur un incident malheureux, dont le camp du OUI pourrait être ultimement tenu pour responsable : deux bombes incendiaires sont projetées au travers de la fenêtre d'un comité du NON, à Laval-Ouest. Mais elle se termine aussi sur l'espoir qu'il y ait, finalement, un débat télévisé. La date la plus plausible : le vendredi 20 octobre, et c'est la date ultime. Le vote par anticipation a lieu les 22 et 23 octobre, et il apparaît inéquitable à tout le monde de repousser le débat au-delà de ces dates. Les négociations entre les deux camps et les télédiffuseurs se poursuivent âprement, chacun sachant qu'un débat télévisé permettrait de recentrer la campagne sur son véritable enjeu, soit les mérites de chacune des deux options. Mais, avant de gagner le débat, chacun des camps veut d'abord gagner la partie de sa structure et des thèmes qui y seront abordés.

CHAPITRE X

Le NON en panique

D aniel Johnson croit avoir trouvé une parade à la charge
Bouchard : aller chercher, dans le monde, des exemples de nouveaux pays aux prises avec des problèmes de croissance économique.
Le dimanche 15 octobre, dans sa circonscription de Vaudreuil, il rencontre des partisans en stage de formation en vue d'une offensive de
porte-à-porte. Il leur fournit des munitions, en leur disant : « Les dé-
ceptions sont toujours énormes lorsqu'un pays se sépare, même si
d'aucuns croient que ça va être facile, comme c'est le cas pour la
Tchécoslovaquie. » Puis, s'inspirant d'articles du journaliste Jeffrey
Simpson du *Globe and Mail*, il brosse un tableau sombre de la situation économique en Slovaquie[1], dont l'indépendance remonte à moins
de trois ans : « Personne n'avait prévu que le niveau de vie descendrait
de 35 %, dit-il, que les échanges commerciaux diminueraient de 40 %,
que la monnaie commune ne durerait que 39 jours et que les citoyens
ne pourraient garder les deux citoyennetés[2]. »

Les propos de Johnson ouvrent une page intéressante dans une
campagne référendaire qui s'enlise dans la redondance et les attaques
personnelles. Inspirée, Radio-Canada dépêche son journaliste vedette,
Jean-François Lépine, en Slovaquie pour un reportage qu'elle entend
diffuser le plus rapidement possible. La comparaison permettra de
donner, toute proportion gardée, un corps aux thèses et hypothèses
qui alimentent le débat jusqu'à maintenant. Lucien Bouchard classe
immédiatement le modèle invoqué par Johnson dans la catégorie des
irrecevables : il peut bien prédire une monnaie québécoise dévaluée à

63 cents, réplique-t-il, mais la République tchèque et la Slovaquie, du temps de la Tchécoslovaquie, ont passé soixante ans dans un régime communiste, dont la monnaie n'avait pas de reconnaissance internationale. « Le dollar canadien existe depuis toujours, dit-il. Il est coté sur les marchés. Ça va marcher comme avant. Il n'y aura pas de changement, même pas un frisson[3]. »

La comparaison entre le Québec et la Slovaquie a effectivement des failles. En Tchécoslovaquie, comme en Yougoslavie d'ailleurs, il y a eu dissolution des pays existants, qui ont de ce fait perdu leur personnalité juridique. Le Canada, lui, continuerait d'exister. Selon un document du Conseil privé[4], une comparaison avec le Pakistan serait plus appropriée. On y invoque un avis juridique du Secrétariat des Nations unies qui établit un parallèle entre la situation qui se produirait au Canada et le cas de l'Inde et du Pakistan, ou, encore, « celui de l'État libre irlandais qui s'est détaché de la Grande-Bretagne ou celui de la Belgique qui s'est séparée des Pays Bas ».

En outre, en 1995, la situation économique de la Slovaquie n'est pas aussi désastreuse que le laisse croire le chef du camp du NON : après une première année difficile, attribuable principalement au fait que les dirigeants slovaques sont demeurés réfractaires aux réformes libérales, le pays se ressaisit et, dès 1995, son chômage diminue, son taux d'inflation chute de 4 % au niveau acceptable de 10 %, et le secteur privé, en voie de développement, génère déjà 60 % du produit national brut. Son taux de croissance est de 9 %, le plus élevé de tous les pays européens, sa balance des paiements est équilibrée et sa nouvelle monnaie s'est appréciée de 20 % pendant l'année 1995[5]. La piste de relance choisie par Daniel Johnson débouche sur une mèche mouillée ; la Slovaquie disparaît du débat référendaire aussi vite qu'elle y est apparue.

Preston Manning, que le camp du NON a écarté de sa coalition, ne baisse pas les bras et, en ce week-end de mi-campagne, se présente à Montréal pour exposer son projet de fédéralisme renouvelé. Le manifeste s'intitule *Une nouvelle Confédération : bâtir le nouveau Canada avec un nouveau fédéralisme*. Ce que propose Manning, c'est un pays où les provinces seraient sur le même pied, et les pouvoirs décentralisés. Comme Manning ne parle pas français, c'est Stephen Harper qui a la mission d'expliquer aux Québécois ce projet de « fédéralisme de coopération ». Dans une interview, le soir même, à l'émission *L'Événement*, du réseau privé TVA, il expose la vingtaine de propositions, pourtant pas nouvelles, du Parti réformiste, puis, en conférence de presse, il qualifie la notion de société distincte de formule vide de sens, mettant l'accent sur des changements profonds plutôt que sur des débats constitutionnels dont les Canadiens sont saturés.

Le lendemain, Preston Manning réaffirme, dans une interview accordée au quotidien *Le Devoir*, la position de son parti sur la question de la société distincte. Il soutient que le reste du Canada ne la reconnaîtra pas, puis, invitant les Québécois à rallier « la grande coalition pancanadienne », il rejette lui-même la notion des deux peuples fondateurs[6]. La député réformiste d'alors, Deborah Grey, explique aujourd'hui les raisons de cette prise de position : « Nous sommes des partenaires égaux dans la Confédération, dit-elle, et c'est bien que, historiquement, elle soit le fruit de deux nations fondatrices. Mais nous sommes maintenant à cent et quelques années de la fondation de ce pays. Qu'est-ce que cela signifie pour les gens qui sont aussi Canadiens que vous et moi, mais dont la langue n'est ni le français ni l'anglais et dont les origines sont très différentes ? Ils sont 9 ou 10 millions. La partie historique est vraie, mais elle ne cadre plus dans la vie d'aujourd'hui. Et je ne crois pas que l'Alberta devrait être enchâssée dans la Constitution comme société distincte pas plus que le Québec ou qui que ce soit d'autre[7]. » La question de la reconnaissance de la société distincte pour le Québec va hanter le camp du NON jusqu'au jour du référendum.

Preston Manning s'inquiète du sort qui attend, dans un Québec indépendant, ceux qui refuseraient la séparation. Il propose qu'advenant une victoire du OUI, le gouvernement fédéral aide les Québécois à quitter la province s'ils le désirent : « Il serait possible de conclure une entente pour s'assurer que ces droits seront protégés par un Québec indépendant, dit-il. J'imagine qu'il serait aussi possible de faciliter le déménagement au Canada de ceux qui le souhaitent[8]. »

Les partis politiques fédéraux tentent progressivement de se définir par rapport à la réalité d'un référendum qui pourrait fracturer le

Canada. Le même jour où Preston Manning présente ce qu'il croit être la solution au malaise canado-québécois, Alexa McDonough, nouvellement élue à la tête du Nouveau parti démocratique, fait savoir que son parti reconnaîtra le résultat du référendum, quel qu'il soit : « Une décision sera prise par les Québécois sur leur avenir, dit-elle. Nous respectons tout à fait le processus et nous respecterons le choix qui sera fait. » Mais elle se garde bien d'aborder la question du partenariat.

L'effet Bouchard se fait sentir rapidement et de façon dramatique. Une enquête d'opinion[9] réalisée par la firme SOM une semaine après la nomination du chef du Bloc québécois comme négociateur en chef, soit entre le 13 et le 16 octobre, révèle que l'avance du NON n'est plus que de 0,6 % et que les deux camps sont à peu près nez à nez. Elle confirme l'extraordinaire popularité de Bouchard : s'il dirigeait le Parti québécois dans une élection provinciale, il obtiendrait près de 55 % des votes tandis que Jacques Parizeau, tout en gardant le pouvoir, n'en obtiendrait que 48,7 %. Quant à l'ADQ, il semble se produire ce que craignait Mario Dumont : son parti est en train de disparaître de la carte politique du Québec. Il n'obtient plus que 3,6 % de la faveur populaire et l'inquiétude s'installe dans ses rangs : le choix de Dumont d'appuyer le camp du OUI fractionne ses partisans et certains d'entre eux s'affichent publiquement pour le NON.

Il y a, en outre, dans le sondage SOM, une donnée qui fait plaisir au premier ministre : la moitié des Québécois croient que si le OUI l'emporte, l'absence d'une entente sur le partenariat ne devrait pas empêcher le Québec de proclamer unilatéralement son indépendance. Et une autre, à laquelle il ne veut pas réfléchir : si c'est le NON qui l'emporte, 80 % estiment que les gouvernements devront s'atteler à des changements constitutionnels.

Alors que la valeur des actions québécoises du Québec a l'habitude de fléchir à chaque campagne électorale, cette fois-ci, elle augmente. Un sondage effectué auprès des courtiers[10] démontre que les actions des petites sociétés québécoises attirent moins les investisseurs, mais que celles des grosses entreprises, comme Bombardier et Alcan, ont grimpé plus vite que l'ensemble des marchés boursiers, depuis le début de l'année. Les spécialistes sont confondus, d'autant que les marchés demeurent insensibles au progrès du OUI, depuis dix jours, et que le dollar se raffermit, oscillant autour de 75 cents américains. L'écart entre les obligations du Canada et celles du Québec, pour une échéance de dix ans, se maintient à 55 centièmes. Avec de telles données, le camp du OUI aurait tendance à proclamer que son option n'effraie pas les investisseurs. Mais l'explication la plus plausible, selon les spécialistes, est que ces investisseurs continuent de croire que le NON va l'emporter.

À Fredericton, Frank McKenna sent davantage le pouls du Québec que les investisseurs de Toronto ou les politiciens de l'ouest du pays. Il s'inquiétait déjà, il commence à avoir très sérieusement la frousse. « Le Nouveau-Brunswick, dit-il, est différent des autres provinces en ce sens que nous vivons juste au bord de la faille. L'Ontario est assez grosse pour ne pas tomber dans le trou. Ce n'est pas vrai dans notre cas. » Il rappelle que le tiers des habitants de sa province sont francophones et que beaucoup d'entre eux entretiennent des liens étroits et nombreux avec le Québec. « Pour nous, l'exercice n'a rien d'académique, ajoute-il. Il s'agit d'une bataille dans la famille. Elle est personnelle, elle est émotive. Et, autour de la table du Conseil des ministres, il y a beaucoup d'anxiété à propos de la façon dont les choses se passent, tant chez les ministres francophones qu'anglophones[11]. » Un certain nombre de ces ministres, notamment ceux de la Culture, des Finances et des Affaires intergouvernementales, n'hésitent d'ailleurs pas à intervenir dans l'est du Québec pour sensibiliser les Québécois aux problèmes que connaîtraient les Acadiens si le Québec se sépare du Canada. Leur présence à Rimouski rend les organisateurs du OUI dans la région, et surtout la député péquiste Solange Charest, furieux.

Paul Martin, ministre des Finances à Ottawa, jouit d'une forte crédibilité en tout ce qui concerne l'économie. Or, il lance dans le débat un chiffre alarmant : si le Québec devient indépendant, près d'un million d'emplois seront perdus. S'adressant aux membres de l'Association des professionnels en développement économique du Québec, il explique que, même si le nouveau pays est admis dans l'ALÉNA, il ne pourrait plus bénéficier de certaines dispositions de protection parce que les États-Unis refuseraient de les lui accorder. Devant l'énormité du chiffre, Daniel Johnson réagit immédiatement en disant que Paul Martin a été mal cité, mais Jacques Parizeau n'est pas homme à laisser passer l'occasion. « Il y a une semaine, les gens du NON estimaient les pertes d'emplois à moins de 100 000, dit-il. Aujourd'hui, c'est un million. La semaine prochaine, ce sera quoi ? Dix millions ? Il n'y a que 3 200 000 emplois au Québec ! » Il ajoute, sarcastique, qu'au rythme où le camp du NON annonce des pertes d'emplois dans un Québec souverain, le gouvernement devra importer des chômeurs pour rencontrer les sombres prévisions « des chevaliers de l'Apocalypse[12] ». Le lendemain de sa déclaration, Paul Martin, de passage à Chicoutimi, rectifie le tir. « Je n'ai jamais dit que ces emplois seraient perdus, dit-il. Le danger vient des compétiteurs du Québec, canadiens et américains, qui seront capables de harceler les exportateurs québécois[13]. »

À cause d'une brochure qu'il a fait distribuer dans tout le Québec, le directeur général des élections place involontairement Daniel Johnson sur la défensive. Le document a pour fin d'expliquer aux Québécois les deux options qui sont soumises au vote des électeurs, le jour du référendum. C'est la Loi sur la consultation populaire qui l'y oblige. Dans la brochure, deux longs textes, de toute évidence rédigés par des responsables de chaque camp, exposent les avantages de chacune des options. Or, dans le texte du NON, on peut lire : « À l'intérieur de la fédération canadienne, nous formons une société distincte. [...] Le gouvernement du Québec doit avoir pleine autonomie dans les domaines de sa compétence. » Bien que la position du NON soit précédée d'un mot de présentation ainsi que de sa photo, et qu'elle ait le ton de la harangue politique, Daniel Johnson prend ses distances face à ce texte. Dans une interview au réseau TVA, il se défend de promettre qu'advenant une victoire du NON, le Parti libéral récupérerait tous les pouvoirs du Québec dans les champs qui relèvent de sa juridiction. Il insiste sur le fait que son parti n'a pas formulé de position constitutionnelle et qu'il n'y a qu'un seul enjeu au référendum : la séparation du Québec. Mais, comme il s'agit d'un document qui a un caractère officiel, Jacques Parizeau, de passage dans l'Outaouais, exige que Jean Chrétien se prononce sur son contenu. Il demande au premier ministre du Canada s'il est vrai que le gouvernement fédéral devrait se retirer entièrement des champs de juridiction québécoise. C'est la porte-parole du Parti libéral fédéral, Lucienne Robillard, qui répond à la place de Chrétien, tout en demeurant vague sur les intentions du gouvernement fédéral : une victoire du NON ouvrira la porte au « changement » au sein de la fédération canadienne[14].

Le manque de cohésion chez les fédéralistes qui tirent dans toutes les directions témoigne de la peur qui les envahit. Le mardi 17 octobre, Eddie Goldenberg téléphone à l'ambassadeur américain, James Blanchard. « Les sondages sont 50-50, lui dit-il. Et ils confirment nos propres chiffres. » Blanchard lui demande : « Y compris les 5 ou 6 % de votes discrets de Pinard[15]? » « Oui, lui répond le conseiller de Jean Chrétien. Nous sommes coude à coude. L'autre camp a très bien fait la semaine passée. » Le diplomate américain, qui sent que les fédéralistes n'ont pas de solution de rechange, veut apporter son aide. « Nous nous organisons pour que (Warren) Christopher fasse une belle déclaration, dit-il à Goldenberg, qu'il répète ce que le président a dit en février et même qu'il aille plus loin. Mais nous voulons être sûrs de ne pas nous tromper. Nous ne voulons pas vous nuire auprès des Québécois. » La réponse de Goldenberg transpire le découragement : « Ne vous en faites pas à ce sujet, dit-il. Rien ne peut plus nous nuire maintenant[16]. »

Eddie Goldenberg n'est pas le seul, sur la Colline parlementaire, à partager l'impuissance du camp du NON devant la vague Bouchard. L'ensemble des ministres rongent leur frein, contenus dans les coulisses par la consigne de non-intervention, et ignorants de toute possibilité de changement de stratégie de la part de Jean Chrétien et de son entourage. « Même après la mi-octobre, je n'ai été informé d'aucune discussion sur un plan pour parer à l'imprévu[17] », dit Allan Rock, à l'époque ministre de la Justice du Canada, qui aurait normalement dû être informé de toute initiative envisagée par le gouvernement fédéral sur le plan constitutionnel.

Il semble qu'aucun argument, quel qu'il soit, puisse relancer la campagne du NON. Un sondage CROP-*La Presse* démontre que les pistes explorées par Daniel Johnson et ses partenaires laissent la majorité des Québécois insensibles : la déclaration de Johnson sur la perte de 92 300 emplois n'a touché que 40 % des répondants, les menaces du président de Bombardier ont laissé près de 60 % d'entre eux indifférents et moins d'un Québécois sur quatre attache de l'importance aux propos de Mike Harris[18]. La seule donnée de ce sondage, qui soit de nature à remonter quelque peu le moral des fédéralistes, est que, si on applique la méthode Drouilly aux réponses obtenues, le NON est toujours en avance par cinq points[19].

Les dérapages se multiplient des deux côtés et, dans l'avalanche des discours et des points de presse, qui soutiennent le débat public, le fantôme du racisme n'est jamais loin. Le 17, la députée de Rimouski-Témiscouata, Suzanne Tremblay, tient des propos qui mettent le camp du OUI sérieusement dans l'embarras. Elle déclare d'abord à des journalistes que la souveraineté du Québec permettrait au nouveau pays de mieux défendre les intérêts des francophones hors Québec. Une journaliste de Radio-Canada, Joyce Napier, lui demande alors d'expliquer comment ce serait possible. Tremblay la regarde et lui dit : « Si vous saviez notre histoire un peu... Mais vous, avec votre accent et votre langue, peut-être que vous n'étiez pas Québécoise au début ? Avez-vous étudié l'histoire du Québec[20] ? » Le propos choque. Mais, avant même que le camp du NON puisse exploiter cette gaffe, le même jour, elle est neutralisée par une deuxième, du ministre fédéral Marcel Massé celle-la, qui établit un lien entre plusieurs souverainistes et *L'appel de la race*[21] du chanoine Lionel Groulx. Le ministre Massé dénonce Lucien Bouchard qui, selon lui, ne considère comme « vrais Québécois » que les citoyens de race blanche, et il accuse de nombreux souverainistes d'être des « racistes », qui veulent que les Blancs « dominent la société[22] ».

Mais ce n'est pas cette forme de racisme qui effraie les Franco-Ontariens. Ce qu'ils craignent, c'est qu'advenant l'indépendance du Québec, ce soit le Canada anglais qui fasse preuve de racisme à leur endroit. Selon le président de l'Association canadienne-française de l'Ontario, André Lalonde, c'est la minorité francophone hors Québec qui a le plus à perdre dans ce référendum. Rappelant une déclaration en ce sens du premier ministre de la Saskatchewan, Roy Romanow, il exprime la crainte que les provinces n'en viennent à ignorer les dispositions constitutionnelles qui les obligent à tenir compte de leur minorité francophone en matière d'éducation[23].

Le mercredi 18 octobre, le Palais des congrès de Montréal grouille de gens d'affaires pour le NON. L'événement se prépare depuis longtemps. Dès 1994, Daniel Johnson a demandé à Guylaine Saucier, l'ancienne présidente du Groupe Gérard Saucier ltée, de prendre charge d'un comité dont la responsabilité sera de mobiliser les gens d'affaires de Montréal. En cours de route, Saucier est nommée présidente du conseil d'administration de la Société Radio-Canada, et c'est Philip O'Brien, le président de la société Devencore, qui prend la relève. Ce que le comité du NON souhaite, c'est réunir quelque 2 000 personnes en complet-veston au Palais des congrès, afin de démontrer à la population que le milieu des affaires appuie massivement le NON. Mais, au quartier général des fédéralistes, les stratèges doutent que O'Brien et son organisation puissent réunir 2 000 personnes. La salle qu'ils ont réservée est trop petite. Quelque 1 500 personnes s'y entassent, et des centaines doivent demeurer à l'extérieur.

La rencontre est un succès, mais Philip O'Brien n'est pas content. « Dans le Parti québécois, tu sentais qu'il y avait vraiment une âme, il y avait un défi à relever, dit-il aujourd'hui. Du côté du NON, c'était davantage *business*, c'était mécanique ; il n'y avait pas de cœur là-dedans, il n'y avait pas le même genre de passion que du côté du OUI. On se sentait frustrés. On disait : "Écoutez, le pays va se défaire et on est en train de gérer ça comme on gère une banque." Je sentais qu'il n'y avait pas d'émotion. Les gens du NON avaient décidé de réserver une salle plus petite parce qu'ils voulaient s'assurer qu'elle soit pleine. C'était un exemple de leur manque de foi. Ils avaient peur de perdre. Il faut que tu aies le goût de gagner pour pouvoir gagner. »

Dès le lendemain, O'Brien contacte quelques hommes d'affaires et, ensemble, ils se disent : « Pourquoi ne pas organiser quelque chose nous-mêmes ? Pourquoi ne pas oublier le comité du NON, oublier les partis politiques, oublier la machine libérale, fédérale comme provinciale ? Empruntons au Parti québécois, pensons à l'âme qui l'anime, à son émotion, et nous pouvons faire la même chose. » Le vendredi

20 octobre, le petit groupe se réunit. « C'est alors, se souvient O'Brien, que nous avons décidé d'organiser un grand ralliement[24]. On se disait : Si on peut mettre 20 ou 25 000 personnes dans la rue, ça va marcher ! » L'idée du grand rassemblement de la place du Canada, qui aura lieu huit jours plus tard, vient de naître. Mais comment rassembler 25 000 personnes en si peu de temps ?

Jonathan Wener, président-directeur général de Canderel Management, fait partie du groupe. Il dirige, cette fin de semaine-là, la campagne de souscription du Jewish Appeal. Son idée : faire descendre 25 000 Juifs dans la rue en faveur du NON. « Jonathan, je n'ai que faire de 25 000 Juifs ! lui dit O'Brien. Ce que je veux, c'est 25 000 Hongrois, Grecs, Italiens, Canadiens français, peu importe. Il faut que ce soit un mélange… » Pendant la fin de semaine, des centaines de personnes font des appels pour la collecte annuel de fonds au bénéfice de la communauté juive et, du même coup, sondent leurs interlocuteurs sur leur intérêt à participer à une grande assemblée en faveur du NON, place du Canada. Le dimanche soir, Wener téléphone à O'Brien : « J'ai tes 25 000 Juifs », lui dit-il. O'Brien répond alors : « *OK, let's go !* »

Il faut maintenant un permis de manifester. Rick Leckner, un journaliste de CJAD, familier des forces policières, l'obtient. À compter du lundi, le groupe, une douzaine de personnes, se réunit dans un club sélect, le Mont-Royal, situé rue Sherbrooke, dans l'ouest de Montréal. « On se traitait assez bien, dit O'Brien. L'un de nous était membre du club ; il a offert de nous obtenir une salle qui soit convenable. » Le club Mont-Royal devient le quartier général du groupe O'Brien, qui s'y réunit le matin, à 7 h 30, pour des discussions qui durent parfois trois heures. Chaque membre du groupe prend en charge un comité, celui du transport, de la sécurité, de l'impression et de la distribution des circulaires dans les écoles, dans le métro, etc. « C'est vraiment la passion qui a poussé ces gens à faire ça, ajoute O'Brien. Et aussi, la peur. Ils voulaient être Montréalais, rester ici au Québec et faire partie du Canada. » La machine est en marche. La semaine s'annonce épuisante pour le groupe O'Brien, mais il ne se doute pas encore de l'ampleur et de l'allure que va prendre l'événement qu'il vient de mettre en branle.

Le jour même du rassemblement des gens d'affaires au Palais des congrès, un sondage fait passer le camp du NON de l'inquiétude à la panique. L'écart entre les deux options, qui était de huit points en faveur du NON, trois semaines auparavant, est disparu, et c'est maintenant le OUI qui détient un point d'avance[25]. En plus de cette donnée, atterrante pour le camp fédéraliste, une autre le préoccupe au plus haut point : le grand Montréal favorise le NON par 58 points contre 42, tandis que le reste de la province favorise le OUI dans la même proportion, un clivage choquant entre le vote anglophone et le vote francophone. Le camp souverainiste, heureux de se trouver nez à nez avec l'adversaire, voit par ailleurs, dans ce même sondage, une tendance se dégager, tendance qui pourrait causer sa défaite : le choix des allophones penche du côté du NON dans une proportion de 95 %.

Pour la première fois, Jean Chrétien reconnaît que la victoire du NON n'est plus assurée et que le Canada, sans le Québec, devrait se redéfinir de fond en comble puisqu'il ne serait plus un pays. « Rien ne porte à croire, dit-il dans sa deuxième sortie en importance dans la campagne, que les autres provinces seraient disposées à donner carte blanche au gouvernement fédéral pour établir les termes de la dissolution du pays. Et qui peut prévoir que les autres provinces arriveront à établir un consensus[26] ? » Le premier ministre a perdu de sa superbe et, devant les membres de la Chambre de commerce du Québec métropolitain, il déclare que le Québec forme une société distincte et qu'il devrait voter NON pour profiter des « changements positifs » qui s'annoncent au pays. Se gardant bien, cependant, de promettre des modifications à la Constitution, il parle de « changement sans rupture » et d'une « évolution de la Fédération selon une approche modérée », qui sera rendue nécessaire à cause de la précarité des finances publiques.

Malgré le revirement de l'opinion publique en faveur du OUI, l'entourage de Jacques Parizeau n'est pas rassuré pour autant. Le débat autour de l'adhésion du Québec à l'ALÉNA soulève peu de passion dans la population et les souverainistes s'en réjouissent, mais le gouvernement apprend d'une source diplomatique américaine que la pression se fait insistante sur la Maison-Blanche pour qu'il y ait « une déclaration plus opérationnelle ». « Qu'est-ce que ça veut dire : une déclaration plus opérationnelle? dit Jean-François Lisée. Ce qui nous inquiétait, c'était qu'ils disent quelque chose sur les emplois, l'investissement américain au Québec, le nerf économique quoi! »

Le camp Parizeau ne s'inquiète pas sans raison. Le 18 octobre au matin, James Blanchard quitte Ottawa pour Washington, en compagnie de son épouse, Janet. Il vient de lire le *Globe and Mail*, qui annonce que le discours de Paul Martin sur le million de pertes d'emplois provoque une réaction négative dans les troupes du NON. « J'étais plus convaincu que jamais qu'il était temps, pour les États-Unis, d'affirmer leur appui à un Canada uni », écrit-il dans son autobiographie. Blanchard a une certitude : le premier endroit où un gouvernement québécois se précipiterait, une fois l'indépendance acquise, c'est à Washington, et non à Paris, à cause des échanges commerciaux qui sont beaucoup plus importants avec les États-Unis qu'avec la France. Il ne craint donc pas que les souverainistes poussent les hauts cris si le gouvernement américain s'engage plus avant dans la défense d'un Canada uni. Il a une autre certitude : le président Clinton et le secrétaire d'État, Warren Christopher, pensent comme lui. « Ils ont juste besoin de quelqu'un qui a de bonnes antennes politiques pour vérifier jusqu'où le gouvernement américain peut aller sans insulter les Canadiens[27] », écrit-il dans son livre.

Dès son arrivée à Washington, Blanchard se précipite au Secrétariat d'État pour un entretien avec Christopher, le sous-secrétaire d'État aux affaires politiques, Peter Tarnoff, la directrice du bureau des affaires canadiennes, Lynne Lambert, et quelques fonctionnaires. Il propose à Christopher le texte d'une déclaration qu'il pourrait faire à l'appui du fédéralisme canadien. « Mais, dites-moi, pourquoi faisons-nous cela? », lui demande le secrétaire d'État. Blanchard explique alors que la bataille référendaire est très serrée et que les Québécois attachent la plus grande importance à ce que pensent les Américains. « J'ai parlé aux adjoints du premier ministre Chrétien, lui dit-il, et ils sont d'accord. Tout le monde est d'accord. » Christopher lui répond alors : « Je me rends compte que ça vous préoccupe beaucoup, n'est-ce pas, Jim? J'ai simplement voulu avoir votre opinion. Ne vous inquiétez pas. Je suis là[28]! »

Plus tard dans la journée, Warren Christopher a un tête-à-tête avec le ministre canadien des Affaires étrangères, André Ouellet, qui se trouve à Washington pour discuter du renouvellement du Commandement de la défense aérospatiale de l'Amérique du nord (NORAD)[29]. Dans un point de presse qui suit la rencontre, le secrétaire d'État va plus loin que la position traditionnelle de Washington. « Je ne veux pas me mêler de ce qui est, à juste titre, une question interne au Canada, dit-il aux journalistes. Mais, en même temps, je veux signaler à quel point nous avons bénéficié, ici aux États-Unis, de l'occasion d'avoir le genre de relations que nous avons en ce moment avec un Canada fort et uni. […] Je crois que nous ne devons pas tenir pour acquis qu'une organisation différente aurait exactement le même type de rapports[30]. » Blanchard jubile : les propos et l'attitude de son patron correspondent à ce qu'il souhaitait. Il doit maintenant s'assurer que la presse rapporte fidèlement ce qu'a dit Christopher. Dès le lendemain, il prend l'avion pour Boston afin de s'entretenir avec des responsables de la rédaction du *Boston Globe*. Et c'est alors qu'il reçoit un appel du consul général des États-Unis à Québec, Stephen Kelly, qui l'informe que Bernard Landry a mal pris l'intervention de Christopher, qu'il a une lettre à lui transmettre et qu'il veut la remettre en mains propres à l'ambassadeur.

Le gouvernement du Québec aura donc mis moins de 24 heures à réagir aux propos de Christopher. En même temps que Bernard Landry l'envoie à Kelly, une copie de la lettre est expédiée dans la capitale américaine, confiée au conseiller spécial de Jacques Parizeau à Washington, René Marleau, avec mandat de l'envoyer à la Maison-Blanche. « Je ne sais pas pourquoi à la Maison-Blanche, s'interroge encore Marleau aujourd'hui, puisque la lettre était adressée à Warren Christopher. » En bon fonctionnaire, Marleau s'exécute et demande à son attaché politique d'aller déposer la lettre à la Maison-Blanche. « J'ai été sidéré à la lecture de cette lettre, dit-il. Pourquoi ? Parce qu'elle allait complètement à l'encontre d'un des principes de notre présence à Washington, surtout pendant cette période, c'est-à-dire de ne pas "antagoniser" les Américains. » Plus tard, Marleau rencontre son contact au secrétariat d'État, Lynne Lambert, qui lui confirme que Christopher a bien reçu la lettre. Selon Jean-François Lisée, cependant, la lettre est adressée à Warren Christopher, mais « le destinataire réel, c'est la Maison-Blanche ».

La correspondance frappe par la fermeté du ton. « La déclaration (de Christopher), faite moins de deux semaines avant le référendum, écrit Landry, a reçu une attention considérable et a été présentée par les adversaires du projet de notre gouvernement comme une dérogation claire à la position traditionnelle des États-Unis. » Il rappelle le rôle déterminant du Québec dans le dossier de l'accord de libre-échange, alors que le Parti libéral de Jean Chrétien y était opposé. « Un Québec indépendant serait, après tout, votre huitième plus important partenaire commercial », ajoute-t-il. Landry souligne que, si des déclarations américaines étaient perçues comme un facteur dans la décision que les Québécois s'apprêtent à prendre, elles entreraient dans la mémoire collective et dans les livres d'histoire.

« Si le OUI l'emporte, ce qui est maintenant probable, poursuit la lettre, les électeurs du Québec et les historiens se souviendront que la souveraineté du Québec a été acquise en dépit, et même contre la volonté des Américains. Ce qui rendra plus difficile notre tâche de développer avec les États-Unis des relations productives et amicales qui nous tiennent à cœur.

« Si la victoire échappait au OUI par une mince majorité, comme c'est possible, ceux qui auront voté OUI — une majorité claire de Québécois francophones — auront la tentation de rendre les États-Unis en partie responsables de leur profond désappointement. Je ne sais pas combien il faudra de décennies pour dissiper ce sentiment. » Et Landry de conclure : « Si, dans les jours à venir, il y avait des déclarations américaines encore plus accentuées, ou si elles venaient des hautes autorités de l'Administration, elles laisseraient des cicatrices encore plus profondes dans notre histoire[31]. »

« Ce gars-là est fou !, réagit Blanchard à l'information que lui rapporte Stephen Kelly. Dites-lui que je vais l'appeler. Il va passer pour un fou à Washington pour avoir semblé menacer le secrétaire d'État des États-Unis. Dites-lui, s'il a un peu de cervelle, de ne parler à personne de cette lettre. Dites-lui que je vais la garder confidentielle, mais

que je crois qu'il a fait une grosse bêtise en l'écrivant[32]. » Le bureau de
Warren Christopher a bien reçu la lettre mais, le secrétaire d'État en
a-t-il pris connaissance ? Selon Blanchard, il ne sait même pas qui est
Bernard Landry. A-t-elle eu un impact à Washington ? « Ils ne l'ont
jamais vue, prétend l'ambassadeur. Je pense que le bureau du Canada
au secrétariat d'État l'a lue et qu'il a simplement pensé que c'était lou-
foque. Je n'ai pas voulu qu'il paraisse mal. Ce n'est pas mon travail. Et,
de toute façon, il s'agissait d'une lettre privée[33]. » Pour Blanchard, la
lettre démontre que le Parti québécois est plus déterminé qu'il ne le
croyait, « plus fanatique, plus problématique ». Sur ses instructions,
Lynne Lambert[34], au bureau du Canada du Secrétariat d'État, l'a classée, destinée à ne jamais recevoir de réponse.

Qui en a pris l'initiative, à Québec ? « Évidemment, la lettre a été
approuvée par M. Parizeau », dit Jean-François Lisée, qui l'a rédigée.
Mais Parizeau dit qu'il n'était pas au courant : « C'était une initiative de
M. Landry, dit-il. Cela faisait partie de ses attributions comme vice-
premier ministre et chargé des relations internationales. » Et on aurait
tendance à le croire, car, lorsqu'il a nommé René Marleau conseiller
spécial à Washington, quelques semaines plus tôt, il lui a fait deux recommandations : « Le tenir informé de la perception des Américains
vis-à-vis de la souveraineté et ne pas faire de vagues ! », se souvient
Marleau. Quoi qu'il en soit, la lettre a été préparée rapidement, sans
consultation des quelques lobbyistes qu'utilise le gouvernement du
Québec dans la capitale américaine. « Ou on se comporte en mouton, et
les Américains vont nous traiter comme des moutons, ou on leur dit :
Attention ! », dit, pour en expliquer le ton de fermeté, Jean-François
Lisée, que sa carrière a amené à bien connaître les Américains.

Contrairement au souhait de l'ambassadeur américain, la lettre
ou, à tout le moins, son contenu, ne demeure pas confidentiel. Le gouvernement québécois téléphone à certains gouverneurs, surtout ceux
de la Nouvelle-Angleterre, notamment Angus King, du Maine, et
William Weld, du Massachusetts. « Pour leur dire, précise Lisée :
écoutez, tout ce qu'on demande, c'est qu'il n'y ait pas d'interventions
négatives et on vous invite à appeler à la Maison-Blanche pour "passer
le message". » Leur a-t-on parlé à ce moment-là de la lettre de Landry

à Christopher ? Blanchard n'en écarte pas la possibilité. Deux jours après, le consul américain à Québec apporte aux adjoints de Parizeau ce que ceux-ci considèrent comme la preuve que l'opération est une réussite : il veut savoir combien de gouverneurs ont été appelés. Le message s'est donc rendu au Secrétariat d'État. Lisée considère qu'une autre preuve en sera apportée lorsque, la semaine suivante, le président Clinton, dans sa déclaration d'appui au Canada, se sentira obligé de la nuancer et de dire que c'est aux Québécois et aux Canadiens de décider. Mais le conseiller spécial de Parizeau à Washington, René Marleau, ne partage pas cet avis : « Pour moi, dit-il, les déclarations qui ont été faites par les autorités américaines après la réception de la lettre auraient été faites de toute façon. »

Pendant que l'on s'agite dans les officines diplomatiques, sur le terrain, la campagne se poursuit à un rythme d'enfer. À Rivière-du-Loup, Lucien Bouchard fait un faux pas. Il affirme que le Québec proclamera la souveraineté d'abord, puis qu'il négociera. « Le mandat, sollicité par le gouvernement de M. Parizeau et les souverainistes, dit-il, c'est que le Québec fasse sa souveraineté, et que, fort de cette souveraineté, il tente ensuite de négocier un accord de partenariat[35]. » Mais il se rattrape vite. À Rimouski, il rectifie : « Il y aura d'abord négociation, où nous allons épuiser tous les moyens pacifiques et démocratiques, précise-t-il, en demandant cependant un mandat fort afin que la pression sur le gouvernement fédéral soit forte[36]. » Et personne ne lui tient rigueur de son dérapage, confirmant ainsi l'opinion du camp du NON que, quoi qu'il dise, tout lui est pardonné.

Tout semble désormais favoriser le camp du OUI. Même l'initiative d'un mauvais farceur tourne au profit des souverainistes, lorsque, le même soir, Jacques Parizeau triomphe à l'Université de Montréal. Porté par les sondages du matin, il choisit de prendre un bain de foule et se fraie avec difficulté un chemin parmi les étudiants qui l'encerclent. Son discours à peine entamé, un appel à la bombe force l'évacuation de la salle. Loin de perturber la rencontre, l'incident vient ajouter au contact que Parizeau veut entretenir avec les jeunes puisqu'il l'oblige de prononcer son discours, porte-voix à la main, en plein air, au milieu de ceux qui sont venus l'entendre.

La question de l'union monétaire continue de semer la confusion dans la population. S'appuyant sur une étude de l'Institut C. D. Howe, Daniel Johnson la juge irréalisable et prédit que le Québec n'aura d'autre choix que de créer sa propre monnaie « qui sera immédiatement dévaluée par rapport au dollar canadien, qui, lui-même, serait dévalué par rapport au dollar américain[37] ». Quelques heures plus tard, le ministre des Finances du Canada déclare à son tour qu'il ne croit pas qu'une telle union monétaire pourrait durer longtemps. « Ce n'est pas ma décision, dit Paul Martin dans une entrevue au *Devoir*, c'est celle de milliers de Québécois, de Canadiens et d'entreprises qui vont perdre confiance. » Il s'abstient cependant de se prononcer sur la nécessité, pour le nouveau pays, de se doter d'une monnaie propre dès son accession à l'indépendance.

Les conséquences économiques de la souveraineté continuent d'alimenter les discours, négatives pour un camp, positives pour l'autre, mais la réalité frappe tout le monde le vendredi 20 octobre : le dollar plonge à 73,87 cents, perdant 72 centièmes par rapport à la devise américaine. La Banque du Canada intervient par l'achat massif de devises canadiennes sur les marchés financiers, qui assistent à une vente considérable d'actifs canadiens. La cause d'une telle nervosité : la publication de deux sondages, l'un de la firme Angus Reid pour le compte de Wood Gundy et de la CIBC, qui accorde une avance de deux points au OUI, et un autre, de Léger et Léger, qui place les deux options à peu près à égalité. Ce sont là des données qui n'ont rien de rassurant pour les milieux financiers. Selon le *Globe and Mail*, ce n'est pas uniquement la possibilité d'une victoire du OUI qui perturbe le marché, mais la perspective d'un résultat serré. Il s'appuie en cela sur l'analyse du directeur général de WEFA Canada inc., une société qui se spécialise dans la création de modèles économétriques aux fins d'analyse des activités macroéconomiques et industrielles. Selon Ross Preston, qui compare la situation du Canada à celle qui a prévalu au Mexique au début de l'année[38], si le résultat du référendum n'est pas décisif, quelle que soit la partie qui l'emporte, le dollar descendra en bas de 70 cents américains. « La communauté financière, écrit l'influent quotidien, a peur que, si la marge d'une victoire est trop mince,

Ottawa et les provinces soient plongés dans une crise financière et que le pays entre même en récession. » Qu'entend-on par une marge trop mince ? « Supposons, poursuit le journal, sous la signature du journaliste Jeffrey Simpson, que le NON l'emporte par, disons, 53 % contre 47 % ou 52 % contre 48 %, ce genre de victoire à l'arraché serait indubitablement le pire des résultats imaginables[39]. »

L'inquiétude du camp du NON, à la suite des sondages d'Angus Reid et de Léger et Léger, se transforme en consternation lorsqu'une enquête interne donne une avance de sept points au camp adverse. « C'était alarmant, dit John Parisella. On a commencé à perdre cette campagne le jeudi (le 19). Il était évident, dans l'enquête, que le *momentum* ne nous favorisait pas. » Les organisateurs du NON tiennent alors une réunion d'urgence et décident qu'un discours de Jean Chrétien à la nation pourrait donner quelques résultats. « J'ai fait une sortie, se souvient Parisella, pour demander que ce discours soit plus convenable et plus acceptable aux Québécois. On sentait qu'on était fondamentalement dans un choix de pays. On était dans une dynamique post Meech, post Charlottetown. Est-ce qu'il fonctionne, ce pays, ou est-ce qu'il ne fonctionne pas ? Il fallait qu'on donne un espoir à ceux qui voulaient qu'il fonctionne. » De son côté, James Blanchard parle à la firme Angus Reid et se fait confirmer les résultats des sondages. Il décide de tout mettre en œuvre pour amener le président Clinton, fort populaire au Québec, à se prononcer.

Sur le terrain, Jean Charest sent le vent tourner. En campagne dans le Bas-du-Fleuve, il s'arrête à une station-service de Mont-Joli pour téléphoner. Le garagiste le reconnaît et sort de son établissement pour venir le saluer. « Un homme dans la quarantaine, se souvient Charest, qui représentait un peu nos clientèles, des gens qui étaient indécis. » Les deux hommes engagent la conversation et le garagiste finit par dire à Charest : « Vous savez, si on vote OUI au référendum, ça va être dur, n'est-ce pas ? » Charest ne rate pas l'occasion : « Oui, ça va être dur », répond-il. Et, après un silence, le garagiste dit : « Vous savez, si on vote NON, ça va être dur, hein ? » « J'ai alors compris, se rappelle Charest, qu'on avait un grave problème. J'étais dans le Bas-du-fleuve, où le taux de chômage était élevé, où la récession des années 1990 avait été particulièrement dure et où le camp du OUI avait réussi à aller chercher les gens et à leur faire croire qu'ils n'avaient rien à perdre.» Et le chef du Parti conservateur de l'époque de conclure : « Cela a été, dans le fond, le succès de la campagne du OUI, de convaincre un certain nombre de Québécois qu'en votant OUI, il n'avaient rien à perdre alors qu'ils avaient beaucoup à perdre. »

Le même jour, le conseiller politique de Lucien Bouchard, Pierre-Paul Roy, envoie une note à son chef : « On est à peu près à 50-50. On peut gagner ! » Les deux camps entrent dans le dernier droit, mais c'est le OUI qui semble détenir la position de tête.

Le vendredi soir 20 octobre, Jean Chrétien débarque à New York. L'année 1995 marque le 50ᵉ anniversaire des Nations unies et une cérémonie rassemblera la quasi-totalité des chefs d'État du monde. Le premier ministre canadien et son épouse Aline descendent à l'hôtel Pierre, où l'ambassadeur du Canada à Washington, qui est aussi leur neveu, doit les rejoindre, en compagnie de son épouse, pour un souper de famille.

Le midi, Raymond Chrétien, s'acquittant d'un rendez-vous pris longtemps auparavant, s'est adressé, à Wall Street, à une cinquantaine de gens d'affaires qui ont des investissements au Canada et au Québec. « Je leur ai fait le boniment habituel sur la relation extraordinaire qui existe entre le Canada et les États-Unis», dit l'ambassadeur qui découvre, toutefois, pendant la période de questions, que ces investisseurs suivent très attentivement ce qui se passe de l'autre côté de la frontière et n'ignorent pas que la victoire du NON est loin d'être acquise. « Je me suis rendu compte qu'il y avait beaucoup de prudence à l'égard de mon optimisme, peut-être exagéré, concernant une victoire du gouvernement canadien, dit aujourd'hui Raymond Chrétien. Ces gens-là me disaient en termes très clairs : "Écoutez, monsieur l'ambassadeur. Vous semblez croire que vous allez gagner. Mais nous, nos informations indiquent que c'est tellement serré qu'on ne peut plus prédire ce qui va se passer." »

L'ambassadeur ressort de ce dîner, secoué. Il ne peut s'empêcher de penser aux conséquences que peut entraîner chez ces gens d'affaires, qui contrôlent des centaines de millions de dollars d'investissements au

Canada, la perception qu'ils ont de la situation. Il passe au consulat canadien puis, en fin de journée, se rend à l'hôtel Pierre pour y accueillir le premier ministre. Et, c'est dans un coin discret du restaurant de l'hôtel, l'un des plus réputés de New York, que Raymond Chrétien raconte son dîner au premier ministre et lui fait part de ses préoccupations. « J'ai dit : "Écoute, Jean, ici, c'est le pays le plus important de la planète. Or, voilà ce que je viens de vivre, et ce ne sont pas des gens qui se racontent des histoires." Le premier ministre m'a écouté avec beaucoup d'attention. Ce point de vue, il ne l'avait pas entendu auparavant. Ses collègues à Ottawa ou d'autres personnes lui avaient, bien sûr, déjà fait part de leurs opinions. Mais c'était probablement la première fois qu'il avait le point de vue de son ambassadeur à Washington, qu'il entendait parler de l'humeur ou de la perception des gens d'affaires américains au sujet du référendum et de la possibilité qu'il soit perdu. J'avais, ce soir-là, la chance de lui dire : Écoute, il faut nous réveiller, et rapidement[40]. »

L'ambassadeur prévient aussi Jean Chrétien que le lendemain, dès sa sortie de l'hôtel, dès son arrivée aux Nations unies, il sera assailli de questions sur la situation au Québec : Qu'est-ce qui va se passer ? Où vous situez-vous ? Allez-vous gagner ? N'y a-t-il pas un danger que vous perdiez ? « J'ai voulu l'avertir que la perception qu'avaient ceux qui ont un intérêt direct au Canada et au Québec était que c'était trop serré pour pouvoir se prononcer », ajoute Raymond Chrétien[41].

Si l'ambassadeur a semé l'inquiétude chez son premier ministre, celui-ci en fait autant chez son vis-à-vis : « Je me suis tout à coup rendu compte que nous n'avions pas de plan B, dit le diplomate. Dans une semaine, qu'est-ce que je fais ? Qu'est-ce que je dis au président Clinton, à son gouvernement, si le Canada perd ? Quel est notre message ? Acceptons-nous, refusons-nous les conditions ? Mon travail à Washington était de faire connaître à l'Administration américaine quelle était notre position au sujet du référendum[42]. »

L'idée d'une intervention du président Clinton fait son chemin. Il est évident qu'il ne peut, sans créer un incident diplomatique grave, en prendre lui-même l'initiative. Par ailleurs, le premier ministre Chrétien, sous peine de sacrifier la souveraineté du Canada, ne peut en faire la demande formelle. Il ne reste qu'une solution : une rencontre «fortuite», le samedi, lorsque les deux hommes assisteront aux fêtes du 50ᵉ anniversaire des Nations unies. Et l'ambassadeur Blanchard a pris les dispositions nécessaires pour qu'ils se croisent.

Comment les choses se sont-elles passées? « Je ne me rappelle pas, dit Jean Chrétien. Peut-être, alors que nous étions aux Nations unies, qu'il [le président Clinton] s'est informé : "Jean, comment ça marche?" Et que je lui ai expliqué… C'est peut-être à ce moment-là que je lui ai parlé. Ce n'était pas une démarche (officielle). On était entre voisins. Il suivait cela (la question du référendum) avec attention. Il adore la politique, alors, pour lui, c'était un problème politique qui devait l'intéresser. Mais je n'ai jamais appelé Clinton pour lui dire : "Bill, j'aimerais que tu fasses une déclaration." Ce n'est pas comme cela que ça s'est passé.» Mais James Blanchard, bien qu'avec passablement d'embarras, est plus catégorique : « Il lui a demandé de l'aider, dit-il. C'était à New York. Il lui a demandé de l'aider, sans entrer dans les détails⁴³… »

Le matin du samedi 21 octobre, comme tous les samedis, le camp du NON se réunit et cherche toujours une façon de contrer l'effet Bouchard. La réunion commence vers 8 h 30 et dure plus d'une heure et demie. Daniel Johnson participe aux discussions. Vers 10 heures, quelques personnes se retirent dans une petite pièce pour travailler à la rédaction du discours que Jean Chrétien prononcera, le mardi suivant, au grand ralliement de Verdun. La réunion se poursuit et de la discussion jaillissent plusieurs idées, dont celle d'un engagement, de la part d'Ottawa, d'apporter des changements à la Constitution. «Quelqu'un l'a suggéré, se souvient Eddie Goldenberg. D'autres ont dit que l'on ne devrait pas en parler. D'autres, enfin, ont suggéré d'y réfléchir pendant le week-end. M. Johnson a alors quitté la réunion parce qu'il avait des rendez-vous. »

Le premier rendez-vous de Daniel Johnson l'amène à Longueuil. Il profite d'une question d'un journaliste pour lancer un appel à l'aide à Jean Chrétien. Il lui demande de se prononcer, maintenant, sur la question de la société distincte. Il souligne que le manifeste du NON, inclus dans le document envoyé par le directeur général des élections dans tous les foyers du Québec, a été approuvé par les membres de la coalition fédéraliste. Ce manifeste est clair : « À l'intérieur de la fédération canadienne, peut-on y lire, nous formons une société distincte. » Johnson rappelle que Jean Chrétien a déjà défendu le manifeste du NON à la Chambre des communes. « Il peut être ou ne pas vouloir être plus spécifique dans ses remarques, dit-il, mais je crois que, dans la mesure où il ferait écho à ce que nous disons, bien sûr que ce serait souhaitable. » Il n'ignore pas que, trois jours auparavant, la vice-présidente du comité du NON, Liza Frulla, s'est fait rabrouer par le camp fédéral pour avoir évoqué la possibilité que le caractère distinct du Québec soit enchâssé dans la Constitution. Mais, en revenant à la charge, Daniel Johnson espère que le premier ministre manifestera à tout le moins une ouverture.

Bob Rae l'a rejoint, le matin, pour l'accompagner dans cette tournée, qui, après Longueuil, le conduit à Laval et à Lachute. « Savez-vous ce que le premier ministre va dire là-dessus ? », demande-t-il à Johnson. « Je n'ai fait qu'exprimer un souhait, lui répond celui-ci. Je suis certain que ce ne sera pas une grosse affaire[43] ! »

Les mots sont à peine sortis de sa bouche qu'ils se retrouvent dans une question d'un des journalistes qui suivent Jean Chrétien à New York. « Non, répond Chrétien sèchement. On ne parle pas de Constitution, on parle de séparation du Québec du reste du Canada. » Mais il ajoute : « J'ai voté pour l'Accord de Charlottetown et les péquistes, eux, ont voté contre. La société distincte était dans Charlottetown. Je l'ai déjà reconnue. »

Daniel Johnson revient à Montréal et, en début de soirée, vers 18 heures, Eddie Goldenberg le croise dans un escalier du quartier général du NON. Il se souvient de l'échange qu'il a alors avec le chef du camp fédéraliste : « Je crois que j'ai fait une gaffe cet après-midi, me dit-il. J'ai fait une erreur, et peut-être devrais-je appeler le premier ministre et en parler avec lui[45] ? » L'adjoint de Chrétien l'en dissuade : « Non. Ne faites pas cela. Les temps sont durs pour nous tous. Contentez-vous de faire campagne. Nous comprenons. Nous faisons tous des erreurs, et il n'y a pas à s'en faire[46]. »

Avec le recul, Daniel Johnson regrette d'avoir répondu comme il l'a fait au journaliste. « J'aurais dû répondre qu'il n'y avait pas de ronde constitutionnelle à l'horizon et que c'était le projet de souveraineté qui était en cause, dit-il aujourd'hui. J'aurais dû simplement écarter la question. » « Le plus drôle, ajoute-t-il, c'est qu'à Shawinigan, à son premier discours important, Jean Chrétien a parlé du caractère distinct du Québec. » Le chef du NON se souvient qu'à cette occasion, il était debout à côté du premier ministre canadien. « On était tous debout sur l'estrade et on voyait les notes les uns des autres, se souvient-il. Or, il l'avait ajouté à la main dans son discours. Il l'avait ajouté, puis il l'avait dit. » C'est pourquoi Johnson estime que, dans cette histoire, « le côté fédéral n'a pas totalement livré la marchandise ». Selon lui, le différend n'aurait pas pris la même ampleur si, à New York, Jean Chrétien avait immédiatement dit, le samedi, « ce dont nous avions convenus, mais qu'il hésitait beaucoup à mentionner » plutôt que de le dire le lendemain par voie de communiqué.

Le désaccord entre les deux hommes fait la une des grands quotidiens du dimanche. *La Presse* titre : *Chrétien dit non à Johnson.* Pour le camp fédéraliste, il y a urgence de raccommoder la déchirure. Le matin, les deux hommes se parlent. « J'ai discuté un peu avec lui et j'ai accepté d'en faire un peu plus[47] », se souvient Jean Chrétien. Au cours d'une conférence de presse improvisée à l'hôtel Radisson, à Montréal, Daniel Johnson remet un communiqué aux journalistes, communiqué qu'il qualifie lui-même de « moyen de limiter les dégâts ». Le texte, approuvé par les deux chefs, affirme que le Québec est une société distincte. « Nous sommes convaincus que le système fédéral canadien est flexible et capable de changements pour s'adapter et mieux refléter la réalité et la diversité du pays, y compris le caractère distinct du Québec, disent-ils. […] MM. Bouchard et Parizeau tentent de déformer nos paroles et prétendent que nous sommes en contradiction. […] Nous parlons aujourd'hui ensemble et d'une même voix. Nous affirmons sans équivoque que le Québec est une société distincte. Nous rappelons que nous avons tous les deux appuyé l'inclusion de ce principe dans la Constitution canadienne chaque fois que le Québec l'a demandée. » Le communiqué écarte cependant toute possibilité d'en faire un enjeu du débat référendaire. « Il y a une seule question, peut-on y lire, à laquelle les Québécois et les Québécoises doivent répondre : voulez-vous que le Québec se sépare du Canada, oui ou non ? »

À New York, Jean Chrétien a un programme chargé : il rencontre l'émir du Koweit, Jaber al-Ahmad al-Sabbah, le président Suharto d'Indonésie, le premier ministre Carlsson de Suède, le président Frei du Chili, le président Kuchma d'Ukraine, mais rien d'autre n'intéresse les journalistes que son différend avec Johnson. Tout juste avant sa rencontre avec le premier ministre d'Israël, Yitzhak Rabin, la question lui est de nouveau posée. Il ne cache plus son ennui et son étonnement. « Je ne comprends pas, répond-il. J'ai voté pour la société distincte au Parlement, j'ai voté pour l'Accord de Charlottetown et je suis toujours en faveur. Il n'y a pas d'ambiguïté dans mon esprit. Puis, tout à coup, il y a cette ambiguïté. Alors, j'ai voulu affirmer de nouveau ce que j'ai voulu dire[48]. » Mais il se garde bien de promettre des changements constitutionnels, quels qu'ils soient.

Pendant ce temps, Bob Rae téléphone à certains premiers ministres provinciaux pour les enjoindre de ne pas réagir au communiqué du camp du NON lorsqu'il sera rendu public. « Je crois que j'ai même parlé à Clyde Wells, le samedi soir, se souvient-il. "C'est quelque chose à quoi nous pensons, lui ai-je dit. Vous pouvez peut-être réfléchir à ce que sera votre réponse." Mais M. Wells est un homme qui a le souci du détail. Il ne s'en cache pas. Si vous lui dites : votre chemise est bleue, elle n'est pas juste bleue. Il faut que ce soit une variété particulière de bleu ! Il veut toujours que ce soit clair qu'il se réserve le droit de dire ce qu'il pense si on le lui demande[49]. » Dès le lundi matin, on le lui a demandé et il a répondu : le Québec ne doit pas obtenir un statut spécial au détriment des autres provinces canadiennes et les Québécois sont dans l'erreur s'ils croient qu'en votant OUI, ils se donnent un pouvoir de négociation avec le reste du Canada.

Selon John Parisella, Jean Chrétien entretenait lui-même l'ambiguïté parce qu'il ne voulait pas se laisser entraîner dans un débat sur des changements à la Constitution. « Il ne voulait pas être pris dans une interprétation d'un vote pour le NON semblable à 1980, qui amènerait une dynamique en faveur d'une révision constitutionnelle, dit-il. M. Trudeau, lui, tenait à cela. C'était plus ou moins son héritage qui était en jeu. Victoria avait été un échec[50]. Il avait de nouveau raté l'occasion en perdant les élections en 1979[51], mais là, il avait l'occasion de gagner le référendum, d'agir rapidement et de rapatrier la Constitution. M. Chrétien ne voulait pas se faire prendre dans cette dynamique. Cela, on l'a ressenti. Quand on a commencé à préparer les documents du NON, à rédiger le manifeste, on sentait le tiraillement. On ne voulait pas s'embarquer dans quelque chose qui serait interprété comme un engagement pour faire une réforme constitutionnelle. » Le gouvernement canadien résiste d'autant plus à ouvrir la porte à des concessions constitutionnelles que le Parti québécois est en début de mandat et que, pendant trois ou quatre années, il pourrait harceler Chrétien et son gouvernement pour qu'ils s'engagent dans des réformes.

Dix ans après, Jean Chrétien explique ses réticences de l'époque. Il trouve que l'expression « société distincte » ne veut rien dire[52]. « C'était le débat que j'avais avec M. Trudeau, dit-il. Lui, il disait qu'il n'y avait pas de mot dans la Constitution qui ne voulait rien dire. Je me souviens d'un débat que nous avions eu à Toronto, lui, moi et mon ami Gérard Pelletier. Je disais : "On a le Code civil au Québec, alors qu'il ne s'applique pas dans le reste du Canada ; la majorité au Québec parle français, ce n'est pas le cas dans les autres provinces." Plusieurs décisions de Cour reconnaissent cet état de fait. L'expression *société distincte* crée un problème. Cela arrive souvent en politique. Par exemple, l'union de gens de même sexe. Si c'est un contrat civil, personne ne s'objecte. Si vous appelez ça un *mariage*, vous avez beaucoup d'opposition, mais cela ne change rien dans la réalité. Le problème, c'est le mot. Ce sont des batailles qui créent des illusions. Quand les résultats ne sont pas là, cela crée de l'amertume. C'est pourquoi, quand je suis devenu premier ministre, je n'ai jamais pensé qu'on pouvait régler les problèmes de tout le monde en changeant la Constitution. C'est la solution la plus facile. Quand on a un problème de déficit ou de manque d'argent ou de participation à une guerre comme celle en Irak, ce n'est pas la Constitution qui décide, c'est le pouvoir politique, c'est le gouvernement. » Pour Jean Chrétien, la constitution d'un pays n'a pas tellement d'importance. « Il y a un mythe autour des changements qu'on peut apporter à la Constitution, dit-il. En France, ils ont eu une vingtaine de constitutions en 200 ans, alors que les Anglais n'en ont pas. Pourtant, les Anglais ont la même population que la France et à peu près le même niveau de vie. Jean Marchand[53] avait l'habitude de dire qu'un changement à la Constitution ne fera pas pousser des patates au Labrador en hiver[54]! »

En refusant, à dix jours du référendum, de prendre l'engagement d'enchâsser la notion de société distincte dans la Constitution, Jean Chrétien va à l'encontre de la position de la plupart des politiciens canadiens que le danger d'une victoire du OUI rend maintenant plus ouverts envers le Québec. Paul Martin affirme haut et fort qu'il veut l'enchâssement, Frank McKenna également. Le Parlement ontarien adopte à l'unanimité de ses 130 députés une résolution présentée par le premier ministre Harris qui déclare que « l'Assemblée législative et la population de l'Ontario affirment que nous aimons profondément le Canada et que nous accordons une grande valeur au caractère distinctif du Québec au sein de notre pays ». La Nouvelle-Écosse imite l'Ontario et fait hisser le fleurdelisé devant l'Assemblée législative. À Winnipeg, le premier ministre Gary Filmon déclare qu'il est prêt à reconnaître la société distincte lors de la ronde constitutionnelle qui s'annonce pour 1997. À Terre-Neuve, la volte-face de Clyde Wells, survenue sur le tard, renverse tout le monde : son Parlement adopte à l'unanimité une résolution soutenant que « la Constitution doit être amendée pour reconnaître le caractère distinct du Québec par sa langue, sa culture et ses institutions légales ». Par la suite, Clyde Wells va cependant s'enfermer dans un mutisme complet sur la question du référendum. En Colombie-Britannique, par contre, et en Alberta, ni Michaël Harcourt ni Ralph Klein ne veulent « s'engager dans un débat constitutionnel sur le statut de société distincte ».

Le différend Chrétien-Johnson crée un climat de crise au quartier général du NON. La tension entre les fédéralistes d'Ottawa et ceux du Québec devient intenable. « Cela aurait pu mener à une scission importante, dit John Parisella. Ce week-end, j'ai vraiment senti qu'il y avait deux formations différentes. Et puis, ce n'était pas des gens prêts à faire des compromis. Cela aurait pu tourner encore plus au

vinaigre, mais on a pu se rallier et se concentrer sur la dernière semaine. » En plus d'avoir à gérer la tension qui atteint un paroxysme à
cause du différend entre les deux chefs, les stratèges du NON doivent
se remettre du choc qu'ils ont dû encaisser, le matin même, lorsque le
sondeur officiel de la coalition, Grégoire Gollin, leur a appris que leur
camp tirait de l'arrière par cinq à sept points. « Ce samedi matin, se
souvient Pierre-Claude Nolin, comme les autres samedis, M. Gollin
est arrivé avec ses données. Disons que cela a été comme une douche
d'eau froide ! Ce fut la fin de semaine la plus difficile. Il ne nous restait
pas dix jours pour renverser la vapeur. »

À Ottawa, le sondage ajoute encore à la consternation dans laquelle se trouve l'entourage du premier ministre depuis quelques
jours. Jusque-là, ses conseillers s'accrochaient à l'espoir que la glissade
du NON n'était que passagère, mais ils se rendent maintenant compte
qu'elle s'accélère au point de devenir irréversible. Ils organisent une
conférence téléphonique qui met Eddie Goldenberg et Peter Donolo à
Ottawa, John Rae du comité du NON à Montréal, Jean Pelletier et
Patrick Parisot (l'attaché de presse de Jean Chrétien) à Québec, en relation avec le premier ministre qui est à New York. Eddie Goldenberg
dit alors à Chrétien : « Nous avons de bonnes nouvelles et nous avons
de mauvaises nouvelles. La mauvaise, c'est que nous tirons de l'arrière
par sept points dans les sondages. La bonne, c'est qu'il reste encore
une semaine et que nous comptons sur vous pour nous tirer de là. » Le
premier ministre est décontenancé. « Quand je suis parti, les sondages
étaient encore bons, se souvient-il. Mais là, cela m'a un peu assommé. »
Il choisit quand même de rester à New York. L'événement est historique et essentiellement protocolaire et, aujourd'hui, Chrétien n'est plus
absolument sûr de l'importance qu'il y avait pour lui de demeurer à
New York. « C'était important, puis ça l'était pas, dit-il. Il y avait tellement de chefs de gouvernement. » Il se souvient de la prise de la photo
officielle. « Il y avait toute une guerre de protocole, à savoir qui serait
dans la première rangée, dans la deuxième, la troisième ou la quatrième
rangée, se souvient-il. Le photographe, lui, ne connaissait personne.
Alors, il m'avait éloigné de la première rangée parce que j'étais
plus grand que les autres. Il me disait : Montez de trois rangées…

Non, non, pas là. Allez au coin, là-bas! Je me suis retrouvé dans le coin là-bas. Il y avait des diplomates qui n'étaient pas très contents. Quand les Nations unies ont voulu mettre des noms sur tous ces personnages, on n'a pas réussi à les reconnaître tous! » Il ne regrette cependant pas d'y être resté jusqu'au lundi car « j'avais rencontré toutes sortes de monde intéressant. Il y avait des "bilatéraux" et des gens qu'on ne voyait pas souvent. » « J'ai eu une bonne conversation avec Fidel Castro, aime-t-il rappeler. C'était la première fois que je le voyais et il était bien content de parler en espagnol avec Aline! »

Entretemps, le Conseil privé laisse filtrer des informations d'ordre économique, qui sont de nature à donner des sueurs froides aux souverainistes. Selon un document obtenu par le quotidien *Globe and Mail*, un Québec indépendant deviendrait l'un des pays les plus endettés du monde et son déficit annuel serait multiplié par 5, à 18 milliards de dollars. Il perdrait ainsi toute influence dans ses relations avec ses principaux partenaires commerciaux. L'étude du Conseil privé, préparée sous la direction de Howard Balloch, le sous-secrétaire du Conseil des ministres pour l'Opération unité, va plus loin : le Québec connaîtrait d'énormes difficultés à maintenir en bonne santé ses industries du vêtement, du textile, du tabac, du meuble, de la volaille, des produits laitiers et des produits chimiques[55].

Les prédictions du Conseil privé viennent s'ajouter aux inquiétudes que soulève le comportement du marché des valeurs mobilières et obligataires, un marché frileux, capricieux et incontrôlable. Malgré une assurance de façade, le gouvernement québécois ne se fait pas d'illusions sur la secousse que peut subir l'économie du nouveau pays si le OUI l'emporte. Les intérêts financiers, qu'il ne contrôle pas, sont considérables et peuvent jeter son système économique par terre. Il est possible que des investisseurs lancent sur le marché une grande quantité d'obligations du Québec et d'Hydro-Québec de façon à provoquer une situation de panique. Si le prix des obligations tombe, les taux de rendement augmentent et l'écart, avec ceux de l'Ontario par exemple, s'élargit. Avant la création de la Caisse de dépôt et placement, le ministre des Finances devait se présenter dans une banque ou chez un courtier et tenter de s'entendre sur une façon d'arrêter le mouvement.

« On nous a fait le coup depuis Honoré Mercier, dit Jacques Parizeau. C'est une des raisons pour lesquelles nous avons constitué la Caisse. Il fallait empêcher ce petit jeu-là. » Mais les petites bourrasques des décennies passées ne sont rien à côté de ce que peut provoquer la séparation du Québec.

Aussi, un matin, quelque temps avant le référendum, le ministre des Finances, Jean Campeau, et son sous-ministre se présentent au bureau de Parizeau. Ils ont prévu un plan, appelé plus tard le plan O (pour « obligations »), qui établit que le Québec pourrait disposer d'une réserve de 17 milliards de dollars pour faire échec à toute tentative de discréditer la valeur des obligations québécoises. La réserve se trouve dans les coffres de la Caisse de dépôt et placement, les fonds d'amortissements, Hydro-Québec, la Commission de la santé et de la sécurité du travail (CSST), la Régie des rentes, les fonds de pension de la construction, etc. « C'est par des opérations comme celle-là que les gouvernements du Québec se sont rendus indépendants des intérêts financiers qui les avaient dominés pendant un siècle », dit Parizeau, qui y voit même un avantage : « Les institutions financières se débarrassent des titres du gouvernement du Québec et prennent des pertes, ajoute-t-il. Vous rachetez, ce qui fait monter les cours. C'est pour ça que tellement d'institutions financières privées ont joué dans le même sens que nous. Tout ce qu'elles avaient à faire, c'était, en anglais on dit *piggy-back*, c'était simplement de se mettre sur notre dos et de nous suivre. »

La Caisse de dépôt et placement s'était bien préparée en faisant le plein d'obligations du gouvernement des États-Unis (les *Treasury Bonds*). « Elle pouvait vendre des titres américains, si le besoin se faisait sentir pour supporter le marché des titres du Québec, précise Campeau. Elle avait aussi des obligations du gouvernement du Canada qu'elle aurait pu vendre. S'il y avait eu une catastrophe sur les titres du Québec, comme on le prétendait, il y aurait eu aussi une catastrophe sur les titres du Canada. »

Le plan O n'est connu que de quelques initiés. « Je n'avais jamais entendu parler de cela, dit Mario Dumont. M. Parizeau nous a dit, invoquant sa connaissance des marchés financiers, qu'il était aux affaires là-dessus. On n'a jamais eu de présentation détaillée sur ce que cela représentait pour les différentes institutions. Mais on ne l'a jamais torturé de questions là-dessus non plus. » Lucien Bouchard n'en savait pas davantage. « Pour en avoir reparlé avec M. Bouchard récemment, dit Pierre-Paul Roy, il n'était pas au courant. Le secret a été bien gardé. Je pense cependant que cela aurait été plus normal que M. Bouchard soit mis au courant. »

Le samedi 21 octobre, en pleine tourmente de la « société distincte », le quotidien *The Gazette* jette un nouveau motif d'inquiétude dans la campagne : la fuite des capitaux. « Des Québécois transfèrent hors de la province leurs économies en dollars canadiens et leurs investissements ou les convertissent en devises étrangères », dit l'article. Son titre est alarmant : *L'argent sort alors que les sondages indiquent une lutte serrée, selon des sociétés financières*[56]. Mais les témoignages recueillis sont plus modérés que le titre et sont confirmés dans un article de *La Presse* quelques jours plus tard : selon l'avis de courtiers et de porte-parole d'institutions bancaires, « le mouvement reste relativement peu important et même marginal[57] ».

Entre les mois d'août et d'octobre 1995, l'avoir total dans les comptes d'épargne personnel s'établit à 50 milliards 477 millions de dollars. Du trimestre février-avril à celui d'août-octobre, l'avoir a diminué de 535 millions de dollars, mais, selon les analystes, il est difficile de dire si l'écart est attribuable à une sortie de capitaux. « Certains transfèrent leur argent en Ontario. On note une augmentation du phénomène depuis vendredi, mais il n'y a pas de crise. Loin de là », déclare à *La Presse* le directeur des communications de la Banque Royale, Raymond Chouinard. « Les gens s'inquiètent surtout de la tendance des taux d'intérêt », souligne pour sa part la directrice d'une succursale de la Caisse populaire[58]. En effet, entre le 12 septembre et le 24 octobre, le taux directeur de la Banque du Canada a grimpé de presque un point, à 7,65 %, et le dollar a chuté de 1,66, à 73,23 cents américains.

La dernière semaine s'engage sous un ciel obscurci au-dessus du camp du NON, alors que le débat sur la notion de société distincte a donné des ailes au camp du OUI. Lucien Bouchard s'offre même un peu d'humour devant quelque cinq cents personnes réunies à

Sept-Îles, en invitant Daniel Johnson, « maintenant que vous savez à qui vous avez affaire », à voter OUI. Au quartier général du NON, que les stratèges appelle le *war room*, le sarcasme fait mal et ajoute à la panique. « C'était dur, dit Bob Rae. On ne s'amusait pas beaucoup. L'atmosphère était très tendue. Les gens étaient inquiets. Personne n'était sûr de rien. Vous ne saviez vraiment pas quoi faire[59]. » Le dimanche matin, nouvelle réunion : « Et, c'est là qu'on a finalement décidé de faire la grande manifestation à la place du Canada, ce qui n'avait pas été prévu jusque-là », dit Pierre-Claude Nolin. En fait, ce que le camp du NON décide, ce n'est pas d'organiser une grande manifestation, mais de s'emparer du projet déjà en marche du groupe O'Brien et de le transformer en événement monstre.

Jean Chrétien rentre à Ottawa, le lundi. « Là, il a fallu que je prenne des décisions. Assis à mon bureau, j'ai passé plusieurs heures à tout revoir. Et, ensuite, on a pris des décisions. » « On a décidé, dit Jean Pelletier, qu'on ne demanderait plus de permission à personne et qu'il fallait sauter. La guerre était entrée dans sa période cruciale. Alors, en guerre, on ne demande de permission à personne. On joue le tout pour le tout. » Le message est clair et l'état-major du premier ministre canadien doit préparer une stratégie pour la dernière semaine. La brigade d'Ottawa choisit, de sa propre initiative, de prendre l'offensive et les stratèges du quartier général du NON à Montréal devront s'ajuster.

CHAPITRE XI

À Ottawa, le temps des initiatives

L e dimanche soir, alors que Jean Chrétien est encore à New York, quelques-uns de ses ministres se réunissent, au restaurant Henri Burger de Hull, pour partager leurs inquiétudes et chercher des solutions. Chrétien ignore tout de cette rencontre. La table est bonne, mais l'atmosphère n'est pas à la fête. Ils viennent tous du Canada anglais et ont progressivement pris conscience, ces derniers jours, d'une réalité qui, jusque-là, leur apparaissait bien lointaine : il est possible que, dans une semaine, leur pays soit brisé en deux, et ils n'ont aucune idée de ce qui arrivera le lendemain.

« Nous n'avons pas établi de scénario de ce qui se passerait si nous perdions le référendum, rappelle Brian Tobin, présent à ce souper. Mais nous nous sommes tous regardés, conscients que la possibilité était réelle. Et nous nous sommes dit que, si cela se produisait, les affaires ne pourraient pas continuer comme avant[1]. » Le groupe spécule alors sur ce que pourrait être la suite des choses. « Nous devions nous poser des questions difficiles, poursuit Tobin. Par exemple, est-ce qu'un premier ministre, venant du Québec, pouvait représenter le Canada dans une négociation autour d'un projet qui consistait à briser le pays ? Est-ce que les ministres du Québec, qui occupaient à peu près tous les postes importants du Cabinet du gouvernement du Canada, pouvaient former l'équipe qui négocierait la souveraineté du Québec ? La réponse était non. »

Sans tenter de définir quels pourraient être les changements, il leur apparaît que, si le OUI l'emporte, la structure du gouvernement doit se transformer radicalement. Le gouvernement, tel qu'il existe en ce moment, ne pourra durer bien longtemps et de nouvelles coalitions deviendront nécessaires. Tous affirment leur disponibilité pour assumer les responsabilités qui pourraient leur être confiées dans de telles circonstances. « Nous nous sommes regardés dans les yeux, ajoute Tobin, et nous nous sommes dit : s'il est nécessaire que nous posions les vraies questions, que nous trouvions les réponses et que nous sollicitions la collaboration des autres partis représentés au Parlement, nous le ferons. » Au moins un ministre, David Collenette, a refusé de participer à la rencontre. Il rentrait tout juste d'Europe, passablement fatigué, mais il justifie son absence autrement : « J'ai cru qu'avoir ce genre de discussion, à ce moment particulier, était improductif, inutile et presque séditieux[2] » dit-il.

Pendant que le défaitisme s'empare de ses ministres, Jean Chrétien, dès son retour de New York le lendemain, mobilise son entourage pour la dernière semaine. Les réunions se multiplient. « Nous nous sommes rendu compte, dit Eddie Goldenberg, que le moment le plus important serait le discours que le premier ministre prononcerait le mardi, à Verdun. Puis Pierre Anctil, le chef de cabinet de Daniel Johnson (qui préside, à Montréal, le quartier général du NON), a suggéré qu'il serait peut-être utile que M. Chrétien apparaisse à la télévision. Ils ont alors voulu qu'il fasse quelques apparitions, notamment à une émission très populaire appelée *Mongrain*, sur un réseau privé[3]. »

Mais, pour l'instant, c'est ce qui se passe à une autre télévision, étrangère de surcroît, qui accapare l'attention. Larry King est une institution de la télévision américaine : son émission, *Larry King Live*, est regardée par des millions d'Américains et, également, par beaucoup de Canadiens. Cette émission, en plus de présenter des entrevues avec des invités, donne la parole aux téléspectateurs par le biais d'une tribune téléphonique, où ceux-ci peuvent s'entretenir avec les invités de l'animateur. Le lundi 23 octobre, le président Chirac, qui est aussi venu à New York pour les célébrations du 50e anniversaire des Nations unies, compte parmi ses invités. Un téléspectateur de Montréal l'interpelle. La conversation, téléphonique, est brève[4] :

Le téléspectateur : Monsieur le Président, le gouvernement français serait-il prêt à reconnaître une déclaration unilatérale d'indépendance de la part du Québec ?

Chirac : Le gouvernement français ne veut pas intervenir dans les affaires canadiennes.

King : Ce n'était pas la question.

Chirac : Ce n'était pas la question ?

King : Sa question était : allez-vous reconnaître…

Chirac : Oui. J'y arrive.

King : O.K.

Chirac : Vous avez un référendum…

King : La semaine prochaine.

Chirac : … et nous verrons. Puis, nous dirons ce que nous pensons juste après le référendum, mais nous ne voulons pas intervenir.

King : Bien. Si le Québec décide de se séparer…

Chirac : Hum, hum…

King : La question était : allez-vous reconnaître ce nouveau gouvernement ?

Chirac : Si le référendum est positif…

King : Oui.

Chirac : … le gouvernement va reconnaître le fait.

King : Alors, la France va reconnaître les faits.

Chirac : Ces faits, bien entendu.

King : Avez-vous des recommandations à faire aux gens du Québec sur la façon dont ils devraient voter ?

Chirac : Je vous ai dit que je ne veux pas intervenir dans les affaires du Québec.

Jean Chrétien est chez lui, au 24 Sussex, en compagnie d'Eddie Goldenberg et de Patrick Parisot, son secrétaire de presse. Les trois planchent sur le discours que le premier ministre prononcera le lendemain soir, à Verdun. Le téléphone sonne. C'est James Blanchard, l'ambassadeur des États-Unis à Ottawa, un grand ami de Goldenberg. « As-tu écouté Chirac ? », demande Blanchard. « Non, répond

Goldenberg. Qu'est-ce qu'il a dit ? » En fait, Goldenberg s'intéresse peu à ce que le président Chirac a pu dire à la télévision américaine. Il sait où va loger la France si le OUI sort victorieux du référendum et que ce ne sera là qu'un souci parmi bien d'autres. Il quitte la résidence du premier ministre vers minuit et demi. « J'étais plus préoccupé, dit-il aujourd'hui, par le fait qu'advenant une victoire du OUI, les conséquences seraient extrêmement graves dans toutes sortes de domaines. On savait que (l'attitude de la France serait) un des nombreux problèmes, si le OUI l'avait remporté. » Le conseiller de Chrétien a, quelques semaines auparavant, rencontré l'ambassadeur de France, Alfred Siefer-Gaillardin. Tout fédéraliste qu'il soit, l'ambassadeur lui a dit : « Vous devez gagner. Parce qu'en France, une majorité simple suffit. On a accédé au traité de Maastricht, qui a fait l'union monétaire européenne, avec une majorité de 52 %. »

Quant au chef de cabinet de Jean Chrétien, l'avertissement de l'ambassadeur Siefer-Gaillardin l'énerve plus qu'il ne l'inquiète : « Il prenait parti dans le débat, dit Jean Pelletier. J'imagine qu'un ambassadeur de France à Ottawa n'aurait pas dû ouvrir la bouche sans consulter son premier ministre et son président. » Pelletier est cependant beaucoup plus tolérant envers celui des États-Unis, qui s'agite comme un chef d'orchestre. « J'étais perturbé, dit James Blanchard, parce que je croyais que Chirac était intervenu plus que l'on pouvait accuser le président Clinton de l'avoir fait[5]. » D'Albany, dans l'État de New York, il téléphone à Pelletier pour lui exprimer ses critiques à l'endroit du président français. Celui-ci le rassure en lui disant qu'à son avis, Chirac n'interviendra pas dans le débat. La confiance du chef de cabinet de Chrétien repose sur la rencontre que le premier ministre du Canada a eue avec Chirac à l'époque où celui-ci était maire de Paris, en juin 1994. « M. Chirac a dit à ce moment-là que, depuis le référendum de 1980, il avait beaucoup réfléchi, rappelle Pelletier. Tout en étant respectueux de ce que les Québécois et les Canadiens décideraient, il en était venu à la conclusion que le fait français, que la langue française étaient mieux protégés par l'appartenance du Québec au Canada que par la séparation du Québec du Canada. Aussi, quand il a dit à la télévision américaine :

"Je respecterai la décision des Québécois", cela ne m'a pas énervé. Je me suis dit : que pouvait-il dire d'autre ? Cela ne voulait pas dire qu'il appuyait le camp souverainiste. Pas du tout. » Pelletier ne craint pas non plus l'attitude des pays de la francophonie : « Cela m'aurait surpris que les pays de la francophonie se prononcent avant la France, dit-il. Et je pense que la France aurait été extrêmement prudente dans ce dossier. »

Le premier ministre ne croyait pas non plus, à l'heure du référendum, que la France allait faire preuve d'un grand enthousiasme pour l'option souverainiste. Il entretient d'ailleurs, encore aujourd'hui, des doutes sur ce qu'aurait pu être son attitude, à la fois quant à la reconnaissance de la légitimité d'un vote pour le OUI et à la reconnaissance diplomatique du nouveau pays. C'est d'un regard très pragmatique qu'il évoque la déclaration de Jacques Chirac à CNN. « Le référendum avait une certaine légitimité, dit-il. C'était une importante consultation populaire. Mais ce n'était pas un geste définitif. J'avais parlé de tout cela avec lui (Chirac) auparavant. Je ne me souviens pas des mots exacts qu'il a prononcés, mais j'aurais été très surpris que, le lendemain du référendum, il fasse un tel geste. Parce que, immédiatement, les gens du Pays basque, de la Corse et d'ailleurs lui auraient demandé : bien, monsieur, mais c'est pour quand, chez nous ? Il devait réfléchir à cela aussi, j'en suis certain[6]. »

À Paris, l'ambassadeur canadien, Benoît Bouchard, va quand même aux sources à propos de la déclaration du président français à CNN. « Des fonctionnaires m'ont dit que Chirac n'était pas absolument certain d'avoir compris la question[7], prétend-il. Mais, dans les mois qui ont précédé, à l'exception de la déclaration au réseau américain, M. Chirac, comme le premier ministre Juppé, n'avait jamais, de façon concrète et officielle, déclaré quoi que ce soit qui pouvait aller en dehors de la politique officielle de la France de non-ingérence et de non-indifférence. Nous, les contacts que nous avions avec l'Élysée, auprès de M. Védrine[8], le chef de cabinet de M. Juppé, nous donnaient l'assurance que la France n'était pas intéressée à se placer dans une situation où, dans son propre pays, on lui reprocherait, le jour après, de refuser l'indépendance à la Corse, alors qu'on acceptait celle du Québec. »

Cette interprétation que donne Benoît Bouchard des propos de Chirac et l'analyse qu'il fait de son attitude vis-à-vis du référendum se situent dans la ligne de conduite qu'il s'est imposée lors du voyage de Jacques Parizeau dans la capitale française en janvier et pendant toute la durée de son mandat à Paris : dédramatiser toutes les situations. Il évite d'exposer au grand jour des accrochages avec la Délégation générale du Québec, que dirige alors Claude Roquet, « un homme de carrière en diplomatie et, dans les moments les plus intenses et les plus délicats, on s'est toujours parlé », ajoute Bouchard. Au cours de l'été, il a d'ailleurs envoyé une lettre de six pages à Jean Chrétien pour lui suggérer de ne pas réagir à ce qui pourrait lui sembler de la provocation. « Je craignais, dit-il, qu'Ottawa commence (comme en 1980) à envoyer des notes de service aux Affaires étrangères de France, à se plaindre de la façon dont on avait reçu M. Parizeau et de ce qu'on avait oublié de mettre le drapeau du Canada à l'hôtel de ville, etc. »

Malgré sa volonté de minimiser les tensions, l'ambassadeur, dans la dernière semaine référendaire, en a plein les bras, car l'offensive de Québec auprès du gouvernement français est soutenue. Jacques-Yvan Morin est débarqué à Paris depuis quelques jours avec la mission d'obtenir la reconnaissance de la France le plus tôt possible après une victoire du OUI[9]. Car, si Ottawa doute de ce que fera la France, Québec non plus n'a aucune certitude et entend maintenir la pression. « Nous étions parfaitement conscients des liens entre Jean Pelletier et Jacques Chirac, et il y avait toujours un doute chez M. Parizeau, dit Jean-François Lisée. Est-ce que les Français allaient faire ce qu'ils disaient ? Il fallait s'en assurer ! Alors, M. Parizeau voulait les encadrer. » Le premier ministre du Québec joue donc toutes ses cartes et envoie son propre émissaire, d'abord pour marquer l'importance qu'il attache à l'attitude de la France et, ensuite, pour avoir sur place quelqu'un qui va l'informer quotidiennement de l'évolution des choses. « Il faut dire, précise aussi Jean-François Lisée, que le délégué général du Québec à Paris, qui était un homme de très grande qualité, n'avait pas été nommé par M. Parizeau ! »

La mission de Morin consiste donc à s'assurer que l'Assemblée nationale, que préside Philippe Séguin, reconnaisse le geste politique qu'est le référendum, si l'Élysée refuse de le faire. « Ou, du moins, poursuit Lisée, que la présidence sache qu'elle devait agir parce que, si elle n'agissait pas, elle serait contredite par l'Assemblée nationale. » Comme le ministère des Affaires étrangères demeure très timide à l'égard de ce qui concerne le Québec, Philippe Séguin, une valeur sûre, « faisait contrepoids au Quai d'Orsay et constituait une porte d'entrée directe auprès de M. Chirac », poursuit Lisée.

Au début, ce n'est pas Jacques-Yvan Morin, mais Jean-François Lisée que Parizeau veut envoyer à Paris. Le conseiller politique préfère vivre les dernières journées de la campagne au Québec et, de plus, « en 1995, moi à l'Élysée, j'aurais eu l'air d'un adolescent! dit-il. Il y avait une erreur de *casting* avec moi, que M. Parizeau ne semblait pas réaliser, alors, que M. Morin était un candidat idéal. »

Un petit comité franco-québécois se forme à Paris, auquel participent Morin et Roquet, avec pour mission de mettre au point un texte qui sera la déclaration officielle de la France, advenant une victoire du OUI, le 30 octobre. À Québec, Jean-François Lisée rédige une première version qu'il propose, après approbation de Parizeau, à ce comité. Ce texte dit : « La France prend acte de la volonté démocratiquement exprimée aujourd'hui par les Québécois d'accéder à la souveraineté, comme c'est leur droit. Lorsque les autorités québécoises auront formellement exprimé cette expression de souveraineté, la France reconnaîtra tout naturellement le nouvel État[10]. » S'ensuit un va-et-vient de libellés entre Paris et Québec. « Il y a un moment, se souvient Lisée, où ce sont les Français qui disaient : on voudrait intégrer dans le texte le fait qu'il y aura négociation sur le partenariat. Alors nous, on disait : très, très bien, et même : si vous voulez ajouter une phrase disant que la France veut conserver d'excellentes relations avec le Canada, ajoutez-la. Parce que, nous aussi, nous voulons de bonnes relations avec le Canada. Donc, ça allait. »

Ce ballet autour de Philippe Séguin semble, aux yeux de l'ambassadeur du Canada à Paris, « tomber dans le folklore, dans l'irrationnel ». « Comment peut-on imaginer, dit Benoît Bouchard, que Philippe Séguin, qui est supposé être non partisan parce qu'il est président de l'Assemblée nationale, va pouvoir rallier quatre, cinq, six partis politiques différents, les communistes, la gauche, les verts… La droite compte déjà trois partis différents… Comment peut-on croire que, sur une question de politique étrangère, sans que le gouvernement français ne se soit prononcé, que ces gens-là vont spontanément se lever et dire : On reconnaît le Québec! » Bouchard estime d'abord que les députés n'ont pas le pouvoir de faire un tel geste et, ensuite, il ne croit pas que Séguin et le député Pierre-André Wiltzer, un chaud partisan de la souveraineté du Québec[11], aient l'autorité et l'influence pour amener, par exemple, Lionel Jospin et les socialistes à les suivre dans cette voie. « Deux ou trois députés et le président de l'Assemblée nationale se sont prononcés, sur 531, dit-il en guise de conclusion. C'était une stratégie d'intellectuels. »

À Ottawa, ce qui se passe dans la capitale française semble marginal aux yeux du gouvernement et de l'entourage du premier ministre par rapport aux nombreux autres soucis auxquels ils doivent faire face. Le mardi 24 octobre, à 7 h 30, Eddie Goldenberg se charge de rafraîchir la mémoire de Jean Chrétien : le OUI est toujours en avance et l'assemblée qui se prépare pour le soir, à Verdun, devient une étape cruciale dans les efforts du NON pour combler l'écart. « Tout le monde s'attend à ce que votre discours, ce soir, renverse la vapeur » lui dit-il. « C'est pourquoi on est si bien payé », lui répond Chrétien.

Le bureau du premier ministre a nolisé un autocar pour amener le personnel à Verdun et invité quelques députés à monter à bord, dont la présidente du caucus des députés libéraux, Jane Stewart. Elle cède sa place à la dernière minute, préférant se joindre à un groupe de députés qui a loué un autobus scolaire pour faire le trajet. La rentrée à Montréal par l'ouest de la ville est pénible. « Ce n'était plus l'heure de pointe, mais nous avons été pris dans un embouteillage qui devenait de pire en pire, jusqu'à l'auditorium[12] », se souvient-elle. À la fin, de peur de rater la soirée, Stewart descend de l'autobus et choisit de marcher jusqu'au lieu où se tient l'assemblée. D'autres députés se joignent à elle et, le long du parcours, échangent avec les gens du quartier. À leur arrivée, ils constatent que l'auditorium est plein et qu'une foule importante se masse à l'extérieur. Le député Barry Campbell suggère alors d'entrer par la porte réservée aux journalistes. « Devant la porte de l'aréna, c'était la cohue, dit Stewart. Le premier ministre était là, à l'intérieur. Derrière lui, les portes, vitrées, étaient fermées à clé. Les gens à l'extérieur frappaient très fort dans les vitres. Avant d'entrer dans la salle, le premier ministre s'est retourné, a marché vers eux. Et, à travers la vitre, il y a eu une sorte de contact par les mains. C'était fantastique. »

Devant les 12 500 personnes entassées dans l'auditorium, le premier ministre renouvelle sa promesse de changement. Son discours qui, pour son entourage et le camp du NON, doit marquer un virage majeur dans la campagne, est axé sur trois idées : démontrer qu'une victoire du OUI aurait des conséquences désastreuses pour le Québec, parler du Canada avec émotion et répéter que le gouvernement fédéral est disposé à modifier le *statu quo* de ses relations avec le Québec. « Pour nous, tout est possible. Nous ne rejetons qu'une chose : la séparation, dit-il. J'ai écouté mes compatriotes du Québec dire qu'ils sont profondément attachés au Canada. Mais ils ont également indiqué qu'ils désirent voir ce pays changer et évoluer dans le sens de leurs aspirations, ils veulent voir le Québec reconnu au sein du Canada comme une société distincte par sa langue, sa culture et ses institutions. Je l'ai dit et je le répète : je suis d'accord. J'ai appuyé cette position dans le passé, je l'appuie aujourd'hui et je l'appuierai dans l'avenir en toutes circonstances. On sait que certains s'apprêtent à voter OUI parce qu'ils pensent que c'est la meilleure façon d'amener des changements au Canada. Ils n'ont pas besoin de voter OUI pour obtenir du changement. Un NON n'équivaut pas à renoncer à quelque position que ce soit relative à la Constitution canadienne. Nous garderons ouvertes toutes les autres voies de changement, y compris les voies administrative et constitutionnelle. » Neuf fois au cours de son discours le premier ministre a imploré les Québécois de « bien y penser avant d'aller voter ».

Toutefois, s'il promet de garder ouverte la voie constitutionnelle vers le changement, Chrétien laisse dans l'ambiguïté — une ambiguïté voulue et planifiée — la façon dont il entend recourir à cette voie pour satisfaire les aspirations des Québécois. « (Il ne s'agissait) pas nécessairement de changements constitutionnels, explique Eddie Goldenberg, qui a passé plusieurs heures en compagnie de Chrétien à préparer le discours. Plutôt des changements sur, peut-être, la main-d'œuvre et sur d'autres éléments. » Au sujet du concept de société distincte, Chrétien s'abstient également de s'engager formellement à l'enchâsser dans la Constitution. « Il a abordé la question de la reconnaissance de la société distincte, dit encore Goldenberg, non pas dans un sens constitutionnel, mais plutôt comme il l'a fait tout de suite après le référendum, dans une résolution à la Chambre des communes[13]. » Parmi ceux qui croient en des modifications à la Constitution, ce soir-là, il y a Jean Charest, qui prend un engagement solennel devant les milliers de partisans rassemblés. « J'ai signé le manifeste (du NON) et j'ai mis ma crédibilité en jeu, s'écrie-t-il. Je sais qu'il y a, au Canada, un sentiment d'impatience pour les changements. Je serai donc avec vous pour les réclamer, ces changements[14]. »

Le chef conservateur croit que l'assemblée de Verdun constitue l'événement qui a fait tourner le vent dans la campagne. « C'est le ralliement qui a été la cassure de la campagne pour les fédéralistes, dans le sens où l'on a renversé la vapeur, cette journée-là », dit-il. Daniel Johnson le croit aussi, mais il insiste pour dire que l'assemblée de Verdun s'inscrivait de façon normale dans le plan général de la campagne du camp du NON, telle qu'elle avait été conçue au départ. La première étape consistait à démolir la question référendaire, la deuxième, à faire le débat sur les coûts économiques de la séparation, « un débat qu'on a gagné carrément », dit Johnson, et la troisième, « une phase beaucoup plus positive, plus constructive », à regarder l'avenir, à définir les enjeux, notre vision du monde, du Canada, du Québec ». Son conseiller politique, John Parisella, donne une interprétation plus pragmatique au ton des discours de Verdun. Il rappelle qu'en octobre 1995, la situation économique du Canada n'est pas « très reluisante », que Chrétien n'a pas réussi à éliminer le déficit, qui demeure élevé, et que le dollar se déprécie. Selon lui, ce n'est donc pas avec une vision idyllique du Canada que le camp du NON peut faire échec à la campagne du OUI. « Donc, dit-il, le sentiment, au Parti libéral du Québec, était d'avoir un discours qui touchait plus les cordes sensibles des Québécois, qui répondaient aux revendications du Québec. »

Faut-il voir là une des raisons pour lesquelles Pierre Elliott Trudeau a été invité, puis désinvité à participer à l'assemblée de Verdun? Plusieurs jours avant l'événement, en prenant un café, comme ils le faisaient tous les matins au comité permanent du camp du NON, John Rae informe Pierre-Claude Nolin que Jean Chrétien a invité les anciens premiers ministres originaires du Québec, soit Trudeau et Brian Mulroney, à intervenir lors de l'assemblée de Verdun. Nolin, un sénateur conservateur, réagit très négativement. « Je lui ai dit : "Je n'accepte pas que M. Trudeau fasse partie de notre stratégie". J'avais en tête, et je suis sûr que plusieurs Québécois l'avaient aussi en tête, le premier référendum de 1980 lorsque M. Trudeau avait fait des promesses aux Québécois, promesses qu'il n'a pas tenues. » Nolin établit clairement devant John Rae qu'il n'est pas question que Jean Charest, dont il s'occupe, se présente à un événement auquel Trudeau participerait. Pour éviter que Chrétien se retrouve dans l'embarras, il s'engage à téléphoner lui-même à Mulroney. Ce qu'il fait.

Mulroney lui confirme qu'il a reçu l'invitation et qu'il l'a acceptée. « Ça va être parfait, dit-il à Nolin. Les Québécois doivent se rappeler qu'il y a des premiers ministres québécois qui ont dirigé le pays, et que cela a été fait dans leur intérêt. » Le sénateur explique alors à son ancien chef que, selon lui, ce n'est pas une bonne idée de ramener Trudeau sur une estrade « en train de "repromettre" aux Québécois qu'on les a compris et qu'à l'avenir, ça va être différent ». Mulroney n'est pas d'accord et demeure sur ses positions. Mais c'est finalement le point de vue de Nolin qui prévaut : « Ça ne prenait pas une grande réflexion pour comprendre que nos adversaires étaient pour utiliser cette erreur-là », conclut le sénateur conservateur. Pendant ce temps, c'est John Rae qui s'occupe de téléphoner à Pierre Elliott Trudeau pour annuler l'invitation.

Ces tractations se font sans que le chef du camp du NON en soit informé, mais, aujourd'hui, il ne s'en formalise pas outre mesure. « Je ne trouvais pas que c'était nécessairement dans l'ordre des choses, dit-il, lorsqu'on évoque les circonstances dans lesquelles les anciens premiers ministres fédéraux ont été invités. Quand on a affaire à des gens de leur profil, qui ont laissé leurs marques, bonnes comme moins bonnes, pourquoi les inviter dans une campagne dont ils ont été, par ailleurs, absents ? Pourquoi à la dernière minute ? De quoi est-ce que cela avait l'air ? C'était une décision du fédéral, mais il y a toujours des gens qui prennent des initiatives sans vérifier les détails. »

Il y aura d'autres initiatives du fédéral pendant la semaine, dont le chef du NON n'aura pas été informé ou sur lesquelles il n'aura pas été consulté. « J'ai décidé, la dernière semaine, que j'agirais à ma façon, dit aujourd'hui Jean Chrétien. Et je l'ai fait. Je reconnais le mérite de M. Johnson : il a continué, il ne s'est pas plaint, il a participé à l'assemblée de Verdun et a fait un bon discours […]. Je me suis adressé aux Québécois (à la télévision) et il a été d'accord avec tout ça. Ce n'est pas sa faute : il avait fait du bon travail jusqu'à ce que Bouchard remplace Parizeau[15]. »

Le ralliement de Verdun, le mardi 24 octobre, éclipse presque complètement le référendum des Cris, qui se tient le même jour. Les 6 380 électeurs doivent répondre à la question suivante : « Consentez-vous, en tant que peuple, à ce que le gouvernement du Québec sépare du Canada les Cris de la Baie-James et leur territoire traditionnel, dans l'éventualité où le OUI l'emporterait lors du référendum du Québec[16] ? » Les électeurs se prononcent en grand nombre à 96,3 % pour le Canada, dans lequel ils entendent demeurer, même si le OUI l'emporte. La participation de 77 % des électeurs est étonnante dans la mesure où le référendum a été préparé en peu de temps et qu'il s'est déroulé en pleine saison de chasse. Trois hélicoptères ont sans relâche été utilisés pour rejoindre les électeurs. « Le message est clair, a alors commenté le grand chef Matthew Coon Come. Nous ne partirons pas. Il ne s'agit pas de 50 % plus un, le genre de démocratie de Jacques Parizeau. Le message de mon peuple est presque unanime. Nous ne partirons pas[17]. » Passé à peu près inaperçu dans le sud de la province, le référendum constitue néanmoins pour Coon Come une étape importante dans le cheminement des Cris vers leur autodétermination. « C'est un signe des temps, dit-il. Il faut comprendre que notre peuple n'avait même pas le droit de vote avant 1960. Et voilà que nous avons nous-mêmes choisi la question, nous avons demandé à nos gens de participer à un processus, que nous avons développé, qui est venu de nous, et nous leur avons posé une question qui peut déterminer leur place dans un futur Québec indépendant. Ça signifie beaucoup pour nos gens[18]. »

Le gouvernement du Québec, qui ne se fait aucune illusion sur les résultats du référendum cri, a déjà fait connaître sa riposte : « Ils se positionnent pour l'après-OUI à la fois aux niveaux international et national, dit David Cliche, l'adjoint parlementaire du premier ministre pour les Affaires autochtones. Il y a fort à parier qu'au lendemain d'un référendum québécois gagnant, je vais me retrouver sur le même vol que le grand chef Matthew Coon Come, en direction du Parlement européen[19]. »

Coon Come écrit immédiatement une lettre à Jacques Parizeau, dont copie est envoyée à Jean Chrétien et à Lucien Bouchard. Il ne reçoit aucune réponse, sauf l'accusé de réception habituel. « Je n'ai certainement pas reçu d'appel téléphonique de la part de qui que ce soit pour nous féliciter pour ce que nous avions fait[20] », ajoute-t-il. C'est au journaliste Gilles Proulx, à la Taverne Magnan, dans le sud-ouest de Montréal, que Lucien Bouchard va réagir au référendum cri et aux propos de Matthew Coon Come : un Québec indépendant respectera la décision des Cris, mais son territoire demeure indivisible.

Le triomphe de Verdun aurait dû donner des ailes à Jean Chrétien en vue du caucus de son parti, le lendemain matin. Pourtant, c'est un premier ministre ébranlé et incertain qui s'adresse à ses députés, qui attendent pourtant de lui la solution miracle au désastre qui les confronte. Jane Stewart a gardé de ces jours mémorables un journal personnel qu'elle a accepté de rendre public. « À Verdun, dit-elle, il m'a semblé, et certainement à mes collègues aussi, que la majorité des gens, qui étaient là, étaient des anglophones, que les francophones n'étaient pas dans l'assemblée. Nous avons alors eu le sentiment qu'une malédiction enveloppait toute la question du référendum. Elle était tombée sur nous et nous donnait le sentiment qu'il n'y avait rien que nous puissions faire, nous du camp du NON, pour nous en débarrasser. C'était une telle frustration pour nous parce qu'il ne semblait pas y avoir de moyen de brasser la cage et de dire :

Hé, attention ! Savez-vous que, si vous votez OUI, vous votez pour vous séparer du Canada[21] ? »

Le sentiment d'impuissance qui habite les députés libéraux depuis quelques jours, et que le ralliement de Verdun a même contribué à accentuer, ne les a donc pas quittés lorsque Jean Chrétien se présente devant eux, le mercredi matin. Jamais jusqu'à ce matin-là n'ont-ils autant senti les conséquences d'avoir été, pour la première fois de l'histoire du Parti libéral, portés au pouvoir sans un appui significatif du Québec, et de surcroît, dans un gouvernement majoritaire. Cette base quasi inconditionnelle que le Québec a, de façon générale, assurée à ce parti depuis Wilfrid Laurier, ne s'est pas manifestée en octobre 1993 et elle semble toujours absente de la campagne référendaire. Jane Stewart préside le caucus. Elle se souvient du moment où Jean Chrétien entre dans la salle : « Quand je l'ai vu entrer, ça m'a fait mal dans les tripes, dit-elle. J'ai commencé à trembler et à avoir l'estomac à l'envers. Ce que je voyais, c'était quelque chose que je connaissais, la tension nerveuse, et peut-être la panique. J'avais envie de pleurer[22]. »

Il y a dans la salle plus de deux cents députés et sénateurs qui se lèvent et réservent une longue ovation à leur chef. Ce mercredi 25 octobre marque le deuxième anniversaire de l'élection de Jean Chrétien et de son équipe à la tête du gouvernement, mais l'esprit n'est pas à la fête. « J'ai noté qu'il était au bord des larmes, mais je ne crois pas que les personnes dans la salle s'en soient rendu compte[23] », dit Stewart. Tout le monde s'assoit pour entendre le premier rapport, celui du leader parlementaire, Herb Gray, qui termine son exposé en disant quelque chose comme : « Nous aurons une grande victoire du OUI ! » « Un faux pas, qui était de mauvais augure. Je pouvais sentir que le premier ministre était profondément troublé[24] », se souvient Stewart. Les rapports se suivent les uns après les autres, puis Chrétien se penche vers la présidente du caucus pour l'informer qu'il pourrait quitter la réunion avant la fin. Stewart lui glisse une note : il n'y a aucun problème, le caucus est fier et solide. « Il m'a touché le bras, dit alors Stewart, et m'a dit : "C'est terriblement difficile, cette responsabilité." J'ai d'abord cru qu'il faisait référence au travail d'Alfonso

(Gagliano), notre coordonnateur sur le terrain, qui présentait son rapport à ce moment-là. Mais, immédiatement, dans son regard, j'ai compris qu'il parlait de sa propre responsabilité. Je lui ai dit : "Ça va aller, nous sommes tous avec vous[25]." »

C'est alors que Brian Tobin s'inscrit dans l'ordre des intervenants. Il devrait normalement parler à son tour, mais, comme Chrétien manifeste l'intention de partir dès après son intervention, la présidente du caucus lui donne immédiatement la parole, une fois la présentation des rapports terminée. Pendant que Tobin fait le point au sujet du grand ralliement de la place du Canada, qui se prépare pour le vendredi, Stewart se penche du côté de Chrétien : « C'est terrible à dire, mais, si les choses tournent mal, vous avez mon siège dans Brant. » Chrétien sourit alors faiblement et répond : « Je ne ferais jamais cela[26] ! »

Le premier ministre se lève pour parler à ses députés qui l'acclament, debout. « Je pouvais sentir sa douleur et sa solitude[27] », se souvient Stewart. Il leur dit qu'en trente-deux ans, il n'a jamais rien vu de tel au Québec : aucune logique, des mensonges, des supercheries alors que, pour le NON, rien ne fonctionne. Il justifie ainsi sa volonté de s'adresser à la nation le soir même. Après un long retour sur sa carrière et la confiance que lui ont toujours manifestée les électeurs de Saint-Maurice, il avoue ne pas comprendre pourquoi le Canada, « le meilleur pays au monde », se trouve dans une telle situation. Il parle d'Israël, de la Palestine, d'autres pays menacés d'éclatement. Les députés l'applaudissent. Il s'apprête alors à quitter la salle, reprend de l'assurance, puis revient et recommence à parler. « Des gens pleuraient, dit Stewart. Le premier ministre a terminé son discours et tout le monde s'est levé pour l'applaudir[28]. » Puis Jean Chrétien s'est retiré pour préparer son discours à la nation.

« À un moment, raconte Brian Tobin lorsqu'il évoque cette réunion du caucus, des indicateurs nous disaient que nous allions probablement perdre le référendum. Et le meilleur de ces indicateurs était que le premier ministre lui-même, s'adressant à ses députés, s'exprimait avec une profonde émotion et partageait avec eux les enjeux de la campagne et la possibilité d'une défaite[29]. » À aucun moment,

Chrétien ne dit clairement à ses députés que le Canada est en danger, que le NON peut perdre ou qu'il craint que le NON perde. « Mais il a parlé avec une telle émotion, ajoute Tobin, qu'il était très clair pour tout le monde dans la salle que ce qu'il n'avait pas dit était quand même évident. Vous savez, le caucus va chercher sa force dans celle du chef. Occasionnellement, c'est l'inverse et, ce jour-là, c'est le caucus qui entourait son chef et lui disait : "Tenez bon, c'est un moment crucial[30]." »

À Washington, ce matin-là, le journaliste Henry Champ assiste, comme il le fait presque tous les jours, à un point de presse du porte-parole de la Maison-Blanche, qui sert essentiellement à informer les journalistes couvrant la politique américaine de ce qui s'annonce important dans la journée. Une rencontre de routine, sans plus. Champ est un vieux routier du journalisme : il a travaillé une quinzaine d'années à l'émission W5 au réseau CTV, il était encore au Vietnam juste avant la chute de Saigon aux mains des troupes d'Hô Chi Minh et a été correspondant étranger pour le réseau américain NBC avant de se joindre à la CBC, en 1993. Comme il a aussi travaillé à Montréal, il s'intéresse de près au référendum et il a tenté, à quelques occasions lors de ces points de presse du matin, de sonder l'intérêt de Washington pour ce qui se passe au Québec. Sans grand succès.

Aussi est-il un peu estomaqué lorsque, vers 11 h 30, il reçoit un appel de Dave Johnson du National Security Office qui lui dit : « Le président veut faire une déclaration sur le référendum du Québec cet après-midi, et nous aimerions que vous soyez au point de presse. S'il vous plaît, voulez-vous, le moment venu, poser une question à ce sujet? » « C'était la première fois que je recevais une demande de la sorte, et ce fut la dernière », dit aujourd'hui le journaliste. L'appel de Johnson est non seulement surprenant en lui-même, mais il l'est aussi par ses motifs. Car la question du référendum ne fait pas la manchette aux États-Unis : depuis environ deux mois, à part un article dans le *Washington Post* et un ou deux dans le *New York Times*, le Québec n'est apparu de façon significative sur aucun écran américain. Champ est néanmoins ravi, car ses espoirs d'obtenir une déclaration officielle du gouvernement américain sont comblés. Johnson n'explique pas les motifs de sa démarche, mais Champ en a vu d'autres : « Il ne faisait aucun doute dans mon esprit, dit-il, que le président tentait de faire une faveur au premier ministre Chrétien et qu'on l'avait informé que le référendum ne s'annonçait pas aussi bien qu'on le croyait[31]. »

Cette intervention de Bill Clinton a été préparée minutieusement. La veille, l'ambassadeur des États-Unis au Canada, James Blanchard, est à Albany, dans l'État de New York. Il reçoit un appel de Washington. « La Maison-Blanche apporte une dernière touche à la déclaration au sujet du Canada, lui dit Jim Walsh, du Secrétariat d'État. Peut-être aujourd'hui, peut-être demain ou après-demain. Ils sont vraiment nerveux, vraiment inquiets. Le *Washington Post* écrit à la une que les séparatistes peuvent gagner. Ils se rendent compte maintenant que c'est vrai[32] ! » Walsh met ensuite Blanchard en relation avec le personnel du Secrétariat d'État pour un long entretien sur la déclaration en préparation.

Du côté canadien, c'est l'incertitude à propos des intentions de Clinton. « La question était de savoir si le président allait faire une déclaration et, si oui, qu'allait-il dire, se souvient l'ambassadeur du Canada à Washington, Raymond Chrétien. La ligne à suivre était mince : s'il parle, comment ses propos seront-ils perçus au Canada ? Vont-ils aider la cause de l'unité canadienne ou lui nuire ? Il était très difficile de bien évaluer la situation[33]. »

Quand le président entre dans la salle, son regard croise celui de Henry Champ, sorte de contact visuel qui signifie : Vous êtes là ! Je vous reconnaîtrai dans un moment. Mais ce n'est pas Champ qui pose la question. À un moment donné, Carl Hanlon, correspondant du réseau Global, intervient. Ainsi qu'il l'a fait avec Champ, Dave Johnson lui a aussi téléphoné. Comme Hanlon est « passablement militant[34] », face au référendum, il tente, lui aussi, depuis un certain temps, d'obtenir une déclaration officielle tant de la Maison-Blanche que du Secrétariat d'État. « M. le Président, demande le journaliste canadien, êtes-vous préoccupé par la brisure possible du Canada et l'impact qu'elle peut avoir sur l'économie nord-américaine et les relations commerciales canado-américaines[35] ? » « Laissez-moi vous répondre avec prudence, répond le président. Lorsque j'étais au Canada l'an

dernier, j'ai dit que je pensais que le Canada avait servi de modèle aux
États-Unis et au monde entier en démontrant comment des gens de
cultures différentes pouvaient vivre ensemble en harmonie, en respectant leurs différences, mais en travaillant ensemble. Ce vote est une
question interne, il appartient au peuple canadien d'en décider et je
n'aurai pas la présomption d'intervenir. Je peux vous dire qu'un
Canada fort et uni a été un partenaire merveilleux pour les États-Unis
et un citoyen incroyablement important et constructif pour le monde
entier. Depuis que je suis président, j'ai vu comment il fonctionne,
comment notre partenariat fonctionne, comment le leadership du
Canada, dans tant de domaines dans le monde, fonctionne, et ce que
cela représente pour le reste du monde de penser qu'il y a un pays
comme le Canada, où les choses, fondamentalement, fonctionnent.
Vous savez, chacun a ses problèmes, mais le Canada semble être un
pays qui fait réellement les bonnes choses, agit dans la bonne direction
et possède cette sorte de valeur, dont nous serions tous fiers. Il a été un
allié fort et puissant pour nous et je dois vous dire que j'espère que
nous serons capables de continuer ainsi. Je dois vous dire que j'espère
que cela va continuer et que cela a été bon pour les États-Unis.
Maintenant, le peuple canadien, le peuple québécois devront voter à la
lumière de ce qui les guide, mais le Canada a été un grand modèle pour
le reste du monde et a été un grand partenaire pour les États-Unis et
j'espère que cela pourra continuer[36]. »

La réponse du président américain a duré tout au plus une
minute et demie, mais, dans les circonstances délicates où elle a été
donnée, à cinq jours du référendum, elle constitue une aide exceptionnelle à la cause fédéraliste. « Un des moments clés de la campagne référendaire, croit, tout heureux, l'ambassadeur canadien à Washington.
Il l'a fait, respectueux du processus démocratique canadien, tout en
soulignant son appui à un allié sûr et fidèle. C'était un terrain glissant,
car il aurait pu y avoir une deuxième question. Heureusement, tout
s'est bien passé. »

Les souverainistes, qui craignaient le pire, sont également satisfaits de s'en tirer à si bon compte, et Lucien Bouchard, en tournée à
Montréal, se réjouit de ce que Clinton s'en soit, tout compte fait, tenu

aux positions traditionnelles des Américains. En fait, ce sont les Américains eux-mêmes qui seront fâchés de constater, le lendemain, que la déclaration de leur président cède le pas, dans les manchettes, aux discours à la nation du premier ministre Chrétien et du chef de l'opposition, Lucien Bouchard, présentés le même jour à la télévision.

L'idée d'un discours de Jean Chrétien à la nation circule chez les stratèges fédéralistes depuis quelques jours, mais c'est le mardi matin que le premier ministre prend sa décision. À une réunion de son entourage, convoquée d'urgence, il décide que l'heure est à ce point grave que le moment est venu de parler directement à la population, et surtout aux Québécois, par le truchement de la télévision. La diffusion est prévue pour le mercredi soir, 25 octobre. Il reste peu de temps ; une fois la décision prise, il faut réserver le temps d'antenne et obtenir un décret. À Montréal, au quartier général du NON, les gens sont nerveux. Tout ce qu'ils savent, c'est que l'événement aura lieu le mercredi, soit le même soir que le grand ralliement du OUI, à Verdun. Mais personne n'a été consulté. Ce matin-là du 25, Pierre-Claude Nolin et le libéral John Rae discutent, à l'heure du café, de l'initiative fédérale. Tous les deux sont conscients que Chrétien, pendant la campagne référendaire, constitue une arme à deux tranchants. « Je ne le changerai pas, dit encore Nolin. Le premier ministre, c'était lui, et il n'était pas question qu'on le mette dans le placard pour deux mois en faisant semblant qu'il n'existait pas. Sauf qu'il s'agissait de l'utiliser dans un environnement le moins dommageable possible. Et l'envoyer à la télé, seul, ce n'était pas de nature à nous rassurer. On s'est croisé les doigts, puis on s'est dit : advienne que pourra, espérons que ça passera. »

Le discours est préparé à la dernière minute, « pratiquement en catastrophe », se souvient Jean Pelletier. En le préparant, l'entourage de Jean Chrétien est confronté à un certain nombre de difficultés, dont la principale est l'importance à donner à la question référendaire, autrement dit, à l'interprétation qu'il faudra donner à une victoire du OUI. « Nous savions que Jacques Parizeau considérerait une victoire du OUI comme un vote pour la séparation, dit Eddie Goldenberg. Nous voulions nous garder la porte de sortie de dire, après coup : la question n'était pas claire et les gens n'ont pas voté pour la séparation.

Mais, en même temps, si nous n'étions pas très clairs sur les conséquences d'une victoire du OUI, les Québécois pouvaient voter en sa faveur. En somme, nous étions confrontés au dilemme de dire, d'une part, qu'un OUI signifiait la brisure du pays, mais, d'autre part, de nous garder la possibilité de soutenir, après le référendum, qu'une victoire du OUI n'était pas un vote pour briser le pays[37]. » On choisit donc de ne rien révéler de ce que sera la position d'Ottawa advenant une victoire du OUI, mais de dire que Jacques Parizeau, lui, interprétera cette victoire comme un vote pour l'indépendance.

L'enregistrement est prévu pour 17 heures. On a pris un peu de retard, et c'est le chauffeur de Jean Pelletier qui transporte les deux cassettes, française et anglaise, aux studios de Radio-Canada à Ottawa. Il arrive quatre minutes avant l'heure de diffusion, qui est prévue pour 19 heures.

Jean Chrétien a réquisitionné les ondes, comme le lui permet la loi[38], et, pour justifier sa décision, il invoque, dès le début de son discours, le caractère d'urgence de la situation. « J'ai invoqué une mesure exceptionnelle pour m'adresser à vous ce soir, dit-il. La procédure est exceptionnelle parce que la situation l'est également. » Toute la première partie de son discours est un appel direct aux Québécois. « Il fallait que quelqu'un en autorité, et en autorité puissante, fasse réfléchir les Québécois sur l'enjeu, son importance, ses conséquences », explique aujourd'hui Jean Pelletier, son chef de cabinet.

« Ne vous laissez pas tromper, implore le premier ministre. Ne laissez jamais personne vous dire que vous ne pouvez pas être à la fois fiers d'être Québécois et fiers d'être Canadiens. Je vous demande d'apprécier ce que le gouvernement a fait depuis deux ans pour orienter positivement le changement. » Il reprend ses thèmes du discours de Verdun : « Il faut reconnaître que le Québec forme une société distincte par sa langue, sa culture et ses institutions, poursuit-il, et aucun changement constitutionnel qui affecte les pouvoirs du Québec ne se fera sans le consentement des Québécois. » Ceci équivaut à remettre au Québec le droit de veto, qui lui était implicitement reconnu jusqu'au début des années 1980. Il s'adresse ensuite aux Canadiens du reste du pays : « Dites-leur (aux Québécois) que vous espérez sincèrement et

profondément qu'ils choisiront encore une fois le Canada, lundi prochain », leur demande-t-il.

L'intervention de Chrétien à la télévision ne surprend pas les
souverainistes outre mesure, et encore moins le chef du camp du OUI.
« C'était normal, dit aujourd'hui Jacques Parizeau. Cet homme était là
pour défendre l'unité canadienne. Cela faisait partie des règles du jeu.
Chacun faisait son travail avec les instruments dont il disposait. Ce
que je trouvais désolant, à un certain moment, c'était que je n'avais pas
tous les instruments disponibles qu'un premier ministre du Canada
pouvait avoir. C'était embêtant. Pendant la campagne référendaire, on
avait réussi à établir des conditions à peu près normales avec Radio-
Québec, mais, mon Dieu, que les négociations pour avoir un peu de
temps d'antenne étaient compliquées ! »

Il est convenu que le camp du OUI aura aussi la capacité de
s'adresser aux Canadiens et aux Québécois, immédiatement après
l'intervention de Chrétien. « Nous ne voulions pas être accusés, dans
les derniers jours de la campagne, de ne pas être des démocrates, dit
Goldenberg. Nous avons cru qu'il était de beaucoup préférable de le
laisser parler plutôt que d'être confrontés à un nouveau problème[39]. »
Mais ce n'est pas Parizeau qui donne la réplique au premier ministre
canadien, c'est Lucien Bouchard, qui choisit de présenter deux discours différents, l'un destiné au public anglophone, l'autre, aux
Québécois. Et pourquoi Bouchard plutôt que Parizeau ? La raison
officielle est qu'il est convenu entre les deux que, lorsqu'il s'agit de
questions fédérales et que Jean Chrétien parle en sa qualité de chef de
gouvernement, c'est le chef du Bloc québécois, également chef de
l'opposition officielle, qui prend le dossier. Mais la popularité du
chef du Bloc joue, à n'en point douter, un rôle également très important dans le choix qui est fait de l'envoyer, plutôt que Jacques
Parizeau, à la télévision.

Le discours en français de Bouchard constitue une charge à fond
contre Jean Chrétien. « Cet homme s'est dressé sur le chemin des
Québécois chaque fois qu'ils ont voulu se comporter comme un
peuple, dit-il. Cet homme a mauvaise grâce de tenter, ce soir, de nous
faire croire qu'il envisage de reconnaître le caractère distinct du

Québec. Celui qui vous demande, ce soir, un autre chèque en blanc sur notre avenir est le même qui a profité de notre faiblesse au lendemain du NON de 1980 pour déchirer la Constitution de nos ancêtres et nous en imposer une autre qui a réduit les pouvoirs du Québec dans le domaine de la langue et de l'éducation. René Lévesque, et le Québec, affaibli et blessé par ce NON débilitant de 1980, avait signé un accord avec sept premiers ministres provinciaux du Canada anglais. On connaît la suite. Lévesque se retrouva, seul sur la rive québécoise de l'Outaouais, abandonné par ses alliés. Non merci pour les alliances, nous y avons déjà goûté, les lendemains sont trop amers. Monsieur Chrétien, vous ne nous ferez pas le même coup deux fois ! » Puis, sur un autre ton, il s'adresse encore plus directement aux Québécois. « Dans les journées qui suivront (le référendum), nous aurons un premier rendez-vous de peuples, de deux peuples qui ne se sont jamais vraiment rencontrés et qui se connaissent mal. » Il explique ensuite le fonctionnement du partenariat, l'harmonisation des différentes instances qui seront créées pour administrer les ententes sectorielles. Et, fort de sa popularité, ses derniers mots sont : « Je compte sur vous ! »

Son discours en anglais est plus rationnel. Il invite les Canadiens anglais à comprendre le geste que les Québécois s'apprêtent à faire et, sur un ton très conciliant, il dit avoir la certitude que « le Canada n'est pas dépourvu de ressources et d'expertises, d'esprits brillants, d'hommes et de femmes de bonne foi, capables de s'asseoir avec le Québec et de négocier ce qui est dans ses meilleurs intérêts ». « Je crois fortement en un futur partenariat entre le Canada et le Québec et je pense que je peux parler au nom de la très grande majorité des Québécois qui veulent aussi que la négociation soit un succès[40]. »

Pour Jean Pelletier, il ne s'agit pas d'une réplique puisque « M. Bouchard n'a pas eu connaissance du texte de M. Chrétien avant de préparer le sien, chacun préparant son discours en même temps, sans connaître le texte de son vis-à-vis ». Mais il lui reproche sévèrement d'avoir tenu deux discours, « alors que c'est toujours les souverainistes qui ont accusé les fédéralistes d'avoir deux discours, un pour le Québec, un autre pour le reste du pays ». Les propos de Bouchard mettent le premier ministre hors de lui. « Un discours inacceptable, dit

Jean Chrétien encore aujourd'hui. Il m'a attaqué personnellement, il m'a traité de traître, alors que j'ai toujours été un vrai Québécois et un vrai Canadien français. J'ai estimé que ce discours était déplacé, vicieux et inacceptable et je l'ai dit publiquement, je lui ai dit privément[41]. » Ce dont se défendent les souverainistes : « Est-ce qu'on a parlé de ses relations familiales, intimes ou même de ses problèmes d'affaires ? riposte Jean-François Lisée. Non. On a parlé de gestes politiques qu'il a faits pour le gouvernement du Canada, lorsqu'il était ministre de la Justice. Ce n'était pas personnel, c'était politique. Il a décidé de s'introduire dans la campagne, alors il était tout à fait normal qu'on dise : la personne qui vous demande de lui faire confiance pour l'avenir, voilà ce qu'elle a fait dans le passé récent. Je m'étonne qu'il s'en étonne. »

Les deux discours sont diffusés en direct sur écran géant à l'auditorium de Verdun, où se déroule le grand rassemblement du OUI. Celui de Jean Chrétien est hué copieusement, comme il se devait, alors que celui de Bouchard est accueilli comme on peut l'imaginer. Immédiatement après l'enregistrement de ses allocutions, le chef du Bloc québécois se rend à Verdun. « On a eu assez de misère à le faire atterrir sur scène, se souvient Alain Lupien, l'un des organisateurs du OUI. Il ne s'est pas contenté de rentrer par une petite porte de côté. Les gens voulaient lui toucher. Les gens se "garrochaient" pour le toucher. C'était étouffant. À un moment donné, on avait peur : allions-nous être capables de contrôler cette foule ? Cela n'a pas été de tout repos ! »

L'assemblée de Verdun revêt pour le OUI une importance particulière puisque, la veille, le camp du NON a attiré, dans la même salle, plus de 12 000 personnes. Jacques Parizeau garde encore un excellent souvenir de ce rassemblement, qui a constitué une sorte de point culminant de la campagne du OUI. « L'image qui me revient le plus, dit-il, ce sont ces têtes de jeunes. Ils étaient là. Il y avait, je ne sais pas... 70 % de la salle donnait l'impression d'être composée de jeunes. » N'y avait-il pas une sorte de défi, sinon de provocation, à tenir une assemblée le lendemain d'un grand rassemblement du camp du NON et dans la même salle ? « C'était parce que l'auditorium était disponible, dit-il. Il ne faut pas s'imaginer qu'on a fait des contre-feux : si les gens du NON sont allés à Verdun, donc il faut aller à Verdun. Non, non. La question de la réservation des salles posait tout un problème dont on ne se rend pas compte... » Mais il semble que la réalité soit différente. Selon Jean Royer, le chef de cabinet de Parizeau, il n'a pas été facile de convaincre les trois chefs du OUI d'accepter de relever le défi. « Notre force, c'était dans l'est, le NON, sa force, c'était dans l'ouest, dit-il aujourd'hui. Je me rappelle : on se retrouve au bureau du premier ministre à Hydro-Québec, et là, je propose à MM. Parizeau, Bouchard et Dumont d'"accoter" le camp du NON et de faire, à Verdun, un rassemblement, où il y aurait un plus grand nombre de participants que les libéraux. Les trois m'ont regardé, un peu sceptiques, en disant : pourquoi prendre ce risque? M. Parizeau m'a dit : "Êtes-vous sûr, M. Royer?" M. Bouchard m'a dit : "Êtes-vous sûr?" M. Dumont m'a examiné, l'air de se dire : "Est-ce qu'il va être en mesure de livrer...?" » Toutes les énergies ont été mobilisées : le Parti québécois, les syndicats, les partenaires du camp du OUI. La salle est comble. Jacques Parizeau reçoit une ovation monstre, « comme dans un geste de reconnaissance pour avoir nommé Lucien Bouchard négociateur », dit Royer qui ajoute : « Après la soirée, quand M. Parizeau est monté dans la voiture, il m'a dit : "M. Royer, j'ai bien aimé ma soirée." J'ai compris qu'il voulait dire : on a pris la bonne décision. »

Les résultats d'un sondage, que publie *La Presse*[42] le jeudi matin et qui donne une avance de deux points au OUI, n'ont plus grande signification. L'enquête a été faite entre le 19 et le 23 octobre, avant les deux assemblées de Verdun et les allocutions de Chrétien et de Bouchard à la télévision. Mais les résultats de ce sondage contribuent à soutenir l'enthousiasme dans le camp du OUI : « À l'intérieur de nos structures, se souvient Guy Chevrette, il y avait des gens, qui disaient : "Je pense qu'on peut l'avoir, puis on va l'avoir!" » Par contre, à Ottawa, on juge le moment à ce point critique que le bureau du premier ministre annule tous ses rendez-vous de la semaine : il ne prend pas part à la période de questions aux Communes, ne rencontrera pas cinq chefs de gouvernement d'Amérique centrale, dont la visite est prévue pour les jeudi et vendredi, et ne s'adressera plus, comme c'était prévu, aux membres de l'Association canadienne des radiodiffuseurs, le samedi.

Au milieu de la semaine, le premier ministre de l'Ontario, Mike Harris, demande à son sous-ministre des Affaires gouvernementales d'aller sonder les intentions du bureau de Jean Chrétien. Richard Discerny rencontre des membres du Conseil privé et apprend que le gouvernement fédéral pourrait ne pas reconnaître une victoire du OUI. « Le gouvernement avait un discours ambigu, dit Mike Harris. Il disait : ce vote va briser le pays, puis il disait que ce vote n'avait pas de signification. » Ce qu'il retient des propos, que lui rapporte son sous-ministre, c'est qu'à Ottawa, « ils pensent qu'ils peuvent perdre[43] ».

Après les résultats du référendum chez les Cris, celui que tiennent les dirigeants des communautés inuite et montagnaise auprès de leurs membres, le jeudi 26 octobre, ne cause aucune surprise. Au Nouveau-Québec, les quelque 4 300 Inuits en âge de voter se sont présentés aux urnes dans une proportion de 76 %. À la question : « Êtes-vous d'accord pour que le Québec devienne souverain ? », 95 % ont répondu non. Immédiatement, la société Makivik, qui administre les fonds des Inuits provenant de la signature de la Convention de la Baie-James, invoque deux avis juridiques pour affirmer qu'« il faudra obtenir le consentement des Inuits avant que leurs droits et statut puissent être touchés par la souveraineté du Québec ». Chez les Montagnais des communautés de Schefferville, Mingan, Natashquan, la Romaine et Pakuashipi, les résultats sont encore plus frappants : 99 % des quelque 1 050 électeurs qui ont voté, soit 70 % des électeurs, ont répondu non à la question : « Êtes-vous d'accord que le peuple innu (montagnais) et son territoire traditionnel soient associés à un éventuel État québécois indépendant ? »

Ces résultats n'intimident pas Jacques Parizeau. Selon lui, les Cris, les Naskapis et les Inuits sont assujettis à la Convention de la Baie-James, qui stipule que ces nations ont renoncé à toute revendication territoriale en échange des avantages qu'ils tirent de la convention. Celle-ci a donné lieu à une loi du gouvernement fédéral qui reconnaît la cession de ces droits territoriaux à Québec. « Alors, les référendums qui ont eu lieu chez les Inuits et chez les Cris, c'était une déclaration d'intention, dit-il, en anticipant la poursuite des discussions avec les chefs de ces nations. Mais le cadre juridique (de ces discussions) était clair et il respectait parfaitement l'intégrité territoriale du Québec. » Ce qui inquiète davantage le premier ministre, c'est l'attitude, devant un Québec souverain, des nations autochtones qui vivent le long du fleuve Saint-Laurent, les Micmacs, les Attikameks, les Abénaquis, les Mohawks. « Ces gens-là n'ont jamais renoncé à leurs droits territoriaux, ajoute-t-il. Alors, le Québec, quand il devient un pays souverain, sera forcé d'ouvrir des négociations avec eux. Et celles-ci pourraient durer très longtemps. »

Le jeudi 26 octobre, le chef du camp du OUI fait campagne au Saguenay, où le dossier de la base militaire de Bagotville demeure un enjeu important, car beaucoup craignent qu'elle ferme si le Québec devient souverain. « La base militaire de Bagotville reste une installation stratégique dans la perspective d'un Québec souverain, déclare Parizeau. Pas question que ça ferme ! Les CF-18 resteront au Québec. C'est facile à comprendre, ils nous appartiennent. »

L'ensemble du dossier militaire a été, et demeure pendant la campagne référendaire, un sujet épineux. Ce n'est donc pas pour lancer la controverse sur le partage des actifs militaires que Parizeau aborde, au Saguenay, la question de la base de Bagotville. Ce qu'il veut, c'est donner la réplique à Daniel Johnson qui, le 9 octobre, a annoncé d'importantes pertes d'emplois à la base si le Québec devient souverain. Le dossier militaire est fort complexe et le camp du OUI n'entend surtout pas lui donner plus de visibilité qu'il n'en faut. Or, le même jour où Parizeau aborde la question au Saguenay, un député du Bloc québécois lance, d'Ottawa, un appel aux militaires québécois. Jean-Marc Jacob, qui représente aux Communes la circonscription de Charlesbourg dans laquelle se situe la base militaire de Valcartier, est vice-président du Comité permanent de la défense et porte-parole de l'opposition officielle en matière de défense nationale. À ce titre, sur du papier officiel du cabinet du chef de l'opposition, il émet un communiqué dans lequel il affirme que « le Québec (souverain) devra utiliser et rationaliser les ressources déjà déployées sur son territoire pour permettre que l'ensemble de ses responsabilités militaires, défense du territoire, participation à des alliances stratégiques et à des missions de paix, se fasse à un moindre coût. » Et il ajoute : « Au lendemain d'un OUI, le Québec devra créer immédiatement un ministère de la Défense, un embryon d'état-major et offrir à tous les militaires québécois, servant dans les forces armées canadiennes, la possibilité d'intégrer les forces québécoises en conservant leur grade, ancienneté, solde et fonds de retraite, de façon à assurer une meilleure transition. »

Le communiqué, dans sa version anglaise, provoque une commotion au ministère de la Défense. Alors que l'expression française « au lendemain de » peut, par métaphore ou au figuré, signifier « dans l'avenir[44] », l'expression anglaise « *the day after a YES win* » ne laisse aucun doute sur le moment de l'opération. Le ministre David Collenette réagit violemment : « J'ai pensé que c'était à la limite de la sédition, dit David Collenette. Qu'un député intrigue auprès des militaires, qui sont au service de tous les Canadiens, pour qu'ils se dégagent de leurs obligations légales, c'était hautement irresponsable, incendiaire et parfaitement stupide[45]. Ma compréhension, en vertu du droit international, est que tous les biens de Sa Majesté la Reine du Canada appartiennent à Sa Majesté la Reine du Canada, peu importe la province où ils se trouvent. Comme tout ce qui appartient à Sa Majesté la Reine du Québec, de l'Île-du-Prince-Édouard ou de la Colombie-Britannique appartient à Sa Majesté la Reine de cette juridiction. »

Faut-il y voir une relation de cause à effet ? Faut-il également s'arrêter au fait que certains des pilotes sont des Québécois[46] ? Toujours est-il qu'à compter du lendemain, le ciel de Bagotville s'agite pour devenir, par la suite, de plus en plus silencieux : 18 des avions de combat CF-18 Hornet, qui forment l'escadre de la base[47], s'envolent par petits groupes vers les États-Unis : certains prennent la route de l'Oceana Naval Air Station de Virginia Beach, en Virginie, d'autres mettent le cap sur la Marine Corps Station de Beaufort, en Caroline du Sud. À compter du 24 octobre, on perd la trace de huit autres chasseurs qui peuvent tout aussi bien se trouver sous l'outil des mécaniciens dans les hangars de réparation qu'en attente d'une mission du

NORAD, prêts à s'envoler à tout moment, même dans la nuit du 30 au 31 octobre 1995[48]. Tous les appareils qui ont pris la route des États-Unis ne réapparaîtront à Bagotville qu'une fois le référendum passé.

Pourtant, jusqu'au 26, le mois d'octobre a été actif à la base. L'analyse des registres quotidiens[49] permet de relever 217 activités de 26 appareils qui, durant le mois, y ont été inscrits. Certains de ces appareils, les 745, 769 et 782, ont fait jusqu'à 10 sorties, alors que d'autres ont été cloués au sol, par exemple le 787 et le 788. On constate, par ailleurs, que d'autres appareils, les 716, 768, 785 et 786, n'ont eu qu'une activité, enregistrée après le 17 octobre, ce qui peut laisser croire qu'ils n'étaient que de passage à Bagotville ou qu'ils ont été déployés ailleurs. La dernière activité avant le référendum, un vol de l'appareil 727, est enregistrée à la date du 26, la seule cette journée-là. Du 27 au 31 octobre, le registre est vide. Un autre détail, impossible à vérifier, demeure troublant : alors que la base compte normalement sur une flotte de quelque 36 appareils, 26 seulement apparaissent dans le registre de vol du mois d'octobre, ce qui laisse supposer que les autres peuvent avoir été envoyés dans une autre base au cours du ou des mois précédents.

Le vendredi matin se lève sur un nouveau sondage de la firme SOM[50], beaucoup plus significatif celui-là, puisqu'il fait état de l'opinion de Québécois exprimée entre le dimanche précédent et le discours de Chrétien à la nation. Il donne une avance de six points au OUI, si les indécis sont répartis proportionnellement, et un mince avantage d'un point au NON, s'ils sont considérés aux trois quarts comme fédéralistes. Le clivage entre les deux groupes linguistiques est manifeste : chez les francophones, sans tenir compte des indécis, le OUI l'emporte par 15 points, tandis que le NON recueille 75 % des voix chez les non-francophones. L'enquête confirme enfin l'impact de l'« effet » Bouchard : 31 % des répondants admettent que Lucien Bouchard les a influencés. La maison Angus Reid appuie les données de SOM, concédant une avance de quatre points au OUI à l'aide d'une enquête effectuée auprès de 1 029 personnes entre le 23 et le 25 octobre. Le suspense continue et le camp du NON prépare une ultime salve : le grand ralliement de la place du Canada.

CHAPITRE XII

« Québécois, nous vous aimons ! »

C e jour-là, la vendeuse de fleurs au coin de la rue Peel et du boulevard René-Lévesque, à Montréal, a fait une bonne affaire. Au
début de la semaine, quelqu'un s'est présenté et lui a dit : « Vendredi,
vous n'aurez pas la peine de vendre de fleurs. Nous louons votre kios-
que pour la journée et vous serez dédommagée. » Et, le vendredi 27 octobre, le petit cagibi de la fleuriste se transforme en quartier général du
camp du NON, protégé par deux rangées de barricades antiémeutes.
Les téléphones cellulaires ont remplacé les fleurs et Pierre-Claude
Nolin, la fleuriste. Le sénateur a improvisé un réseau d'informateurs,
dont l'ancien ministre fédéral Serge Joyal, posté dans les hauteurs du
Château Champlain et, sur le terrain, une armée de policiers et
d'agents de sécurité qui vont tenter de circonscrire une foule dont ils
n'ont encore aucune idée de l'ampleur.

Quatre jours plus tôt, le rassemblement, qui devait être de taille
prévisible, organisé par des Montréalais pour des Montréalais, a
échappé au contrôle du comité du NON. Dans les bureaux du ministère des Pêches, à Ottawa, Brian Tobin s'en est emparé. Pourtant, la
journée s'annonçait comme toutes les autres, chaque fonctionnaire re-
prenant le dossier qu'il avait laissé sur son bureau, le vendredi.
Comme il le fait presque chaque lundi, le ministre Tobin a réuni
autour de lui son sous-ministre et une douzaine de fonctionnaires, représentant les divers services du ministère et les différentes régions
du pays, pour faire le point sur l'état des pêches. Pendant qu'un de ses

adjoints lui dresse le tableau de la pêche au sébaste dans le golfe du Saint-Laurent, le ministre n'écoute plus. « J'avais eu ce souper, la veille, avec quelques-uns de mes collègues, tristes à l'idée d'une défaite possible, et j'étais là, à écouter ce qu'on me racontait sur l'état du sébaste, se souvient Tobin, qui se rend compte tout à coup que, dans tous les ministères, ce matin-là, chacun accomplit sa petite routine, la tête plongée dans ses dossiers comme si de rien n'était. C'est fou ! Nous sommes là comme des somnambules, marchant vers ce qui peut bien être la fin du pays[1]. »

Le ministre met abruptement fin à la réunion et convoque aussitôt son sous-ministre, William Rowat, et quelques hauts fonctionnaires, dont une Québécoise, Françoise Ducros. Il leur dit : « Il y a peut-être quelqu'un quelque part dans les tours du premier ministre qui a une stratégie et qui sait comment nous sortir de là, mais, entre temps, je ne crois pas que nous devons nous tenir les bras croisés[2]. » Ducros va aux renseignements, puis informe son ministre que des gens d'affaires organisent un grand rassemblement, le vendredi, à Montréal afin de passer un message clair aux Québécois : Il est important que vous restiez dans le Canada. « Je me suis dit alors que nous devrions tous y aller, dit Tobin. Nous devrions encourager le plus de monde possible de toutes les parties du Canada à être là pour effacer de l'idée des Québécois que ce qui se passait ne nous intéressait pas[3]. » Et, à compter de ce moment-là, Tobin s'installe au téléphone.

À Montréal, le train est déjà en marche depuis la veille en vue du ralliement du vendredi. À la réunion du camp du NON du dimanche, une personne ramène le souvenir d'une grande assemblée, organisée par le conservateur Claude Dupras, qui avait attiré, en 1984, une dizaine de milliers de personnes au pied de la Place Ville-Marie pour y acclamer Brian Mulroney. « Pourquoi ne pas refaire la même chose ? » se demande-t-on, tout en se tournant vers un autre conservateur, Pierre-Claude Nolin. Celui-ci demande alors une demi-heure de réflexion et tient une brève réunion, dans une pièce attenante, avec Pietro Perrino, un organisateur libéral, qui assume les fonctions de coordonnateur des activités du camp du NON. La représentation

conservatrice dans le groupe est infime, aussi Nolin dit à Perrino :
« J'organise ce ralliement, Pietro, si tu embarques avec moi. Parce qu'il
n'est pas question que je fasse ça tout seul. Ça va me prendre une
équipe et ça va probablement être ton équipe que je vais utiliser. »
Perrino donne son accord et Nolin revient dans la salle de réunion. « Je
vais le faire, dit-il au comité. Et voici comment on va le faire. »

À ce moment-là, le comité du NON apprend, par John Rae,
qu'un groupe de gens d'affaires, dirigé par Philip O'Brien, prépare
également, de sa propre initiative, une marche dans les rues de la ville,
de l'avenue du Parc jusqu'au centre-ville, possiblement au square
Dominion. Philip O'Brien est le même qui a organisé, trois jours plus
tôt, une assemblée de gens d'affaires au Palais des congrès[4]. Il faudra
prendre contact avec eux. La technique d'organisation imaginée par
Nolin est simple, mais demande beaucoup de travail. Il s'agit de trouver, dans chaque immeuble commercial du quartier, une personne par
étage ou par locataire principal, dont le rôle sera de prévenir les employés qu'un rassemblement s'organise le vendredi midi et qu'ils y
sont invités. Des dépliants sont rapidement imprimés et distribués, indiquant la date, l'heure et l'endroit du ralliement. « Et c'est un peu une
boule de neige qui se nourrit d'elle-même, dit Nolin. Le bouche à
oreille fait le reste. »

L'objectif du camp du NON : rassembler 15 000 personnes.
Nolin décide immédiatement de l'emplacement, la place du Canada,
et du décor : une plateforme de fardier et des enceintes acoustiques.
Sur le fardier, trois personnes, les trois chefs : Johnson, Chrétien et
Charest. « Il y en a qui me disaient que Mme Copps voudrait peut-être
parler, dit Nolin. J'ai dit : "Il n'en est pas question. Les trois chefs,
point à la ligne !" » Une discussion s'ensuit au sujet de la personne qui
devrait jouer le rôle de maître de cérémonie. Le choix se porte finalement sur Lisa Frulla.

Le lundi matin, John Rae, qui, dans le camp du NON, est celui
qui fait le pont avec Ottawa, demande à Nolin s'il accepte que des
personnes d'autres provinces participent au ralliement et, dans
l'affirmative, si elles peuvent apporter leurs drapeaux. « Ma réponse
a été oui aux deux questions, un événement que je regrette d'avoir

accepté, dit aujourd'hui le sénateur conservateur. Le référendum demeurait une question québécoise, un enjeu qui devait être réglé au Québec par des Québécois. » Rae invite alors Nolin à entrer en contact avec Brian Tobin.

Daniel Johnson a son idée de ce que le rassemblement du vendredi doit être et il grimace lorsqu'il apprend qu'à Ottawa, il se prend des initiatives qui se situent en dehors de la stratégie établie. « Au départ, c'était un événement montréalais et de la périphérie », rappelle-t-il. Le projet tel que l'imaginait le camp du NON était d'amener le plus de personnes possible du centre-ville à sortir des bureaux, le midi, et à venir manger leur *lunch* ensemble, place du Canada. « On était sûr qu'il y aurait 8 000 personnes, se souvient Daniel Johnson, peut-être 10 000... On a ameuté la zone (de l'indicatif régional) 450. »

Le lundi soir, Nolin téléphone au ministre des Pêcheries par le central téléphonique du bureau du premier ministre. Il lui dit que John Rae lui a parlé de lui, le matin, et lui confirme qu'il est d'accord pour que la participation au rassemblement soit élargie aux Canadiens hors Québec. Tobin lui redemande si les gens peuvent apporter des drapeaux. Le sénateur conservateur lui répète son approbation. « Je ne voulais pas un ralliement rempli de feuilles d'érable, dit aujourd'hui l'ancien ministre des Pêcheries. Je voulais être sûr qu'il y aurait des drapeaux, des feuilles d'érable, des fleurs de lys. J'encourageais les gens à apporter le drapeau de leur province[5]. »

Nolin s'informe des moyens de transport que vont utiliser ces personnes de l'extérieur du Québec et de la façon dont les dépenses seront défrayées. Il est conscient que les gens du reste du Canada ne sont peut-être pas familiers avec les lois québécoises sur le contrôle des dépenses en période électorale ou référendaire. « Alors, dit-il, je l'ai informé qu'il n'était pas question que ce soit du transport gratuit. Les gens doivent absolument en payer au moins le coût. Venez si vous voulez, lui ai-je dit, mais il n'est pas question que ce soit un voyage gratuit. » Tobin écoute attentivement ce que lui dit l'organisateur conservateur qui se fait insistant : « Car c'est finalement M. Johnson et l'agent électoral qui vont être tenus responsables de cet accroc à la loi électorale du Québec », ajoute-t-il.

Dès le lendemain matin, Nolin informe Pierre Anctil, le représentant de Daniel Johnson, qui est en quelque sorte le président du quartier général du NON. Anctil veut alors s'assurer que les lois québécoises seront respectées. Il publie immédiatement un communiqué qui est distribué à de très nombreuses personnes à Ottawa et dans les différentes capitales provinciales.

Le téléphone de Brian Tobin ne dérougit pas. Il appelle des libéraux influents dans tout le pays, les compagnies aériennes et de chemins de fer et, aussi, des commanditaires susceptibles de contribuer financièrement à l'opération. Il prend contact avec certains premiers ministres des provinces. « Si nous décidons d'avoir un grand ralliement, leur demande-t-il, viendrez-vous ? Amènerez-vous des gens ? Allez-vous encourager nos organisations politiques à participer[6] ? »

Le mardi matin, Brian Tobin fait rapport au Conseil des ministres. Il raconte à ses collègues ses nombreux appels téléphoniques et les informe qu'il est possible d'avoir des avions, des autocars, des trains de Via Rail. « Les gens sont intéressés, leur dit-il. Je suis convaincu que nous pouvons amener pas mal de monde d'un peu partout au pays[7]. » Les ministres discutent du projet, certains invitant à la prudence : « Est-ce qu'une bande d'anglophones des autres provinces venant à Montréal, ça ne risque pas d'avoir un effet contraire ? Que se passe-t-il si personne ne vient ? Ce serait terrible et renforcerait le message de Lucien Bouchard qui dit que personne ne s'intéresse à ce qui se passe au Québec », voilà en substance ce que les ministres disent à leur collègue des Pêcheries. Tobin se tourne alors du côté du premier ministre : « Nous sommes mardi. Il reste peu de temps. Le référendum, c'est lundi prochain. Ou vous me dites non et nous retournons à nos occupations habituelles ou vous me permettez de quitter cette salle maintenant, car j'ai beaucoup de travail à faire. » Jean Chrétien lui demande : « Combien de personnes viendront ? » Tobin répond : « Je vous garantis que nous aurons de 10 à 15 000 personnes. » Chrétien veut en être certain : « Êtes-vous sûr ? » « J'en suis sûr », répond Tobin. Chrétien lui dit alors : « Allez-y[8] ! » Et Brian Tobin quitte la réunion du Conseil des ministres.

Dans les faits, la machine est déjà en marche et, si le premier ministre n'avait pas été d'accord avec l'opération, elle aurait été difficile à arrêter.

Brian Tobin communique avec Hollis Harris, le président d'Air Canada. Il cherche des avions et lui dit qu'il en aura besoin en Colombie-Britannique, en Alberta, à Terre-Neuve et partout ailleurs. Il lui dit : « Je ne vous appelle pas en tant que membre du Conseil des ministres ou membre du Parlement, je n'ai pas l'autorité pour le faire. Je vous appelle en tant que citoyen. J'ai besoin de tous les avions disponibles et je les veux au meilleur tarif possible. » Harris lui répond, avec son accent américain : « Oui, Monsieur. Vous aurez vos avions. Et vous les aurez au meilleur tarif possible. » Tobin sent le besoin de préciser qu'il ne s'agit pas d'une demande du gouvernement canadien. Harris lui répond : « Je comprends, Monsieur. Vous aurez les avions... » Et, aujourd'hui, Tobin se souvient ainsi de la conversation : « Il y eut comme un sous-entendu complice, une sorte de connivence. Ou il était devenu un nouveau Canadien extraordinairement convaincu et il comprenait l'importance de ce que je lui demandais en tant que simple citoyen, ou il n'avait pas vraiment cru que je ne l'appelais pas au nom du gouvernement. Mais nous avons eu nos avions[10]... » Et aux mêmes tarifs que ceux de Canadian Airlines.

Au moment où le ministre des Pêcheries renvoie ses fonctionnaires et décide de consacrer sa semaine à la campagne référendaire, le député fédéral de Fredericton, Andy Scott, ancien conseiller politique de Frank McKenna, est à son bureau de l'immeuble de la Confédération. Lorsque Tobin l'appelle et lui demande de se rendre immédiatement à une rencontre à la salle de conférence de son ministère, il ignore la raison de la convocation, mais s'y précipite, pensant qu'il peut s'agir d'un problème concernant la pêche dans sa région. Plusieurs personnes sont présentes. L'atmosphère est à la tristesse, à la colère, mais aussi à la détermination. Le député Dennis Mills, par exemple, est furieux de la façon dont la campagne a été menée jusque-là et déclare carrément qu'il a le sentiment d'avoir été bêtement manipulé. Les critiques volent dans tous les sens, principalement en direction du camp du NON et du Parti libéral du Québec. Scott se rend disponible : « Je ne sais pas si j'ai réagi pour mon pays ou pour moi-même, dit-il aujourd'hui. Je ne savais pas si ça allait marcher, mais le fait d'agir allait m'enlever le sentiment qui m'aurait hanté le reste de ma vie de n'avoir rien fait pour mon pays. Je ne sais pas si c'est noble ou égoïste et ce que c'est… Mais je sais que je n'étais pas devenu député à Ottawa pour assister à la désintégration de mon pays[11]. »

Tobin les informe alors qu'il ira, le mercredi matin, au réseau CTV, inviter les Canadiens de tout le pays à se rendre à Montréal le vendredi. Mais il avoue très honnêtement qu'il a peur : si l'opération est un échec, il ne veut pas être perçu comme la personne qui en est responsable, non seulement pour sa propre image, mais quant au résultat obtenu. Par conséquent, il demande aux gens autour de la table ce qu'ils pensent de l'idée et d'être très précis quant à leur apport au succès de l'aventure. On tente d'imaginer le nombre de personnes qu'ensemble, ils pourraient amener à Montréal. Combien Scott peut-il en envoyer du Nouveau-Brunswick ? Combien Ronnie MacDonald, de Nouvelle-Écosse ? Et Sergio Marchi, de Toronto, combien ? Chacun fait des calculs. À la fin de la rencontre, Tobin demande : « Ces chiffres, vous les garantissez ? » Scott propose d'appeler Frank McKenna en soirée ; sa réaction constituera un bon test.

À Fredericton, Frank McKenna vient de s'endormir. Le téléphone sonne une première fois. Il est déjà tard… et une heure plus tard qu'à Ottawa. C'est Scott. « Je regrette, Andy, mais il dort », lui répond la femme du premier ministre. Scott insiste : « Je vous en prie, Julie. Réveillez-le. Je crois que c'est important. » McKenna prend l'appareil et Scott lui explique le projet. L'idée lui plaît. Peu de temps après, c'est au tour de Tobin de lui parler. « Je lui ai dit au téléphone, ce soir-là, qu'au point où nous en étions, nous devions prendre tous les risques, se souvient McKenna. L'impact au niveau des émotions pourrait être très positif. Mais je parlais à un converti. Ils m'appelaient pour me dire qu'ils en étaient venus à la conclusion que les choses allaient très, très mal et que quelque chose devait être fait. Et comme le Nouveau-Brunswick est la province qui a les relations les plus significatives avec le Québec, ils voulaient savoir si nous pouvions envisager que ça réussisse[12]. »

Tôt le matin du mercredi, avant la réunion du caucus des députés libéraux, Brian Tobin accorde une interview à l'animatrice Valerie Pringle, à l'émission *Canada AM* du réseau CTV. « Ce n'est pas moi qui organise le rassemblement de Montréal, lui dit-il. Il s'agit d'un rassemblement organisé à Montréal, au Québec, par le comité du NON que préside Daniel Johnson. Ce que nous faisons, c'est que nous demandons aux gens de partout au pays de se joindre à ce ralliement du NON, à cette croisade pour le Canada. Vous avez vu la formation de comités, ici à Ottawa. Ils s'en forment à Toronto. Il y a des avions nolisés qui viennent de l'Ouest et de l'Atlantique. (La compagnie) Canadian Airlines a annoncé ce qu'elle appelle son "tarif de l'unité", une réduction de 90 % aux personnes qui veulent acheter des billets pour Montréal, quel que soit l'endroit au Canada[9]. » Deux heures après la diffusion de l'interview, Tobin reçoit un appel de Canadian Airlines, l'implorant de cesser de parler du tarif préférentiel, car tous les sièges sont vendus.

L'interview de Brian Tobin à CTV est entendue dans tout le pays. Les bureaux de circonscription des députés sont inondés d'appels téléphoniques de gens qui demandent comment se rendre à Montréal. C'est alors la course aux autocars. À Montréal, au quartier général du NON, les stratèges sont tout à coup incapables de déterminer l'ampleur de l'événement. Ils doivent se présenter à plusieurs reprises aux autorités municipales pour faire changer le permis de manifester. « Au départ, ce n'était que pour la place du Canada, dit Pierre-Claude Nolin. Mais plus ça augmentait... À un moment donné, les autorités de la Ville nous ont dit : "On ne peut pas vous donner un permis juste pour la place du Canada. On va devoir vous donner aussi un permis pour le square Dominion, on va devoir fermer des rues." »

Le samedi précédent, alors que rien ne se prépare du côté d'Ottawa, un membre du comité O'Brien, Jonathan Wener, de la firme Canterel, a rejoint le journaliste Rick Leckner de la station de radio CJAD à son chalet des Laurentides pour lui parler de la marche qui se prépare. Leckner est un spécialiste de la circulation et de la sécurité publique. Wener lui dit : « Tu connais Jacques Duchesneau.

Tu devrais t'occuper de la sécurité. » Leckner, bien qu'il soit journaliste, n'a aucune hésitation. Il parle au chef de police qui lui dit qu'une marche pose beaucoup plus de problèmes qu'un rassemblement en un seul endroit. Le comité O'Brien opte alors pour une manifestation stationnaire au square Dominion. Comme la jonction entre le comité du NON est maintenant chose faite, c'est Leckner qui, en congé d'une semaine pour travailler au succès de l'événement, collabore avec le lieutenant Peter McKay du poste de police de la rue Guy, qui a juridiction sur le quadrilatère de la place du Canada et du square Dominion. Le vendredi midi, le journaliste sera à la tête d'une équipe de 125 bénévoles dont le rôle consistera à assurer la sécurité pendant la manifestation.

Les appels téléphoniques d'Andy Scott et de Brian Tobin à Frank McKenna mettent en branle la machine électorale probablement la plus puissante au Canada. Le mercredi, après avoir assisté au caucus libéral, Scott prend l'avion pour Fredericton, où l'organisation de McKenna a déjà pris les choses en main. Les gens appellent, nombreux, au bureau du député de Fredericton. Scott lance des appels à la radio, invitant les gens à se rendre à Montréal ou, à tout le moins, à mettre leur véhicule à la disposition de l'organisation. La réponse des compagnies d'autocars est impressionnante : « Tout ce que vous voulez, nous l'avons ! » En quelques heures, il n'y a plus un autocar disponible dans toute la province. Les organisateurs cherchent maintenant des autobus scolaires, des fourgonnettes et des voitures familiales. Même la chaîne Tim Horton met à leur disposition les minibus de sa Fondation, habituellement destinés au transport d'enfants dans les colonies de vacances.

« C'était comme à la guerre, où la logistique est le problème majeur, dit Frank McKenna, qui aime souligner aujourd'hui que les gens de sa province se souviennent de l'endroit où ils étaient ce jour-là, comme on se souvient de l'endroit où on était le 11 septembre 2001 ou lorsque John F. Kennedy a été assassiné. C'était devenu un exercice de logistique, mais aussi un énorme exercice émotif[13] », ajoute-t-il. Des « capitaines » d'autocars et d'autobus sont désignés afin d'être bien sûr que personne ne se perde et qu'au retour, des gens soient laissés derrière, à Montréal. Point de ralliement de tous les véhicules transporteurs : Edmunston.

À l'autre bout du pays, l'avocat Celso Boscariol, candidat libéral deux fois défait par un réformiste aux élections fédérales de 1993 et 1997, est à son bureau de la firme Watson Goepel Maledy en fin de journée du 23 octobre, lorsque le téléphone sonne. C'est Brian Tobin qui lui explique son projet. Boscariol réagit tout de suite : « Nous sommes lundi soir, pense-t-il. Ce n'est pas possible pour vendredi. » Mais Tobin se fait insistant : « Non, écoute. Il faut que tu le fasses. C'est pour le pays. Accepte et vois ce que tu peux faire. » Et il raccroche.

Celso Boscariol, qui est président du Parti libéral du Canada pour la Colombie-Britannique, peut compter sur un réseau important d'organisateurs. Il se met tout de suite au travail. Après quelques appels, il téléphone à David Stow, le président du comité de collecte de fonds du parti et lui dit : « Nous avons vérifié auprès d'Air Canada. On nous dit que noliser un avion pour aller à Montréal, c'est quatorze heures de vol et ça coûte quelque chose comme 10 000 $ l'heure, soit 161 000 $, lui dit-il. Nous allons diviser les sièges entre Edmonton, Calgary, la Saskatchewan, le Manitoba et chacun paiera sa part au prorata. Notre part à nous, en Colombie-Britannique, sera de 60 ou de 70 000 $. Crois-tu que nous pouvons trouver ça ? » La chaîne téléphonique se met en branle. « Tout à coup, rappelle Boscariol aujourd'hui, l'argent a commencé à entrer. La nouvelle s'était répandue que nous organisions ce vol. Les gens se sont mis à nous appeler pour monter à bord. Alors, pour payer une partie du coût, nous avons fixé à 250 $ par personne le prix du billet[14]. » Le personnel de Watson Goepel Maledy est mis à contribution pour faire les appels téléphoniques, la cueillette de fonds, les dépôts bancaires et le reste. Boscariol est renversé de voir le patriotisme des entreprises. « Par exemple, là où vous demandiez 1 000 $, on vous envoyait 5 000 $, simplement parce qu'on considérait que l'événement en valait la peine. Tout ça, sans reçu aux fins d'impôts[15] ! » De toute évidence, l'avion partira.

À Edmunston, les soixante-dix autocars, les autobus de tous genres, les fourgonnettes et plusieurs automobiles personnelles, arrivés de toutes les directions dans la journée du jeudi, s'alignent maintenant dans l'immense stationnement d'un centre commercial où doivent converger toutes les caravanes. Elles viennent du Nouveau-Brunswick, mais également de l'Île-du-Prince-Édouard, de la Nouvelle-Écosse, et même de Terre-Neuve. La soirée est fébrile et, dans l'attente du départ, des centaines de personnes s'attablent autour de beignes et de café dans le centre commercial auquel elles ont accès. Une station de radio locale fournit un porte-voix à Andy Scott qui tente, dans l'aire de stationnement, de mettre un peu d'ordre dans les rangs. « C'était excitant, c'était électrique », dit-il, tout en reconnaissant qu'à un certain moment, les organisateurs ne contrôlent plus les événements. « Nous avons été dépassés à la fois par la disponibilité des autobus et l'intérêt des gens, dit-il. C'est devenu beaucoup moins organisé[16]. »

À Frank McKenna, qui arrive par avion dans la journée, quelqu'un fait remarquer que l'aéroport d'Edmunston est tout près de la frontière du Québec et que, si rien n'est fait pour empêcher le OUI de l'emporter, il sera à proximité d'un pays étranger. Le premier ministre va maintenant d'un autocar à un autre saluer les gens, « leur dire merci et combien important est le geste qu'ils font en ce moment et les inviter à dire aux Québécois à quel point ils les aiment ». « C'était merveilleux, rappelle aujourd'hui McKenna. Ce fut un jour absolument magique[17]. » Il fait nuit lorsque le lacet de véhicules, qui s'étire sur des kilomètres, s'engage sur l'autoroute transcanadienne à destination de Montréal.

Le camp du OUI assiste, impuissant, à l'enflure de la boule de neige et devient nerveux. « On ne savait pas ce que ce serait, dit Alain Lupien. Mais on savait que ça allait être gros. On savait que ces gens-là, dans des autobus, prenaient de la bière. Ils ne venaient pas nous dire qu'ils nous aimaient, ils venaient pour participer à un party. » Ce que les stratèges du OUI craignent avant tout, c'est un dérapage. « S'il fallait que la violence éclate là-dedans, ajoute Lupien, l'image du référendum ne serait pas très bonne. La violence a toujours nui au camp souverainiste. »

Pierre-Paul Roy, le conseiller de Lucien Bouchard, trouve pour sa part que le ralliement, qui arrive à la fin de la campagne, est un geste passablement disgracieux et, comme Lupien, l'inquiétude l'envahit. « C'était assez provocateur, dit-il, de débarquer dans le centre-ville de Montréal, à quelques jours du référendum, en ne respectant

absolument aucune règle et en dépensant de l'argent à flots. » Comme
Lupien, Roy sait que, s'il y a un dérapage, c'est le camp du OUI qui
sera perdant. « Il y avait un mot d'ordre très clair, très net, rappelle-t-il,
de se tenir loin de cela, de laisser ces gens-là manifester pacifiquement,
en souhaitant que tout se passe bien. »

Le mercredi midi, au cours d'une interview radiodiffusée depuis
la Taverne Magnan dans le sud-ouest de Montréal, Lucien Bouchard
a fait connaître, devant une foule enthousiaste, sa désapprobation de la
manifestation annoncée. Après avoir qualifié d'« eau de vaisselle », le
discours de Jean Chrétien, la veille, à Verdun, et jugé insignifiante la
notion de société distincte, il qualifie de suspectes ces déclarations
d'amour de dernière minute, de la part de personnes qui ont « déchiré »
la Constitution canadienne, en 1982[18].

Tous les agents de coordination du OUI de la région sont convo-
qués à Montréal « de façon, précise Lupien, à pouvoir identifier un peu
les têtes chaudes, les souverainistes qui, dans ce genre d'événement,
vont être tentés d'aller dire leur façon de penser à leurs nouveaux
amoureux ». Le camp du OUI ne doute pas de l'efficacité des forces
policières ni des services de renseignements, mais il veut arrêter les
« têtes chaudes » avant qu'elles n'arrivent à la place du Canada. Des
équipes sont installées dans les stations de métro. « Si on voyait un Jos
clinclin qu'on connaissait, on l'arrêtait, on le raisonnait, on lui disait :
"Écoute, évite de faire ça. Ce n'est pas de ça qu'on a besoin…" »

Entretemps, le reste du pays s'organise, des députés, des ministres tentent d'amener de leur circonscription des autocars remplis de
partisans du NON dans le centre-ville de Montréal. Jane Stewart téléphone au propriétaire d'une compagnie d'autobus, Don Sharp. « Don,
lui dit-elle, j'ai besoin d'autobus. Je ne sais pas combien, mais au
moins d'un. » Elle en obtient trois, gratuitement. « Il a simplement
prêté ses autobus, dit-elle aujourd'hui. C'était la façon, pour lui, de
contribuer[19]. » Dans un terrain de baseball à l'est d'Ottawa, les autobus, quelques centaines, et les automobiles s'entassent. John Manley
est le ministre responsable de l'est de l'Ontario et il a mis sur pied l'organisation nécessaire pour amener le plus de monde possible à
Montréal. Le jeudi, il n'y a plus un autobus disponible dans la région,

«même dans le nord de l'État de New York », se souvient Manley. C'est une flotte considérable d'autocars et de véhicules de toutes sortes qui, tôt le matin, convergent vers Montréal.

À Vancouver, les gens sont montés à bord en chantant Ô *Canada* sous les applaudissements d'une foule venue leur souhaiter bon voyage. L'événement se répète à Edmonton. À Regina, une foule s'est entassée à l'aéroport, à la fois pour acclamer les voyageurs et voir l'avion. C'est la première fois qu'un Boeing 747 se pose à l'aéroport de la capitale de la Saskatchewan. Lorsqu'il s'élance de Winnipeg pour la dernière étape, le Boeing est rempli.

Celui qui a pris l'initiative de transformer un ralliement à dimension montréalaise en mégatémoignage canadien d'amour envers les Québécois a pris le premier vol pour Montréal et s'est installé au 20ᵉ étage d'un hôtel qui lui donne une vue d'ensemble de la place du Canada et des alentours. L'avant-midi, Brian Tobin le passe devant sa fenêtre. Il observe les ouvriers qui montent l'estrade, d'autres qui disposent des barrières de sécurité autour du périmètre, des techniciens qui installent l'appareillage sonore. Il prend café sur café, une certaine angoisse le gagnant au fur et à mesure que la matinée progresse, devant le peu d'activité qu'il y a autour des ouvriers qui s'affairent aux installations. Une demi-heure ou un peu plus avant le début de l'événement, il y a bien quelques milliers de personnes, mais le parc est loin d'être rempli. « Je me disais : mon Dieu, peut-être que ceux qui n'étaient pas d'accord avec l'idée avaient raison, se souvient-il. Peut-être que les gens ne viendront pas. J'étais assis, le sang glacé, lorsque tout à coup les gens ont commencé à arriver des rues avoisinantes. J'imagine que les autobus étaient maintenant là, peut-être aussi le train, que les gens arrivaient de l'aéroport. Tout d'un coup, la place se remplissait[20]. » Tobin, sa femme, ses enfants et Sheila Copps qui, avec sa famille, a aussi une suite au même étage de l'hôtel, applaudissent chaque fois qu'une vague de partisans se joint à la foule.

À midi, le vendredi 27 octobre, la place du Canada est pleine et déborde sur le square Dominion et dans les rues attenantes. Sur l'estrade, Jean Chrétien proclame que cette journée est celle des citoyens plutôt que celle des politiciens et invite chaque électeur à penser aux générations futures lorsqu'il votera lundi. Les discours de Daniel Johnson et de Jean Charest ne sont pas moins passionnés, mais la foule attache peu d'importance à leur contenu. Le vrai message ne vient pas de la tribune, il est dans l'atmosphère. « Les discours, dans un contexte comme celui-là, c'était vraiment compliqué, se souvient Jean Charest. On s'adressait à la foule, mais on avait le sentiment que c'était tellement gros qu'on n'était pas sûr que les gens entendaient même ce qu'on disait. Mais ça permettait de maintenir un certain *momentum* pour la campagne, c'est ce que j'ai senti. »

Dans la foule de dizaines de milliers de personnes, un homme se promène, incognito, impressionné, mais aussi frustré de la tournure des événements. Sans Philip O'Brien, ce grand rassemblement n'aurait pas lieu. Le midi, il a été invité, avec les membres de son comité, à venir serrer la main de Jean Chrétien et de Daniel Johnson lorsque les chefs sortiraient de la Place Ville-Marie. « L'humble petit comité d'organisation devait les rencontrer à la porte », se souvient-il. Mais les choses se passent autrement. « Tout le monde devait sortir de la Place Ville-Marie en même temps, dit-il. L'équipe qui avait monté le rassemblement devait sortir avec les premiers ministres et tout le monde devait faire la grande parade vers le square Dominion, vers la place du Canada et se retrouver sur l'estrade avec eux. Mais ils ne nous ont pas laissé de place. Les agents de la GRC ont entouré Johnson et Chrétien. Ils ignoraient qui nous étions. Alors, on a sauté comme des bouchons! On n'a jamais rien vu! »

O'Brien et des membres de son comité prennent alors une autre direction, empruntent la porte ouest de la Place Ville-Marie plutôt que la porte centrale et réussissent, par le boulevard René-Lévesque, à se rendre jusqu'à la prochaine rue, la rue Mansfield. Ils sont encore à un bon coin de rue de la place du Canada. « Je ne pouvais pas marcher, dit-il. Il y avait tellement de monde. En fait, on (le comité) a participé à la manifestation comme tout le monde. La GRC ne savait pas qui nous étions et s'en souciait bien peu. Mais les politiciens, eux, ils nous connaissaient parce qu'ils nous avaient demandé de nous engager à fond. Mais ce n'était plus notre *show*, c'était devenu leur *show*. Ils avaient décidé que c'était leur *show* et, salut, les gars, vous ne comptez plus!

Nous n'avons jamais pu nous rendre près de l'estrade. Nous étions sortis de la parade[21]. » Philip O'Brien n'a jamais reçu par la suite d'appels téléphoniques ou de communications de quelque nature que ce soit pour lui témoigner, à lui et à son comité, la moindre reconnaissance.

Mike Harris, qui n'est premier ministre de sa province que depuis quatre mois[22], choisit de se perdre dans la foule. Passant presque incognito, il préfère participer au rassemblement comme père de famille plutôt que comme politicien et chef de gouvernement. « J'ai pensé qu'en y allant avec mon fils, je pourrais représenter les familles ontariennes qui, en majorité, me disaient qu'elles voulaient envoyer le signal aux Québécois que nous voulions les garder au Canada, dit-il. C'était vraiment excitant. Je ne sais pas combien il y avait de monde, mais nous avions l'impression que le monde entier était là. Nous étions le monde, à ce moment-là. Il y avait beaucoup d'émotion, beaucoup de passion. Et beaucoup de pleurs aussi. Certains, de joie, d'autres, de peur, d'autres enfin d'inquiétude[23]. »

Frank McKenna est aussi à Montréal, mais les intérêts de sa province ne le quittent jamais, même lorsqu'il s'agit de ceux du Canada. « J'ai un souvenir qui m'embarrasse beaucoup, dit-il. Le jour du rassemblement, j'avais prévu une rencontre d'affaires à Montréal avec les représentants d'une compagnie qui songeait à investir au Nouveau-Brunswick. J'avais cette réputation, et je dois vous avouer honnêtement que ce n'était pas une bonne réputation, d'essayer de faire des affaires partout où je pouvais[24]. » Pendant que des gens du Nouveau-Brunswick, dans des autobus qu'il a contribué à remplir, envahissent Montréal pour dire aux Québécois qu'ils les aiment, Frank McKenna fait du maraudage et tente d'amener une compagnie montréalaise à s'installer dans sa province. « J'ai été critiqué pour cela, conclut-il. Ce n'était simplement pas le bon moment. »

Bob Rae non plus ne participe pas au ralliement. Il ne se souvient même pas s'il a été invité. « Les libéraux et les premiers ministres s'en sont emparés, dit-il, et je n'étais ni libéral ni premier ministre. Alors, j'ai laissé aller les choses[25]. » Il y a d'autres absents : plusieurs premiers ministres provinciaux et Preston Manning, à qui l'on a signifié que sa présence n'était pas souhaitée.

Le 27 octobre est une journée typique d'automne, ensoleillée mais venteuse. La manifestation se déroule aux couleurs d'une multitude d'oriflammes de toutes sortes, des provinces et du Québec, qui s'agitent au vent, mais c'est un immense drapeau canadien qui suscite le plus d'émotion. Il est de dimension peu commune et se déplace au-dessus de la tête des gens. « Je suis encore ému lorsque j'y pense, dit aujourd'hui Mike Harris. Le drapeau symbolisait le fait que nous étions le Canada, ici au Québec. De voir cet immense drapeau, ondulant, que l'on se passait dans la foule, c'était plus puissant que tous les mots. Il a eu le plus gros impact sur nous tous[26]. »

Celso Boscariol garde aussi un souvenir impérissable du drapeau. « Tout le monde cherchait à le toucher, dit-il. C'était comme, disons, toucher le saint Graal. Chacun voulait pour ainsi dire en avoir un morceau[27]. » Georges Arès, membre actif de l'Association canadienne-française de l'Alberta, est venu pour l'assemblée du NON, le mardi, à Verdun, et s'est laissé convaincre par un membre du bureau de direction de l'Association canadienne d'éducation de langue française, Charlotte Ouellet, de rester à Montréal jusqu'au vendredi. Il est au ralliement de la place du Canada et demeure marqué par le déplacement de l'unifolié au-dessus de la foule. « Il y a eu des discours, se souvient-il, mais c'est plutôt ce grand drapeau qui circulait, qui faisait voir à tout le monde que c'était un rallye pour le Canada, pour la place de la francophonie au Canada. »

Lorsque le drapeau glisse au-dessus de la tête de Philip O'Brien, celui-ci en oublie le moment d'amertume qu'il a connu lorsqu'il a été écarté du défilé des dignitaires. « Nous étions sous le drapeau, se souvient-il, et la lumière du soleil passait à travers. Vous étiez comme enveloppé par cette couleur rouge et cette grosse feuille d'érable qui venait sur vous. Avec le vent qui l'agitait, nous avions l'impression que nous allions nous envoler dans les airs, comme un parachute. Ce drapeau devait être fixé quelque part. Mais il était tellement grand que quelqu'un a décidé de le faire circuler. Ce n'était pas prévu, ce fut un accident. Comme le ralliement lui-même : nous n'avions pas prévu 100 000 personnes. Ce sont ces choses-là que peut causer la passion[28]. »

100 000 personnes ? Dix ans après l'événement, les conversations deviennent encore enflammées lorsqu'il s'agit d'accoler un chiffre à la foule qui se massait ce jour-là, place du Canada. Au lendemain du référendum, dans un discours à Toronto, Jean Chrétien évaluera la foule à 150 000 personnes, 25 000 de plus que l'évaluation que fait Sheila Copps pendant l'événement. Pierre-Claude Nolin estime pour sa part la foule à plus de 200 000 personnes.

Roger Laroche, le journaliste de la circulation de Radio-Canada, survole le ralliement à bord d'un hélicoptère. Trois personnes sont à bord, le pilote, un cameraman et le journaliste, tous trois harnachés, car la porte de l'appareil demeure ouverte. La veille, Laroche a eu le privilège, en compagnie de Rick Leckner, un autre journaliste de la circulation, qui, pour la circonstance, a plutôt choisi de travailler au sein du comité O'Brien, d'assister à une rencontre, à laquelle participaient des représentants de diverses autorités concernées par ce qui se préparait : le ministère des Transports, la Ville de Montréal, la police de la CUM, la Gendarmerie royale du Canada, etc. Les personnes présentes ont fait l'unanimité sur une donnée importante : la capacité de la place du Canada et du square Dominion est de 32 000 à 35 000 personnes.

Lorsqu'il observe la foule du haut des airs, Laroche se souvient de ce chiffre. Comme il est équipé d'un appareil balayeur d'ondes, il l'entend à nouveau dans des conversations entre les policiers qui sont au sol et ceux de la GRC qui survolent aussi l'événement en hélicoptère. Laroche a une image en tête : « J'ai vu le stade olympique rempli pendant un spectacle des Rolling Stones, rappelle-t-il aujourd'hui. Il peut contenir autour de 52 à 53 000 personnes. J'ai fait la comparaison et j'ai choisi de jouer de prudence et de gonfler l'estimation de la police. » Il lance le chiffre de 50 000.

Jean Bédard, qui anime l'émission spéciale de Radio-Canada, est placé sur un immeuble de deux étages, de sorte qu'il n'a pas la même perspective que Laroche. Il a cependant à ses côtés, comme commentateurs, Pierre Anctil du camp du NON, Jean-François Lisée du camp du OUI et le journaliste Michel Vastel. Anctil a une carte du quadrilatère, elle-même quadrillée de façon à pouvoir mieux apprécier la foule, bloc par bloc. Il fait ses propres évaluations et les partage avec Lisée qui les trouvent raisonnables. Les données que Bédard communique en ondes, lui viennent donc, pour la plupart, du chef de cabinet de Daniel Johnson, approuvées par le conseiller politique de Jacques Parizeau et appuyées par les informations que donne Roger Laroche de son hélicoptère. Tout à coup, quelqu'un de la régie de l'émission lui demande de ne plus donner de chiffres et, du haut des airs, Roger Laroche, qui entend Sheila Copps parler de 125 000 personnes, décide d'en faire autant. Les évaluations données par Radio-Canada jusque-là sont nettement inférieures à tout ce que l'on entend des politiciens et des médias de langue anglaise.

La Direction de l'information de la CBC, à Toronto, communique rapidement avec son vis-à-vis de la Société Radio-Canada pour s'enquérir des sources du réseau français parce que les évaluations ne coïncident pas. Le doute s'installe à la salle des nouvelles de Montréal et Laroche doit expliquer la nature de « sa source policière » à sa direction. Le bureau du premier ministre, à Ottawa, est choqué : « La réalité, c'est que probablement personne ne regardait la télévision lorsque les rapports de Radio-Canada ont été diffusés vers 15 ou 16 heures, dit Eddie Goldenberg. Mais ils n'étaient pas justes. Il y a eu un sentiment, pendant une longue période, à tort ou à raison, que Radio-Canada avait un biais séparatiste. Et ceci symbolise cela. Les gens étaient surpris et furieux envers la SRC, mais nous savions qu'il y avait bien peu de choses que nous aurions pu faire. Je pense que le service de presse du bureau du premier ministre a probablement contacté des gens à Radio-Canada à ce sujet[29]. »

Pour en avoir le cœur net et pouvoir répondre à toutes les accusations dont elle est la cible, la Direction de l'information de la Société Radio-Canada prend les grands moyens. Dans les jours qui suivent, elle a recours à des images aériennes de l'emplacement et requiert les services d'une firme d'arpenteurs pour évaluer la capacité maximale de la place du Canada et du square Dominion. Rempli à pleine capacité, l'espace ne peut accueillir plus de 70 000 personnes.

Qui était là ? Combien de personnes venaient de l'extérieur du Québec ? Une quinzaine de mille, selon Pierre-Claude Nolin. « C'était essentiellement des Montréalais, confirme aujourd'hui

Daniel Johnson. Le comité du NON avait fait venir beaucoup de gens de nos associations de circonscriptions électorales, de la grande périphérie de Montréal, ce qu'on appelle aujourd'hui la zone 450. J'ai rencontré dans la rue, c'est vrai, des étudiants de Cornwall et de jeunes Franco-Ontariens qui étaient venus en auto pour la journée, et des gens du Nouveau-Brunswick. C'était un peu bigarré. Ça devait être, au départ, des travailleurs du centre-ville de Montréal, qui, en prenant leur heure de dîner, descendraient, puis retourneraient ensuite au bureau. Et c'est essentiellement cela qu'il y avait là. »

En fin d'après-midi, la place du Canada est maintenant presque vide. Philip O'Brien, qui est revenu à son bureau situé tout près, y retourne. « Je me promenais, je voyais des drapeaux par terre, se souvient-il avec une certaine tristesse. J'étais sur les marches de la cathédrale Marie-Reine-du-Monde, du côté nord-ouest. Vous pouviez voir la gare Windsor, tout le square... Toute l'histoire de notre pays était là, les monuments des premiers ministres, les monuments de guerre... Lorsque les Irlandais sont venus au Canada, mes ancêtres, plusieurs ont été enterrés sous le square Dominion. C'est une place sacrée, que cette place.[30] Ce que je voyais, c'était un immense champ de bataille, comme s'il y avait eu des armes sur le sol, mais ce n'était pas des armes, c'était des drapeaux. J'avais un drôle de *feeling*, un sentiment étrange. Je ne savais plus si je devais être heureux ou malheureux parce qu'il y avait, par terre, des drapeaux canadiens et des drapeaux québécois. Je ne me sentais pas bien, je me sentais mal. Je n'étais pas seul. Il y avait une centaine de personnes qui circulaient. Les rues étaient encore fermées. Je me disais : c'est moi qui ai causé ça. C'est presque une guerre moderne. Quelqu'un est arrivé en poussant une bicyclette. Un garçon dans la vingtaine. Il pleurait. Il ramassait les drapeaux du Québec et les mettait un à un dans un panier accroché aux guidons de son vélo. Puis, il m'a regardé et m'a dit : "Vous avez tué mon pays." Je me suis dit : qu'est-ce que j'ai fait ! Je vais m'en souvenir longtemps, longtemps. J'ai même le frisson en ce moment, juste en y pensant. »

Johnson ne croit pas que le ralliement ait eu un impact significatif sur le résultat du référendum. « Je n'ai jamais pensé que cela avait aidé, dit-il aujourd'hui. Mais jusqu'à quel point cela a-t-il nui ? Je n'ai jamais pensé que cela avait été de notre côté. Ce qu'on n'a jamais compris, ce que Brian Tobin n'a jamais saisi, c'est que ce n'était pas le moment de dire : qu'est-ce qu'on peut faire pour le Québec ? Il était en retard de cinq ans ! Ou il était en avance, il présumait du résultat ! Le ralliement a donné l'impression que nous avions besoin d'aide, nous du NON. Cela a mis de la *statique* dans le système, de l'eau dans le *gaz*, appelez ça comme vous voudrez. Cela a diminué l'impact du rassemblement de ce qui devait être un rassemblement de Montréalais. Cela n'a pas aidé la cause. » Johnson n'est pas loin de penser que la manifestation de la place du Canada a plutôt aidé la cause du OUI, mais il déplore l'utilisation que les souverainistes en ont faite. « Cela leur a permis de faire des discours pendant une demi-journée, puis de hurler qu'on avait dépensé 4,3 millions. Pas 4,2, pas 4,4... 4,3 millions ! De la foutaise ! »

Pierre-Claude Nolin fait la même réflexion que le chef du camp du NON. « Lorsqu'on regarde les sondages internes du samedi et du dimanche, donc après l'événement du vendredi, l'option fédéraliste a recommencé à descendre. L'événement, selon la façon dont les Québécois l'ont perçu, a nui à la cause du NON. Je pense que M. Bouchard a réussi à les convaincre en prétendant qu'il s'agissait d'une invasion barbare. Ils l'ont vu comme une manifestation d'étrangers, même si ce n'était pas le cas. »

John Rae, l'homme de Jean Chrétien dans le camp du NON, adresse maintenant des reproches à Philip O'Brien : « Le ralliement a eu un effet négatif », lui dit-il. O'Brien en est secoué : « Ce n'est pas agréable lorsque quelqu'un d'aussi puissant, que je connais, qui est un ami, quelqu'un avec qui je fais des affaires, lorsque des gens si proches du pouvoir vous disent que vous avez tout gâché... OK, merci beaucoup, la prochaine fois je n'accepterai pas le *job*[31]. » Quant à lui, sans qui ce ralliement monstre n'aurait pas eu lieu, il porte un jugement mitigé sur son impact. « Je suis heureux que des gens de l'extérieur de la province soient venus à Montréal, dit-il en parlant de passion et d'intérêt pour le Québec chez la plupart des Canadiens. Mais on m'a dit, des deux côtés, davantage de celui d'Ottawa, des libéraux, que je leur avais fait perdre des votes. Du côté du OUI, on m'a dit de ne pas me surprendre de me retrouver avec les pieds dans le ciment, au fond du Saint-Laurent. Vous voyez, je n'étais pas populaire, ni d'un côté ni de l'autre[32]. »

Le vendredi midi, Jacques Parizeau et sa femme sont dans leur suite du Ritz Carlton, où ils préfèrent loger pour des raisons de sécurité. La clameur les rejoint. « La première chose que j'ai entendue, c'est un bruit, comme s'il y avait un immense défilé, se souvient Lisette Lapointe. Une mer humaine qui rentrait dans les rues autour. » Ils assistent à la manifestation par le truchement de la télévision. « Alors, ajoute Lapointe, je me suis dit : Oups ! Ça peut avoir un impact, un impact très important sur les personnes qui sont encore craintives, un peu indécises, qui se laisseront prendre par les sentiments. » Les sondages rapides, que le camp du OUI fait quotidiennement, diront cependant le contraire : « Ce soir-là, dit Jean-François Lisée, le OUI a pris quelques fractions de point, ou un point ou deux, et le NON en a perdu. L'effet global, sur le coup, a plutôt été positif pour le OUI. » Selon lui, le OUI est allé chercher le point ou deux qu'il avait perdu, le mercredi, à cause de l'effet dramatique de la déclaration de Chrétien à la télévision.

Malgré les données des sondages, Jacques Parizeau demeure sceptique. Lorsqu'il envisage l'hypothèse que le ralliement ait pu, tout compte fait, servir la cause du OUI, il soutient que les fédéralistes ont tout intérêt à laisser cette impression s'installer dans les esprits. « Il y a pas mal de gens qui se rendent compte, chez les fédéralistes, qu'ils ont gagné, par une toute petite marge, par un geste qui violait toutes les lois financières du gouvernement du Québec, applicables aux consultations populaires, dit-il. Et impunément. C'est très sérieux, une situation comme celle-là. Encore aujourd'hui, je ne puis m'empêcher de penser que, cet après-midi-là, quelques gouvernements de province, le gouvernement fédéral, quelques sociétés d'État, une compagnie de téléphone et des compagnies aériennes ont dépensé deux fois ce que le camp du OUI et le camp du NON ont dépensé, ensemble, pour toute la campagne. C'était illégal d'après nos lois. Et on n'y pouvait rien. »

Le directeur général des élections, qui a été incapable de faire appliquer les lois québécoises dans l'organisation de la manifestation, croit pour sa part qu'elle a eu un impact. « Je ne sais pas si ce rallye a fait basculer le vote, mais il l'a influencé. C'est très clair. C'est vrai qu'il est rare qu'il y ait des événements, pendant une campagne électorale, qui font basculer les gens d'un côté ou de l'autre. Mais cela arrive parce qu'un référendum ou une élection se joue sur les indécis. » Par ailleurs, l'évaluation que font les scientifiques de l'influence du ralliement sur les résultats du référendum est plus nuancée. « L'événement survient trop tardivement pour que les derniers sondages réalisés et rendus publics puissent en mesurer les effets réels, estiment les deux politologues Denis Monière et Jean H. Guay. Mais tout laisse croire qu'il n'a eu qu'un faible impact puisque le dernier segment de courbe de tendance bâti à partir des derniers sondages (menés avant le vendredi 27 octobre) atteint, en plein dans le mille, le résultat référendaire, soit quelques décimales en deçà de la barre de 50 % pour le OUI[33]. »

On ne saura jamais combien a vraiment coûté le grand rassemblement de la place du Canada, dont une très grande partie des frais n'a jamais été comptabilisée dans les dépenses du camp du NON. Telle n'était pas la préoccupation de ceux qui ont contribué à déplacer des milliers de Canadiens en autobus, en avion, en train, en véhicule personnel. Leur raisonnement est de nature strictement émotive et s'accommode mal d'un texte de loi, à plus forte raison s'il s'agit d'une loi provinciale. « Il ne m'est jamais venu à l'esprit (que nous pouvions enfreindre les lois), dit le député Andy Scott de Fredericton, qui organisa la caravane d'autobus du Nouveau-Brunswick vers Montréal. Dans mon esprit, nous ne faisions pas partie de la campagne référendaire. Il s'agissait d'un geste spontané de Canadiens qui voulaient s'exprimer sur le sujet. Nous étions certainement du côté du camp du NON, mais nous ne faisions pas partie de la campagne elle-même. Ce n'est pas différent d'une manifestation devant mon bureau de député pendant une campagne électorale. Nous avions le même droit que n'importe qui, qui voudrait s'exprimer à propos d'un événement comme celui-là[34]. »

Brian Tobin justifie son approche des lois québécoises de la même manière. « Quand l'avenir de votre pays est en jeu et lorsqu'un référendum est, par définition, un exercice de citoyen, je trouve extra-ordinaire que je ne puisse pas, en tant que Canadien, venir à Montréal et agiter un drapeau. Je trouve cela tellement extraordinaire que je le rejette. La suite des choses est claire : à la fin de la journée, en dépit des menaces de poursuites contre les gens, aucune n'a été entamée. Elles n'auraient pas tenu devant une cour[35]. » Ce qui revient à dire : chacun est libre de s'exprimer de la manière dont il l'entend sans avoir à se placer sous le parapluie du NON ou celui du OUI.

Daniel Johnson réagit vertement aux propos de Tobin et des fédéralistes qui prétendent qu'il n'appartient pas aux Québécois seuls de décider de l'avenir du pays. « Ils mêlaient les choses beaucoup, beaucoup, dit-il. D'abord, ils auraient pu éviter cela en appuyant l'Accord du lac Meech, cinq ans plus tôt. Ensuite, c'est aux Québécois de décider de leur avenir. Cela, ils ne l'ont pas saisi. Tous les premiers ministres du Québec, les uns après les autres, y compris moi, avons déclaré cela au moins une fois à l'Assemblée nationale. Tu peux pas, de l'extérieur, empêcher les Québécois de se prononcer sur comment ils envisagent leur avenir. Et d'ailleurs, personne ne peut dire aujourd'hui qu'un vote pour le OUI à 1 % de majorité aurait mis fin au Canada. »

La notion de liberté dont parlent Tobin et Scott sera invoquée par tous les gens que le directeur général des élections du Québec voudra interroger à propos des irrégularités qui se sont produites pendant la campagne référendaire. « Il y avait M. Tobin, M. Gagliano, un certain nombre de ministres qu'on a voulu interroger, déclare Pierre F. Côté. La personne responsable des questions juridiques de la Chambre des communes nous a dit, erronément à mon avis, qu'on n'avait pas le droit de les interroger, on n'avait pas le droit de faire appel à eux. On a été obligés de se plier à cela. »

Le directeur général des élections s'est heurté aux mêmes refus de répondre lorsqu'il s'est adressé à d'autres instances gouvernementales. « L'argument qu'ils avaient, dit-il, un argument qui a un certain poids, il faut l'admettre, c'était : on est dans un pays libre, on a le droit de s'exprimer, on a le droit de faire les dépenses qu'on veut. » Mais une telle attitude n'est pas de nature à le satisfaire, en sa qualité de personne dûment mandatée par le gouvernement québécois pour faire respecter les lois régissant les élections et les référendums. « Le grand problème, ajoute-t-il, c'est qu'au Canada, on vit dans un État de droit, où il y a un partage des responsabilités entre les deux sortes de gouvernements. Mais, en ce qui concerne la Loi sur la consultation populaire, j'ai envie de dire qu'on est dans un demi-État de droit parce que, ce qui est édicté au Québec, on ne peut pas l'appliquer ailleurs, aux Canadiens qui demeurent en dehors du territoire de la province de Québec. La question à se poser, c'est : est-ce qu'on peut aller à l'encontre des exigences de la loi et faire ce qu'on veut et comme on veut ? Si je réponds oui à cette question, c'est à se demander si on vit dans un État de droit ou pas. Est-ce qu'on est libre ou pas, dans une société libre et démocratique, d'adopter des législations qui concernent le déroulement d'activités proprement provinciales ou à caractère proprement québécois ? »

La question du financement reste au cœur des interrogations du directeur général des élections. Selon lui, les gens qui ont participé au grand rassemblement de la place du Canada avaient tout à fait le droit de s'exprimer comme ils l'ont fait. Mais il pose la question : « Est-ce que, pour organiser ce rallye, on pouvait être d'accord sur le fait qu'il y avait des dépenses non réglementées qui n'étaient pas dans le cadre des comités-parapluies ? Ils avaient le droit de venir au Québec, ils avaient le droit de venir exprimer leur opinion. Ce qui était défendu, c'était que leurs dépenses soient assumées par d'autres intervenants. » Selon Pierre F. Côté, Celso Boscariol, qui a nolisé un avion à Vancouver pour 161 000 $, aurait agi conformément à la loi s'il s'était fait rembourser ce montant par les passagers de l'appareil. Or, de l'aveu même de l'avocat, les passagers n'ont payé que 250 $ chacun pour l'aller-retour à Montréal, le reste de l'argent venant de dons de firmes ou de personnes qui n'ont pas fait le voyage.

Brian Tobin a une approche plus simpliste des choses : « Je ne l'ai pas accepté en 1980 et je n'accepterai jamais, dit-il, que l'avenir du Canada repose sur une décision que prend une province au nom de dix provinces et deux territoires. Laisser un groupe d'électeurs, déterminés par un jeu de frontières, décider pour tous les Canadiens de l'avenir du pays ? Je ne l'ai jamais accepté. Je n'aime pas le procédé. Je ne crois pas en cette façon de faire[36]. »

Encore aujourd'hui, Jacques Parizeau demeure indigné. « Je fais partie de la génération qui a été très marquée par les lois sur le financement des partis politiques et les lois sur les consultations populaires de René Lévesque, dit-il. Moi, je crois dans ces lois. Mon indignation date de ce jour. On nous parle beaucoup de l'État de droit. Après une manifestation comme celle-là, on dit : l'État de quel droit ? Quel est le droit qui s'applique ? Une société ne peut pas établir de règles pour tenir des votes dans sa population sans que quelqu'un d'autre puisse intervenir à partir de règles différentes en disant : passez n'importe quelle loi que vous voulez qui s'applique à vous, moi, je ferai ce que je veux. Drôle d'État de droit ! » Le premier ministre évoque les derniers jours de la campagne, alors que les caisses des deux camps sont à peu près à sec. « Vous n'avez pas 5 000 $ ou 10 000 $ disponibles. Tout est engagé. Et le camp du NON aussi, tout son argent est engagé. Le camp du NON, au Québec, a été absolument correct par rapport à ces lois. Quand je parle du gouvernement fédéral, je veux dire vraiment le gouvernement fédéral. »

Le ralliement du 27 octobre aura donc permis à des éléments extérieurs au camp du NON d'engager des dépenses sans prêter la moindre attention aux dispositions de la loi québécoise qui a établi que chaque camp pourrait compter sur un maximum d'environ 5 millions de dollars, mais ce n'est pas le 27 octobre que l'équilibre a été rompu. Déjà, le 17 septembre, deux semaines avant le déclenchement de la campagne proprement dite, le gouvernement fédéral a accordé une aide de 4,8 millions au programme *Option Canada* du Conseil pour l'unité canadienne. « Si on m'accuse d'avoir dépensé de l'argent pour sauver mon pays, alors je plaide coupable » a alors déclaré la ministre du Patrimoine, Sheila Copps[37]. Dès ce jour-là, la ligne de conduite était tracée : aucune loi québécoise ne peut empêcher qui que ce soit de l'extérieur du Québec de prendre n'importe quelle initiative pour défendre le fédéralisme. Après le référendum, le directeur général des élections ne portera pas moins de 91 plaintes, dont 11 contre des entreprises. Peine perdue, les plaintes seront retirées lorsque la Cour suprême invalidera certaines dispositions de la loi québécoise.

La fête de la place du Canada terminée, Brian Tobin décide de faire campagne dans le Québec maritime. Il s'arrête à Québec, où son ministère a un bureau important, puis part à la conquête des communautés de pêcheurs dans l'est de la province. Son périple va l'amener sur la Côte-Nord et jusqu'aux Îles-de-la-Madeleine. Depuis une semaine, l'interdiction imposée par le camp du NON aux fédéralistes d'Ottawa de demeurer en dehors de la campagne ne tient plus. Chacun y va de sa propre initiative sans tenir compte des stratégies du camp du NON. Quant à Andy Scott, il rentre chez lui à Fredericton, se demandant comment il va pouvoir consacrer les trois jours qui restent avant le référendum à la cause qui lui est chère. Puis, il a une idée : téléphoner à tous les Scott de l'annuaire téléphonique de Montréal pour leur dire : « Je suis Andy Scott. Je vis à Frederiction et je suis député. Je respecte le fait qu'il appartient aux Québécois de prendre leur décision, mais je ne voudrais pas que vous pensiez que ce référendum ne m'intéresse pas. Il m'intéresse[38]. » Et Scott, l'annuaire sur les genoux, s'installe au téléphone…

En campagne dans Lanaudière, Jacques Parizeau s'en prend aux compagnies téléphoniques, qui, selon lui, ont obtenu du CRTC l'autorisation d'accorder à leurs abonnés cinq minutes d'interurbains gratuits lorsqu'ils téléphonent au Québec. Il affirme que les compagnies du Nouveau-Brunswick, du Manitoba et de la Colombie-Britannique disposent de listes de noms de citoyens québécois que peuvent consulter leurs abonnés. Le président du CRTC, Keith Spicer, nie qu'une telle autorisation ait été donnée et, dès le dimanche, sur avis de l'organisme de contrôle fédéral, les compagnies retirent leur offre de rabais.

Si Preston Manning a été écarté du grand ralliement de Montréal, il ne demeure pas pour autant inactif. Entouré d'une équipe de réformistes, il travaille à des projets de lendemain de référendum. Pendant que se déroule la manifestation de la place du Canada, il téléphone à l'ambassade des États-Unis. James Blanchard est à Montréal et c'est d'une chambre d'hôtel qu'il le rappelle. Dans son livre[39], Blanchard résume ainsi la conversation téléphonique : « Il me dit : "Ça ne regarde pas très bien. Je suis avec mes gens et nous travaillons sur différents scénarios, advenant une victoire du OUI. Nous aimerions nous asseoir avec vous pour en parler. Nous aurons besoin de votre aide. Je crois que nous devrions former un comité international, les États-Unis, la Grande-Bretagne, le Japon, le Canada et le Québec, pour y penser. Je prépare quelque chose et je vous le ferai parvenir à l'ambassade[40]. " » Manning se souvient de la conversation. « Je lui ai parlé d'un des défis auxquels le Canada devait faire face : la dette, dit-il. Que se passe-t-il lorsqu'une partie du pays décide de se séparer et de ne pas honorer ses obligations vis-à-vis de la dette nationale? Les trois principaux créanciers du Canada étaient les États-Unis, la Grande-Bretagne et le Japon. Que pouvait-on faire pour rassurer ces créanciers? Si vous ne le faisiez pas, vous pouviez avoir une crise financière comme le pays n'en avait jamais connu. Nous pensions à la création d'un comité de créanciers avec lequel nous aurions négocié de façon à les rassurer sur la stabilisation de notre dette[41]. »

En entrevue, Blanchard va plus loin : « Il m'a dit : "Je me demande comment nous pourrions, ensemble, mettre au point un plan pour un nouveau fédéralisme, ou quelque chose de semblable. Je voudrais qu'on s'en parle." J'ai pensé qu'il était assez inhabituel qu'il se prépare à la défaite, alors que nous tentions très fort d'aider le NON. Je crois que le premier ministre l'a réprimandé pour avoir pris cette initiative. Manning est un homme qui a l'obsession du détail en politique. Il pensait à ce que pourrait être un fédéralisme imaginé à Calgary. Il avait rencontré le président Clinton et lui avait parlé de ce nouveau fédéralisme, dans mon salon. Je n'ai pas vu sa démarche comme hostile aux fédéralistes. Je me suis simplement dit que nous étions tous préoccupés par la victoire, pas par ce qui arriverait après[42]. »

Dans les débats qui se poursuivent à la Chambre des communes, Manning s'inquiète de l'avenir du Canada si le OUI l'emporte, mais il suggère surtout que le gouvernement Chrétien propose, non seulement au Québec mais à l'ensemble du pays, des changements profonds au fédéralisme canadien de façon à développer « un fédéralisme du XXIe siècle ». « J'ai certainement eu le sentiment qu'ils étaient irresponsables, dit John Manley en parlant des députés réformistes, qu'ils essayaient d'utiliser le référendum. Parfois, on avait presque l'impression qu'ils souhaitaient que le OUI gagne. Ils posaient des questions provocatrices à la Chambre des communes qui tendaient à miner la stratégie que nous avions pour gagner le référendum[43]. »

Le samedi, le *Journal de Montréal* et le *Globe and Mail* publient un sondage de Léger et Léger : après répartition des indécis, chaque option obtient 50 % des intentions de vote. Prisonnier des stratégies des deux camps, et singulièrement de celui du OUI, le projet d'un débat télévisé, susceptible de fournir aux électeurs un éclairage plus rationnel sur les principaux enjeux du référendum, n'a pas eu lieu. Par contre, le suspense est tel que l'événement mobilise toutes les énergies dans les salles de rédaction du pays et attire, au Québec, des représentants des grands médias internationaux. Une trentaine d'équipes américaines de télévision et plus encore d'autres pays comme la France, la Norvège, le Chili, la Grande-Bretagne, le Portugal, l'Allemagne, le Japon, la Suède, la Turquie, débarquent à Montréal. Plus de 450 journalistes étrangers, dont certains représentant les plus grands quotidiens de la planète, le *Los Angeles Times*, *El Mundo*, *Libération*, le *Financial Times*, etc. s'installent pour couvrir ce qui promet d'être le référendum le plus serré qui soit et, plus important encore, dont l'issue pourrait être la fracture d'un des pays les plus prospères du monde.

CHAPITRE XIII

Et si le OUI l'emporte?

L e ministre de la Justice, Allan Rock, n'écarte plus la possibilité d'une victoire du OUI. Le dimanche, veille du référendum, il convoque une réunion d'urgence à son bureau. L'éventualité d'un vote favorable à la souveraineté du Québec, que personne à Ottawa ne pouvait envisager avant la semaine qui vient de se terminer, a plongé le gouvernement fédéral dans la nuit des frayeurs, des hypothèses possibles et impossibles et dans le champ infini des inconnus. Jusque-là, la consigne était toujours demeurée la même : il ne fallait pas faire preuve de faiblesse en cherchant des solutions de repli au cas où... Il était certain que le NON allait gagner. Mais, maintenant, la menace est là, bien réelle et imminente. « Nous avons donc pensé qu'il était nécessaire de développer un plan d'action, dit aujourd'hui John Manley, qui participait à la réunion. Afin que la population ne pense pas que le gouvernement était à la dérive et qu'il ne savait pas quoi faire[1]. »

À cette réunion, qui n'a rien d'officiel, une seule question est à l'ordre du jour, mais elle ratisse large : quel avis le ministre de la Justice va-t-il donner au premier ministre et au Conseil des ministres si, le lendemain, le OUI l'emporte? Rock a autour de lui, dans la salle de conférence de son ministère, quelques ministres, dont Manley et Anne McLellan, des amis, des avocats dont il apprécie les opinions et, surtout, un expert en droit constitutionnel, Peter Hogg, auprès de qui il va régulièrement chercher des conseils[2]. S'il y a un dénominateur commun aux personnes présentes, c'est leur formation juridique et le fait qu'elles sont à Ottawa ce jour-là. À un moment, la discussion se poursuit au téléphone avec Paul Martin, le ministre des Finances, qui devra calmer les marchés, mais qui peut aussi, en tant que député d'une circonscription montréalaise, apporter un meilleur éclairage sur ce qui se passe au Québec. L'atmosphère est lourde, empreinte de pessimisme, d'une gravité exceptionnelle et, chez chacun, d'un sentiment de responsabilité devant l'urgence des conseils à donner et des décisions à prendre. Des questions sont soulevées, jamais évoquées auparavant dans un gouvernement canadien.

Tous partagent, avec le ministre, la crainte de voir Jacques Parizeau déclarer unilatéralement l'indépendance, même si la victoire du OUI n'est acquise que par une marge très mince. « Notre inquiétude, dit Allan Rock, était que, le soir du référendum, advenant une victoire du OUI, si mince soit-elle, il y ait une déclaration unilatérale d'indépendance et que nous ayons ensuite à composer avec une situation aussi difficile. J'avais peur qu'une telle déclaration d'indépendance, que certains pays auraient pu, théoriquement, constater ou reconnaître, nous plonge dans une réelle incertitude. Je ne craignais pas d'agitation dans la population. Ce que je craignais, c'était l'incertitude[3]. » Aujourd'hui, John Manley n'a plus de doute : « Ce que nous ne savions pas à l'époque, et qui est devenu apparent par la suite, dit-il, c'est que Jacques Parizeau accordait une valeur juridique au vote et était disposé à déclarer, d'une manière ou d'une autre, unilatéralement l'indépendance le jour suivant, peu importe que le vote soit très serré. Ce qui aurait été illégal et un abus de confiance envers les Québécois[4]. »

L'attitude de Parizeau sur cette question justifie, dans une certaine mesure, la crainte qui anime les invités d'Allan Rock, même si une lecture plus rigoureuse des faits, notamment des dispositions du projet de loi sur la souveraineté et des discours de Parizeau sur le partenariat, la rend peu fondée. C'est son silence sur le sujet et sa détermination à proclamer l'indépendance, si le gouvernement fédéral refuse de négocier ou fait traîner les négociations en longueur, qui ont contribué à entretenir le doute. Déjà perçu à Ottawa comme un homme d'action, il n'a à aucun moment répudié formellement l'idée d'une déclaration unilatérale d'indépendance. Il le confirmera d'ailleurs dans un livre, publié en 1997 : « On constatera que mes discours, en ce qui touche les négociations avec le Canada, sont rédigés de façon à permettre une telle déclaration de souveraineté, écrit-il. Et je ne me suis jamais engagé, en public ou en privé, à ne pas faire de déclaration unilatérale de souveraineté. Tout ce qui a été écrit dans les journaux à ce sujet démontre une fois de plus que, dans ces matières, ceux qui parlent ne savent pas et que ceux qui savent ne parlent pas[5]. »

L'inquiétude à cet égard est cependant plus grande à Ottawa que dans le camp du OUI. Mario Dumont est de ceux qui ne craignent pas que Jacques Parizeau dévie de la trajectoire convenue. « Imaginons, dit-il, qu'un des joueurs du camp du OUI arrive après coup en disant : "M. Parizeau usurpe son mandat, la question référendaire, c'était ça, mais il fait autre chose." C'est triste à dire, mais, le seul pouvoir qui restait alors, c'était une crise politique. Imaginons que Lucien Bouchard, le négociateur en chef, ait été tassé et qu'il n'ait plus le mandat de négocier... Je n'ai jamais craint cela. À partir du moment où M. Parizeau a signé l'entente du 12 juin, qu'il a accepté le comité de négociation, le comité de surveillance, il s'est enfermé dans un carcan. Il ne pouvait plus revenir en arrière. » Le conseiller politique de Parizeau, Jean-François Lisée, tient les mêmes propos : « Il était encadré par une réalité politique : nous avions fait le OUI dans un rassemblement ; il aurait fallu faire la transition dans un rassemblement. » Lisée reconnaît toutefois que les engagements, qui attachaient Parizeau aux deux autres chefs du OUI, lui pesaient. « Je comprends très bien, ajoute-t-il, que, dans les derniers jours avant le référendum, il exprimait un peu la volonté de se libérer de tous ces liens qui avaient été créés. Mais le fait est que, après, ces liens-là auraient été tout aussi existants qu'avant, sinon plus. » Parizeau était en quelque sorte prisonnier d'une certaine logique des choses à mettre en place et il n'hésite pas à le reconnaître : « C'est ça, le rôle de toutes les études qui ont été faites quant à la restructuration du gouvernement de Québec, dit-il. On n'est pas capable, par exemple, de monter une fusion du ministère des Revenus des deux gouvernements. Faire en quinze jours le déplacement de millions de formulaires d'impôt ? Il y a toute une série de choses qui doivent être mises en place. Il faut être responsable là-dedans ! »

À Ottawa, les invités d'Allan Rock n'attachent pas la même importance à l'entente du 12 juin, si tant est qu'ils la connaissent, et nourrissent la plus grande méfiance envers Jacques Parizeau. Aussi font-ils l'unanimité sur un certain nombre de points, chacun destiné à faire échec à la fois à la souveraineté du Québec et à une proclamation unilatérale d'indépendance de la part de Parizeau. Le premier ministre canadien devra notamment lancer un appel au calme et déclarer immédiatement qu'un référendum est l'expression politique d'une volonté, mais qu'il n'a aucun effet d'ordre juridique. Il faudra affirmer haut et fort que la Constitution canadienne ne contient aucune disposition prévoyant la séparation d'une province. Mais, surtout, il faudra, et très rapidement afin que les Canadiens comprennent l'importance des implications juridiques et constitutionnelles de l'événement politique qui viendra de se produire, prévoir un renvoi à la Cour suprême sur un certain nombre de questions : Est-ce que le vote dans un référendum a une valeur juridique ? S'il n'en a pas, comment en confronter les implications juridiques ? Qu'est-ce qu'une question claire dans un référendum ? À partir de quel pourcentage peut-on dire qu'une victoire devient significative ?

« Ce sont des questions qu'il n'était pas nécessaire de se poser jusqu'à la mi-octobre 1995, mais auxquelles, le 30 octobre, on n'avait pas de réponses », dit Allan Rock. Le ministre voit un autre avantage dans le fait de saisir le plus haut tribunal du pays de toutes ces questions. « Nous avons pensé, dit-il, qu'un renvoi à la Cour suprême fournirait le temps d'encourager la population, à la fois du Québec et du reste du pays, à demeurer calme et à attendre sereinement la décision sur les gestes à faire[6]. »

L'un des participants à la réunion s'interroge sur la clarté de la question référendaire. « Si le OUI gagne demain soir, dit-il, les Québécois auront parlé, mais qu'auront-ils dit ? Qu'est-ce que signifie une réponse à une question qui n'était pas claire ? Nous ne savons pas ce que les gens avaient en tête lorsqu'ils ont voté OUI. » Un autre évoque la possibilité d'un référendum à la grandeur du Canada, « à cause des implications pour le reste du pays de la souveraineté du Québec » et de l'importance, pour le gouvernement canadien, d'avoir un mandat pour négocier avec un Québec indépendant. Autant de questions qui demeurent sans réponses et qu'un jugement de la Cour suprême pourrait contribuer à éclaircir.

La réunion au bureau du ministre de la Justice ne débouche sur aucune recommandation formelle, mais ses conclusions vont certainement alimenter les discussions lorsque le Conseil des ministres se réunira mardi, si le OUI l'a emporté, la veille. Le lundi, jour du référendum, Allan Rock dépose au greffe du Conseil privé un simple mémoire, qui, pour l'heure, n'aura aucune utilité, mais qui reviendra à la surface en 1996 lorsque le gouvernement décidera du renvoi à la Cour suprême et débattra, à la Chambre des communes, de la Loi sur la clarté référendaire. « Le résultat de la rencontre, dit Rock, fut que, peu importe le résultat du référendum, que ce soit le OUI ou le NON qui l'emporte, nous ne puissions jamais plus laisser le Canada dans une telle incertitude[7]. »

Il y a quelques jours encore, le gouvernement canadien, y compris le ministre de la Justice, ne jugeait pas utile de clarifier toutes ces questions, tant il lui apparaissait évident que 1995 serait une répétition de 1980. Ce sont les sondages de la dernière semaine, indiquant la possibilité d'une victoire du OUI, qui l'ont plongé dans un doute sérieux et l'ont placé devant son manque de préparation. Mais, chez les stratèges du camp du NON, plus collés aux réalités québécoises, même si la confiance régnait, on ne prenait rien pour acquis et, si d'aventure le OUI l'emportait, l'interprétation à donner à sa majorité était depuis longtemps au centre des préoccupations. Leur chef, Daniel Johnson, avait, quant à lui, de sérieuses réserves sur le principe du 50 % plus un vote. « On reconnaît l'institution (démocratique), dit-il. On y participe. On espère qu'on va gagner. Mais si c'est le OUI qui l'emporte dans une courte victoire, il y a tout un enchaînement d'inconnus. On pourrait dire : s'il y avait un autre référendum, un mois plus tard, compte tenu du comportement appréhendé de Jacques Parizeau, de Bernard Landry et d'autres ministres souverainistes, les Québécois, très surpris de voir comment on interprétait la victoire du OUI, n'auraient-ils pas voté NON ? La question reste posée. »

Jean Charest est hanté par la même perspective : « Le lendemain d'un référendum, dit-il, le résultat est mesuré à partir de la question. On cherche à connaître la signification du résultat. Et, compte tenu de la question, il y aurait eu beaucoup de confusion. Ce que, pendant la campagne, j'appelais le *trou noir*. » Pour les fédéralistes, une victoire du NON, à une très faible majorité, ne pose aucun problème, car elle n'entraîne aucun changement profond du cadre fédératif et maintient en quelque sorte le *statu quo*, quitte à le modifier dans des négociations qu'on prendra le temps de bien préparer et qui peuvent durer long-temps. Tandis qu'une victoire du OUI doit être, selon eux, décisive et incontestable, à cause des transformations majeures qu'elle signifie-rait, dans l'immédiat, pour l'ensemble du pays.

Pour les souverainistes, par contre, il n'y a aucun doute qu'une victoire par un seul vote demeure une victoire. « Une élection démo-cratique, c'est cela : 50 % plus un, dit Bob Dufour, l'organisateur de la campagne de Lucien Bouchard, qui invoque l'adoption du traité de Maastricht à la suite d'une victoire acquise par quelques décimales. On a vu, ajoute-t-il, des députés être élus par trois, par cinq votes de majorité. » Il rappelle l'élection fédérale de 1993 où le Bloc québécois, avec moins de votes, avait plus de députés que le Parti réformiste. « Les réformistes voulaient être l'opposition officielle, dit-il. Le séna-teur Beaudoin[8], qui est notre oracle constitutionnel, a tranché : ce n'est pas le pourcentage qui compte, c'est le nombre de députés. Alors, si le OUI gagne, disons à 50,5 %, on ne va pas dire : on va re-commencer parce qu'on en a pas assez. Gagner à 50,5 %, moi, j'aurais été à l'aise avec cela. » Le ministre Guy Chevrette, bien qu'il l'aurait acceptée, aurait été moins à l'aise avec une victoire de 50,5 % : « Personne n'aurait été malheureux si on avait eu 50,5 %, dit-il, mais cela aurait été peut-être plus difficile que 53 %. En démocratie, c'est bien de valeur, mais ce n'est pas la minorité qui mène. À 49,5 %, nous, on a accepté le résultat du vote, le soir du référendum. » Jacques Parizeau l'exprime en des termes encore plus clairs : « 49,5 %, ce n'est pas une victoire morale, c'est une défaite, dit-il. De deux choses l'une : si c'est moi qui ai 49,5 %, je ne peux rien faire, donc je ne fais rien. Si c'est moi qui ai 50,5 %, alors je fais ce que j'ai dit que je ferais. Je n'ai pas d'états d'âme, moi, à cet égard. Je vais chercher un mandat ; si je l'ai, je marche. »

Dans l'esprit de Jacques Parizeau, un résultat à 50,1 % signifie une victoire du OUI et, « le référendum, c'est un référendum d'exécution ». Dès le lendemain, par conséquent, il passe à l'action. « J'ai toujours soutenu que, tout de suite après une victoire du OUI, le premier coup de téléphone qu'on recevrait serait celui du gouverneur de la Banque du Canada, dit-il. Et qui dirait : "On fait pas les fous, hein ?" Et nous, on répondrait : "On fait pas les fous !" Il est évident que maintenir la stabilité du dollar canadien implique qu'on ne s'excite pas. C'est la Banque du Canada qui est essentiellement responsable d'assurer cette stabilité. » Il ne fait de doute, dans l'esprit de personne, qu'advenant une victoire du OUI, le dollar chute. « Gravement, dit Jean-François Lisée. Et les valeurs des entreprises canadiennes-anglaises, cotées en Bourse à Toronto ou à New York, auraient chuté gravement aussi. Mais l'intérêt de l'élite financière et industrielle canadienne-anglaise était de restabiliser la situation le plus rapidement possible. Les appels qui se seraient faits au bureau du premier ministre fédéral, auraient été : "Stabilisez, et vite !" »

Mike Harris, dont le gouvernement travaille déjà à une stratégie qui vise à donner aux investisseurs l'assurance « que le référendum ne signifie rien d'autre que la poursuite normale des affaires[9] », n'a aucune appréhension à long terme. « Il y avait une inquiétude sur ce qui arriverait à court terme, dit-il. Mais je n'ai personnellement pas eu d'inquiétude à long terme et, comme je l'ai indiqué souvent, nous allions passer à travers ça[10]. » Pendant la campagne référendaire, certains premiers ministres des provinces ont communiqué les uns avec les autres et sont convenus qu'ils ne reconnaissaient pas au gouvernement fédéral le pouvoir de parler en leur nom dans des négociations avec le Québec. Roy Romanow est allé à New York expliquer à quelques personnes, qui gèrent des milliards de dollars de prêts, notamment au Canada, les subtilités du système fédéral canadien, les « sous-nationalités appelées Québec, Saskatchewan, et la supranationalité, appelée Canada[11]. » Jacques Parizeau n'a donc pas tort de croire que les politiciens auraient, dès le lendemain, entrepris de rassurer le monde des affaires et de stabiliser la situation du dollar et des investissements le plus rapidement possible.

Le premier geste que Jacques Parizeau fera, advenant que le OUI l'emporte, est de nommer un comité de transition, qui regroupera autour de lui les ministres responsables de la Sécurité publique, des Affaires intergouvernementales, du Conseil du trésor et de la Justice. Des dispositions seront immédiatement prises pour que l'Assemblée nationale soit convoquée le plus tôt possible. Comme le règlement exige un préavis de 48 heures, les députés seront appelés à siéger le jeudi 2 novembre afin d'adopter une motion portant proclamation de la souveraineté dans l'année. Enfin, le premier ministre préparera un remaniement ministériel majeur, qui aura lieu peu de temps après les fêtes de fin d'année. « Parce qu'il y avait manifestement des ministres pour qui la souveraineté aurait encore été une sorte de découverte », dit-il.

Pourquoi une motion ? Parizeau veut faire vite, et une motion peut être déposée devant l'Assemblée nationale sans préavis, ce qui n'est pas le cas d'un projet de loi. De plus, le gouvernement a déjà, depuis le 7 septembre, un projet de loi qui l'autorise à proclamer la souveraineté si le référendum lui est favorable, après des négociations avec le Canada, donc au plus tard dans un an. L'objectif de la motion est de confirmer que le gouvernement prend acte des résultats du référendum et qu'il entend y donner suite.

Dans l'esprit de Parizeau, la motion s'impose pour au moins deux raisons : d'abord, comme un référendum n'est qu'une consultation populaire, il faut dire clairement à la population que le gouvernement ne va pas changer d'idée et, ensuite, il faut faire en sorte que le gouvernement français, connaissant les intentions du gouvernement du Québec, puisse dire : dès que les Québécois seront prêts à décréter la souveraineté, nous les reconnaîtrons. La motion allait être porteuse de ces deux messages. « C'est à cause de Valéry Giscard d'Estaing qu'on s'est rendu compte qu'il y avait une étape qui manquait, dit Parizeau. Il nous a fait comprendre qu'un référendum, ce n'est même pas une intention, c'est tout au plus une autorisation, et que nous n'aurions pu nous appuyer sur la France tant que ce maillon manquant – la motion – n'aurait pas été mis en place. »

La motion ne comportera qu'un article pour éviter que les débats s'éternisent. En vertu des règlements de l'Assemblée nationale, chaque député peut parler vingt minutes sur chacun des articles d'une motion. Plus il y a d'articles, plus les débats sont longs. Or, Parizeau veut qu'en vingt-quatre heures, la motion soit adoptée.

Dans un tel cheminement, il devient important pour le gouvernement de savoir comment l'opposition libérale, de façon générale, voit la suite des choses. Au cours de la fin de semaine qui a précédé le vote, le chef de cabinet de Jacques Parizeau, Jean Royer, contacte John Parisella, l'influent conseiller de Daniel Johnson. Il ne veut pas parler à son vis-à-vis, Pierre Anctil, pour ne pas donner à sa démarche une allure officielle. Et, comme ses relations avec Parisella sont bonnes, le choix de l'interlocuteur est facile à faire. « Ce genre de discussion, je devais l'avoir avec une personne qui n'avait pas de titre officiel et qui ne craignait pas que je l'amène dans un piège à ours, dit Royer. Quelqu'un, par contre, qui était extrêmement bien branché et qui avait accès à tous les intervenants importants du côté des libéraux. »

Les deux hommes se rencontrent, le dimanche matin, dans un restaurant de l'hôtel Intercontinental de Montréal. « Je sais qu'au début, il va me dire que le NON va gagner, se souvient Royer. Je lui dis : "Essaie de faire abstraction de ta certitude et embarque dans la mienne, que c'est le OUI qui va gagner." » Il lui demande alors comment les dirigeants du camp du NON, et surtout Daniel Johnson et son parti, vont se comporter au cours des prochains jours et réagir à une victoire du OUI. Il se doute bien que Parisella a informé son chef de leur rencontre, mais il ouvre son jeu et les deux hommes échangent leurs idées sur les gestes que le gouvernement s'apprête à faire.

Royer évoque la question de la motion à l'Assemblée nationale et demande à Parisella si l'opposition est prête à l'appuyer. Dix ans après, Parisella se souvient de la rencontre. « Il m'a demandé si je pouvais m'engager à en parler à M. Johnson, dit-il. Je ne pouvais pas m'engager à le faire et je lui ai dit qu'à ce moment, je trouvais même difficile d'interpréter la mentalité de M. Johnson, qui était tellement fédéraliste, et que je ne le verrais pas reconnaître les résultats. Je ne me voyais pas m'engager pour lui. » Le conseiller de Johnson dit alors à Royer : « Ses convictions sont profondes, et vous voulez qu'il appuie la souveraineté ? » Royer corrige : « Simplement, confirmer le résultat du référendum. » Au gouvernement, on croit que Johnson pourrait s'opposer à la motion, mais que des députés libéraux, plus nationalistes, seraient disposés à l'appuyer. Sur ce point également, Parisella se garde bien de laisser entrevoir la moindre possibilité.

De la conversation qui dure environ deux heures, le chef de cabinet de Parizeau retient, essentiellement, que Daniel Johnson acceptera le verdict de la population, mais que, du côté d'Ottawa, « il y aurait un degré de résistance et que ce serait moins facile ». Parisella, de son côté, évite de parler à Daniel Johnson de sa conversation avec Royer, mais il s'en ouvre à son chef de cabinet, Pierre Anctil. Celui-ci ne prend pas très au sérieux la démarche de son vis-à-vis souverainiste. Aujourd'hui, Johnson y voit une « forme d'intimidation psychologique » : « Dans les jours précédents, se souvient-il, j'étais affublé de tous les quolibets. On remettait mon identité québécoise en doute et, là, ils voulaient que je me rallie. J'ai trouvé ça assez extraordinaire. C'était une blague monumentale que M. Parizeau et les autres voulaient me faire. Ils voulaient miner notre confiance pour le jour du vote. »

Le premier ministre du Québec sait où il va. Ce cheminement, il y réfléchit depuis le 18 mars 1987, jour où il a accédé à la présidence du Parti québécois. Lui, qui n'a jamais souhaité être premier ministre d'une province, sinon pour mener le Québec à l'indépendance, est à vingt-quatre heures de réaliser le rêve qu'il nourrit depuis qu'il a pris sa carte de membre du parti, en 1969, il y a vingt-six ans. Et pourtant, malgré le temps écoulé, bien des questions restent en suspens, dont les solutions ne dépendent pas que de lui.

Si le OUI gagne, qu'arrive-t-il de Lucien Bouchard et du Bloc québécois ? L'avenir du chef est à fois simple et complexe. Simple, parce qu'il a le mandat de négocier, au nom du Québec, les ajustements qui s'imposent désormais avec le Canada. Mais complexe, parce qu'il est chef de l'opposition de Sa Majesté. Peut-il continuer de cumuler les deux fonctions ? « Je n'ai pas de réponse à cela, dit son conseiller politique, Pierre-Paul Roy. Je ne sais pas s'il y avait une si grande contradiction entre les deux. Je ne crois pas que cela faisait vraiment partie de la problématique. »

Et, poser la question de l'avenir de Bouchard, c'est aussi poser celle de l'avenir du Bloc québécois. Il ne fait aucun doute que, pendant les négociations, les députés bloquistes auraient continué d'être très présents à la Chambre des communes, de participer aux comités, d'intervenir dans les débats. Mais après? « Advenant une entente de partenariat, dit Roy, s'il y avait des instances communes, le Bloc aurait pu être considéré comme l'aile parlementaire. Mais, encore là, il y avait un problème : nous ne voulions plus qu'il y ait d'instances élues. Aurait-il fallu que ces gens-là soient délégués temporairement? Je ne vois pas comment cela aurait pu passer parce que le mandat du Bloc n'était pas terminé. Ultimement, si je regarde les textes tels qu'ils sont écrits, le Bloc aurait dû disparaître. »

Une fois les négociations Canada-Québec terminées ou rompues, si jamais elles se tiennent, et le Bloc disparu, que reste-t-il pour Lucien Bouchard? Comme le poste de lieutenant-gouverneur disparaîtrait en même temps que la province de Québec, on peut imaginer – c'est Jean-François Lisée qui évoque cette hypothèse – que Bouchard aurait pu assumer les fonctions de président de la République du Québec avec des responsabilités précises à l'échelle internationale. Mais, pour que le poste de président de la république existe, il faut une Constitution québécoise qui le prévoit. Or, en vertu du projet de loi sur la souveraineté du Québec, déposé devant l'Assemblée nationale le 7 septembre, cette Constitution doit d'abord être élaborée par une commission composée de parlementaires et de non-parlementaires et être approuvée par l'Assemblée nationale avant d'être soumise à la population dans un nouveau référendum. Et si, de surcroît, le président de la république n'est pas désigné par l'Assemblée nationale mais élu au suffrage universel, il faut compter encore quelques mois. C'est donc dire que, pour Lucien Bouchard, entre le fauteuil de négociateur et celui de président de la république, il se sera écoulé un certain temps.

Qu'arrive-t-il de Mario Dumont? Il redevient ce qu'il était avant le référendum, le chef d'un tiers parti, et il entend n'accepter aucun rôle que pourrait lui confier le gouvernement. Il a déjà défini ce qu'il croit être sa responsabilité et celle de son parti. « Si le OUI l'emportait par 52 % à 48 %, dit-il, 48 %, c'est beaucoup de monde. Ces gens-là peuvent réagir de deux façons : ou ils acceptent le résultat, se retroussent les manches et travaillent à construire le Québec sur de nouvelles bases, ou, comme on dit dans le domaine de l'agriculture, ils se "mettent le derrière de travers dans la crèche". Il y en a partout dans la société, dans le monde des affaires, des banques, des communautés culturelles évidemment, de la communauté anglophone... Si tout ce monde se met de travers, ça peut devenir pénible. Alors, le rôle qu'on se donnait, à l'ADQ, c'était d'être le tampon et de mettre de l'huile dans les engrenages. En somme, d'être des gens modérés. La plupart des gens à l'ADQ avaient un passé libéral, donc on pensait jouer un rôle pour "ressouder" le Québec. »

Qu'arrive-t-il de Daniel Johnson ? Au moment de la rencontre entre Jean Royer et John Parisella, Parizeau et son entourage savent déjà comment Johnson entend se comporter s'il perd le référendum. Il a déclaré, deux semaines plus tôt dans une interview au RDI, qu'il était prêt à collaborer avec le gouvernement Parizeau « afin de limiter les dégâts » et, de façon générale, de s'assurer que le Québec ne s'affaiblisse pas économiquement. « J'aurais utilisé mon expérience, mes convictions, pour jouer le rôle que, dans nos institutions, le chef de l'opposition doit jouer, dit-il aujourd'hui. Parce que j'étais toujours, le lendemain matin, chef de l'opposition à l'Assemblée nationale avec la responsabilité d'assurer le développement ordonné du Québec. »

Et Jean Chrétien, que lui arrive-t-il si le Québec devient souverain ? Il est toujours un Québécois, qui représente une circonscription québécoise dans le parlement d'un pays devenu désormais étranger, un pays qu'il dirige malgré ses origines et son appartenance québécoises. Doit-il abandonner ? La situation dans laquelle il se trouve est sans précédent dans l'histoire canadienne, de sorte que les politiciens et les analystes ne peuvent y trouver aucune inspiration ni en tirer aucune leçon. Les avis sont partagés.

« Il était le premier ministre du pays, il devait rester en place, dit Allan Rock. Il s'était battu pour l'unité du pays en 1980 et, en 1995, il était un champion du Canada. Je pense que les Canadiens lui auraient gardé leur confiance. La question n'était pas tellement de savoir s'il avait encore la légitimité que de savoir ce qu'il fallait faire maintenant[12]. » Mais le ministre de la Justice estime que Chrétien aurait cependant dû aller se chercher un mandat de la population avant d'entreprendre des négociations avec un Québec souverain.

Pour John Manley, il y a au moins une légitimité qui ne peut être mise en doute et c'est celle du Parti libéral : il doit continuer de former le gouvernement puisqu'il détient toujours la majorité à la Chambre des communes, même sans les députés du Québec. Et il se demande qui aurait pu assumer les fonctions de premier ministre si Jean Chrétien avait abandonné son poste. « Il a été, à mon avis, un leader expérimenté lorsqu'il s'est agi de questions de cette nature », dit-il. Mais il s'interroge surtout sur la perception qu'auraient les Canadiens devant un Jean Chrétien, toujours premier ministre. « À quel point les Canadiens du reste du Canada auraient-ils accepté que ce soit un Québécois qui négocie pour leur pays ? dit-il. Jean Chrétien pouvait-il demeurer premier ministre et, d'une quelconque manière, se tenir à l'écart des discussions qui allaient nécessairement s'engager entre le Canada et le Québec ? Je pense que les Canadiens auraient cru que, dans une négociation sur l'indépendance du Québec, les Québécois étaient d'un côté et les non-Québécois, de l'autre. Ce serait devenu une situation compliquée[13]. » D'ailleurs, comment Chrétien peut-il accepter qu'il y ait négociations, s'abstenir de s'en mêler, puis, à la fin, refuser de reconnaître la prochaine démarche du gouvernement du Québec qui était, quoi qu'il arrive, la proclamation de la souveraineté ?

Par contre, Brian Tobin ne voit pas comment le gouvernement aurait pu s'accrocher au pouvoir. « Le gouvernement, tel qu'il était constitué et tel qu'il fonctionnait, n'aurait pas pu durer plusieurs jours, dit-il. Une nouvelle structure aurait dû s'imposer, une sorte de coalition dans le Parlement. Sans en parler en détail, sans aller au fond des choses, il y avait un sentiment que si, par exemple, les choses tournaient mal, si le OUI l'emportait par 55 % à 45 %, le lendemain matin, les affaires ne se seraient pas passées comme d'habitude[14]. »

Pour David Collenette, il importe peu que Jean Chrétien demeure ou non premier ministre, mais — ici, il rejoint Tobin — il faut un gouvernement d'unité nationale pour faire face à la situation. « Il y aurait eu un appel de tout le pays pour un gouvernement d'unité nationale – peu importe qui l'aurait dirigé, Jean Chrétien ou un autre – pour relever ce défi qui serait fondamental. Il fallait impliquer tout le monde au Parlement. Ça allait au-delà de la politique. Jean Chrétien aurait été obligé de travailler avec des gens du Parti réformiste, du NPD et de l'extérieur, comme Bill Davis ou Peter Lougheed[15]. »

L'idée de la formation d'un gouvernement d'unité nationale, certains ministres l'ont entretenue, mais elle n'a jamais été envisagée officiellement, ou même officieusement, avant le référendum, même lorsque le OUI était bien en avance dans la dernière semaine. Sinon, Jean Charest, qui est chef du Parti conservateur, en aurait eu vent. « Il n'en a jamais été question, dit-il. Il y a des gens qui en ont parlé, peut-être à voix haute, mais ça n'a jamais été très loin. Ça n'a jamais été pris très au sérieux. Pour nous, en tout cas, ni moi ni quiconque dans mon parti n'avons été approchés là-dessus. » Il faut dire que le Parti conservateur, s'il avait été sollicité, l'aurait été davantage à cause de son prestige qu'à cause de son poids parlementaire puisqu'il ne comptait que deux députés.

Les adversaires politiques de Jean Chrétien sont beaucoup moins indulgents à son endroit. La déception de Preston Manning d'avoir dû, en 1993, céder la fonction de chef de l'opposition officielle à Lucien Bouchard, transpire dans l'évaluation qu'il fait de la situation. Il estime que le gouvernement aurait perdu tout crédit devant la population parce que, pendant des mois, ce gouvernement l'avait assurée qu'il contrôlait la situation. « Je crois que le gouvernement aurait été obligé de démissionner, dit-il. Ou, à tout le moins, que le premier ministre et les responsables de la campagne démissionnent et laissent à quelqu'un d'autre le soin de tenter de former un gouvernement pour le reste du Canada. Peut-être que la chose à faire aurait été que la Chambre adopte une mesure de blâme envers le premier ministre, non envers le gouvernement[16]. » Cette dernière hypothèse est pourtant celle que Manning privilégie. La manœuvre correspondrait, à toutes fins utiles, au congédiement pur et simple du premier ministre par la Chambre des communes, sorte d'« *impeachment* » à l'américaine. Stephen Harper ne va pas aussi loin : « M. Chrétien, un Québécois, aurait été mal placé pour parler au nom du Canada », estime-t-il simplement, quelques jours avant le référendum. Mais il ne réclame pas explicitement son départ. Deborah Grey, leader parlementaire adjoint du Parti réformiste, n'entretient pour sa part aucun doute : « Il aurait dû démissionner le lendemain[17] », dit-elle. D'autres, enfin, dix ans après, ne savent toujours pas ce que le premier ministre aurait dû faire. C'est le cas de Jean Charest et de Mike Harris. « Il aurait eu besoin d'aide, dit toutefois l'ancien premier ministre ontarien. Comme il a eu besoin de l'aide de beaucoup de monde dans la deuxième partie de la campagne référendaire. Cela aurait été un travail d'équipe[18]. »

S'il faut en croire John Manley, Jean Chrétien lui-même ne savait pas très bien ce qu'il aurait fait si le OUI l'avait emporté. « Après le ré-férendum, dit l'ancien ministre du Commerce, il m'avait fait une re-marque, disant : "Je ne sais pas vraiment ce que j'aurais dû faire si on avait perdu le référendum." » Aujourd'hui, Chrétien affirme qu'il serait demeuré en place. « J'étais le premier ministre du gouvernement, dit-il, et je serais demeuré premier ministre aussi longtemps que j'aurais eu la confiance de la Chambre des communes. Et je suis sûr que, dans une crise comme celle-là, j'aurais gardé la confiance de la Chambre. Je sais que des gens imaginaient toutes sortes de scénarios[19]. Il y en a peut-être, dans mes collègues du Cabinet, qui pensaient qu'ils allaient devenir premier ministre, le lendemain, si Chrétien démissionnait. C'est normal. Il y a toujours des gens qui veulent vous remplacer, autrement cela veut dire que vous n'avez pas grand monde autour de vous. »

Son attitude à cet égard se distingue de celle de Pierre Elliott Trudeau qui, en 1980, aurait démissionné avec tout son cabinet si le OUI l'avait emporté, même si certains ministres, dont Chrétien, n'étaient pas d'accord. Chrétien fait un parallèle entre les deux situa-tions : « En 1980, Trudeau a dit : "On va démissionner, on met nos sièges en jeu." Je n'ai pas dit non. S'il avait démissionné, j'aurais dé-missionné aussi. Rétrospectivement, je pense que cela a dû avoir un effet sur les gens. Mais si on avait perdu ? Je pense que cela aurait été plus raisonnable de ne pas le dire et de régler le problème d'une façon différente. Et c'est pour cela que je n'ai pas répété cette phrase-là au référendum de 1995. » Jean Chrétien appuie sa confiance sur la conviction qu'un remplacement de premier ministre, dans les circonstances, ne ferait qu'ajouter à l'incertitude dans le pays, mais aussi sur un sondage qui, dans les tout premiers jours d'octobre, lui confirmait qu'il avait, à tout le moins, la confiance de la population canadienne : 81 % des Canadiens estimaient alors qu'il pourrait rester en place si le Québec votait majoritairement pour le OUI[20].

Donc, Jean Chrétien demeure premier ministre, mais que fait-il ? A-t-il un « plan B », une stratégie globale de gouvernance advenant une victoire du OUI ? Raymond Chrétien, son neveu, qui était ambassadeur du Canada à Washington et qui a soupé avec lui, une dizaine de jours avant le référendum, n'a pas d'hésitation à dire qu'il n'en a pas. Eût-il existé un « plan B », Jean Chrétien pourrait y trouver réponse aux trois questions qui s'imposent maintenant à lui. Primo, doit-il reconnaître ou non les résultats du référendum ? Secundo, s'il ne les reconnaît pas et que le gouvernement du Québec agit comme un État indépendant, c'est-à-dire qu'il décide qu'il a « la capacité exclusive de faire ses lois, de prélever ses impôts sur son territoire et d'agir sur la scène internationale pour conclure des accords et des traités[21] », doit-il envoyer l'armée ? Tertio, doit-il dissoudre la Chambre des communes et déclencher des élections générales ?

Jean Chrétien a combattu le OUI pendant la campagne référendaire en brandissant les dangers de la souveraineté, mais il est aujourd'hui acquis qu'il n'allait pas interpréter une victoire du OUI comme la volonté des Québécois de se séparer du Canada. Le jour du référendum, en collaboration avec Eddie Goldenberg, il a préparé un discours qui allait dans ce sens, si le OUI l'avait emporté. « Un discours de deux ou trois pages, se souvient Goldenberg, son conseiller politique. Les principaux éléments de ce discours étaient les suivants : la question était ambiguë et elle ne portait pas sur la séparation du Québec ; on ne l'accepterait pas et on n'était pas pour briser le pays ; on savait que les Québécois n'étaient pas contents du *statu quo* et on était pour travailler ensemble pour faire les changements nécessaires. »

John Manley est sur la même longueur d'onde. « Lorsque nous avons parlé d'une stratégie possible (advenant une victoire du OUI), personne n'a considéré que le résultat signifierait que le Québec cessait de faire partie du Canada, dit-il. Nous n'aurions pas accepté les conséquences du vote sans prendre d'autres initiatives. Je crois que, si le OUI avait gagné, nous nous serions trouvés engagés dans une guerre politique au cours de laquelle nous aurions eu recours à toutes nos ressources pour discréditer la question référendaire et dire qu'elle ne signifiait pas la fin du Canada. Alors, nous n'aurions pas accepté que la question signifiât la séparation[22]. »

David Collenette est plus catégorique encore : « Aucun premier ministre, Jean Chrétien ou un autre, ne pouvait voir en un OUI majoritaire le démembrement du Canada. Je ne l'ai pas pensé et aucun des ministres n'a vraiment pensé de cette façon. Et certainement pas le premier ministre[23]. » Même Roy Romanow, l'ami de Chrétien et son allié de la conférence constitutionnelle de novembre 1981, qui continue d'être en contact avec lui pendant la campagne référendaire, lui conseille de ne pas reconnaître une victoire du OUI. « Il ne m'a jamais dit clairement qu'il ne reconnaîtrait pas les résultats, dit-il aujourd'hui, mais j'ai le sentiment qu'il était de ce côté-ci de la clôture[24]. »

Aujourd'hui, Chrétien revient sur cette question avec plus de transparence qu'il n'en a manifesté dans le temps : « Écoutez, on a perdu le référendum. Qu'est-ce qu'on fait ? Le Québec aurait voulu se faire reconnaître à l'étranger, mais je ne suis pas sûr qu'il y ait des tonnes de pays qui l'auraient reconnu. Nous, on aurait dit : la question était ambiguë. Gagner un référendum par un vote… On ne brise pas un pays parce que quelqu'un a oublié ses lunettes pour aller voter. Ça prend une majorité qualifiée. » Dans l'esprit de Chrétien, qu'est-ce qu'une majorité qualifiée ? « Pour annuler une charte de club de chasse et pêche, ça prend un deuxième vote, ajoute-t-il. Dans la constitution de la CSN, pour se débarrasser du président, ça prend plus que 50 plus un, si je me rappelle bien. Alors, que voulez-vous… »

Il raconte ce qu'aurait été pour lui le lendemain d'une victoire du OUI. « Je ne me serais pas levé à 11 heures du matin, dit-il. Je me serais mis au travail. Ce n'était pas compliqué. J'aurais dit : il y a eu un référendum, la question était ambiguë, et ça ne signifie pas que le Canada va se diviser. Vous avisez tous les chefs de tous les gouvernements dans le monde. Après cela, probablement que le gouvernement du Québec les aurait appelés pour leur demander de le reconnaître. Combien l'auraient fait ? Pas beaucoup. Il y a des pays qui reconnaissent Taiwan, mais, alors, ils ne peuvent pas reconnaître la Chine continentale. Taiwan n'est pas aux Nations unies ; la Chine l'est. Vous savez, les diplomates s'échangent des cocktails, c'est un peu différent et ça ne me préoccupe pas. (Ce qui me préoccupe), c'est ce qui arrive sur le terrain[25]. »

On le sait, la stratégie du gouvernement du Québec était de faire pression sur la France pour que le gouvernement français, une fois la motion adoptée à l'Assemblée nationale, s'engage immédiatement à reconnaître un Québec souverain dès que l'indépendance aura été proclamée, entraînant ainsi un effet de dominos vers les États-Unis et les pays francophones. Le parallèle qu'établit Chrétien entre un Québec devenu souverain et Taiwan laisse pendantes plusieurs questions qui ne trouveront jamais de réponses, mais il jette un éclairage nouveau sur ce qu'aurait été la bataille diplomatique que le Canada aurait engagée contre le Québec auprès des pays étrangers.

Jean Chrétien n'entend donc pas donner à une victoire du OUI la même signification que le gouvernement du Québec, d'abord à cause de la question, ensuite parce qu'il rejette la possibilité que le pays soit brisé par une trop faible majorité. Il s'en trouve cependant quelques-uns, dans le camp fédéraliste, pour penser différemment de Jean Chrétien et de ses ministres. Jean Charest croit, pour sa part, que lorsque les résultats d'un référendum donnent une victoire de 50 % plus un, « il faut effectivement accepter la décision ». « Le lendemain, on aurait été confronté à cette réalité-là, dit-il. Après, on aurait fait quoi ? Il aurait fallu interpréter à nouveau. Le scénario le plus difficile, c'est celui où il y a des victoires qui sont très minces. » Charest croit, contrairement aux stratèges de Chrétien, que les Québécois avaient compris la question. « Ils savaient sur quoi ils votaient, ajoute-t-il. Je pense qu'ils savaient que, s'ils votaient OUI, il allait y avoir une brisure ou le risque d'une brisure. »

En plus d'avoir à lutter pour garder une certaine unité de pensée et d'action dans son Conseil des ministres, Chrétien aurait eu à faire face à une fronde du Parti réformiste, qui a toujours soutenu qu'il fallait reconnaître qu'un OUI majoritaire signifiait la souveraineté du Québec. « À la façon dont les réformistes posaient des questions provocantes en Chambre, dit John Manley, ils semblaient vouloir miner notre stratégie. On avait le sentiment qu'ils souhaitaient presque une victoire du OUI. Ce qui allait complètement contre la tradition parlementaire. Preston Manning et le Parti réformiste jetaient littéralement de l'huile sur le feu[26]. » Même s'il ne constitue pas une opposition importante avec ses neuf députés, le NPD allait aussi s'opposer à la position de Chrétien. On se souvient que, le lendemain de son élection à la direction du parti, Alexa McDonough avait déclaré que le NPD reconnaîtrait le résultat du référendum, quel qu'il soit. Avant donc de s'asseoir à une table de négociation avec le Québec, si jamais il consentait à le faire, le gouvernement fédéral aurait eu à soutenir de longs et vigoureux débats, à la Chambre des communes, avec le Parti réformiste, le NPD et le Bloc québécois. Sans compter que des pourparlers auraient dû s'engager très rapidement avec les gouvernements des provinces anglophones qui entendaient avoir leur mot à dire dans la suite des choses.

Le premier ministre doit répondre à une autre question qui, comme toutes les autres, n'est pas prévue dans la Constitution. Les Québécois doivent-ils être les seuls à se prononcer sur le démembrement du Canada ? « Ayant passé à travers 1981, 1982, l'idée que ce pays puisse être brisé par une de ses parties, si importante soit-elle historiquement et si sérieux soient ses motifs de le faire, dit Roy Romanow, pour moi, c'est un anathème. La question nous interpellera tous[27] ! » L'ancien premier ministre ontarien, Bob Rae, tient substantiellement les mêmes propos : « Nous ne sommes pas liés par un référendum au Québec. Il s'agit d'une expression d'opinion importante, au Québec, mais elle n'a rien de définitif pour l'avenir du pays. Elle ne peut pas l'être[28]. » Preston Manning, qui a beaucoup réfléchi à la

question, soutient que le Québec ne peut se séparer sans un amendement à la Constitution. « C'est la façon juridique de diviser un pays,
dit-il, et il est important, du point de vue du droit international, que
nous le fassions légalement. Depuis le référendum de Charlottetown,
vous ne pouvez apporter un amendement majeur à la Constitution
sans demander à la population par voie de référendum : êtes-vous
d'accord avec ça[29] ? »

Daniel Johnson, par contre, n'a jamais tergiversé sur la question : « C'est aux Québécois de décider de leur avenir. », déclare-t-il
sans hésitation. Mais son conseiller politique pendant le référendum,
John Parisella, en est moins sûr : « L'idéal, ce serait cela, dit-il.
Mais là, on vit dans un autre monde. Le Québec fait partie du
Canada. On est, géographiquement, localisé dans un pays de sorte
que, dans l'hypothèse d'une souveraineté intégrale du Québec, le
Canada serait séparé en deux par un autre pays. Les États-Unis ne
peuvent pas être indifférents à cela, et le reste du Canada non plus.
On ne parle pas ici d'un petit bout de territoire. Le Québec est dans
le cœur du pays. On a un système fédéral à cause du Québec. Sans le
Québec, on s'en irait vers un gouvernement plutôt unitaire. C'est
vraiment rêver en couleurs que de penser que ça va se régler entre
Québécois, pour les Québécois seulement. Il faut vivre dans un autre
monde pour penser que le reste de l'Amérique ne peut pas se sentir
intéressé, si un nouveau pays émerge. »

Si Chrétien refuse de reconnaître le OUI, mais que le gouvernement Parizeau se comporte comme si le Québec était devenu un pays
souverain et qu'il enjoigne, par exemple, sa population à ne plus payer
l'impôt fédéral, que peut-il faire? La question l'a préoccupé longtemps. Peu de temps après le référendum, à la mi-janvier 1996, accompagné d'un groupe de gens d'affaires et de premiers ministres
provinciaux, il est au Pakistan pour y signer six nouveaux accords bilatéraux entre les deux pays. La première ministre pakistanaise,
Benazir Bhutto, pose des questions sur la secousse sismique que vient
de traverser le Canada. «Si le Québec s'était séparé, qu'auriez-vous fait
à ma place? », lui demande tout à coup Jean Chrétien, en présence
de la délégation d'Équipe Canada. « Évidemment, j'aurais envoyé

l'armée », répond-elle simplement. « Comme si elle avait dit : "Quelle question stupide! Vous ne pouvez permettre à personne qui veut se séparer, de se séparer[30]" », se souvient aujourd'hui Frank McKenna qui faisait partie de la délégation canadienne.

Selon Deborah Grey, le gouvernement n'excluait pas totalement la possibilité de recourir à l'armée. « Il y avait des documents qui sortaient du ministère (de la Défense), dit-elle, qui laissaient croire que le gouvernement était prêt à utiliser la force militaire[31]. » Le ministre de la Défense de l'époque, David Collenette, tient aujourd'hui des propos qui laissent clairement entendre qu'une intervention des forces armées n'était pas exclue. Lorsque le journaliste Lawrence Martin l'a interviewé en vue de la rédaction de son livre *Iron Man*, Collenette a limité une telle intervention à la protection des installations fédérales et à l'éclatement d'une guerre civile au Québec. Et le journaliste Martin accrédite cette dernière hypothèse en disant que « peu de gens peuvent imaginer une guerre civile dans un pays comme le Canada, mais la conjugaison alarmante de plusieurs circonstances l'a soudainement rendue possible, peut-être même probable[32] ».

Aujourd'hui, lorsqu'il revient sur cette période, le ministre de la Défense élargit singulièrement les circonstances qui auraient pu motiver une intervention de l'armée. « Ma principale préoccupation, c'était de maintenir l'ordre public, dit-il. Si le OUI avait gagné et que le gouvernement du Québec avait précipité les choses, le public se serait attendu à ce que le gouvernement du Canada voit à ce que l'ordre soit maintenu dans le pays, en attendant qu'une solution politique soit apportée aux difficultés. » Collenette a une idée précise de ce qu'est l'ordre public : « Vous devez vous assurer que la vie continue normalement, ajoute-t-il. Si le gouvernement du Québec dit : "Nous sommes indépendants, vous n'avez plus à payer vos taxes (à Ottawa), vous n'avez plus à obéir au Code criminel du Canada", je crois qu'il aurait été totalement illégal de parler ainsi. »

Lorsqu'on lui demande si le gouvernement aurait envoyé l'armée, l'ancien ministre ne répond pas directement. « La réalité est qu'il y a des troupes dans chaque partie du pays, dit-il. Il y a des troupes au Québec. Pour que des troupes soient déployées au pays dans le but de maintenir l'ordre, il faut que certaines conditions de la Loi de la défense nationale soient remplies. Et l'une d'elles, c'est que le ministre de la Justice d'une province en fasse la demande au ministre de la Défense et au chef d'état-major. Comme (ce fut le cas) au Québec, en 1970 (lors de la crise d'octobre) et en 1990, lors de la crise d'Oka. Les militaires canadiens répondaient alors au ministre de la Justice du Québec. Ceci, lorsque la situation est normale, dans la vie de tous les jours. Lorsque je parle de normalité de la vie de tous les jours, je parle du fonctionnement des institutions, de la Constitution, des lois, des tribunaux, ce qui permet à n'importe qui de faire face à n'importe quelle situation. Mais il est devenu très clair, et il l'a exposé, que M. Parizeau aurait conduit le pays, certainement le Québec et, par extension, le pays, dans quelque chose qui pouvait être qualifié de désordre[33]. »

On ignore encore aujourd'hui à quel point Jean Chrétien était au courant de l'évaluation que son ministre de la Défense faisait de la situation, de la conception qu'il se faisait du désordre et de la façon dont il entendait s'acquitter de ses responsabilités. Dans les jours qui ont suivi la publication de *Iron Man*, en octobre 2003, Jean Chrétien, en tournée en Asie, a déclaré, en réponse à la question d'un journaliste : « Je ne sais pas comment on dit ça en français, mais c'est de la *bullshit*. Je n'ai jamais pensé cela[34]. » Aujourd'hui, il maintient la même position. « Je n'ai jamais été informé de quoi que ce soit, dit-il. Il y a toujours des déplacements de troupes, dans l'armée. Alors, des soldats ont peut-être été envoyés au Québec ou en sont sortis à ce moment-là, je n'en sais rien. Je ne sais pas s'ils ont fait quelque chose en ce sens. J'ai lu quelques articles à ce sujet qui m'ont surpris. Car, s'il y avait eu des mouvements dramatiques de troupes, j'en aurais entendu parler. Vous savez, je n'avais pas de réunions tous les jours avec l'armée[35] ! » Mais il en avait avec ses ministres et, lors de la réunion du Conseil du mardi qui a précédé le référendum, le dossier québécois a occupé une bonne partie des discussions. Si Chrétien n'a pas entendu parler des dispositions qu'entend prendre son ministre de la Défense, advenant un « geste illégal » de la part du gouvernement du Québec, c'est que Collenette n'en a pas informé le Conseil des ministres. En fait, Collenette n'a jamais parlé de mouvements de troupes, mais de dispositions qu'il songeait à prendre, si jamais la situation au Québec tournait « au désordre ». Selon les propos tenus par Jean Chrétien et David Collenette jusqu'à ce jour, les deux hommes n'ont pas discuté de ces dispositions.

La solution pour Jean Chrétien, dans l'hypothèse où il aurait voulu s'assurer d'une légitimité sans équivoque, aurait pu se trouver dans le déclenchement d'élections générales. Mais cette solution n'est pas non plus de tout repos. « Ou il démissionne, reconnaissant la décision populaire, commente le politologue Duncan Cameron de l'Université d'Ottawa, ou, estimant que les résultats ne sont pas concluants, il déclenche des élections générales. M. Parizeau devrait alors décider s'il accepte la tenue d'élections fédérales au Québec. Cela pourrait précipiter une déclaration de souveraineté et créer une crise majeure. » Avec, par ailleurs, selon le professeur Desmond Morton de l'Université McGill, des effets secondaires pour le gouvernement du Québec s'il empêchait ces élections sur son territoire : « Ce n'est pas la façon la plus sage de gagner le respect du monde, surtout des Américains, tellement friands d'élections[36] », dit-il. L'hypothèse de déclencher des élections générales aurait vraisemblablement été écartée, ne serait-ce qu'à cause du sentiment général dans la population canadienne : un sondage réalisé à la mi-octobre par la firme Gallup indiquait qu'une majorité de Canadiens n'en voulait pas[37]. D'autres politologues, tel Philip Resnik de Vancouver, estiment que Jean Chrétien doit soit contester la légitimité du vote du Québec par un référendum pancanadien soit recourir aux tribunaux en plaidant l'inviolabilité de la Constitution canadienne. En somme, bloquer la voie vers la souveraineté soit par un vote populaire soit par la voie judiciaire[38].

Et, sujet épineux s'il en est un pour Jean Chrétien : Qu'arrive-t-il des provinces de l'Atlantique, quatre provinces désormais coupées géographiquement du pays auquel elles appartiennent ? Il y avait une blague, qui circulait pendant le référendum dans ces provinces, et qu'aime rappeler Frank McKenna : « Si le Québec n'est plus dans le Canada, nous serons plus vite arrivés à Toronto », disait-on. La réalité ne se prête cependant pas à l'humour et l'isolement des provinces de l'Atlantique du reste du pays aurait créé des situations absolument complexes, tant au plan politique qu'économique. « Nous ne savions pas quel était le "plan B", dit McKenna. Que se passe-t-il le lendemain, si le OUI gagne? Que faisons-nous? Est-ce que l'on continue à faire nos affaires en disant : On utilise nos passeports pour traverser le Québec et nous pouvons encore aller à Toronto[39]? » Preston Manning parle très sérieusement de la négociation d'un corridor à travers le Québec, qui aurait rattaché les provinces maritimes au reste du Canada. Jacques Parizeau ne parle pas de corridor, mais d'un accord, très rapidement conclu. « Le gouvernement de Québec voit le gouvernement canadien et lui dit : "Le plus vite possible, il faut un accord de libre circulation des véhicules, des personnes, terrestre, maritime, aérienne entre l'Ontario et les provinces de l'Atlantique." Vous pensez que le gouvernement fédéral canadien aurait dit non? »

Et les francophones hors Québec? Maintenant que le Québec ne fait plus partie de la Confédération, le gouvernement canadien va-t-il s'en désintéresser? « Les provinces anglophones auraient alors voulu refaire la Constitution, pense l'Albertain Georges Arès. Les droits des francophones, qu'il y a dans la Constitution, y auraient passé. Je pense que ceux qui auraient été les premiers à vouloir nous enlever ces droits-là auraient été les gens qui nous avaient été sympathiques, qui avaient placé leurs enfants dans les écoles d'immersion, qui avaient fait comme un acte de confiance dans l'avenir, assurant que leurs enfants apprennent le français. Ils se seraient sentis trahis. Les écoles, la gestion scolaire et les choses qui font que le Canada est un pays bilingue, reconnaissant la dualité linguistique comme caractéristique fondamentale, ça risquait de disparaître. Être Canadien français hors du Québec, c'est une bataille de tous les jours. »

Et les Autochtones du Québec? Il s'agit de l'un des dossiers les plus difficiles que le gouvernement canadien aura à régler. A-t-il encore des responsabilités envers eux? Matthew Coon Come s'interroge sur la volonté du gouvernement fédéral de faire respecter les dispositions de la Loi fondamentale sur les droits des Autochtones. « Nous voulions qu'il puisse faire en sorte que notre consentement soit nécessaire si le OUI l'emportait, afin que nous ne soyons pas transférés, comme un troupeau, dans un Québec indépendant[40]. »

Il n'est cependant pas certain, une fois le Québec séparé du Canada, que les Autochtones qui y habitent continueront de dépendre de la juridiction fédérale. Un document du Conseil privé, préparé un an avant le référendum, laisse plutôt croire que le gouvernement canadien pourrait ne plus être le fiduciaire des droits des Autochtones et que ceux-ci doivent abandonner toute idée de sécession du Québec. Selon ce document, leur avenir dépendra de facteurs d'ordre strictement politique[41]. Par ailleurs, la position du gouvernement du Québec est ferme : des négociations, oui, mais dans le respect du territoire québécois. De longues discussions en perspective, y compris avec le Québec, auxquelles le gouvernement canadien n'aurait pu échapper.

Quels que soient les domaines concernés, les dossiers interpellés, les problèmes soulevés, Jean Chrétien maintient jusqu'à la fin le mystère sur ce que fera son gouvernement si le OUI va chercher une majorité, le lundi. N'a-t-il pas même refusé de dire, dans une émission de télévision à TVA, diffusée le jeudi 26 octobre, si les chômeurs, les retraités, les anciens combattants allaient quand même recevoir leur chèque, au lendemain du référendum ? « Vous allez voter NON, vous allez tout garder, il n'y a pas de problème, a-t-il répondu à l'animateur Jean-Luc Mongrain. Si le OUI l'emporte, il y aura des problèmes majeurs. Après ça, tout est dans l'air[42]. » Le débat référendaire a duré plus d'un an et la campagne officielle, un long mois, et, pourtant, il reste bien des questions en suspens. Jean Chrétien, les autres politiciens fédéraux, les chefs du camp du OUI, ceux du NON et, dans une certaine mesure, les premiers ministres provinciaux du Canada qui s'y sont mêlés, ne leur ont pas trouvé de réponses ou n'ont pas voulu y répondre. Elles seront là, en grosses lettres, sur leur table de travail si le OUI l'emporte, le lendemain.

Entretemps, la campagne se poursuit jusqu'au fil d'arrivée, dans des discours de dernière chance, accrochés à des thèmes et à des slogans que les stratèges croient toujours efficaces. Jean Chrétien, devant 10 000 personnes, entassées tant à l'intérieur qu'à l'extérieur du Musée des civilisations à Hull, réaffirme sa confiance que les Québécois comprendront que « leur patrie, c'est toujours le Québec et leur pays, le Canada ». Jacques Parizeau, dans un geste symbolique, choisit pour terminer sa campagne la circonscription de Taillon, que René Lévesque a représentée pendant neuf ans à l'Assemblée nationale : il lance un ultime appel aux indécis. Il est accompagné de Lucien Bouchard et de Mario Dumont, entouré d'un groupe d'artistes venus donner, devant 5 000 personnes, le spectacle de fin de campagne. Daniel Johnson est à Saint-Léonard, dans le nord-est de Montréal, où, devant quelque 800 membres de la communauté italienne, il se dit persuadé que les Québécois ont compris le prix de la séparation.

À Ottawa, tout juste avant de se coucher, Eddie Goldenberg téléphone aux sondeurs du camp du NON. L'un d'eux lui dit : « Demain, nous allons gagner entre 54 et 56 %. » Goldenberg insiste : « Donnez-moi les vrais chiffres. Je n'ai pas besoin de chiffres qui vont me permettre de bien dormir. J'ai besoin des vrais chiffres pour que je conseille bien le premier ministre du Canada, parce qu'il aura des décisions très importantes à prendre demain matin. » Et le sondeur répète ses chiffres : entre 54 et 56 % pour le NON.

CHAPITRE XIV

« Pas de beaucoup »

Lorsque Monique Simard entre, le lundi matin, au comité central du camp du OUI, au 1200 de la rue Papineau, elle a la mine basse : « Ça va peut-être être plus difficile qu'on l'a imaginé », lance-t-elle à la ronde. La présidente du Parti québécois revient d'un face-à-face avec John Parisella, à une station de radio anglophone, et le conseiller de Daniel Johnson a été tout à fait convaincant : le NON va l'emporter avec 53 ou 54 % des votes. Le pessimisme de Monique Simard est contagieux et, rapidement, l'équipe du camp du OUI perd de son enthousiasme.

Jean Royer juge qu'il faut réagir. Il convoque le personnel dans une salle où un téléphone mains libres est posé sur la table. Il appelle Parisella au comité du NON. Tout le monde entend la conversation. « Je sais que tu as vu Monique Simard ce matin, dit Royer. Elle nous a dit que tu étais sûr de gagner. Si tu es si sûr, je te parie 25 000 $ que c'est nous qui allons gagner. » « J'ai senti un silence au bout du fil, se souvient Royer aujourd'hui. Puis, John m'a dit : "Non, non, je ne gage jamais." Tous ceux qui étaient dans la salle ont interprété son silence comme la preuve qu'il était pas mal moins sûr de gagner. » Et Jean Royer de renvoyer chacun à son travail en leur disant : « C'est le OUI qui va gagner. » « Dans le fond, dit Royer, je savais très bien que ce n'était pas dans la nature de John de parier, je savais qu'il me dirait non. J'ai pris le risque. J'aurais été bien embêté s'il m'avait dit oui parce que je n'avais pas les 25 000 $. » Aujourd'hui, Parisella revient avec humour sur cet incident : « Je pense qu'il s'est payé un petit peu notre gueule cette journée-là », dit-il.

Jean Royer est confiant. « Je voyais dans les sondages une tendance qui nous menait à 52 %, reconnaît-il. La façon que j'avais, avec le sondeur du camp du OUI, Michel Lepage, de répartir les indécis nous amenait à un résultat gagnant. » Pour sa part, l'organisateur de Lucien Bouchard, Bob Dufour, est plus prudent : « Oui, les sondages nous mettaient à 52, 53 %, dit-il. Mais le mouvement souverainiste a toujours eu, même dans les élections provinciales, un problème qu'on appelle "la prime à l'urne". Il y a toujours 2 %, 3 % qui nous manquent. On n'est jamais capable de comprendre pourquoi. Ce qui signifie qu'avec la prime à l'urne, ça nous laissait à 49 %, 50 %. »

L'une des premières préoccupations des organisateurs, c'est de « faire sortir » le vote. « On savait, se souvient Jean-François Lisée, que, s'il y avait moins de 80 % des électeurs qui votaient, ce n'était pas bon pour nous. Cela voulait dire que les jeunes votaient moins que lors des élections et, notre majorité, elle était plus forte chez les jeunes. » Le camp du OUI sait que la mobilisation chez les non-francophones est très élevée. « Si le nombre d'électeurs était inférieur à 80 %, cela signifiait qu'à l'intérieur des groupes, il y avait une proportion plus forte de non-francophones que de francophones qui votaient », ajoute Lisée.

Alain Lupien assure la coordination de l'opération dans l'ensemble du Québec et il est en contact continuel avec chaque circonscription « pour voir où sont nos faiblesses ». Chaque heure, quinze minutes avant l'heure, des personnes vont chercher dans les sections de vote — plus de 3 000 au total — les données qui permettent d'avoir une idée de la façon dont le vote se déroule. Et, chaque heure, ces données sont entrées dans un ordinateur qui permet aux stratèges d'analyser les tendances et d'apporter les correctifs, lorsqu'ils s'imposent. Lupien et deux autres personnes se sont partagé le Québec, « une quarantaine de circonscriptions chacun » : « On avait donné des objectifs à chacun, rappelle-t-il. On surveillait pour voir si on était en avance ou en arrière dans la sortie du vote. On mettait la pression là où ça marchait moins bien. » À compter de 16 heures, les rapports n'entrent plus aux heures, mais aux demi-heures. « On avait des comptes à rendre, ajoute Lupien. M. Bouchard, M. Parizeau voulaient savoir. »

Pendant que Michel Carpentier, qui vient de remplacer Louis Bernard comme secrétaire général du comité exécutif du gouvernement, met la dernière main à un plan d'action rapide si le OUI l'emporte, Jean-François Lisée se retire pour rédiger deux projets de lettre : l'une pour Jacques Chirac, l'autre pour Bill Clinton. Il jette aussi sur le papier des notes qui pourront être utiles aux différents porte-parole du camp du OUI, s'ils sont interviewés à la fin de la journée, peu importe ce que sera le résultat du vote. Il prépare également une entrevue qu'il va donner, dans l'instant, à un journaliste de *Business Week,* car la victoire du OUI, si elle se matérialise, fera la couverture du magazine la semaine suivante.

Dans le camp du NON, l'effervescence s'est transportée dans les circonscriptions. L'organisation est plus décentralisée que dans le camp du OUI et chaque circonscription a sa propre structure. « Nous avions fait ce que nous pouvions faire, dit Pierre-Claude Nolin. Quant à nous, tout était fini, autour de la table, nous n'avons pas eu de grandes décisions à prendre ce jour-là : on touche du bois, on se croise les doigts, puis on va attendre les résultats. Attendre, c'était épouvantable. » Daniel Johnson a le même mot à la bouche : « J'étais dans un état d'esprit d'attente, se souvient-il. Tout était fait. On ne pouvait plus rien faire. Ça appartenait à des millions de Québécois de faire un geste et, nous, on attendait… » Mais Johnson est ferme : « Je n'ai jamais pensé que le OUI pouvait gagner », dit-il.

Jean Charest est rentré à Sherbrooke. De loin le meilleur orateur du camp du NON, il a le sentiment d'avoir fait une bonne campagne. Après être allé saluer des organisateurs au comité local, il va dîner chez son père en compagnie de sa femme, Michèle, une habitude qu'il garde depuis qu'il participe à des campagnes électorales. « Nous étions très, très, très nerveux toute la journée », dit-il. Dans l'après-midi, avec sa famille, il rejoint des amis et des collaborateurs dans une chambre d'hôtel, à Montréal, pour assister aux premiers résultats du vote à la télévision, avant de se rendre au Metropolis où doivent se rassembler les partisans du NON.

À Ottawa, l'atmosphère sur la colline parlementaire est lourde, comme avant un orage ; les heures d'inquiétude qu'il faudra supporter avant le dénouement final sont interminables. Chacun retient son souffle. « Les gens ne se parlaient pas entre eux », se souvient Jane Stewart, la présidente du caucus libéral. Eddie Goldenberg ne tient plus en place. « Il y avait eu beaucoup de sondages, des sondages qui montaient, d'autres qui descendaient ; on était nerveux, c'est clair, dit-il. Mais j'avais une tâche à remplir : préparer le discours, comme à chaque élection, le discours de la défaite. C'était extrêmement émotif parce qu'on parlait de la brisure possible de notre pays. Évidemment, on était pour dire que ce n'était pas un vote pour la séparation, qu'on n'était pas pour laisser le pays se briser, qu'on était pour faire des changements... mais ce n'était pas facile à rédiger, ce texte. » Avant même de connaître le résultat du vote, au bureau de Jean Chrétien, on a décidé de ne pas accepter une victoire du OUI. En fin d'après-midi, Goldenberg se rend au 24 Sussex, où il va passer la soirée en compagnie de la famille du premier ministre, de quelques amis et de conseillers.

Jean Chrétien, qui a la réputation de demeurer calme dans les pires circonstances, est fébrile. Sera-t-il le premier ministre qui va présider à la cassure de ce pays, vieux de 128 ans ? « Nerveux, je l'étais depuis le samedi soir ou le dimanche, rappelle-t-il, depuis que Eddie (Goldenberg) m'avait téléphoné, avec quelques autres, pour me dire que nous avions soudainement chuté dans les sondages. Nous étions réalistes : nous pouvions perdre. Nous devions être prêts, si nous perdions[1]. » Dans l'après-midi, il téléphone à Roy Romanow, qui « a toujours été un ami depuis très longtemps ». Le premier ministre de la Saskatchewan est dans une chambre d'hôtel à Montréal ; il doit, le soir, agir comme commentateur à la télévision. « Roy, lui dit-il, nous avons une situation sérieuse entre les mains. Nous pouvons perdre par trois ou quatre points de pourcentage. Je tiens à te le dire. Je vais aussi téléphoner à un ou deux autres premiers ministres. Prépare-toi une réponse au cas où... Y as-tu pensé ? » Romanow a déjà envisagé la possibilité d'une victoire du OUI, et Chrétien le sait. Il informe le premier ministre du Canada de ce que sera sa réponse : « Je lui ai dit, raconte aujourd'hui Romanow, que je répondrais ceci : "La question était tellement poreuse que vous ne pouvez accorder aucune légitimité à un vote pour le OUI." Et, de toute façon, nous n'allions pas présider à la désintégration de la fédération[2]. »

Pour Jacques Parizeau, la campagne a été dure, mais il en est satisfait. Pour la première fois depuis longtemps, le programme de la journée s'annonce léger : d'abord, voter, aller ensuite dans la circonscription de l'Assomption, qu'il représente à l'Assemblée nationale, et rencontrer le plus grand nombre de militants possible. Au lever, cependant, il se sent pris d'un sentiment d'affolement. « J'ai eu peur, avoue-t-il. Je me suis dit : "S'il fallait que ça ne marche pas!" Vous vous rendez compte de la responsabilité que cela représente? À l'égard de milliers, de dizaines de milliers de gens que j'ai amenés dans cette aventure depuis des années, des gens qui à coup de 20 $ et de 50 $ sont allés chercher 32 millions de dollars. Sur quoi? Sur un objectif, sur un idéal, sur un gars qui leur paraissait avoir un certain bon sens… Alors, ce matin-là, j'ai dit : "Mon Dieu, j'espère que ça va marcher[3]!" » Il est toujours confiant, mais tendu, très nerveux.

Sa première activité de la journée est de faire son devoir de citoyen. Lorsqu'il se présente au bureau de scrutin, à Outremont, où il habite, sa nervosité est évidente : il se rend directement à l'isoloir, oubliant de prendre un bulletin. « J'étais tellement ému, dit-il dans une entrevue à l'émission *L'Événement*, du réseau TVA. On m'a ramené à la table pour que je ramasse le bulletin. Et là, dans l'isoloir, je voulais juste m'assurer d'une chose : mettre la croix devant le OUI, pas devant le NON! J'ai eu une sorte de *flash* : trompe-toi pas, là! Je suis sorti de l'isoloir, je ne savais pas à qui remettre le bulletin. J'étais complètement à côté de mes pompes, ce matin-là[4]. »

Après avoir voté, Parizeau se rend avec sa femme et quelques collaborateurs dans sa circonscription de l'Assomption. Il y rencontre des partisans et mange, à Repentigny, avec des organisateurs. Puis, il va à son bureau de circonscription, où il accorde l'entrevue au réseau TVA. Cette entrevue est prévue depuis un certain temps. Parizeau a confiance en Stéphan Bureau, qu'il a reçu à quelques reprises dans le passé et qui a toujours respecté les ententes entre eux. Il accorde beaucoup d'importance à cet entretien qui sera sous embargo, c'est-à-dire qui ne doit être diffusé qu'après le référendum. L'objectif : informer les Québécois de ce dont seront faits les lendemains d'une victoire du OUI. Mais, en même temps, ce qu'il s'apprête à dire a, en quelque sorte, valeur de testament politique et il en a pesé chacun des mots.

Bureau lui demande : Est-ce que vous vous êtes dit : ça passe ou ça casse ? C'est aujourd'hui ou je ne serai plus celui qui pourra…

Parizeau : Ah, mais bien sûr, c'est tout à fait évident, ça va de soi. […] Si j'échoue, il faut que je puisse me dire : c'est ma faute, je n'ai pas été assez habile, assez rassembleur. Et, évidemment, j'en tire les conclusions. Il ne faut jamais s'imposer dans des circonstances comme celles-là. L'indépendance d'un pays, ce n'est pas quelque chose de passager. Si je n'ai pas réussi à la faire, eh bien, il faut que je m'éclipse assez rapidement et que quelqu'un d'autre s'essaie.

Bureau : C'est donc dire que ce soir, si d'aventure vous apprenez que le Québec choisit de dire NON, vous porterez très rapidement le chapeau que vous venez de dire.

Parizeau : Mais absolument. Il n'y a jamais eu l'ombre d'un doute dans mon esprit là-dessus. On se comprend bien. Nous sommes à quelques heures du scrutin. Je vous le dis clairement : il n'y a pas de doute dans mon esprit que, si c'est NON, ma phase utile dans ce domaine est terminée.

Bureau : Vous resterez tout de même premier ministre et aux affaires quelque temps ?

Parizeau : Oui, mais pas longtemps.

Bureau : Vous avez donc choisi de faire votre deuil de la fonction que vous occupez ?

Parizeau : Je suis en politique pour faire la souveraineté du Québec, pas nécessairement pour gérer les choses. J'ai été conseiller économique et financier de Jean Lesage, de Daniel Johnson père, j'ai sucé tous les sucs du goût du pouvoir. Écoutez, se cramponner, à mon âge, c'est complètement ridicule. On ne se cramponne pas. C'est ridicule[5].

Même si la plupart des gens de son entourage savent qu'il ne va pas s'accrocher au pouvoir si le NON l'emporte, tous sont sous le choc en entendant ces propos. « On était quelques-uns, une toute petite équipe, son attachée de presse, accroupis dans le corridor pendant l'entrevue, se souvient Lisette Lapointe. Il y avait un petit moniteur par terre. On avait le nez sur le moniteur. Et il dit : "Si c'est NON, je pars !" Quelque chose comme ça… » Elle sait pourtant depuis long-temps qu'il abandonnera la politique s'il perd le référendum. « Dès que notre relation est devenue sérieuse, en 1992, dit-elle, il m'a dit : "Écoute, ce n'est pas pour vingt ans, pour moi, la politique. Si on fait notre vie ensemble, c'est un horizon de trois à quatre ans. Je voudrais être élu premier ministre du Québec ; ensuite, huit à dix mois plus tard, tenir un référendum. Si c'est OUI, je reste huit, dix mois, pour mettre le train sur les rails. Si c'est NON, je pars." Je le savais depuis le début et il l'a redit en d'autres occasions. » Mais elle tente, depuis quelques jours, de l'empêcher de partir sur un coup de tête. « Si jamais c'est NON, lui dit-elle, ne prends pas de décision trop rapide. Attends de voir ce qui va se passer par la suite. Il faudrait peut-être attendre un peu que la poussière retombe[6]. » Aussi, de l'entendre le répéter, dans un moniteur de télévision, le jour même du référendum, sans qu'elle en ait été prévenue… Elle n'est pas d'accord, car elle croit que le OUI va l'emporter. « C'est quand même un peu spécial, explique-t-elle, de voir, une semaine plus tard, une émission à la télévision où le premier ministre, qui vient de gagner son référendum, dire cela. »

Marie-Josée Gagnon, l'attachée de presse, en informe immédia-tement Jean Royer. « C'est une fille qui ne s'énerve pas pour rien, dit Royer. J'ai tout de suite senti, au bout du fil, qu'il y avait une certaine fébrilité. Cela ne m'a pas surpris. M. Parizeau me l'avait dit vingt fois, trente fois, et pas seulement au moment de la campagne référendaire. Quand il est revenu à la politique, il m'a dit : "Moi, je reviens pour faire la souveraineté. Si ça ne marche pas, je n'aime pas assez la politi-que pour faire cela." »

Jacques Parizeau quitte sa circonscription dans sa voiture de fonction, en compagnie de Marie-Josée Gagnon, à destination de Radio-Québec, où il doit enregistrer une allocution, dans les deux langues, qui sera diffusée le soir même, si le OUI l'emporte. Radio-Québec, qui agit à titre de productrice du discours de Parizeau, est en négociations avec d'autres chaînes qui hésitent à retransmettre le discours, se demandant s'il s'agira d'un discours partisan ou d'une allocution de chef d'État. Ces autres chaînes prennent, finalement, un engagement qu'elles n'auront jamais à respecter puisque ce discours ne sera jamais prononcé.

L'enregistrement est beaucoup plus pénible que prévu. Parizeau est épuisé. Il bafouille. Il faut reprendre à plusieurs reprises, car il n'y a qu'une caméra, ce qui écarte toute possibilité de montage. « Ça durait quand même dix-huit ou vingt minutes, se souvient Jean-François Lisée. Il fallait qu'il fasse une seule prise et qu'elle soit parfaite. Il a recommencé deux ou trois fois, en français. Puis, il fallait le faire en anglais. Là, son niveau de fatigue était déjà élevé. Ce fut laborieux. Ça nous a pris pas mal de temps. » Mais quand, finalement, il y parvient, ce sont des mots sereins, tournés vers l'avenir, qu'il prononce à l'intention de la population qui vient de lui faire confiance. « Une décision simple et forte a été prise aujourd'hui : le Québec deviendra souverain, dit-il. Il a fallu du courage aux Québécoises et aux Québécois pour surmonter les formidables obstacles mis sur leur route, depuis les tout débuts jusqu'à ce jour. Aujourd'hui, vous vous êtes dépassés. Vous avez inscrit votre nom sur la face du monde. Chacun doit savoir, ce soir, que le gouvernement du Québec va procéder dans les jours qui viennent avec la même clarté, la même sereine détermination, le même courage et la même ouverture que ceux dont ont fait preuve les Québécoises et les Québécois aujourd'hui[7]. » Et, comme s'il anticipait la réaction du gouvernement fédéral à une victoire du OUI, il ajoute : « Le 18 octobre, Jean Chrétien a déclaré que le référendum, et je cite, "est le choix définitif et sans retour d'un pays". La semaine dernière, dans son adresse à la nation, il a indiqué qu'il s'agissait "d'une décision définitive et sans appel". Nous sommes d'accord avec lui. »

L'enregistrement terminé, Jacques Parizeau se dirige vers ses bureaux de premier ministre, dans l'édifice d'Hydro-Québec. En arrivant, il va s'entretenir avec son chef de cabinet. En l'apercevant, Royer lui dit, un peu en riant : « Vous ne vous êtes pas retenu, il fallait que vous le disiez ! » Parizeau lui répond : « Oui, je l'ai dit. Ça ne vous surprend pas ? » « Non », répond Royer.

Royer et Jean-François Lisée font partie du groupe très res-treint qui sait que le premier ministre n'entend pas s'accrocher à son poste s'il perd le référendum. Mais ce qu'ils retiennent de l'entrevue qu'a donnée leur chef au réseau TVA, c'est qu'il va demeurer pre-mier ministre « pas pour longtemps ». Il s'agit donc, pour eux, de gérer la situation à beaucoup plus court terme. « Royer et moi, nous l'avons pris à part pour discuter de ce que serait son attitude en cas de victoire du NON, rappelle Lisée. On l'a convaincu de ne pas annoncer (immédiatement) sa démission parce que, déjà, le choc serait dur pour les souverainistes d'avoir perdu le référendum. S'il fallait en plus qu'ils perdent leur leader, ce serait trop, ce serait trop demander aux Québécois, en un seul soir, de perdre les deux en même temps. » Lisée lui dit alors : « On va avoir besoin de votre talent de rassembleur. C'est d'un grand-père qu'on aura besoin, ce soir, c'est de quelqu'un qui voit plus loin que la défaite ponctuelle. » Selon Lisée, Parizeau semble alors d'accord avec cette vision des événe-ments à venir et la perception que le conseiller politique retient de cet échange, c'est qu'« on pourra discuter de démission demain ou après-demain ».

À ce moment, tous, y compris ses collaborateurs immédiats, es-timent qu'ils auront le temps de voir venir et qu'ils peuvent, pour l'instant, consacrer leurs énergies à des préoccupations plus urgentes. Leur chef vient de déclarer à Stéphan Bureau que, si le NON l'em-porte, il demeurera premier ministre pour un certain temps. Ce qui confirme des propos qu'il a tenus, deux mois plus tôt, dans une entre-vue à l'émission *Le Midi Quinze* de la radio de Radio-Canada où, à moins d'avoir voulu éviter de démobiliser les troupes du OUI, il n'a rien laissé entrevoir d'un départ précipité. Il a plutôt dit clairement à l'animateur Michel Lacombe qu'il entendait continuer de gérer les affaires de l'État.

Lacombe lui demande : Après le référendum, est-ce que vous restez là, quoi qu'il arrive ?

Parizeau : Je n'ai pas la réputation d'être un lâcheur. Je ne suis pas un lâcheur.

Lacombe : Et si on dit NON ?

Parizeau : Je travaille pour qu'on dise OUI. Et le PQ est encore au pouvoir pour quelques années. On peut faire toutes sortes d'hypothèses. Il n'y a pas de raison de ne pas être clair quant à nos intentions, aujourd'hui, en ce qui concerne le référendum, et, d'autre part, d'avoir l'assurance d'un gouvernement qui est au pouvoir pour quelques années et qui a encore pas mal de pain sur la planche[8].

Les stratèges n'ont donc pas à s'inquiéter : Jacques Parizeau sera aux commandes de l'État le lendemain du référendum, quoi qu'il arrive. Lorsqu'il revient sur ces événements, Jacques Parizeau justifie aujourd'hui son attitude et les propos qu'il a tenus devant Bureau : « Je voulais me protéger moi-même, dit-il. Je ne me voyais pas recommencer ou essayer de recommencer. En enregistrant cette interview, le midi, les résultats n'étaient pas connus. Je ne voulais pas donner l'impression que j'attendais le résultat pour me décider. J'indiquais ce que j'allais faire dans chacune des deux branches de l'alternative : si ça passe, voici ce qu'on fait. Si ça ne passe pas, je m'en vais. » Et, dix ans après, il ajoute : « Sur le fond de la question, peut-être que je n'aurais pas démissionné si j'avais su ce qui allait venir après. Mais ça m'a pris plusieurs années pour comprendre cela. Sur le coup, c'était clair qu'il fallait que je m'en aille. Mais quelques années plus tard, c'est autre chose. »

Les deux alliés de Parizeau ignorent tout de l'entrevue à TVA. Lucien Bouchard est au Lac-Saint-Jean, où il vote à Alma, dans sa circonscription. Mario Dumont est déjà à Rivière-du-Loup depuis la veille au soir, pour y faire le même geste et rencontrer ses partisans. Pour des raisons de sécurité, le chef de l'ADQ a passé la nuit à l'hôtel. Le matin, en se levant, il ouvre le téléviseur qui, comme c'est souvent le cas dans les hôtels, est branché sur un poste américain, le réseau ABC. « Les trois premiers reportages du bulletin de nouvelles étaient sur le Québec, se souvient-il. Le premier, sur le référendum, le deuxième, sur les conséquences diplomatiques avec les États-Unis et, le troisième, sur les conséquences au plan économique. Assis dans le lit, appuyé sur les oreillers, je me suis dit : "Ouais, c'est une assez grosse affaire dans laquelle on s'est engagés !" »

L'avion, qui doit ramener Lucien Bouchard à Montréal, fait un crochet par Rivière-du-Loup pour y cueillir Mario Dumont, histoire de lui épargner quatre heures de route en automobile. Dans l'avion, à quelques milliers de pieds au-dessus du Québec, qu'ils ont quadrillé dans tous les sens depuis un mois, les deux hommes reviennent sur la campagne, se donnent mutuellement un aperçu des discours qu'ils vont prononcer en soirée et commentent les derniers sondages qui mettent les deux options à égalité. « Les firmes de sondages enlevaient les virgules et arrondissaient les chiffres, de peur de se mouiller », se souvient Mario Dumont.

Jacques Parizeau et son chef de cabinet, toujours dans les bureaux du premier ministre, ont le nez collé aux événements de la journée et à ce qui en est le facteur déterminant : la participation des électeurs. Les données, qui leur sont communiquées, indiquent un taux particulièrement élevé, qui devient impressionnant au fur et à mesure que la journée avance. Royer explique à son chef que, plus il y a de gens qui votent, plus les chances du OUI sont bonnes parce que le taux de participation se rapproche du modèle des sondages. Parizeau regarde alors son chef de cabinet dans les yeux. « J'ai senti dans son regard, se souvient Royer, qu'il me sondait l'âme en me disant : "Vous êtes sûr ?" J'ai repris mes explications. »

Parizeau et Bouchard ont chacun une suite au Palais des congrès de Montréal tandis que Mario Dumont a la sienne à l'hôtel Delta, rue Sherbrooke. Vers 15 heures, Bouchard se retrouve dans sa suite avec son équipe, dont Pierre-Paul Roy, Gilbert Charland, François Leblanc et Bob Dufour. Ils attendent les premiers résultats en suivant de près l'évolution du vote dans l'ensemble de la province. Vers 16 heures, Bouchard commence à rédiger son discours, deux discours en fait : un en cas de victoire, un autre en cas de défaite. Son entourage tente de rejoindre Jacques Parizeau. Sans succès. « Ce n'est pas faute d'avoir essayé, dit Roy. Mais M. Parizeau avait fait en sorte qu'on ne puisse pas communiquer avec lui. Il faut comprendre que c'était un choix qu'il avait fait. » Personne, cependant, ne s'en inquiète puisqu'une rencontre entre les chefs est prévue pour 17 heures.

Il est maintenant 16 h 45. Bouchard se tourne vers son conseiller politique. « Pierre-Paul, lui dit-il. Appelle. Prends contact. » Roy réussit à rejoindre Éric Bédard, qui fait partie de l'équipe de Parizeau. « Et M. Bédard m'a fait comprendre, dit aujourd'hui Pierre-Paul Roy, qu'il n'y aurait pas de rencontre et, qu'au moment où on se parlait, il n'y avait pas de contact prévu. Et il n'y en a pas eu. » Donc, pendant toute la journée du référendum, Jacques Parizeau et Lucien Bouchard ne se parlent pas, ce qui laisse présager passablement d'improvisation dans l'aménagement de la soirée.

Après sa rencontre avec ses principaux conseillers, Jacques Parizeau quitte l'immeuble d'Hydro-Québec et rentre à son hôtel, où lui et sa femme ont habité la plupart du temps pendant la campagne. Il sent terriblement la fatigue du mois d'enfer qui vient de se terminer et d'une journée dont il parvient à peine à supporter le stress. Il est fourbu, courbaturé. À l'heure où il doit s'entretenir avec les deux autres chefs du OUI, il est allongé, soumis aux mains expertes d'un masseur du Ritz Carlton, que Lisette Lapointe a fait monter à la chambre. « J'ai trouvé cela étonnant comme expérience, s'en amuse-t-il aujourd'hui. C'est bête à dire, mais cela ne m'était jamais arrivé. Ça m'a fait du bien. » Le couple se fait livrer ensuite un repas léger et regarde le suspense se dessiner à la télévision avant de se rendre au Palais des congrès.

L'intensité dramatique atteint son paroxysme à 20 heures, une fois les bureaux de scrutin fermés, lorsque les stations de télévision et de radio rappellent le libellé de la question référendaire et entreprennent de donner les premiers résultats. Au deuxième étage du Palais des congrès, dans une salle capable de recevoir une vingtaine de personnes, la garde rapprochée de Jacques Parizeau — ils sont une demi-douzaine — est rivée aux écrans de télévision. Le chef de cabinet du premier ministre vient de demander aux nombreuses personnes qui s'y trouvent de quitter les lieux, sauf les cinq ou six adjoints immédiats du chef du camp du OUI.

L'atmosphère est tendue, mais calme. Jacques Parizeau donne le ton : il ne dit rien, il va d'un écran de télévision à l'autre. Les gens se parlent peu, échangent un bref commentaire, chacun tentant de donner une explication aux résultats qui commencent à entrer. Les premiers sont ceux des Îles-de-la-Madeleine, où les bureaux ferment toujours une heure plus tôt à cause du fuseau horaire. Ils sont meilleurs qu'on ne l'a prévu, mais l'atmosphère ne change pas. « Je pense qu'on va l'avoir », dit simplement Royer. On sait que le OUI doit aller chercher jusqu'à 58 % dans certaines circonscriptions pour compenser les 40 % dont il devra se satisfaire dans d'autres. Pendant quelques minutes, Jacques Parizeau et ceux qui sont à ses côtés voient se dessiner l'image du vrai pays. Une demi-heure après la fermeture des bureaux de scrutin, le OUI touche la barre des 56 %. Tout le monde se laisse guider par les analyses de Royer. Mais le nombre de suffrages exprimés est alors très faible : 1 %. Tout à coup, peu après 20 h 30, les résultats commencent à débouler sans pour autant indiquer une véritable tendance jusqu'à ce que ceux de la région de Québec apparaissent à l'écran, inférieurs aux espoirs du camp du OUI.

À l'écran, pourtant, le OUI obtient toujours autour de 54 %, mais les projections de Royer et de Michel Lepage, le sondeur du camp du OUI, s'appuient sur des données trop certaines pour qu'on persiste à entretenir l'optimisme. « L'atmosphère n'a pas changé, dit aujourd'hui Jean Royer. Nous, on était payés pour ne pas nous énerver. On savait que, si on s'énervait, cela pouvait avoir un effet sur le patron. Alors, le ton ne levait pas, il n'y avait pas de déception apparente. » Une heure et demie après la fermeture des bureaux de scrutin, alors que 62 % des résultats sont connus, le OUI a une avance de 8 000 voix ; il est à 50,14 % du vote, sur un total d'à peu près 3 millions. Parizeau s'approche de Jean Royer : « Qu'est-ce que vous en pensez ? », lui demande-t-il. Royer lui annonce alors que les majorités obtenues ne sont pas au niveau de ce qu'on escomptait.

Quatre minutes plus tard, l'avance du OUI n'est plus que de 1 000 voix et, à 21 h 36, c'est l'égalité partout : 50 % contre 50 %[9]. « La Beauce, dont on attendait peu, se souvient Jean-François Lisée, offrait encore moins que ce qu'on attendait. » Et c'est le cas aussi d'autres circonscriptions autour de Québec. « Cela a dû être l'arrivée d'une séquence de cinq ou six circonscriptions où j'ai vu qu'il y avait une sorte de tendance, se souvient aujourd'hui Jean Royer. Avec Lepage, nous avions développé un modèle qui nous permettait, à partir d'indications minimales, de faire une projection. Alors, je savais assez rapidement que ce ne serait pas 52 %. Et, quand sont arrivés les premiers résultats de Montréal, on a vu qu'on ne gagnerait pas. »

Même si les stratèges du OUI savent que, dans la plupart des quartiers de Montréal, le OUI n'a pas la faveur, ils espèrent aller chercher, ici 15 %, là peut-être 20 %. Mais le NON balaie tout. Jean Royer dit alors : « Ça ne passera pas. » Les personnes présentes entendent les explications que Royer donne à son chef et comprennent, à ses propos, que les résultats à venir n'influenceront plus la tendance. Parizeau se tient debout à ses côtés. Il ne bronche pas. Saisit-il, à ce moment-là, que la défaite est certaine ou s'accroche-t-il à un mince espoir ? « Je ne sais pas à quel moment M. Parizeau a assimilé le fait qu'on ne gagnerait pas », dit simplement son chef de cabinet, pourtant habitué à ses humeurs. Lisette Lapointe est aux côtés de son mari. « Cela a été un moment d'épouvante, de froid dans le dos, dit-elle aujourd'hui. Ce n'était pas juste une déception. C'était un coup de masse. Tout son rêve s'envolait. C'était le combat de sa vie. »

Jean Royer se tourne alors du côté de Jean-François Lisée : « Il va nous en manquer », lui confirme-t-il, ajoutant qu'il faut maintenant préparer Jacques Parizeau à regarder la défaite en face et à se comporter comme un premier ministre qui accepte le verdict de sa population. Lisée est devant son ordinateur portable, prêt à rédiger le discours de la défaite. « L'histoire vous jugera sur ce que vous direz ce soir », dit-il à Jacques Parizeau. Mais celui-ci ne l'écoute pas. Il est maintenant furieux, d'une colère qu'il tente de chasser de son corps en allant d'un pas rapide d'un côté à l'autre de la salle. Et là, la conversation prend une tout autre allure. Parizeau ne veut pas discuter de ce que la défaite signifie pour lui, personnellement. « C'était vraiment personnel, se souvient Lisée. J'ai constaté que c'était comme s'il n'avait jamais été préparé à l'éventualité d'une victoire du NON. Même si nous avions pensé perdre, durant la campagne, même si on en avait discuté dans l'après-midi, c'était comme si, pour lui, c'était une situation nouvelle. »

Parizeau s'en prend à tout le monde, à la presse anglophone, au quotidien *La Presse*, à l'éditorialiste Alain Dubuc. « C'est l'homme blessé, qui, ce soir-là, dit : "Tout cela en valait la peine, si je gagnais. Mais, maintenant que j'ai perdu, ça n'en valait pas la peine" », ajoute son conseiller politique. Lui et Jean Royer laissent passer l'orage, se disant qu'il vaut mieux que la frustration se manifeste maintenant que plus tard. « Mais c'est sorti longtemps, dit encore Lisée. On a eu de la difficulté à le ramener. Et on lui disait : "C'est un gain important depuis 1980, il faut le voir de façon positive. Et on a l'assurance qu'une majorité de francophones a voté OUI. Et puis, ce n'est pas fini..." Mais nous n'étions pas sûrs dans quelle mesure nous avions réussi à percer son état d'esprit avec cela. » Lisée demande alors à Parizeau : « Voulez-vous que je vous rédige quelques notes ? » Parizeau, finalement, l'écoute et accepte.

D'autres personnes entrent maintenant dans la salle, les uns, pour féliciter Parizeau d'avoir fait passer le vote souverainiste de 40 % qu'il était en 1980 à 50 %, d'autres pour déplorer l'« échec » dans la région de Québec. Parizeau a retrouvé son calme, remercie les uns, en félicite d'autres « pour la belle campagne que vous avez faite dans votre coin. »

À l'étage au-dessus, les premiers résultats des Îles-de-la-Madeleine ont aussi généré beaucoup d'espoir. Une quinzaine de personnes, ses principaux collaborateurs, des organisateurs et des membres de sa famille, entourent Lucien Bouchard, qui suit les résultats dans le plus grand calme. L'atmosphère est fébrile. De grandes fenêtres donnent sur l'immense salle du Palais des congrès où la foule réagit d'enthousiasme à chaque nouveau résultat « mais, dit Bob Dufour, on sait très bien, pour avoir fait cela pendant des années, qu'on est bien mieux d'attendre à 11 heures, le soir, que de commencer à fêter à 8 h 30. » Au fur et à mesure que se déroule la soirée, l'avantage du OUI diminue. Bouchard a les yeux fixés sur l'écran, très concentré et peu loquace.

Le chef du Bloc québécois a établi ce qu'il appelle une « zone de confort » qu'il a fixée à plus ou moins 52 %. Il ne s'agissait pas de remettre en question une victoire du OUI à 50 % plus un vote, mais

il voyait, dans un résultat plus serré, la promesse d'énormes difficultés. « La zone de confort, explique Roy, cela veut dire qu'au-dessus
d'elle, on est de plus en plus confortable et, au-dessous, de moins en
moins confortable, dans le sens où il y a un coefficient de difficulté qui
est de plus en plus important. » Aussi, les résultats, qui rendent presque inéluctable la victoire du NON, ne jettent pas la consternation
dans l'entourage de Bouchard. « Je n'ai pas le souvenir que les gens aient
été assommés, dit Pierre-Paul Roy, le conseiller politique, qui est assis
dans un divan, aux côtés du chef. Les sentiments étaient partagés.
Certains disaient : "Avec un chiffre comme celui-là, on est peut-être
mieux d'avoir perdu que d'avoir gagné." D'autres disaient plutôt que
"gagner, c'est gagner". Mais le sentiment général était qu'on était
passés tellement près que ce n'était pas vrai qu'on allait laisser tomber. »
Une fois encaissé le choc de la défaite, Bouchard se concentre sur ce
qu'il va dire à la foule qui remplit la salle, trois étages plus bas.

Dans l'atmosphère survoltée du Metropolis, Daniel Johnson
reste calme. Il est certain de sa victoire. « Je n'ai jamais pensé que le
OUI pouvait gagner », dit-il aujourd'hui. Son entourage intègre au fur
et à mesure les pourcentages du vote, qui apparaissent à la télévision
pour chaque région, aux résultats anticipés par les équipes du camp du
NON, facilitant ainsi les projections des résultats finaux. « Je voyais
entrer les résultats, et je n'ai jamais été inquiet, ajoute Johnson. Quand
on connaît le Québec et qu'on voit la tendance du vote dans telle
région, dans telle autre région, l'expérience permet de projeter. Je n'ai
jamais cru qu'on perdrait. C'est ça, l'expérience. » Les premiers résultats, en provenance du Saguenay-Lac-Saint-Jean, l'ont rapidement
rassuré. « Je m'attendais à des pourcentages de 72 %, 75 % pour le OUI
dans cette région-là, dit Pierre-Claude Nolin. Ce n'était pas ça. » Le
plus haut pourcentage obtenu par le OUI dans cette partie du Québec,
73,33 %, l'a été dans la circonscription de Saguenay, tandis que celle de
Jonquière a voté OUI à seulement 71 % et Chicoutimi, à 68,9 %. « Et
quand la ville de Québec a commencé à entrer, ajoute Nolin, les pourcentages n'étaient pas de 60 % pour le OUI, comme nous avions prévu,
mais autour de 50 %. » Si la circonscription de Taschereau a favorisé
la souveraineté à 58 %, la majorité des circonscriptions de la région

immédiate de Québec a enregistré des pourcentages inférieurs à 55 %, et celle de Jean-Talon, un pourcentage inférieur à 50 %.

Dès les premiers résultats, en provenance de la ville de Québec, affichés à l'écran, Nolin se tourne vers un journaliste de Radio-Canada et lui dit : « La soirée va être longue, mais je pense qu'on va gagner. » John Parisella partage son optimisme. Il s'en remet, entre autres analystes, à l'ancien premier ministre Robert Bourassa, qui prédit une victoire du NON à 53 % et à Bob Rae, qui réduit l'écart prévisible à 2 %. Parisella participe, en soirée, à une table ronde à l'antenne de Radio-Canada. Sur place, il maintient par téléphone portable le contact avec les organisateurs et le sondeur, Grégoire Gollin, du camp du NON. « J'étais le plus calme à la table parce que je m'étais mis dans la tête qu'on gagnerait, dit-il, rassuré également de voir que la souverainiste Josée Legault, également participante à la table ronde, ne cache pas sa déception devant les premiers résultats en provenance de la région de Québec. »

Au 24 de la rue Sussex, à Ottawa, le premier ministre Jean Chrétien est entouré de sa famille et de ses principaux collaborateurs. Jean Pelletier, son chef de cabinet, est à ses côtés, dans le salon personnel du premier ministre. « Il y avait une certaine tension, se souvient-il, mais le premier ministre, comme à l'habitude dans ces moments-là, était très calme, très préoccupé, très conscient de la gravité du moment. » Les bureaux de scrutin ne sont pas encore fermés qu'il dit à son gendre, André Desmarais : « Surveille les Îles-de-la-Madeleine. Ce sont les résultats qui entrent les premiers. Et les allégeances changent souvent. Mais les écarts ne sont pas grands, d'un bord ou de l'autre[10]. » Lorsque les résultats des Îles commencent à entrer, le OUI est en avance, alors que Chrétien a prédit que le NON l'emporterait dans cette circonscription qui a voté libéral aux élections fédérales de 1993. Il dit alors à ceux qui sont à ses côtés : « Oups ! La soirée va être longue. » Puis il se met à analyser l'avance du OUI et l'écart qui le sépare du NON dans quelques autres circonscriptions. Il se tourne alors du côté de Desmarais : « Ça va être moins de 2 % ou autour, entre 1 ou 2 % du vote. »

La prédiction de Chrétien ne rassure pas les gens qui sont autour de lui. Eddie Goldenberg, qui s'est amené à la résidence du premier ministre tôt en fin d'après-midi, ne peut tenir en place et tourne autour des plats de *chips* et de hors-d'œuvre en attendant qu'entrent d'autres résultats plus complets. Il s'installe ensuite, avec d'autres, au deuxième étage de la résidence. « Nous étions très nerveux, se souvient-il. Nous avions des fourmillements partout et cela a duré une bonne partie de la soirée. » À un certain moment, il n'en peut plus. Il quitte le deuxième étage et descend, à la recherche d'un endroit où il pourrait se retrouver seul devant un téléviseur. Peu de temps après, d'autres le rejoignent. « Pas parce qu'ils me suivaient, dit-il. Mais ils voulaient juste s'isoler, en quelque sorte — c'est la nature humaine —, mais il n'y avait pas plusieurs téléviseurs dans la maison[11]. »

La présidente du caucus libéral, Jane Stewart, a pris des dispositions pour que les députés de son parti puissent voir et entendre les résultats dans une salle réservée spécialement à cette fin dans la partie ouest du parlement. Il y a cependant bien peu de monde. Chacun a préféré suivre la soirée dans l'intimité de son foyer, de son appartement ou de son bureau. Ce qui n'est pas le cas des députés du Parti réformiste. Plus éloignés, pour la plupart, de leur circonscription, puisqu'ils viennent de l'ouest du pays, ils se retrouvent, une quarantaine, dans une salle du parlement pour vivre la soirée ensemble. Peu familiers avec les réalités sociologiques du Québec, ils suivent dans l'angoisse l'arrivée des premiers résultats, s'imaginant pour un temps que cette vague souverainiste va balayer tout le Québec.

La tension a cependant commencé à diminuer lorsque les résultats de l'ouest de Montréal deviennent connus : neuf circonscriptions de cette partie de l'île vont donner plus de 80 % de leurs votes au NON, et quatorze, plus de 70 %, tout comme Hull et Gatineau. La tendance, dans ces circonscriptions, se manifeste très rapidement et, dès 21 heures, l'angoisse générée par les résultats des Îles-de-la-Madeleine cède progressivement le pas à l'espoir.

Au 234 de la rue Wellington, à Ottawa, la soirée du 30 octobre est empreinte d'une activité exceptionnelle et d'une fébrilité, qui n'est pas habituelle chez des banquiers de cette importance. Toute la direction de la Banque du Canada, y compris le gouverneur Gordon Thiessen et le premier sous-gouverneur Bernard Bonin, est réunie au quatrième étage de l'édifice central, en compagnie de l'équipe d'analystes des marchés financiers. C'est la deuxième fois seulement, depuis qu'il s'est joint à la Banque, sept ans auparavant, que Bonin déroge à ses heures habituelles de travail. L'objectif de la réunion : se préparer à intervenir, au cas où le dollar descendrait en deçà de la limite tolérable. Le rôle de la Banque, en de telles circonstances, est de contribuer à stabiliser l'économie en s'assurant qu'il y a assez de liquidités dans le système bancaire. Elle est, en quelque sorte, à la remorque du comportement des marchés. Mais les marchés sont incapables de s'orienter dans un climat d'incertitude politique. Il y a donc absence de prévisions suffisamment valables pour que la Banque du Canada puisse concevoir quelque plan correctif que ce soit. Les banques commerciales maintiennent toujours des soldes de règlement par l'entremise de l'Association canadienne des paiements[11], mais, advenant une ruée vers les guichets, elles pourraient avoir besoin des marges de crédit que la Banque du Canada met à leur disposition plutôt que de recourir à du financement extérieur. On se prépare donc, à la Banque centrale, à intervenir sur les marchés, si nécessaire.

Toute la journée, banquiers et investisseurs institutionnels ont joué de prudence. Comme à la Banque du Canada, les préposés au service des marchés monétaires font des heures supplémentaires et l'agence de presse Canadian Dow Jones maintient son service au-delà de 21 heures. Le dollar a été nerveux toute la journée. À 8 heures, il est coté à 73,3 cents américains. Il prend un peu de mieux vers 10 heures et se maintiendra entre 73,36 et 73,47 cents, sa valeur à la fermeture des bureaux de scrutins à 20 heures. Mais entre 20 heures et 20 h 30, sa chute est graduelle : à 20 h 31, sa valeur est en bas de 72,5 cents. Puis s'amorce une lente remontée qui le projettera au-dessus de 73,5 cents à 21 heures. Il connaît un autre sursaut à la hausse lorsqu'à 21 h 30, cinquante minutes avant que la victoire du NON soit confirmée, le chef d'antenne de la CBC, Peter Mansbridge, prend l'initiative de dire en ondes qu'il s'attend à ce que le NON, qui vient de passer devant le OUI, conserve sa première place. À 21 h 33, le dollar canadien cote à 74,85 cents américains.

À la fin de la soirée, la Banque du Canada ne juge pas à propos d'augmenter les marges de crédit qu'elle accorde aux banques commerciales et chacun rentre à la maison, vers 23 heures. D'ailleurs, le ministre des Finances lui-même n'a, en aucun temps, cédé à la panique puisqu'il n'a pas cru bon, avant le référendum, d'augmenter les réserves de la Banque du Canada, qui sont alors de l'ordre de 16 milliards de dollars américains. Selon des analystes de la Banque, s'il n'y avait pas eu dans les coffres les réserves et liquidités nécessaires pour empêcher le dollar de plonger dramatiquement, ce n'est pas le plan « O » de Jean Campeau qui aurait pu éviter la catastrophe. Selon eux, le projet de Campeau avait moins pour objectif de soutenir le dollar canadien que d'éviter que le Québec ait à aller sur les marchés internationaux[13].

Les partisans de Mario Dumont ne sont pas au Palais des congrès, mais à l'hôtel Delta, et c'est là que, peu après 22 heures, leur chef leur adresse la parole. « Ce soir, leur dit-il, le Canada n'existe que sur papier. Le monde entier voit que l'un des deux peuples fondateurs du Canada n'en fait pas partie. Le Québec ne fait pas vraiment partie du Canada quand près d'un Québécois sur deux dit OUI à un mandat de souveraineté et quand le OUI l'emporte dans la grande majorité des régions. Si j'étais dans l'autre camp, j'hésiterais, par sagesse, à célébrer le résultat. » Il prend ensuite la direction du Palais des congrès, où il se rend directement à la suite de Lucien Bouchard, en compagnie de quelques collaborateurs, dont André Néron, son chef de cabinet, qui pleure sur les résultats.

La victoire du NON est maintenant connue et la salle est toujours bondée de partisans du OUI qui attendent leurs chefs. Mario Dumont, qui, selon Jean-François Lisée, ne devait prendre la parole qu'à l'hôtel Delta, veut aussi s'adresser aux partisans du OUI assemblés au Palais des congrès. Puisque la réunion qui était prévue à 17 heures n'a pas eu lieu, chacun des chefs attend un signe de l'autre, dans un climat d'improvisation que les entourages tentent de gérer. Il y a eu des échanges téléphoniques dans le courant de la soirée, mais, depuis la confirmation de la victoire du NON, tout le monde est en attente de la réaction de Jacques Parizeau.

Las d'attendre, Lucien Bouchard dit alors à son entourage : « Écoutez, moi, je descends. On ne peut pas laisser les gens attendre comme ça dans la salle. Il faut aller les rencontrer, il faut leur parler. » Il prend l'ascenseur qui, trois étages plus bas, va le déposer derrière la scène. Mario Dumont est avec lui ainsi que leurs collaborateurs. Quelqu'un, possiblement un garde du corps, s'approche alors de Bouchard et lui dit : « M. Parizeau veut vous voir en haut. » Bouchard répond : « Écoutez, les gens nous attendent. Je suis rendu pour prendre la parole », et il poursuit sa marche vers l'estrade. Une autre personne arrive alors avec un téléphone cellulaire. Tout juste avant que Bouchard ne franchisse le rideau, les deux hommes se parlent enfin. Bouchard indique à Parizeau les grandes lignes de son discours. Parizeau répond : « Oui, c'est très bien. Moi, j'irai plus loin (un peu plus loin, selon Royer, beaucoup plus loin, selon Lisée)! » Il est près de 23 heures.

Mais Parizeau est toujours dans sa suite. À cause de la couverture des médias, et surtout de la télévision, il veut parler après Daniel Johnson, qui se trouve au Metropolis. La discussion se poursuit et le temps passe. Finalement, Jean Royer intervient : « Si vous voulez être écouté, dit-il à Parizeau, il faut parler maintenant, après MM. Bouchard et Dumont. »

Depuis quelque temps, Jean-François Lisée tente de mettre quelques idées ensemble dans un projet de discours rassembleur. Mais, quand il entend son chef dire à Lucien Bouchard qu'il ira « plus loin », il est perplexe. Ce qu'il croit alors, c'est que Parizeau va dénoncer les médias, comme il l'a fait devant son entourage pendant la campagne référendaire. Mais, pour lui, c'est un dossier gérable. Parizeau prend finalement l'ascenseur pendant que Lisée complète la rédaction du discours qu'il lui remettra, quelques minutes plus tard, derrière la scène, pendant que Dumont et Bouchard termineront le leur.

L'un et l'autre tiennent un discours d'apaisement et de solidarité. Les deux évoquent le souvenir de René Lévesque. « Ce n'est pas moi qui vous dirai ce soir : "À la prochaine", dit Mario Dumont. L'auteur de ces paroles que je sens très présent, ce soir, est beaucoup trop grand pour qu'on prétende lui emprunter le verbe. »

« La démocratie est le fondement de tout et, depuis le début, René Lévesque a fondé son combat sur le respect des valeurs et de la règle démocratique, déclare Lucien Bouchard. Gardons l'espoir, car la prochaine fois sera la bonne. »

Une fois son discours terminé, sur les conseils de son organisateur en chef, Bouchard quitte immédiatement l'estrade. « Nous avons vu arriver M. Parizeau, explique Bob Dufour aujourd'hui. On sait quelle sorte d'homme politique il est. Il le dit lui-même : il est *politically uncorrect*, et il dit tout le temps ce qu'il pense. Nous n'avions aucune idée de ce qu'il allait dire. » Dans l'ignorance de ce que sera le discours de Parizeau, il n'est pas question que l'entourage de Bouchard laisse leur chef à ses côtés, sur l'estrade. Bouchard s'engage derrière le rideau de scène. Il échange un mot ou deux avec Parizeau et les deux hommes se donnent la main. « Il y a de la tristesse entre les deux, se souvient Lisée. Il y a un peu de complicité dans l'échec. » Bouchard remonte à sa suite, toujours accompagné de Dumont.

Pendant le discours de Mario Dumont, Jean-François Lisée derrière le rideau tente de dérider l'atmosphère : « M. Dumont parle de souveraineté encore ce soir, c'est une bonne chose », dit-il. Parizeau ne réagit pas. Le discours, au cas où le OUI l'aurait emporté, était prêt depuis longtemps : il commence par « Le Québec est debout ! » Mais, avant ce soir, rien n'a été prévu en cas de défaite. Lisée a rédigé à la hâte un discours à partir de conversations qu'il a eues avec son chef les jours précédents, « un discours positif de deux ou trois pages », se souvient le conseiller politique. Il le tend au premier ministre. « M. Parizeau prend mes feuilles, se souvient-il, les déplie, les lit, les replie, les met dans sa poche, et ne dit rien. Alors là, je ne suis pas certain qu'il va lire ça ! » Pendant que Parizeau monte sur l'estrade, Lisée va rejoindre un groupe de conseillers dans la salle.

Il est 23 h 15 lorsque Parizeau s'approche du micro. Le discours que Lisée a préparé reste dans sa poche. Il parle sans texte. « C'est raté, mais pas de beaucoup, dit-il, dès le début. Puis, c'est réussi sur un plan. Si vous voulez, on va cesser de parler des francophones du Québec, voulez-vous ? On va parler de nous, à 60 %, on a voté pour. On s'est bien battus et, nous, on a réussi à indiquer clairement ce qu'on voulait. On a raté, par une petite marge, quelques dizaines de milliers de voix. Bon, dans un cas comme ça, qu'est-ce qu'on fait ? On se crache dans les mains et on recommence. C'est vrai qu'on a été battus, au fond par quoi ? Par l'argent, puis des votes ethniques, essentiellement. Alors, ça veut dire que, la prochaine fois, au lieu d'être 60 ou 61 % à voter OUI, on sera 63 ou 64 %, et ça suffira. »

Jean-François Lisée s'entretient à ce moment-là avec des gens, dans l'enclos qui est réservé à l'avant de la salle aux collaborateurs des chefs du OUI. « Et, là, j'entends M. Parizeau dire des choses que je n'ai pas écrites, deux phrases terribles, rappelle Lisée. Ça faisait un an et demi qu'on tenait un discours rassembleur, et, là, il nous fait revenir des années en arrière en une seule phrase. » Marie-Josée Gagnon, l'attachée de presse de Parizeau, regarde Lisée. Les deux sont effarés : qu'est-ce qu'il vient de dire ? Au même moment, Lisée croise David Payne, le seul député anglophone du Parti québécois à l'Assemblée nationale[14]. « Je suis tellement désolé », lui dit-il. Une journaliste apostrophe Lisée : « As-tu écrit ce discours-là ? », lui demande-t-elle. « Es-tu folle ? », lui répond-il, au moment où Isabelle, la fille de Jacques Parizeau, lui demande : « Qu'est-ce que tu en penses ? » « Il vient de se suicider », dit le conseiller politique.

Parizeau a fini son discours et s'en va. Lisée décide de ne pas le suivre, déçu que son chef soit venu, si rapidement, démolir la fierté et l'enthousiasme que les discours de Dumont et Bouchard avaient recréés dans la salle. Il va chercher son manteau, prêt à partir, mais se trouve face à face avec Parizeau, qui lui dit : « Alors, M. Lisée, trop raide ? » « Si vous aviez peur d'être insulté, lui répond son conseiller politique, là, vous allez l'être ! Vous avez raté votre sortie. » Parizeau ne dit rien, se retourne et chacun part de son côté.

Jean Royer a déjà quitté le Palais des congrès. Il a décidé de se rendre chez l'avocat Yvon Martineau, l'ami de Jacques Parizeau, son conseiller juridique, que le premier ministre a nommé à la présidence d'Hydro-Québec. Il a promis qu'il y serait et c'est un engagement qu'il entend respecter, en compagnie de sa conjointe. « Victoire ou défaite, cela n'aurait pas changé ma fin de soirée, dit-il. Gagne ou perd, le lendemain, nous avions une journée au bureau et je la savais chargée. »

Il est cependant bouleversé de regrets de ne pas avoir pris un moment, lorsque Parizeau est arrivé au Palais des congrès, pour évoquer avec lui les grandes lignes de son discours, quel que soit le résultat de la soirée. « Est-ce que cela aurait changé quelque chose, je ne peux pas le dire, conclut-il aujourd'hui, mais j'aurais dû le faire. » Que pense-t-il de son chef, à ce moment-là ? Royer a été, depuis le début, un collaborateur indéfectible de Jacques Parizeau. Ce n'est pas maintenant qu'il va manquer à cette loyauté. « M. Parizeau, moi, je l'ai conseillé, dit-il. Aujourd'hui, je ne suis pas son juge. Ce n'est pas moi qui vais commencer à dire, maintenant que j'en suis sorti, si c'était un bon discours ou un mauvais discours. Mes impressions, je les garde pour moi. » Mais, le lendemain, il les fera connaître clairement à son chef.

Dans sa suite, Lucien Bouchard s'entretient avec quelqu'un pendant le discours de Parizeau. Chacun tient son manteau à la main, prêt à partir. « Les deux genoux m'ont plié », dit Bob Dufour, qui se tourne vers Bouchard. « Qu'est-ce qu'il a dit ? », lui demande le chef. Dufour lui résume les propos de Parizeau. Bouchard est étonné. « Il a vraiment dit ça ? », demande-t-il. « Oui », lui répond l'organisateur en chef. « On a senti un murmure dans la salle, se souvient aujourd'hui Dufour. Nous, on s'est dit : on a un problème pour demain. Comment va-t-il expliquer ça ? » Sur le coup, Mario Dumont, qui est aux côtés de Bouchard, ne saisit pas très bien la portée de ce que vient de dire Jacques Parizeau. « Tu comprends qu'il y a une fausse note, qu'il y a quelque chose qui ne marche pas, dit-il. Puis, tu te rends compte que ça va être rapporté par la presse internationale et tu vois les conséquences. Un discours horrible pour le peuple qui aurait pu bénéficier d'un exercice capable de générer des bénéfices en termes de changements dans le système canadien. On a gaspillé ça ! » Lucien Bouchard enfile lentement son manteau, quitte le Palais des congrès et s'engouffre dans sa voiture. Il retourne immédiatement à Ottawa pour être à la Chambre des communes, dès le lendemain, et préparer une réunion de son caucus, prévue pour le mercredi soir. Il est, à ce moment-là, loin de se douter de ce que prépare Parizeau.

Dix ans après, lorsqu'il revient sur son discours de la soirée référendaire, Jacques Parizeau reconnaît qu'il était furieux.

« Probablement contre le monde entier et contre moi-même, dit-il. Si c'était à refaire ? Je ferais fondamentalement le même genre de déclaration, mais pas dans les mêmes mots. Je parlerais aussi de la région de Québec... Et puis, je n'ai jamais vu cela en politique, des bureaux de scrutin, comme dans d'Arcy McGee, où il y a 0 OUI ! Est-ce que quelqu'un d'autre a déjà vu cela dans un scrutin : 0 OUI ? Quand, dans des communautés culturelles tout à fait connues, vous avez 234 votes NON, 0 OUI, on ne peut pas parler de polarisation des votes ? On ne peut pas dire : écoutez, c'est pas normal comme situation ? »

Jacques Parizeau a à peine prononcé ses derniers mots, que Liza Frulla les dénonce sur la scène du Métropolis. Il est alors 23 h 25 et Daniel Johnson s'amène à ses côtés, en compagnie de sa femme, Suzanne Marcil. Lorsque le chef du camp du NON prend enfin la parole, il ne reste que quelques centaines des mille personnes qui s'étaient rassemblées au Metropolis. Il prononce un discours rassembleur. S'adressant à « tous les Québécois », il déclare que, « dans un résultat aussi serré que celui que nous avons connu ce soir, il est important d'assurer rapidement la réconciliation de tous nos concitoyens et concitoyennes avec ce résultat démocratique et légitime. » Il affirme que le vote est un vote pour le changement. « D'autres changements dans les mois et les années qui viennent, dit-il. Des changements d'ordre constitutionnel et administratif, de nos institutions, de la façon dont les pouvoirs sont exercés au Canada. » Il ne relève cependant pas les paroles que Jacques Parizeau a prononcées, une demi-heure plus tôt. « Je fignolais mes notes de discours, dit-il aujourd'hui. Mais, quand j'ai vraiment pris connaissance de ce qu'il a dit, j'étais un peu renversé, c'est le moins qu'on puisse dire. Il a manqué une bonne occasion de dire les choses autrement. »

Jean Chrétien a quitté le 24 Sussex, quelques minutes avant 11 heures, pour son bureau du parlement d'où il s'adressera à la nation. C'est à son bureau qu'il entend les propos de Jacques Parizeau. Il n'en parlera pas dans son discours, mais ce n'est ni par mansuétude ni par respect pour l'adversaire vaincu. « Nous n'avons pas eu le temps de nous ajuster, dit Eddie Goldenberg. Après coup, j'aimerais que nous ayons eu le temps de nous ajuster[15]. »

C'est cependant une main tendue que le premier ministre du Canada présente à Jacques Parizeau. « Ce soir, dit-il, je demande au premier ministre du Québec de joindre les efforts de son gouvernement à ceux du gouvernement du Canada pour répondre, ensemble, aux besoins réels et pressants des citoyens du Québec. C'est à nous, à Ottawa et à Québec, que revient la responsabilité de répondre à leurs attentes. M. le premier ministre du Québec, je vous tends la main. Travaillons ensemble pour apporter les changements nécessaires pour garder notre pays uni. En particulier, cela comprend la reconnaissance du caractère distinct de la société québécoise. »

Durant toute sa vie politique, Jean Chrétien a toujours, les jours d'élections, préparé deux discours : l'un en cas de victoire, l'autre en cas de défaite. « J'ai vu des politiciens qui n'avaient pas bien réagi dans la défaite et qui n'ont jamais pu revenir, dit-il. Quand vous êtes sûr de gagner, vous êtes extrêmement généreux dans votre discours de la défaite. Mais, ce jour-là, c'était plus sérieux, c'était plus corsé. »

À sa sortie du parlement, des jeunes, musclés, le soulèvent dans leurs bras. « C'était agréable, dit-il. C'était le *fun*. » Lorsque Goldenberg le ramène à sa résidence, Jean Chrétien dit à son conseiller : « J'ai aimé mieux prononcer ce discours que l'autre (le discours de la défaite) que vous aviez préparé pour moi ! »

Le discours de Jean Chrétien a tassé celui de Jean Charest, un partenaire dans le camp du NON, mais un adversaire à la Chambre des communes. Il était minuit moins cinq lorsque le chef du Parti conservateur s'est présenté au micro du Metropolis devant une salle de plus en plus vide, mais devant un auditoire encore important à la télévision. Une minute vingt plus tard, il disparaissait de l'écran pour faire place au premier ministre du Canada. « M. Charest et moi, nous nous sommes posé la question plusieurs fois : était-ce un geste délibéré de sa part ? raconte aujourd'hui le sénateur Pierre-Claude Nolin. Je crois, personnellement, qu'il s'agissait d'un geste délibéré. Chrétien a devant lui un écran de télévision. Il voit M. Charest qui vient de commencer à parler. Le Canada entier était rivé aux écrans de télévision. Je ne pense pas que c'est un réalisateur, à Ottawa, qui a décidé que c'est à ce moment-là que M. Chrétien parlerait. Je pense que c'est

M. Chrétien qui a décidé... » Aussitôt la coalition pour le NON dissoute, la politique partisane reprend le dessus.

Le caractère émotif de la campagne référendaire pouvait laisser croire à des débordements, le jour du scrutin. Mais la journée se déroule dans le calme. Depuis le matin, la police de Montréal est sur les dents et elle se sent prête à éviter la répétition des événements de 1980. Lors du premier référendum, après l'annonce de la victoire du NON, une petite foule s'était rassemblée au centre Paul-Sauvé, puis avait pris la direction de l'ouest de la ville. Pendant la marche, elle avait fait boule de neige, de sorte qu'elle comptait plusieurs milliers de personnes lorsqu'elle a atteint les rues Crescent et Stanley, dans l'ouest de la ville. Les échauffourées avec les anglophones qui sortaient des bars étaient devenues inévitables. Des vitrines ont été fracassées. Et, finalement, les policiers sont parvenus à faire grimper les manifestants vers le Mont-Royal où, épuisés, ils se sont calmés. En 1995, la direction de la police a retenu la leçon.

D'ailleurs, dès l'émission des brefs référendaires, le 2 octobre, le directeur général des élections a envoyé un avis au directeur des mesures d'urgence de la Sûreté du Québec et à tous les directeurs des corps policiers municipaux de la province, leur rappelant notamment les dispositions les plus importantes de la version spéciale de la Loi électorale pour la tenue d'un référendum, et leur enjoignant de respecter impérieusement les lignes de communication établies par son bureau avec la Direction des mesures d'urgence de la Sûreté. Aussi, dès le matin du jour du scrutin, la police de la Communauté urbaine de Montréal a déployé quelque 400 à 500 policiers spéciaux, certains en civil, sur l'ensemble du territoire, prêts à donner un coup de main aux agents des 23 postes de police dont la consigne est de donner priorité à tout incident se rapportant au scrutin. Un seul a nécessité l'intervention rapide de l'escouade antiémeute : à compter de 21 h 45, des partisans du OUI sont venus narguer ceux du NON devant le Metropolis. Les deux groupes se sont toisés à quelques reprises, obligeant, chaque fois, la police à intervenir. Sans que la situation dégénère en incident majeur.

Il est presque minuit lorsque Jacques Parizeau et sa femme quittent le Palais des congrès et rentrent à leur hôtel, la mort dans l'âme, mais sans regret. Devant le Ritz Carlton, quelques souverainistes agitent des drapeaux du Québec, mais Parizeau ne les voit pas. À l'intérieur, des anglophones font la fête. Le couple monte à sa chambre, échangeant sur les propos que le premier ministre a tenus, sur le vote des communautés culturelles et sur le « nous » que son vice-premier ministre Bernard Landry va lui reprocher amèrement, lui trouvant un caractère trop exclusif.

Aujourd'hui, lorsqu'il revient sur le « nous », Parizeau entretient la même réflexion. « Il y a 83 % de francophones au Québec et on ne peut pas dire "nous"? dit-il. De toutes origines, pas seulement de souche. Il faut ajouter : Québécois francophones, anglophones, allophones... C'est ridicule. Savez-vous quelle est la proportion de gens, en Ontario, qui parlent anglais à la maison? La même proportion : 83 %. Pourtant, quand on parle d'un Ontarien, on n'a jamais besoin de dire : francophone, allophone... On est Ontarien. Mais, au Québec, quand on parle de cette population immensément majoritaire francophone et qu'on dit « nous », tout le monde, dans certains milieux, dit : vous nous excluez parce que nous sommes anglophones. » Seul avec sa femme, dans sa chambre d'hôtel, Jacques Parizeau ne regrette rien et il s'apprête à annoncer une décision qui va changer radicalement sa vie et celle de l'ensemble du Québec. Dès demain, il démissionne. Il aurait pu le faire le soir même, mais Lisette Lapointe l'en a dissuadé. « Attends à demain, m'a-t-elle dit, à cause de la situation dans la rue, rappelle Parizeau. Et elle a eu raison. C'était sage. »

Au même moment, une auto roule dans la nuit, en direction d'Ottawa. À un moment, toujours en territoire québécois, elle s'immobilise sur le bord de la route et Brian Tobin et les membres de son personnel en sortent. « Regardez le ciel, leur dit Tobin. La nuit est belle. Vous pouvez voir chaque étoile dans la constellation. Voyez. Nous sommes encore au Canada, les étoiles sont alignées comme elles l'ont toujours été, nous sommes encore un seul pays. Dans quelques années, personne ne se souviendra si nous avons gagné par 1 % ou par 20 %. Ils se souviendront qu'il y a eu un référendum et que le Canada est encore ensemble[15]. »

Il y avait 5 087 009 personnes habilitées à voter ; 4 757 509 d'entre elles, soit 93,52 %, se sont prévalues de leur droit de vote. Le NON a récolté 50,58 % de ces votes, contre 49,42 % pour le OUI. Sa majorité est donc inférieure à 1,2 %. Il eût suffi que 27 145 de plus votent en faveur du OUI et la suite des choses aurait été bien différente. Des 14 800 Québécois, qui sont en dehors du Québec au moment du référendum et qui se sont inscrits sur la liste électorale, 9 000 ont voté. De justesse dans certains cas, car, le vendredi précédant le référendum, les sacs postaux se sont accumulés à Postes Canada. Les bureaux étaient fermés. Afin de pouvoir procéder au décompte de ces votes, le directeur général des élections, Pierre-F. Côté, a dû assumer le coût des heures supplémentaires des employés de Postes Canada. « Cela m'importait peu d'imaginer pour qui ils pouvaient voter, dit Côté. C'était l'exercice du droit de vote qui était en cause. » Il ne fait de doute dans l'esprit de personne que la majorité de ces votes de Québécois hors Québec sont allés au NON. Tout comme les votes des nouveaux citoyens canadiens, accueillis à la vapeur dans les semaines qui ont précédé le référendum[16]. Tout au long du référendum, le camp du OUI a dénoncé ce qu'il considère comme des irrégularités flagrantes de la part de la partie adverse et la distribution massive de certificats de ci-toyenneté a constitué l'un de ses griefs majeurs[17]. Le directeur général des élections croit que « le ministère de l'Immigration a fait venir des juges de la citoyenneté des autres provinces pour accélérer le proces-sus. » « Il y a sûrement plusieurs milliers de personnes qui sont deve-nues citoyennes canadiennes, donc aptes à voter », ajoute Côté.

De leur côté, c'est à travers le prisme de leur allégeance que les politiciens tentent d'identifier le facteur déterminant qui explique le résultat du vote. « La dernière semaine, surtout le grand rassemble-ment de la place du Canada », disent certains tenants du NON comme John Parisella. « Les fonctionnaires fédéraux », selon d'autres, qui trouvent significatif que les circonscriptions de Hull et de Gatineau aient voté à 70 % pour le NON. La plupart des stratèges du OUI poin-tent la région de Québec comme la grande responsable de l'échec de l'option souverainiste. Jacques Parizeau reconnaît que son projet d'in-tégrer les fonctionnaires fédéraux à la fonction publique québécoise n'était pas une idée brillante et qu'il a pu engendrer une crainte chez les employés de l'État québécois. Mais il ajoute une autre raison, peut-être pas étrangère à la précédente. Il rappelle aujourd'hui un sondage thématique qu'a fait la firme Léger et Léger après le référendum. « Ils avaient divisé le Québec en quatorze régions, dit-il. Le mot "changement" évoquait quelque chose de favorable dans toutes les régions, sauf à Québec. À Québec, le mot "changement" était péjoratif. Québec, c'est une ville très, très, très conservatrice. »

Il y a un consensus chez certains universitaires qui se sont penchés sur les résultats : le vote au référendum a été un vote essentiellement linguistique. « La plupart des analystes estiment que moins de 5 % des anglophones et allophones ont appuyé le OUI, écrivent les politologues Denis Monière et Jean-H. Guay dans leur ouvrage sur le référendum. Chez les francophones, cet appui serait de 60 %, ce qui implique qu'à peu près un million et demi de francophones ont voté pour le NON. Mais il n'y a aucun doute à avoir : le clivage linguistique s'avère être le plus imposant et le plus décisif[18]. » Thèse confirmée par le professeur Pierre Drouilly de l'Université du Québec à Montréal. Selon lui, 80 circonscriptions ont voté majoritairement OUI et seulement 45 ont voté NON : ce déséquilibre reflète celui de la répartition géographique des électeurs selon leur langue maternelle. « Alors que presque toutes les régions du Québec ont appuyé le OUI, écrit-il, dans la région de Montréal, la tendance du vote épouse très exactement les frontières linguistiques. Le OUI a remporté 62 des 69 circonscriptions ayant plus de 90 % de francophones, 14 des 21 ayant entre 80 % et 90 % de francophones et seulement 4 des 35 ayant moins de 80 % de francophones. Le OUI a perdu toutes les 30 circonscriptions, sauf une (Mercier), ayant moins de 75 % de francophones[19]. »

La soirée est maintenant terminée. Plusieurs des dirigeants du camp du OUI se retrouvent chez Yvon Martineau. La discussion ne porte pas sur les explications du résultat, mais sur la déclaration de Parizeau. Bernard Landry, qui fait également partie des invités, ne décolère pas. Il demande à Jean Royer si la réunion du comité des priorités, prévue pour le lendemain, tient toujours. Il avait été question de la reporter, mais devant l'insistance du vice-premier ministre, Royer téléphone à Michel Carpentier, le secrétaire général de l'exécutif et, ensemble, ils fixent l'heure, 9 heures, une heure que Parizeau juge un peu trop tôt. « Le comité des priorités est convoqué par M. Landry qui s'excite, dit-il. Il trouve cela effrayant, épouvantable. Franchement, on aurait pu dormir une couple d'heures de plus. D'autant que la décision était prise, cela ne servait à rien de s'énerver. »

Lisette Lapointe fait une ultime tentative de convaincre son mari de ne pas démissionner tout de suite, de se donner un temps de réflexion, d'attendre quelques jours avant de faire connaître ses intentions. « Pendant cette nuit-là, dit-elle, c'est l'épouse, c'est la conseillère, c'est la militante, c'est la femme qui essayait de convaincre son chef de ne pas démissionner, compte tenu des résultats. »

La nuit est très courte, à peine quelques heures. À 7 h 30, le lendemain matin, le téléphone sonne. C'est Bernard Landry. « Un appel très, très, très arrogant, dit Lapointe. Le ton était dur. On sentait que la journée allait être bien pénible. » « Est-ce que vous allez annoncer votre démission ? demande Landry à son premier ministre. Si vous ne l'annoncez pas, moi, je la demande, votre démission. » « C'est un moment vraiment pénible, terrible, ajoute Lapointe. Parce que Jacques Parizeau est déjà par terre. Il a déjà confirmé à M. Landry dans une réunion précédente, une réunion d'un comité de stratégie, qu'il démissionnerait s'il perdait. Alors, ce matin-là, que ce soit aussi brutal, cela a beaucoup affecté mon mari. »

Lorsque Parizeau arrive à son bureau, dans l'édifice d'Hydro-Québec, ses collaborateurs immédiats, Jean Royer, Jean-François Lisée, Michel Carpentier, Marie-Josée Gagnon, Éric Bédard et Serge Guérin sont déjà là. Royer est arrivé vers 7 heures, suivi de Carpentier et, peu de temps après, de Lisée. « Les trois, on n'a même pas à discuter, on est d'accord que, la meilleure chose pour M. Parizeau, pour le gouvernement, pour le parti, c'est d'annoncer qu'il va démissionner », rappelle Royer. Peu de temps après, la secrétaire de Parizeau vient les informer qu'il est arrivé. Royer s'entretient quelques instants avec Guérin, puis entre dans le bureau du premier ministre. « Qu'est-ce que vous en pensez ? » demande alors Jacques Parizeau à celui qui est, depuis des années, son plus loyal et plus fidèle conseiller. « Je crois que vous devriez démissionner », lui répond Royer. Parizeau acquiesce : « Je suis parfaitement de votre avis. Et voici ce que je pense être la meilleure façon de le faire. » Les deux hommes s'entendent rapidement sur la façon de faire les choses, puis, tout juste avant de se rendre à la réunion du comité des priorités, Parizeau dit à Royer : « Je ne veux pas, maintenant, leur dire que ma décision est prise. Je voudrais, dans un premier temps, les entendre sur ce sujet. Peut-être qu'ils vont m'indiquer des choses que nous n'avons pas vues. »

Pendant que Parizeau s'entretient avec son chef de cabinet, Guy Chevrette, qui fait partie du comité des priorités, croise Lisette Lapointe. Elle lui dit : « Il doit démissionner, il l'a annoncé dans une entrevue à Stéphan Bureau. » « Alors, nous, on ne sait pas ce qui va arriver », dit Chevrette, qui, en sa qualité de leader parlementaire, ne se sent pas très à l'aise dans ce climat d'incertitude, mais qui sait que, si ce que lui dit Lapointe est vrai, il aura rapidement des décisions à prendre.

Lorsque Parizeau entre dans la salle, les six membres du comité sont là : Louise Beaudoin, Jean Campeau, Guy Chevrette, Louise Harel, Bernard Landry et Pauline Marois. Il expose la situation rapidement et leur dit : « Je voudrais obtenir votre avis sur la question. » Bernard Landry est virulent : « C'est terrible, dit-il. Le monde entier va nous regarder et dire que c'est un nationalisme ethnique. On ne sera plus montrables ! Vous savez que l'on va traîner cela comme un boulet. Qu'avez-vous fait là[21] ? » Guy Chevrette, sur un ton beaucoup plus serein, réclame aussi la démission de son chef, mais, comme raison, il invoque, plus que les propos sur l'argent et les votes ethniques, le fait qu'il l'a déjà annoncée dans l'interview que TVA va diffuser et qu'il ne peut plus reculer. « On reconnaissait qu'il n'y avait pas d'autres possibilités, dit-il aujourd'hui. Il l'avait annoncée. De plus, il avait perdu sa crédibilité. Quand il se serait levé en Chambre, quand il aurait prononcé un discours comme premier ministre, cela aurait été invivable. Et, moi, comme leader parlementaire, j'étais convaincu qu'il ne pourrait plus revenir sur l'annonce qu'il avait faite, une annonce prématurée, de mon point de vue. » Le troisième homme dans le comité, Jean Campeau, ne sait rien des intentions de son chef. Il estime que Parizeau devrait demeurer à son poste à cause de la confiance qu'il inspire aux milieux financiers.

Les trois autres membres du comité sont des femmes (Jacques Parizeau avait tenu à ce qu'il y ait représentation égale au comité, qui est en quelque sorte, autour du premier ministre, le cœur de la gestion des affaires publiques). Deux d'entre elles, Pauline Marois et Louise Harel, croient qu'il ne doit pas partir. Louise Beaudoin, qui ignore tout des projets de son chef, demeure indécise, écoutant les arguments des uns et des autres.

Parizeau ne dit rien. Il écoute. Puis, il laisse tomber sa bombe : « J'annoncerai ma démission aujourd'hui même, cet après-midi! » Tous comprennent alors que sa décision était déjà prise et qu'il ne les a écoutés que pour connaître leurs sentiments à son égard. Certains sont furieux. D'autres pensent immédiatement au lendemain. « C'était un secret de Polichinelle que M. Landry aspirait à être chef depuis des années et des années, dit Guy Chevrette, et Mme Marois avait des velléités. Alors, moi, je me suis dit : "S'il part cet après-midi, qu'est-ce qui nous arrive demain ?" »

Au même moment, Jean Chrétien réunit son Conseil des ministres. Il veut connaître leur opinion sur la suite des choses. Puis, le lendemain, c'est un homme déterminé qui s'adresse aux nombreux partisans présents à un souper-bénéfice du Parti libéral, à Toronto. Il leur apprend que le Parlement va reconnaître la notion de société distincte pour le Québec et prendre l'engagement que la Constitution ne sera jamais changée sans le consentement du gouvernement du Québec. Mais il prévient les « leaders du mouvement séparatiste qu'un référendum, ce n'est pas un exercice qu'ils peuvent répéter sans arrêt jusqu'à temps de gagner. » « Ce pays a droit à la stabilité politique, dit-il. En tant que premier ministre du Canada, je ferai en sorte que nous ayons cette stabilité. C'est mon devoir, ma responsabilité constitutionnelle[22]. » Et il prend l'engagement de faire « ce qui est nécessaire pour garder ce pays uni[23] ».

Déjà, on sait qu'il n'aurait pas reconnu la victoire du OUI comme le premier pas du Québec vers son indépendance. Il n'accepte tout simplement pas la séparation de sa province d'origine : « Le problème, dit-il, c'est d'avoir des gens de différentes origines dans un pays, mais ça existe partout. En Grande-Bretagne, il y a les Écossais, les Gallois, les Irlandais du Nord; en France, il y a les Basques, les

Bretons. L'Allemagne a été divisée par les religions, mais la langue l'a unifiée. Les pays nordiques vivaient ensemble, ils ne le sont plus. Vous avez le même problème en Espagne. Tous les pays ont ce problème-là. Boutros Boutros-Ghali disait : "Si nous laissons ces choses arriver, dans combien de pays sera partagée l'Inde, selon la langue, les religions, les régions? Nous aurons 700, 800 pays dans le monde[24]." »

Il est passé 17 heures lorsque Jacques Parizeau se présente au salon rouge de l'Assemblée nationale, en compagnie de sa femme. Devant une quarantaine de drapeaux du Québec, il parle du « pari fou » qu'il a fait sept ans plus tôt et qu'il vient de perdre. Il ne s'excuse pas pour ses propos de la veille, mais dit simplement qu'il aurait pu formuler sa déception « en des termes qui auraient pu être beaucoup mieux choisis ». Puis, il laisse tomber : « J'annonce aujourd'hui qu'à la fin de la session parlementaire de l'automne, je libérerai les postes de premier ministre, de président du Parti québécois et de député de l'Assomption que les Québécoises et Québécois m'ont fait l'honneur de me confier. » Il ne s'est pas trompé dans sa décision. Les Québécois lui donnent raison : dans le premier sondage à paraître après le référendum, 67 % d'entre eux croient qu'il a bien fait d'abandonner ses fonctions[25].

En soirée, Guy Chevrette prend l'avion pour Ottawa. « Si tu es intéressé à venir, il faut que tu viennes vite », dit-il à Lucien Bouchard[26]. Nous sommes au gouvernement. On ne peut pas se chicaner pendant des mois, alors qu'on a la responsabilité de l'État. Si tu as un geste à faire, il faut que tu l'annonces vite pour que le parti n'enclenche pas inutilement une course au leadership. » « Je vais y réfléchir, répond le chef du Bloc, et je vais me prononcer très vite. » Il n'est pas totalement pris par surprise : dans la journée, avant même l'annonce officielle de la démission de Parizeau, des ministres, soucieux de conserver leur poste dans un éventuel gouvernement Bouchard, l'ont déjà contacté. Son départ d'Ottawa signifierait qu'avec un député en moins, le Bloc pourrait perdre son titre d'opposition officielle de Sa Majesté, mais qu'importe. Lucien Bouchard est prêt. Les Québécois l'attendent. Jacques Parizeau, le 26e premier ministre du Québec, continuera d'occuper son poste jusqu'à l'assermentation de son successeur, le 29 janvier 1996.

CHAPITRE 1

1. « I'll never forget it. The only comparable experience that I can think of is the birth of our first child and being there with my wife through that whole process. It's a strange analogy but it was absolutely intense. I found myself glued to this little bar graph, and a slave to this electronic measurement of how the campaign was going. And it was awful close, terribly close. »

2. RENÉ LÉVESQUE, *Attendez que je me rappelle...* Montréal, Québec/Amérique, 1986, p. 404.

3. JEAN CHRÉTIEN, *Dans la fosse aux lions*, Montréal, Les Éditions de l'Homme, 1985, p. 143.

4. « Ce que René Lévesque avait dit, c'est que Pierre Elliott Trudeau ne pouvait être vraiment considéré comme un Québécois puisqu'il y a en lui un côté francophone, celui de son père, et un côté anglophone, celui de sa mère, et qu'il a adopté plus volontiers le côté de sa mère. » LISE BISSONNETTE, « Le pacte des coups bas », *Le Devoir*, 14 mai 1980. « Mr. Trudeau's middle name « Elliott » is significant because it shows he is partly anglophone. He decided to follow the anglo-saxon part of his heritage, Mr. Lévesque said, implying that Mr. Trudeau is not a true Quebecker. » *The Globe and Mail*, 12 mai 1980.

5. « I was 25 years old in 1980. Walking cross Parliament Hill with a friend of mine from Newfoundland who was visiting me in Ottawa. It was a beautiful sunny day. We were walking down and a bus pulled over. In the windows of the bus, a number Quebec MPs who I knew were yelling : Brian, come on, get on the bus. We're going to Montreal to hear Trudeau speak. I must confess there was a nip or two of cognac on the bus. Off we went to Montreal. I think Trudeau's speech was a turning point in that referendum. (...) The strategy was driven very much from centre by Mr. Trudeau and by his closest confidents, people like Jean Chrétien and Marc Lalonde. »

6. « (Jean Chrétien) felt that Mr. Trudeau had created expectations in 1980, whether they were expectations that were realistic, whether the expectations were what he actually intended to do or how they were interpreted was irrelevant. But over a period of time there was a perception that he didn't deliver. »

7. Lettre de Roy Romanow à Claude Morin, ministre des Affaires intergouvernementales du Québec au moment de la conférence de novembre, datée du 9 mars 1982.

8. Lettre de René Lévesque à Peter Lougheed, datée du 5 mai 1982.

9. Interview accordée au journaliste Terence McKenna et diffusée à *The Journal* de la CBC, le 17 novembre 1991.

10. RENÉ LÉVESQUE, *Op.cit.*, p. 452.

11. Dans une interview à Michel David, du *Soleil* de Québec. Propos publiés le 30 octobre 1987.

12. Propos cités dans un texte de PIERRE O'NEILL, *Le Devoir*, 31 octobre 1987.

13. L'essentiel des événements entourant la charge de Gérald Godin et la mort de Lévesque est inspiré de PIERRE DUCHESNE, *Jacques Parizeau. Le Régent*, Montréal, Québec/Amérique, 2004, p. 57-67.

14. *La Presse* et le *Toronto Star*, le 27 mai 1987.

15. « Richard Hatfield had a chance to put it through the House. And it, in my view, we probably would have supported that if such a vote had been held. »

16. « The approach that we took was not to rip Meech but to try to introduce new reforms, protection of the Charter of Rights, sacred to Canadians, protection of francophones outside of Quebec and, very important, aboriginal community recognitions, Senate reform. »

17. « There's nobody in western Canada who does not recognize Quebec as a distinct society. The frustration that we felt was that this would be something enshrined in the constitution. »

18. « The West had been talking about Senate reform, which can require a constitutionnal change. It never got anywhere on the Mulroney agenda. But Quebec's desire for recognition of distinc society went from zero to the top of the pile in a short period of time. This is what people would say : the constitutionnal concerns of one part of the country that's got 75 seats go sky-high. The constitutionnal concerns of another part of the country that has more than 75 seats don't even get on the radar screen. »

19. « When Reform started, there was the ingredients for a full-blown secession crisis in the West in the '80s. »

20. « I thought that what was being proposed was modest and was rational and was fair and reasonable. And I still believe that. »

21. LUCIEN BOUCHARD, *À visage découvert*, Montréal, Les Éditions du Boréal, 2001, p. 321.

22. Les autres sont Louis Plamondon, Gilbert Chartrand, Benoît Tremblay, Nic Leblanc et le libéral Gilles Rocheleau.

23. La commission Bélanger-Campeau sur l'avenir constitutionnel du Québec est formée de 36 membres : 9 libéraux, 6 péquistes, 1 député du Parti Égalité et des représentants de divers milieux, associations patronales, syndicats, Union des municipalités, etc. Le secrétariat de la commission est dirigé par un économiste respecté de tous, Henri-Paul Rousseau, aujourd'hui président de la Caisse de dépôt et placement du Québec. L'un des présidents de la commission, Jean Campeau, a une licence en sciences commerciales. Il a été courtier en valeurs mobilières, sous-ministre adjoint au ministère des Finances du Québec, président et directeur général de la Caisse de dépôt et placement du Québec, président du conseil d'administration de la Domtar et membre de nombreux conseils d'administration. Il a aussi été ministre des Finances et des Transports dans le gouvernement Parizeau. L'autre président est Michel Bélanger qui a d'abord fait carrière dans la fonction publique fédérale avant de devenir conseiller de René Lévesque au ministère des Ressources hydrauliques. Il a été l'un des pivots de la Révolution tranquille et est considéré comme l'un des grands responsables de la modernisation de l'économie québécoise. Il est devenu le premier président de la Banque Nationale lorsque celle-ci a été créée en 1979. Il a pris une part active en faveur du NON lors du référendum de 1995.

24. « He did used to say : We've got to put something in the window. We've got to put a Cadillac in the window. We've got to show them that there's something there. » Bob Rae est diplômé en droit et fut boursier de la Fondation Cecil Rhodes. Il a été premier ministre de l'Ontario de 1990 à 1995. Il représentait sa province à la Conférence de Charlottetown.

25. Le rapport Allaire a été déposé au comité exécutif du Parti libéral, fin janvier 1991. Il a été adopté en congrès en mars, puis rejeté au congrès de l'année suivante, ce qui provoqua le départ de Jean Allaire et de Mario Dumont, qui claqueront la porte du Parti libéral.

26. « It was not a beautiful Cadillac. It was not perfect. It was sort of half a camel, half a horse, but it was there. It was better than the alternative of breaking the country. »

27. PIERRE DUCHESNE, *Op.cit.*, p. 195.

28. Le Bloc remporte 54 sièges, tous du Québec, avec 49,5 % du vote. Le Parti réformiste compte deux députés de moins. Le Parti libéral fait élire 177 députés. Le Parti conservateur perd non seulement le pouvoir, mais tous ses députés, sauf deux. Jean Charest est l'un des deux. Quant au NPD, il doit se contenter de neuf sièges seulement.

29. « Mr. Chrétien had made it clear that the constitution was, on a priority liste of 100 priorities, was 101. One of the planks of the platform was no constitutional change. The Bloc was more of a problem because we had to deal with the prospect of another referendum in Quebec. But the Bloc would not have been satisfied with a constitutional change. »

30. « I don't know that there was ever such a bizarre occurrence in Canadian history, as to have a bunch of separatists serving as Her Majesty's loyal opposition. They're not keen on Her Majesty and they're not very loyal because they wanted to leave the country. »

31. « If anybody ever gets up in an audience and says to me : well, my vote doesn't count, I say : look, if the country had cracked up in 1995, one of the reasons would have been that the separatists have been given for two years a national platform by being the official opposition. If 150 or 160 people in Edmonton had voted differently, they could have made that difference. »

CHAPITRE 2

1. Jean-François Lisée a été journaliste, auteur de plusieurs ouvrages politiques et conseiller de deux premiers ministres, Jacques Parizeau et Lucien Bouchard. Au moment de l'interview, il était chercheur en politiques sociales et membre du Centre d'études sur les politiques et le développement social de Montréal.

2. « Our role was not to do anything in a positive sense but it was to avoid making mistakes that could be used against the federalists forces, against Mr. Johnson. There were weekly meetings for months before the election between myself and Jean Pelletier and John Parisella and Pierre Anctil in Mr. Johnson's office. To keep each other informed of our plans… »

3. LUCIEN BOUCHARD, Le Devoir, 25 février 1994.

4. « I saw Jean Chrétien for another long meeting, in the summer of 1994 (…) He was preoccupied with Quebec, but was curiously ambivalent about Johnson's re-election. "From one point of view, (he said), it would be better to deal with an unpopular Parizeau now than a popular Bouchard later on. We can beat Parizeau in a referendum. But, of course, I want Johnson to win." » BOB RAE, From Protest to Power, Toronto, Viking, 1996, coll. « Personal Reflections on a Life in Politics », p. 256.

5. « Well, if I wrote it down, it would have been something that he said. There's a side of Mr. Chrétien which says : If there's going to be a fight, let's have a fight. I certainly think he believed very strongly that he could beat Mr. Parizeau and that Mr. Bouchard was a much more clever, ambiguous, kind of ability to appeal to a whole sort of middle ground of Quebeckers. In that sense, it's better for face it with a guy like Parizeau than to face with Bouchard. »

6. PIERRE DUCHESNE, Op. cit., p. 299.

7. Les autres membres de la garde rapprochée de Parizeau sont Hubert Thibeault, un techno-crate averti des politiques gouvernementales et son conseiller principal ; Marie-Josée Gagnon, son attachée de presse ; Bernard Lauzon, un ancien élève de Parizeau et son conseil-ler en matière de finances publiques et de fiscalité ; Éric Bédard, un avocat, fils d'un ancien ministre péquiste et qui sera le bras droit de Jean Royer, et Yvon Martineau, très près de Parizeau, qui lui sert de conseiller juridique.

8. Alice Poznanska, la première épouse de Jacques Parizeau, est décédée d'un cancer le 30 sep-tembre 1990. Le chef du Parti québécois s'est remarié le 12 décembre 1992 à la mairie de Sainte-Agathe.

9. Le Réseau des Carrefours jeunesse-emploi a fait boule de neige. Il y en a aujourd'hui 106 au Québec.

10. La résidence était située au 1080 de l'avenue des Braves, dans la haute ville de Québec. Elle était la propriété d'une filiale de la Chambre de commerce.

11. « The Parti québécois will form the next government in Quebec, but its majority is less im-pressive than expected. [...] four-tenths of a percent separating the two major parties. [...] The Equality Party which ran 17 candidates, failed to take a single riding and will probably disappear. [...] In his victory speech, Jacques Parizeau began with a conciliatory tone [...] but he quickly moved on to the upcoming struggle ; recalling his hockey metaphor, he told voters that the "second period" is over and it is time to move on to the "third period", the sovereignty referendum. » Unclassified O 131555Z. Sep. 94. Fm Amconsul to Secstate WashDC Immediate 9441.

12. « We recognized that Mr. Parizeau, given his grudges, would put the country through yet another gut wrenching trial of its future. We were very mindful of the probability of a referendum campaign. And much was being done. You saw a lot more flags, you saw a lot more signage of federal government programs and expenditures ; the so-called sponsor-ship program... That was all about enhancing the federal government presence in the province of Quebec. » BRIAN TOBIN, Interview accordée à Radio-Canada, Montréal, le 1ᵉʳ décembre 2003.

13. Le Conseil pour l'unité canadienne n'a pas été créé en vue du référendum de 1995. À ses ori-gines, il s'appelle Comité Canada ; c'est en 1964, à l'époque ou le *Maîtres chez nous* du gou-vernement de Jean Lesage s'accompagne d'une volonté de réforme constitutionnelle. Le Rassemblement pour l'indépendance nationale (RIN) est de plus en plus actif et les revendi-cations du Québec, de plus en plus articulées. Malgré l'arrivée à ses côtés des Pierre Elliott Trudeau, Gérard Pelletier et Jean Marchand, Lester B. Pearson dirige, à Ottawa, un gouver-nement minoritaire et faible. Il craint la montée du séparatisme au Québec et met sur pied la Commission royale d'enquête sur le bilinguisme et le biculturalisme (Laurendeau-Dunton). Comité Canada va devenir le Conseil pour l'unité canadienne en 1975, pour projeter l'image d'un organisme permanent et avoir un nom qui correspond davantage à sa mission. Ses acti-vités vont prendre une tournure plus dynamique avec l'élection d'un gouvernement indépen-dantiste, en 1976, et iront s'intensifiant en vue du référendum de 1980. Sa position : l'avenir du Québec n'est pas une affaire à régler entre Québécois seulement, il s'agit d'une affaire qui concerne tous les Canadiens. Il sera l'un des acteurs importants dans la campagne préréféren-daire de 1995. Pendant trente ans, le Conseil pour l'unité canadienne a opéré sous l'étiquette d'« organisme de charité », mais en 1995, les deux ministères fédéral et québécois du Revenu ont mis fin aux privilèges rattachés à cette appellation dans le cas des activités d'Option Canada qui aurait, selon certaines informations (*Le Devoir*, 15 décembre 2004), dépensé

4,8 millions de dollars au service de l'unité canadienne pendant la campagne préréférendaire. Son directeur général, de 1969 à 1995, Jocelyn Beaudoin, a été nommé représentant du Québec à Toronto par le gouvernement Charest.

14. Pierre F. Côté, *Le Devoir*, 21 septembre 1995.

15. Jacques Parizeau, *La Presse*, 6 novembre 1994.

16. *La Presse*, 14 septembre 1994.

17. Benoît Durocher, *Le Devoir*, 8 décembre 1994.

18. Marc Desmeules, *La Presse*, le 8 décembre 1994.

19. « It was a very blunt meeting. Before the meeting, I'd spoken to Mr. Chrétien and also to Mr. Trudeau, because I wanted to get their advice [...]. I told them what I was going to say to him, and they said : that's fine with us. It was a very unfriendly meeting. There was nothing protocol about it. »

20. « When Mr. Parizeau came in, I started speaking to him in French. He stopped the conversation and he said, as only he can say : "My dear boy, I think we'd be much more comfortable if we both spoke in English." And he said this in this very english-english accent. I was quite taken aback. I made it clear to him that I thought the referendum should be held as soon as possible but the government of Ontario is not bound by a referendum in Quebec. He just said : "Well, I'll have the referendum when the government of Quebec thinks it's the appropriate time. And we'll have it with the appropriate question." Normally, when you go outside after one of these one-on-one meetings, you both stand before the cameras and the flags are behind you, you do your Mutt and Jeff Show, he says something, you laugh and you smile, and you pat each other in the back, and then go off. He said : "We'll both go outside and meet the media." I said : "No." I said : "I'm not meeting the medias with you. I'm not going to be part of your show, of a game at all. He was quite taken aback. »

21. « If Ontario politicians want to come make the case for unity in Quebec in the next campaign, if Mr. Preston Manning, Mr. Rae and Mr. Harris want to come, we will be friendly and polite. » *A Frank Talk between Neighbours about the Present and the Future*, Allocution de Jacques Parizeau devant le Canadian Club, Toronto, le 22 novembre 1994.

22. Gordon Thiessen, *La Presse*, 13 octobre 1994.

23. La Canadian Bond Rating Services (CBRS) est une importante société spécialisée dans l'analyse et la cote des sociétés, des gouvernements et de leurs agences.

24. *Le Devoir*, 22 décembre 1994.

25. L'Accord de libre-échange nord-américain (ALÉNA) a remplacé l'Accord de libre-échange Canada-États-Unis, le 1er janvier 1994. Le Mexique s'est alors joint aux deux autres partenaires.

26. Matthew Coon Come est né près de Mistassini, au Québec. Il a fait des études de droit et de sciences politiques aux universités de Trent et McGill. Il a d'abord été chef de la nation de Mistassini avant de devenir grand chef du Grand conseil des Cris, poste qu'il a occupé de 1987 à 2000, avant de devenir chef de l'Assemblée des Premières Nations en 2000. À la recherche d'un deuxième mandat, il a été défait en 2003.

27. « If the Crees want to remain in Canada, we will have to face the police forces and army of a State that is itself acting in defiance of Canadian and international law. » Source : [www.gcc.ca]

28. « I knew that would really hit hard. I was bracing for reaction from Canada and from Quebec. »

29. « She says : "You only got fifteen minutes." I made a call to Bill Namagoose, who was Executive Director of the Grand Council of the Crees. And I said : "How are things ?" And then he said : "Did you hear ? There's just an announcement made by Parizeau, the cancellation of the Great Whale." And I asked what were his exact words. I think he said something we'll put it on hold, it's on ice now. On the plane from Philadelphia to Ottawa, I had to reflect a lot... We did say we want to stop this project and, now, it appears that the government has made a decision. I had to respond to that. »

30. « My father is a hunter, never went to school, lived off the land. He used to tell me : "Son, when you go out on the land, make sure you know the animals, you know them well, know the land. Il you know the land, the layout of the land, and you know the behaviour of the animals, then you'll know how to get them." And I always thought about that. I realized I have to apply the same thing : I have to think as if I'm after an animal and this depends on my survival. I had to try to think like the animal. And I said : What is he thinking ? It's just not the, well, we had enough of this Coon Come in the States. There's always other under layers. Maybe to pull the rug from us, because that was the platform which gave us great publicity. »

31. Le projet de Grande-Baleine s'inscrivait dans le gigantesque projet de développement hydroélectrique du Nord québécois : après l'aménagement de la rivière La Grande, Hydro-Québec envisageait de construire des barrages sur la rivière Grande-Baleine et de tirer le maximum des rivières Nottaway, Broadback et Rupert. Le ralentissement de la demande en énergie électrique, les dénonciations des écologistes et la bataille incessante des Autochtones ont mis un terme à ce grand projet.

CHAPITRE 3

1. Assemblée nationale du Québec, *Journal des débats*, le mardi 6 décembre 1994.

2. *La Presse*, 16 décembre 1994.

3. *Le Soleil*, 7 décembre 1994.

4. JEAN CHRÉTIEN, *Op. cit.*, p. 152.

5. PBS n'est pas la plus importante chaîne de télévision aux États-Unis, mais elle est écoutée par les intellectuels et par ceux qui façonnent l'opinion américaine.

6. *La Presse*, 22 décembre 1994.

7. *Le Soleil*, 18 février 1995.

8. *Le Devoir*, 7 octobre 1994.

9. *Le Devoir*, 5 novembre 1994.

10. Marie Malavoy est née à Berlin en 1948. Elle est venue, enfant, au Québec, y a étudié, a gradué à l'Université de Montréal et a fait carrière dans l'enseignement à l'Université de Sherbrooke. Elle attendait, pour demander sa citoyenneté, que le Québec devienne indépendant, qu'il y ait une naturalisation québécoise. Comme dit Parizeau : « Elle s'est fait prendre ! »

11. « I met with Parizeau that very day. And I said : how is Lucien doing, we were supposed to have dinner last week and they called and said (that) he had the flu. And Parizeau said : oh, I think he's doing fine. And as we left, people came running down the hall and said : we have not yet told Mr. Parizeau. »

12. La phlébite est l'inflammation d'une veine, accompagnée de la formation locale d'un caillot. Dans les cas simples, les médecins recommandent habituellement au patient de se reposer, de garder le plus possible les jambes élevées et d'appliquer des compresses sur la région affectée.

13. Il y a chaque année au Canada entre 100 et 200 cas de cette maladie causée par la bactérie mangeuse de chair, que l'on appelle aussi la gangrène d'origine streptococcique. Il s'agit d'une maladie qui a une évolution extrêmement rapide et qui peut causer la mort en 12 à 24 heures. Entre 20 et 30 décès sont attribuables à la maladie, au Canada, chaque année. Son traitement est radical : il faut éliminer les tissus infectés avant que la bactérie, qui peut se répandre dans tout l'organisme, n'atteigne un organe vital.

14. « I was going home west to Edmonton on a flight that night, and everything was quiet when I left Ottawa. When I got off the plane, four-and-a-half, five hours later, my husband picked me up at the airport and he said : have you heard the news ? Lucien Bouchard has had this flesh-eating disease in his leg and they don't know whether he'll live through till morning or not. I remember feeling very sad because we were cordial. And I remember praying for him that night on the way home and wondering what this would do to the whole cause of separatism. Because he was the magnetism […]. »

15. Les informations concernant le rôle du chef du protocole, la nuit du jeudi au vendredi, sont tirées de : PIERRE DUCHESNE, *Op. cit.*, p. 334-335.

16. L'épouse de Lucien Bouchard, Audrey Best, est Américaine, née en Californie. En décembre 1994, au moment de la maladie de Bouchard, le couple a deux enfants : Alexandre, 5 ans, et Simon, 3 ans. Audrey Best a, dans les milieux politiques, la réputation d'être très discrète. À ce moment-là, elle suit des cours en droit à l'Université McGill. Elle demeure une personne peu connue des Québécois.

17. Propos cités dans MICHEL VASTEL, *Lucien Bouchard — En attendant la suite*, Montréal, Lanctôt Éditeur, p. 193.

18. « And he passed that famous note when he was semi-conscious : *Que l'on continue*, carry on. He had a mystic in the persona around him as someone who'd come back from that near-fatal experience. »

19. *La Presse*, 4 novembre 1994 et *Le Devoir*, 10 novembre 1994.

20. Propos de Parizeau rapportés dans *Le Devoir* du 7 novembre 1994, par les journalistes Michel Venne et Pierre O'Neill.

21. Propos recueillis par le journaliste Philippe Cantin, *La Presse*, 9 novembre 1994.

22. *La Presse*, 16 décembre 1994.

23. Sondage de *La Presse*, 9 décembre 1994.

24. *Le Devoir*, 20 décembre 1994.

25. *The Toronto Star*, 20 décembre 1994.

26. *Le Soleil*, 31 décembre 1994.

27. *Aujourd'hui dimanche*, Radio-Canada, 8 janvier 1995.

28. PIERRE DUCHESNE, *Op. cit.*, p. 337.

29. *J'ai senti passer le souffle.* Extraits d'un entretien de plus d'une heure que le chef du Bloc accordait, la fin de semaine du 18 février, à Jean-Jacques Samson, éditorialiste en chef, et à Michel Vastel, directeur du bureau du *Soleil* à Ottawa. *Le Soleil*, 20 février 1995.

30. « The United States, as many of my predecessors have said, have enjoyed its excellent relationships with a strong and united Canada, but we recognize, just as the prime minister said with regard to your relationships to us a moment ago, that your political future is, of course, entirely for you to decide, that's what the democracy is all about. » Traduction de l'auteur.

31. « Mr. Clinton went out of his way to make it clear that it was not in the interest of the United States to have Canada break up. I don't think Mr. Chrétien, had to speak to the President about it because the President was more than happy to do that. »

32. Rapporté dans *La Presse*, 25 février 1995.

33. « Speaking for myself during a freewheeling private conversation in front of the fire, I first raised the idea that the United States should perhaps reassess its traditional position regarding the independence of Quebec. I wondered whether we shouldn't move at least a little farther... And once I had raised the thought, I couldn't shake the desire to do something about it. » JAMES BLANCHARD, *Behind the Embassy Door. Canada, Clinton and Quebec*, Toronto, McClelland & Stewart, 1998, p. 118.

34. « Whenever a president of the United States had been pressed, his answer was always : "Yes, sure, we want Canada to stay united." Then the State Department would jump in and say that wasn't our official position. So, I wanted to go farther in order to dispel anyone's belief that we were indifferent or that the break-up of Canada was somehow in our political interests. And I was confident that Warren Christopher shared that view. » *Ibid.*

35. Raymond Chrétien est le neveu de Jean Chrétien. Admis au barreau du Québec en 1966, il entre immédiatement au ministère des Affaires extérieures. Sa première mission d'ambassadeur le conduit au Zaïre (République démocratique du Congo). Plus tard, il occupe les mêmes fonctions au Mexique avant de devenir sous-secrétaire d'État associé aux Affaires extérieures. Il est nommé ambassadeur en Belgique et au Luxembourg en 1991, puis, à compter de janvier 1994, aux États-Unis et, enfin, en France, de 2000 à 2003.

36. « Now, here's the situation. No matter what you tell this guy, he'll interpret it as support for separation. If you tell : it's a nice day, he'll go out and tell the press : you're in favour of an independent Quebec. So, you're going to have to watch it. I would say as little as possible. Ask a few questions, be real nice. He's a decent guy, he's beloved in his province, but he wants to be king of Quebec. » JAMES BLANCHARD, *Op. cit.* p. 312.

37. *Ibid.*

38. « Bouchard chose to sit right next to Clinton. I wanted you to see in flesh and blood, first hand, a separatist, he began. For most Quebeckers, Quebec is first, not Canada. We're a different nation. We're democratic. We're peaceful. Nothing is going to change when we separate. We're going to have good relations with you. We're going to be one of your major trading partners. We're going to be part of all the alliances and treaties. We love Americans. We share the same values as the rest of Canada, but we want to end the duplications and the antagonisms. He talked for a while about the background to the founding of the Bloc québécois. » *Ibid.*

39. « There was a long pause. Bouchard seemed surprised that Clinton didn't say anything in response. Finally, Clinton said : "How many people are there in Quebec ?" It was exactly the right thing to do. "Seven million", we all answered at once. Then more silence. Raymond didn't say anything. Lake didn't say anything. So, I chimed in and said : "I want to remind you that we met you because you're the leader of the opposition, not because you're a leading separatist." Then Clinton said : "How's your illness ?" "Oh, I'm doing okay, Bouchard answered. Thank you". Then he got up and left. » *Ibid.*

40. « I met Mr. Bouchard because he was the leader of the opposition. He happens to be a separatist and he stated his case clearly and articulately. I think the people who agreed with him would have been pleased with the clarity with which he expressed his position. »

CHAPITRE 4

1. *Le Devoir*, 20 décembre 1994.

2. « Clearly, there exists no provision in Canada's constitution for one province to leave the federation. To my mind, it's not constitutional. But that's a technical question. The real question is for Quebeckers, in a referendum. That may be the answer of a politician, not a lawyer. » *The Gazette*, 16 décembre 1994.

3. L'entrevue d'Allan Rock à Radio-Canada a été faite en anglais et en français. Nous reproduisons ici la partie de sa réponse en anglais : « My answer was in essence : if a referendum is to come and if the issue is to be put, then we're going to win or we're going to lose based on our ability to persuade Quebeckers that Canada is the better option. We're not going to win this with a barrage of constitutional arguments or a team of constitutional lawyers. »

4. Extrait de JEAN CHRÉTIEN, *Dans la fosse aux lions*, Montréal, Les Éditions de l'Homme. 1985, p. 152 : « Je me souviens d'avoir participé à une assemblée tenue à Alma au début des années 70. À un moment donné, un libéral se leva et me dit : "Chrétien, quand diras-tu aux séparatistes qu'il n'y aura jamais d'indépendance, que le gouvernement fédéral ne permettra jamais que cela se produise ? Si les gens du Texas voulaient se séparer des États-Unis, les Marines seraient immédiatement dépêchés pour occuper l'État [...]." Je n'étais pas d'accord et je répondis : "Nous parions sur la démocratie. Nous convaincrons les gens qu'ils doivent rester dans le Canada et nous gagnerons. Si nous perdons, nous respecterons le vœu des Québécois et nous accepterons la séparation." »

5. *Le Soleil*. 21 décembre 1994.

6. « It was startling to have the minister of justice dismiss the constitutionality of secession as of mere technical interest. [...] But he merely confirmed what Jean Chrétien and his ministers have conveyed... I think they are profoundly wrong. » *The Gazette*, 17 décembre 1994.

7. « Objecting to the constitutionality of the Quebec legislation is, at best, irrelevant, and at worst a dangerous distraction. » *The Ottawa Citizen*, 17 décembre 1994.

8. Michel Robert est aujourd'hui juge en chef de la Cour d'appel du Québec. Il a notamment été président du barreau du Québec, membre de la Commission royale sur l'union économique et les perspectives de développement du Canada (commission Macdonald), président des Jeunes libéraux et président du Parti libéral du Canada.

9. Selon cette étude, la dette du Canada, en 1994, était de 414 milliards de dollars, une augmentation de 90 milliards par rapport à celle de 1991 et elle a été multipliée par cinq, en treize ans, depuis 1981. Les deux actuaires estiment que la valeur des actifs du gouvernement canadien est d'au moins 163 milliards de dollars. Prenant en compte le fait que ces actifs « ont été constitués sur une période de plus de cent ans alors que la proportion des revenus fiscaux du gouvernement fédéral tirés du Québec était beaucoup plus importante qu'aujourd'hui », ils évaluent à 28,7 % la part de ces actifs qui devrait revenir au Québec, soit 46 milliards de dollars. Partant du principe que la contribution des Québécois au remboursement de la dette devrait demeurer la même après la sécession, ils estiment que la part de la dette du gouvernement fédéral due à des tiers que le gouvernement du Québec devrait assumer est de 98 milliards, soit 23 %. CLAUDE LAMONDE et JACQUES BOLDUC, *Le partage des actifs et des passifs du gouvernement du Canada*, Québec, Publications du Québec, 1995.

10. Voir à ce sujet : JACQUES PARIZEAU, *Pour un Québec souverain*, Montréal, VLB Éditeur, 1997, p. 195.

11. *La Presse*, 16 janvier 1995.

12. Après le référendum, Howard Balloch est retourné au ministère des Affaires extérieures auquel il est attaché depuis 1976. Spécialiste des questions asiatiques, il est nommé, en 1996, ambassadeur en Chine, accrédité en Mongolie et en République démocratique de Corée. À sa retraite, en juillet 2001, il poursuit sa carrière dans le secteur privé, mettant à profit ses connaissances de la Chine où il ouvre un bureau de consultant.

13. « The sense in Ottawa was that we, formally, should not organize contingency plans. I don't recall there having been an express instruction from the prime minister's office or anywhere else. But I think it was understood that we were not going to be engaging in contingency planning because to do so would signal weakness. And the fact would certainly leak out and we would be seen to be afraid, we would be giving credence to the yes side, acknowledging that they might win, and then people would demand production of what it is we were preparing. So, there was a certain unspoken understanding that no departments were going to formally engage in a what if, or what might happen if the yes vote was to succeed. »

14. *Le Devoir*, 17 mars 1995.

15. « I learned very quickly that New York and London and the major financial centres around the world don't like any kind of uncertainty. And so, we were working on a strategy to assure them that this vote meant nothing other than business as usual. And then, of course, beginning to gear up for what we saw would be very difficult discussions with Quebec. And at no point did we feel that the federal government would speak for us, we would speak for Ontario, we would speak for Ontarians. The premiers, unitedly I think, would say to a person that they would have understood and expected and demanded to be part of those discussions and negotiations. »

16. *L'Acadie nouvelle*, 27 octobre 1995.

17. Preston Manning a été élu pour la première fois à la Chambre des communes en 1993. Fils d'un ancien premier ministre qui a dirigé l'Alberta pendant 25 ans, diplômé en économie de l'Université de l'Alberta, il fonde, en 1987, le Parti réformiste dont le programme puise son inspiration dans les racines conservatrices et fondamentalistes du parti de son père, le Crédit social. Le Parti réformiste vise à décentraliser le pouvoir au Canada de façon à affranchir l'Ouest de l'influence des provinces centrales. Manning occupe les fonctions de chef de l'opposition officielle à la Chambre des communes de 1997 à 2000. Mais, pour prendre le

pouvoir, le parti doit se défaire de son image de parti des Prairies et se rapprocher de l'est du pays. Aussi, en mars 2000, Preston Manning fonde l'Alliance réformiste conservatrice canadienne qui absorbe le Parti réformiste et entend supplanter le Parti conservateur comme principale alternative au Parti libéral. Incapable de conserver la direction de son parti, il quitte ses fonctions de député en 2001.

18. « There were some assets that they'd had in common, some buildings that they'd paid for, some land that they'd acquired, to be divided between Ontario and Quebec. I think they set up a commission to do that, with a commissioner from each province. It took them 35 years to try to come to some agreement over this relatively small pile of assets and a little bit of debt and they never were able to agree on. If you couldn't divide assets and debt when you were in a context of confederating, can you imagine the problem that would have been created if you'd tried to do that, because Quebec had separated? »

19. Le document a été obtenu par la *Presse canadienne* qui a dû invoquer la Loi d'accès à l'information pour en prendre connaissance. Cité dans *La Presse*, le 26 juin 1995.

20. *Le Devoir*, 14 mars 1995. Bernard Bonin, économiste réputé, jouit d'une grande crédibilité au Québec. Il a été professeur à l'École des hautes études commerciales avant de devenir sous-ministre adjoint au ministère de l'Immigration et au ministère des Affaires intergouvernementales du Québec. Professeur à l'École nationale d'administration publique, il a préparé plusieurs études pour le compte du gouvernement de René Lévesque sur les aspects économiques de la souveraineté. Ces études seront souvent citées par Jacques Parizeau. Bernard Bonin a été nommé sous-gouverneur de la Banque du Canada en 1988. Il en est devenu le premier sous-gouverneur six ans plus tard et a occupé ce poste jusqu'en 1999.

21. *Le Devoir*, 17 mars 1994.

22. Il s'agit d'un marché boursier parallèle qui spécule, non sur les titres, mais sur des dérivés de ces titres : recours accrus aux banques, accès à des monnaies étrangères pour régler des transactions, risques de change, taux d'intérêt, etc. Ce marché, où circulent d'énormes capitaux, est peu réglementé.

23. Zebedee Nungak est journaliste et écrivain. Il habite au Nunavik, dans le Québec arctique. Né à Saputiligait, dans un campement de chasseurs nomades inuits, il a étudié à Puvirnituq, puis à Ottawa avant de travailler au ministère des Affaires indiennes. Il a assumé diverses fonctions dans des mouvements inuits et occupé pendant quelque temps la présidence de Makivik, une société vouée au développement politique, économique et social des 8 300 Inuits vivant dans les 16 communautés installées sur la côte de l'Ungava, le détroit d'Hudson et la baie d'Hudson.

24. En 1898, en conformité avec l'Acte de l'Amérique du Nord britannique, le gouvernement canadien a décrété que les limites de la province de Québec seraient étendues vers le nord jusqu'à la baie James, et à l'est, jusqu'au fleuve Hamilton, au Labrador. En 1912, il agrandissait encore le territoire québécois, établissant les nouvelles frontières aux limites de l'Ungava, et à l'est, au nord du fleuve Hamilton. Tout le Labrador fera donc partie du Québec jusqu'à ce que le Conseil privé de Londres l'annexe à Terre-Neuve. (Source : FRÉDÉRIC DORION, « Le Labrador québécois », *L'Action nationale*, Vol. LXX, n° 8, p. 645-656.) La loi approuvant la Convention de la Baie-James et du Nord québécois, adoptée après deux ans de négociations avec les Cris et les Inuits et signée en novembre 1975, allait encore ajouter à ce territoire.

25. Source : RENÉ BOUDREAULT, « Autonomie et territoire », *Relations*, mars 1995, p. 37-38. René Boudreault agit à titre de conseiller auprès des Autochtones depuis près de vingt ans. Il a assumé à divers titres des mandats de négociation, de consultation et de recherche dans les domaines les plus variés.

26. Cette entente reconnaît aux Amérindiens des droits d'occupation et d'usage d'une partie de l'immense territoire de la baie James en échange de sommes d'argent. C'est en 1971 que le premier ministre Robert Bourassa a annoncé le gigantesque projet de développement hydro-électrique de la baie James, mais il a fallu quelques années de négociations avant d'en arriver à une entente. La convention prévoit que le Grand conseil des Cris obtient des droits exclu-sifs sur 5 544 kilomètres carrés de territoire et les Inuits, sur 8 151. En outre, les Cris et les Inuits reçoivent 225 millions de dollars sur une période de 20 ans. Mais, en retour, ceux-ci acceptent de céder leurs droits ancestraux sur un territoire d'environ un million de kilomè-tres, ce qui permet à Hydro-Québec d'inonder des espaces immenses par la création de lacs en amont de ses barrages.

27. « And certainly our next door neighbour would have a great say should that happen. »

28. « In another attempt to deny our status and rights, Mr. Parizeau asserts again and again that our aboriginal rights have been extinguished. First, we don't agree. But this is an assertion that Mr. Parizeau should be ashamed to make. »

29. « ...in the garbage can of the history of apartheid. »

30. « Why not take that opportunity ? I wanted to make it very clear that we weren't denying Quebec their right to determine their own future or to exercise their right of self-determina-tion. What we were saying was : if you claim that right of self-determination, do not deny that same right to apply to the First Nations people, in this case to the Crees of Quebec. That's the language we use in international community. »

31. « Yes, there would be some kind of international human rights watchdog that say : what about the referendum that the Crees had ? »

32. « We create a situation where we would put Canada in a very difficult situation. We wanted to paint the picture they could not just transfer the federal fiduciary responsibilities of a federal government over Indians and land to Quebec, without our consent. »

33. « If there was no PQ government, we wouldn't probably have this discussion. But because it was inevitable that there was going to be a referendum, then, we decided that we will assert a right. »

34. *Le Soleil*, 29 septembre 1994.

35. Extrait de l'entrevue que Raymond Chrétien a donnée en anglais : « This statement did'nt go unnoticed, believe me. Probably no effect on the US as a whole but on the people who coun-ted in Washington, definitively. »

36. « No. Who I was to tell the leader of the Cree nation what to say or not to say ? »

37. WILLIAM F. SHAW et LIONEL ALBERT, *Partition : The Price of Quebec's Independence*, Montréal, Thornhill Publishing, 1980. William F. Shaw est un chirurgien-dentiste de Kirkland, dans l'ouest de l'île de Montréal. Il fut député de l'Union nationale à l'Assemblée nationale de 1976 à 1981. Lionel Albert a un baccalauréat en sciences politiques de l'Université McGill et est analyste informatique. Les deux ont été candidats malheureux du Parti Égalité aux élections générales de 2003, Shaw dans D'Arcy McGee, Albert, dans Brome-Missisquoi.

38. « The Rupert's Land territory would be retained by Canada without discussion. It is historically British and, by an act of the British Parliament, Canadian. It does not have any valid French historical character », *Ibid.*, p. 23.

39. « ...The St. Lawrence Seaway and its seaward access and the land corridor south of the St. Lawrence River containing the principal road, rail and telecommunications routes between Ontario and the Maritimes » *Ibid*, p. 25.

40. « Among the territories this affected would be the western half of the Montreal archipelago, the Ottawa Valley including its tributary valleys, the Temiscaming region and the lower part of the North Shore of the Gulf of St. Lawrence », *Ibid.*, p. 25.

41. Texte de l'article 43 de la Loi constitutionnelle de 1982 : « Les dispositions de la Constitution du Canada, applicables à certaines provinces seulement, ne peuvent être modifiées que par proclamation du gouvernement général [...] autorisées par des résolutions du Sénat, de la Chambre des communes et de l'assemblée législative de chaque province concernée. Le présent article s'applique notamment a) au changement du tracé des frontières interprovinciales ; [...]. »

42. « If Quebec decided to cease being a province, then the constitution would no longer apply. »

43. *Le Devoir*, 17 mars 1995.

44. *Le Devoir*, 6 mars 1995

45. « Like a American town meeting, conducted with dignity and good humor, such was conoff's impression of the sixth sitting of the capital commission on the future of Quebec, on 24 February. Held in a school auditorium in the small town of Saint-Marc-des-Carrières, some 45 miles southwest of Quebec city, the session was well attended. In spite of the evening's high winds and driving snow, roughly 150-200 people filled perhaps two-thirds of the chairs for the three-hour meeting. The atmosphere was expectant and attentive, tinged with a dash of excitement. Sixteen commission members, presided over by Jean-Paul L'Allier, mayor of Quebec, sat at two ranks of tables facing the audience. Among the commissioners was Richard Le Hir, minister (and occasional loose cannon) for restructuring, responsable for crafting the eventual transition from a provincial to a national government. To the commission's right was a raised table for those making prepared presentations, while at their left, behind a small mountain of recording and amplifying equipment, sat those responsible for maintaining a record of events for later consultation and posterity. The scene was dressed in Quebec blue (indistinguishable from PQ blue), and a Quebec provincial flag flanked the commission [...]. The great majority of the audience, clearly of sovereignist sympathy, warmly applauded pro-sovereignty presentations. Nevertheless, dissenting and questioning voices received a respectful hearing. » Source : *An Evening with a "Commission on the Future of Quebec"*, P 281924Z FEB 1995, FM AMCONSUL QUEBEC TO SECSTATE WASHDC PRIORITY 9643.

46. Le 25 octobre 1854, les troupes britanniques, basées, à l'abri des falaises, dans le petit port de Balaklava, préparent l'assaut de Sébastopol, une forteresse russe située à quelques kilomètres de là, à l'extrémité sud-ouest de la péninsule de Crimée, sur la mer Noire. Le matin, les Russes s'emparent des batteries turques, installées au pied des falaises. Mais ils sont arrêtés par un régiment d'Écossais. Le commandant en chef des troupes anglo-turques, Lord Raglan, joue sa chance et lance Lord Cardigan et sa Brigade légère contre les Russes, qu'il veut déloger des hauteurs. Le commandant de la brigade, qui ne peut compter que sur 673 lanciers, voit bien la futilité de l'opération, mais craint de contrarier son chef. Après 20 minutes de combat, la Brigade légère compte 113 morts, 247 blessés et 475 chevaux tombés au champ de bataille. Il en restera, pour l'histoire, le cardigan, sorte de veste de laine à manches longues, le manteau à pèlerine raglan... et l'un des beaux poèmes de Lord Alfred Tennyson, *The Charge of the Light Brigade*.

47. « What had happened at the time was that separation was not going to work. There was that reality. Mr. Landry said he didn't want to be the general in charge of the light brigade. So, what they were trying to do was find a way to get a yes vote, which they would use to separate, to ask an unclear question. »

48. *Le Soleil*, 1er avril 1995.

49. *La Presse*, 25 avril 1995.

50. Alain Lupien, un électrotechnicien et informaticien, milite dans le Parti québécois depuis l'âge de 16 ans. Déjà, lors du référendum de 1980, il était la tête de file des étudiants pour le OUI au cégep Maisonneuve. Sous sa direction, la campagne de financement du PQ, en 1995, a dépassé ses objectifs, atteignant 3,3 millions de dollars. La campagne pré-référendaire, qui a suivi, a rapporté 2,7 millions et elle a aussi servi à identifier les faiblesses et les forces de chaque circonscription électorale, permettant ainsi de « mailler » les organisations les plus faibles avec les plus fortes et, parfois, de rétablir la paix entre les députés et leur comité de direction.

51. Gilbert Charland a travaillé pendant presque vingt ans en politique active, en qualité d'attaché de presse, de conseiller politique, de directeur de cabinet. Il a une formation en histoire et en sciences politiques. En 2000 et 2001, il a été sous-ministre adjoint puis sous-ministre au ministère de l'Environnement. De 2001 à 2003, il était secrétaire général associé au Secrétariat aux affaires intergouvernementales canadiennes. Il a été membre du Comité de transition de l'agglomération de Montréal et est présentement administrateur invité à l'ÉNAP.

52. Cité dans *Le Soleil* du 9 avril 1995. « Bouchard pose ses conditions à Parizeau », MICHEL VASTEL. Cet article est reproduit dans PIERRE DUCHESNE, *Op. cit.*, p. 392.

53. DENIS LESSARD, « Parizeau réaffirme son autorité », *La Presse*, 10 avril 1995.

54. Propos rapportés par Jean Royer à Pierre Duchesne et reproduits dans l'ouvrage cité, p. 396.

CHAPITRE 5

1. Le mémoire de l'ADQ a été présenté le 27 mars par un proche collaborateur de Dumont, Jacques Gauthier. Il s'intitule *Un référendum pour progresser*. Gauthier est avocat. Il a milité dans le Parti libéral, qu'il a quitté, en même temps que Mario Dumont et Jean Allaire, en 1992. Il a joué un rôle actif, d'abord dans le groupe de réflexion qu'Allaire a mis sur pied après son départ du PLQ, ensuite dans la fondation de l'Action démocratique du Québec. Il a occupé diverses fonctions dans le parti, notamment la présidence de la commission juridique et de deux comités constitutionnels. Il est un spécialiste du droit médical.

2. André Néron a travaillé dans l'organisation du Parti québécois qu'il a quitté pour adhérer à l'ADQ. Il devient conseiller de Mario Dumont et directeur général de l'ADQ. Peu après le référendum, il devient chef de cabinet du leader du Bloc québécois à Ottawa, Michel Gauthier, lorsque celui-ci remplace Lucien Bouchard, appelé à succéder à Jacques Parizeau. Il a publié, en 1998, un livre intitulé *Le temps des hypocrites*, dans lequel il règle ses comptes avec Mario Dumont.

3. Le rapport Allaire est le fruit d'une réflexion engagée au sein du Comité constitutionnel du Parti libéral du Québec, au moment où le gouvernement Bourassa croit encore possible que l'Accord du lac Meech soit entériné par toutes les législatures provinciales du Canada. Créé en février 1990 et présidé par l'avocat Jean Allaire, le comité a pour mandat de préparer une deuxième ronde de négociations avec Ottawa, si l'accord est ratifié, et de proposer une alternative, en cas d'échec. Son rapport, intitulé *Le Québec libre de ses choix*, a été déposé au comité exécutif du parti le 28 janvier 1991 et adopté en congrès le 10 mars suivant. Il dressait trois listes de compétences, celles qui étaient exclusives au gouvernement fédéral, celles qui étaient exclusives au Québec et dont il proposait le rapatriement massif et, enfin, des compétences partagées entre les deux niveaux de gouvernement. Les compétences fédérales étaient réduites à la défense, à la sécurité du territoire, à la monnaie, à la dette, aux douanes et à la péréquation. Le Québec avait vingt-trois juridictions exclusives et devait en partager huit avec Ottawa. Advenant l'échec des négociations, le rapport prévoyait que le Québec prenne les dispositions nécessaires pour accéder à la souveraineté et qu'il offre une union économique au Canada, sous la gouverne d'un certain nombre d'institutions de nature confédérale. Adopté en 1991, le rapport a été répudié par les militants libéraux l'année suivante, ce qui a provoqué le départ de Jean Allaire, Mario Dumont, Jacques Gauthier et de plusieurs autres membres du parti.

4. Sovereignty a winner, polls finds, if Quebec gets link to Canada. Sondage *Globe and Mail/Journal de Montréal*, 21 avril 1995.

5. En 1993, le Bloc québécois a publié un petit ouvrage intitulé *Un nouveau parti pour l'étape décisive*. Le mot partenariat ne s'y trouve pas, mais tout le document tend vers la création d'une association entre le Québec et le Canada. « Les modalités institutionnelles chapeautant toute association ne peuvent que refléter les données de l'histoire, de la démographie et de la géographie, peut-on y lire. [...] Même si les flux commerciaux Nord-Sud finissent par prendre le pas sur les flux Est-Ouest, cela n'enlève rien à la communauté d'intérêt qui unit les peuples canadien et québécois. [...] Ce marché commun serait l'un des plus intégrés du monde puisqu'il s'accompagnerait d'une union monétaire. [...] En somme, le Québec accepte l'intégration économique existante. » Pages 41-47.

6. *Le Soleil*, 1ᵉʳ avril 1995.

7. « A very dangerous opponent. He was charismatic and he was prepared to say anything to influence. »

8. « He always seemed like a storm cloud, very intense, brooding I think would be a word that would come to mind to describe him. »

9. « What made Bouchard dangerous from Canada's standpoint (is) that he had a vision and a dream of an independent Quebec and could communicate it with emotion as well as outlining it in rational terms. »

10. « For months, Ottawa pundits have been heaping ridicule on the Parti quebecois's sovereignty project. They have predicted the referendum on sovereignty will be postponed beyond the end of this year, perhaps indefinitely. All signs from here, on the contrary, indicate they are seriously mistaken. There is every reason to believe there will be a referendum this year, with at least a fifty-fifty chance of passing. [...] Quebec premier Parizeau's reluctant decision to postpone the vote from the original spring 1995 [...] it is now clear he was also waiting until the ADQ and Mario Dumont came on board. The recent tripartite accord signed by Parizeau, Bouchard and Dumont was a major coup for sovereignty and the fruit

of a long courtship. Parizeau has been trying to win Dumont over ever since his fledgling parti won 6.5 percent of the popular vote last September, because those votes, if added to the 44.7 percent the PQ won, would put sovereignty over the top in a referendum. Parizeau's agreement to seek association with Canada once sovereignty has been achieved is a small price to pay for this added support. [...] Canadians and Quebecers would be well advised to fasten their seat belts. The sovereignty train has left the station and is picking up speed. We are lucky we can stay on the sidelines. It is likely to be a rough ride. » Source : p 191332Z JUN 95 FM AM CONSUL QUEBEC TO SESTATE WASHDC.

11. « Daniel Johnson's liberals have flatly refused to outline the constitutional vision they say they have in mind for Quebec, preferring to attack every aspect of the government's project in an unremitting drumbeat of negativity. » *Ibid.*

12. *La Presse*, 26 avril 1995

13. Entrevue d'Alvin Cader, Le *Téléjournal*, Radio-Canada, 11 juillet 1995.

14. Au sujet de Balloch, voir chapitre 4, note 12.

15. CHANTAL HÉBERT, « Parizeau, dans l'eau bouillante », *La Presse*, 12 juillet 1995.

16. Sondage CROP, *La Presse*, 30 juin 1995.

CHAPITRE 6

1. Roy Romanow est un homme politique de la Saskatchewan, natif de Saskatoon. Il est avocat. Il a été élu pour la première fois député néodémocrate à la Législature de sa province en 1967. À la conférence fédérale-provinciale de novembre 1981, que l'historiographie politique retiendra comme la conférence de « la nuit des longs couteaux », il est ministre des Affaires intergouvernementales dans le gouvernement d'Allan Blakeney ; c'est à ce titre qu'avec Roy McMurtry, ministre de la Justice de l'Ontario, et Jean Chrétien, ministre de la Justice dans le gouvernement Trudeau, il orchestre l'entente des neuf provinces autres que le Québec sur le rapatriement de la Constitution. Romanow remplace Blakeney à la direction de son parti en novembre 1987 et devient premier ministre de la Saskatchewan le 1er novembre 1991. Il est reporté au pouvoir en juin 1995. Après sa retraite, le gouvernement Chrétien lui confie, en 2001, la présidence de la Commission sur l'avenir du système de santé au Canada dont le rapport est déposé en novembre 2002.

2. « He is an extremely engaging individual. Very charming. He has a very firm set of beliefs with respect to Quebec. He switched from minister to premier to being more authoritative and therefore, a little more necessitous of us to deal with him very carefully. »

3. « We always debated in the 1970s whether that was occasioned by virtue of some story that he had been turned down as a Bank of Canada governor, and therefore he became a separatist or whether it was something more substantial. I always felt it was something more substantial. »

4. « People didn't take seriously the intentions of René Lévesque. And then, when the referendum came closer, I think the argument was : Quebeckers don't want to form their own country. We don't have to worry, we'll fight against the referendum, we'll beat you. »

5. « There's no doubt that Parizeau's agenda was to demonstrate to the people of Quebec that he could go to an annual premier's conference as a separatist and come up with an agreement. The effect of which would be to say to people in Quebec and outside of Quebec : look, if we break away and become an independent country, the normal day to day economic and trading relationships would continue business as usual. »

6. «We knew (Parizeau) was much more commited and much more determined to achieve it than Lévesque. Lévesque one had the feeling was always at heart a democrat. I'm not saying that Parizeau wouldn't adopt a democratic decision, he did in 1995. (But) if there was a yes vote, one had to contemplate the next step might have been a unilateral declaration of independence. »

7. *Le Soleil*, 9 septembre 1995.

8. « He said : we could lose the referendum. I said : André, that's my feeling going to Quebec. I am not a Quebecker but I speak french. I understand what's going on there and I just have an uneasy feeling. »

9. JEAN-HERMAN GUAY, PIERRE DROUILLY, PIERRE-ALAIN COTNOIR, PIERRE NOREAU, « Référendum : les souverainistes risquent de rencontrer une dure défaite », publié dans *La Presse* du 26 août 1995.

10. Guy Bertrand était, dans les années 1960 et 1970, un militant indépendantiste. En 1969, il a publié un petit manifeste d'une soixantaine de pages intitulé *Québec souverain. Avons-nous les moyens ? 106 questions et réponses sur la souveraineté politique et le Parti québécois*. Il y disait notamment : « Personne ne peut empêcher le Québec d'accéder à l'indépendance » et « On peut devenir indépendant sans demander la permission à qui que ce soit. La liberté, ça se prend, ça ne se quémande pas. » Il a, depuis, choisi l'autre camp et s'est souvent retrouvé, à titre de procureur, aux côtés des antisouverainistes.

11. *La Presse*, 7 septembre 1995.

12. Parizeau accorde une interview de trente minutes à l'animateur du *Midi Quinze*, en direct, le 8 septembre 1995.

13. *Le Devoir*, 10 juin 1995. Quatre mois plus tard, le journaliste Michel David le confirme : « L'idée d'un comité de surveillance était une idée de Mario Dumont », *Le Soleil*, 7 octobre 1995.

14. Claude Castonguay est actuaire. D'abord professeur à l'Université Laval, il est élu député en 1970 dans la vague libérale qui porte Robert Bourassa au pouvoir. Celui-ci lui confie le ministère de la Santé et des Affaires sociales. L'histoire considérera Claude Castonguay comme le père de l'assurance-maladie au Québec. Il retourne à la vie privée lors des élections générales de novembre 1973. Il a, au cours de sa carrière, participé aux travaux de nombreux comités et commissions, dont la Commission royale d'enquête sur la santé et le bien-être social, de 1966 à 1970.

15. Le comité doit compter onze membres. Les noms des cinq premiers sont révélés dans la première semaine de la campagne référendaire. Ce sont : Arthur Tremblay, ancien sous-ministre de l'éducation sous Paul Gérin-Lajoie et sénateur conservateur, Jean Allaire, Serge Racine, président de la compagnie Shermag, Denise Verreault, du Groupe maritime Verreault, et Jacinthe Simard, présidente de l'Union des municipalités régionales de comté du Québec, ancienne candidate du Parti québécois dans Charlevoix.

16. *The Gazette*, 8 septembre 1995.

17. *La Presse*, 14 septembre 1995.

18. *La Presse*, 15 septembre 1995.

21. Mike Keane, né à Winnipeg, a appris à jouer au hockey à Moose Jaw avant de signer un contrat avec les Canadiens en 1985. Compteur ordinaire, mais joueur combatif et courageux, il est échangé en compagnie de Patrick Roy pour Jocelyn Thibault, Martin Rucinsky et Andrei Kovalenko.

22. Malgré les dénégations de Daniel Johnson, le document émanait bien de son parti. C'est le comité des affaires constitutionnelles du PLQ, que dirigeait le député Maurice Richard, qui était à l'origine du document. Ce comité, composé d'une quinzaine de personnes, étudiait toutes les avenues possibles pour amener le Québec à signer la Constitution de 1982. Le comité était en pleine période de réflexion lorsque Jean Bédard a reçu le document, qui est en fait un rapport d'étapes. Son secrétaire était un jeune homme de la Commission jeunesse qui a quitté les rangs du parti par la suite. « Pour rédiger le document qui a été remis à Jean Bédard, déclare Maurice Richard huit ans plus tard, il fallait absolument que son auteur soit présent à nos réunions. Ce document n'avait rien d'officiel et ne représentait pas l'opinion unanime du comité, mais il était un compte rendu remarquable des diverses tendances exprimées autour de la table. Ce n'était certainement pas un coup monté par le camp du OUI ! » Source : MARIO CARDINAL, *Il ne faut pas toujours croire les journalistes*, Montréal, Bayard Canada, 2005, p. 87.

23. RICHARD LE HIR, *La prochaine étape, le défi de la légitimité. Solutions uniques pour une société plus qu'unique*, Montréal, Les Éditions Stanké, 1997, p. 107.

24. CLAUDE LAMONDE, PIERRE RENAUD, actuaires. *L'état des finances publiques du Québec dans l'hypothèse de son accession à la souveraineté. Étude préparée par INRS-Urbanisation*, août 1995, p. 66.

25. « It's a very small number by comparison with estimates made by a variety of outside people, some of whom were even quite sympathetic with the sovereignty cause. » « Deficit ? 8 billions PQ says », *The Gazette*, 8 septembre 1995.

26. L'INRS est rattaché à l'Université du Québec. Il se consacre à la formation de haut niveau et à la recherche. En 2003, son budget était de 90 millions de dollars et ses fonds de recherche, de plus de 50 millions. Il compte quatre centres de recherche : Environnement, Énergie et télécommunications, Santé et Urbanisation, Culture et société. Son personnel scientifique est composé d'environ 150 professeurs et chercheurs pour quelque 500 étudiants.

27. GEORGES MATHEWS, « Le mur des finances publiques. Un référendum en fin de mandat aurait été infiniment préférable », *Le Devoir*, 16 septembre 1995.

28. Source : CLAUDE PICHER, « Les finances publiques d'un Québec indépendant », *La Presse*, 21 octobre 1995.

29. Source : ALAIN DUBUC, « Le menteur », *La Presse*, 7 octobre 1995.

30. Source : MICHEL VENNE, « Québec a refusé trois études de l'INRS », *Le Devoir*, 20 septembre 1995.

31. Pierre Lamonde n'a aucun lien de parenté avec Claude Lamonde, l'actuaire qui a préparé l'étude avec Pierre Renaud.

32. Source : PHILIPPE CANTIN, « Québec avait des réserves. Les objections du gouvernement ont retardé la publication de trois études, dit l'INRS », *La Presse*, 20 septembre 1995.

33. FRASER INSTITUTE, *The Public Debt of an Independant Quebec*, 5 octobre 1995.

34. Il s'agit du même organisme, réputé pour son conservatisme, qui a, le jour même où Jean Campeau a déposé son premier budget, le 9 mai 1995, établi à 143 milliards la part du Québec dans la dette fédérale. L'étude, intitulée *La dette publique d'un Québec indépendant*, en arrive ainsi à une somme qui dépasse de 40 milliards les estimations de la commission Bélanger-Campeau en 1991, mais est inférieure de 20 milliards aux estimations de Claude Lamonde et Jacques Bolduc dans leur étude *Le partage des actifs et des passifs du gouvernement du Canada*. Ce qui n'a pas empêché Jacques Parizeau de jeter les hauts cris : « Les Chevaliers de l'Apocalypse, on les a commentés pendant 2 000 ans, dit-il. J'imagine que les Chevaliers de l'Apocalypse de l'Institut Fraser dureront moins longtemps. Ça va devenir le délire le plus complet d'ici peu de temps. N'en jetez plus, la cour est pleine ! »

35. Rapport annuel du vérificateur général du Québec 1995-1996, Annexe A : Rapport d'enquête (Secrétariat à la restructuration), 29 novembre 1995.

36. Le Hir en paiera le prix peu de temps après le référendum. Il est forcé de démissionner du caucus du Parti québécois en décembre et doit siéger comme député indépendant. En 1998, il affirme sa foi fédéraliste et, quatre ans plus tard, est nommé à la tête de la Fédération maritime du Canada. Quand à Claude Lafrance, reconnu coupable en 1999 d'abus de confiance et de fraude à l'endroit du gouvernement pour un montant de 337 600 $, il est condamné à un an et demi de prison, mais la Cour d'appel lui permet de purger sa peine dans la collectivité. Quant à Pierre Campeau, il quitte la fonction publique quelques mois après la tenue du référendum. Source : PIERRE DUCHESNE, *Op. cit.*, p. 456, note 46.

37. Depuis la mort du maréchal Tito, en 1980, la Yougoslavie se fractionne, marquée, à compter de janvier 1991, de proclamations unilatérales d'indépendance, d'abord de la Macédoine, puis, successivement, de la Croatie, de la Slovénie et de la Bosnie-Herzégovine. S'ensuit une instabilité ponctuée de graves engagements militaires qui nécessitent la venue de casques bleus des Nations unies. Au moment où la campagne référendaire s'engage pour de bon au Québec, les présidents de la Bosnie, de la Serbie et de la Croatie négocient difficilement pour, finalement, après trois semaines, signer un accord connu sous le nom d'Accord de Dayton.

38. Michel Bélanger a été l'un des technocrates qui ont contribué à faire du Québec un État moderne lors de la Révolution tranquille, notamment comme sous-ministre des Ressources naturelles. Premier francophone à présider la Bourse de Montréal, en 1973, il organise la fusion de la Banque provinciale et de la Banque canadienne nationale, pour créer la Banque Nationale en 1979 dont il sera le premier président. À la demande de Robert Bourassa, il copréside la commission Bélanger-Campeau sur l'avenir du Québec, dont le mandat est d'analyser les perspectives à envisager à la suite de l'échec de l'Accord du lac Meech. Il est décédé en 1997.

39. *Le Devoir*, 22 septembre 1995.

40. *Le Journal de Montréal*, le 22 septembre 1995.

41. *Le Journal de Montréal*, le 23 septembre 1995.

42. *Le Devoir*, 19 septembre 1995.

43. *Le Devoir*, 20 septembre 1995.

44. « Given the nature of this referendum and its importance to Canada, employees should consider their responsibilities and duties in the federal public service carefully when making any decisions about participation in referendum-related activities. They must determine whether their involvement would impair — or be seen to impair — their ability to perform their duties effectively and impartially. » *The Ottawa Citizen*, 22 septembre 1995.

45. Le sondage de Créatec a été commandé par le comité du NON, celui de Compas, par le *Financial Post* et, au Saguenay-Lac-Saint-Jean, il a été fait par la maison Pécus pour le compte de *Progrès-Dimanche*.

46. *The Gazette*, 24 septembre 1995.

47. *La Presse*, 30 septembre 1995.

48. WILLIAM F. SHAW et LIONEL ALBERT, *Partition : The Price of Quebec, Independence*, Montréal, Thornhill Publishing, 1980.

49. « The Quebec Liberal Party's is quite clear. The borders of Quebec are the borders of Quebec as we know them today. » *The Gazette*, 29 septembre 1995.

50. « Ever since President Clinton's speech in Ottawa, I had been wondering how the United States could help the cause of Canadian Unity in a way that wouldn't backfire against either us or Ottawa, and John felt it would be good for me to sit down with him and their federal pollster, Maurice Pinard, to discuss it. » JAMES BLANCHARD, *Op. cit.*, p. 224.

51. « I expected questions about our position and I intended to use them to counter the separatists' claim that an independent Quebec would easily or automatidally become a member of NAFTA. That's exactly what happened. Though different newspapers reported my remarks differently, they all got the point and the overall coverage was helpful to the federalists. » *Ibid.*, p. 226.

52. « The Prime Minister was confident at that point that the federalists were going to enjoy a decisive victory a month later. We all were, and the polls supported our confidence. » *Ibid.*, p. 229.

53. Sondage CROP-TVA-*La Presse-Toronto Star*, dont les résultats sont publiés le samedi 30 septembre.

CHAPITRE 7

1. « He legitimized the fact that a yes vote would lead to separation. I never accepted that and I believe most people outside Quebec would never accept that. And that is why, when we go to the '95 referendum, we ran into the same problem, we had set the precedent, that is, if the yes side won, then that's the end of the country. And key federal politicians basically said that to be the case. That was wrong. »

2. « That issue came up in the early part of '94. Because it was suggested that we had a choice to declare the country indivisible and to say that no such referendum should be held because the country, Canada, could not be severed. But it was quickly decided that there was no future in that position. I think it was the prime minister himself who said at the time, in early '95, we really have crossed the bridge, we can't go back, we can't now say it's indivisible because, in 1980, we recognized that the question could properly be put to the people. »

3. « I don't think we discussed whether or not we should participate. The argument was not going to be over the legitimacy of the referendum process, if it went the wrong way. Most of us believed that we were better to fight the consultation to the degree we were able to do so from the federal side, rather than waiting until Quebeckers had answered the question and the rest of Canada had somehow… failed to even make their views heard. »

4. « At the time, we were pretty certain we would win, we would win big. It would be very hard to explain why we were not participating. »

5. « We were confident but we know it was going to be a closer race than in 1980, that it wasn't going to be a 60-40 split. We were in a far more serious circonstances in 1994-1995 than we were in 1980. Don't forget, in 1980, Mr. Trudeau had 74 of 75 seats in Quebec. In 1994-1995, we were not the majority in Quebec. »

6. « (During) my first interview with Mr. Chrétien after the '93 election, when I brought up : and what about Quebec ? I got the sense that there was not a winning federalist strategy. He gave the impression, which he maintained for quite a long time until you couldn't hold it any longer, that everything was OK and everything was under control and Canada was the best country in the world and why would anybody have to leave it and all you have to do is keep saying it. »

7. « This is not going to solve the unity problem and we're going to have a full-blown secession crisis down the road. »

8. « The Prime Minister is not a democrat. He said in the House, one time, he hates these referendums. He doesn't believe in people having a direct say in public policy. If there'd been a clear democratic mandate for better or for worse and he was just gonna trample on that, I don't think we'd have supported him in that because if he can reject democracy in that case, he'll reject it in other cases. »

9. Jean Chrétien a accordé une interview à Radio-Canada dans les deux langues. C'est en anglais qu'il a évoqué l'intérêt de son père pour la politique : « I wanted to be an architect. And dad wanted to have one of his sons to be a politician. He said : "You go to the law faculty." And in those days, when mom or dad would say something, we'd listen. So, I listened to my father and I went to the law faculty rather than become an architect. He said : "You will not be elected in Shawinigan as an architect, you will be elected as a lawyer." »

10. JEAN CHRÉTIEN, *Op. cit.*, p. 37. Les informations, dans ce paragraphe, proviennent essentiellement de la même source.

11. Dans l'interview en anglais, Chrétien répond à la question de savoir s'il a été tenté par le séparatisme : « A little bit ». Mais, en français, sa réponse est légèrement différente : « Ça ne veut pas dire que j'étais pour la séparation. Je n'ai jamais été dans cet esprit-là. Mais j'étais assez fier d'être Français pour que, quand on est collectivement malheureux, je l'étais moi aussi. »

12. Marcel Chaput était un chimiste à l'emploi du gouvernement fédéral. Mis à la porte en 1961, il publie *Pourquoi je suis un séparatiste* et fonde, la même année, avec André d'Allemagne et d'autres indépendantistes, le Rassemblement pour l'indépendance nationale (RIN), dont il devient le vice-président. L'année suivante, il quitte le RIN pour créer son propre parti politique, le Parti républicain du Québec. Malgré ses efforts et une grève de la faim de plusieurs jours, en 1963, il ne parvient pas à rassembler les souverainistes autour de lui, et son parti est dissous en 1964.

13. « I remember, I had a debate with a bunch of lawyers in Trois-Rivières. I was really unhappy about the incident of Chaput and I was dumping on English Canada at the lunchtime. And one of my friends said : Jean, you've never been out of Quebec, you don't know what Canada is all about... It was tough for me. The court was in Trois-Rivières. I had to drive back to Shawinigan, twenty miles. The first five miles, I was mad at him. The next five miles, I started to reflect a bit. In the last five miles, I said : "He's right, I'm talking about something I don't know." »

14. « I'm U.S. ambassador, not a confidential advisor of his. We were good friends, we still are good friends. He was really confident that Quebeckers, if they knew what they were voting on, would vote no. And I think most of Canada misunderstood how hard-lined he was against the separatists. Because they thought, since he was French-speaking and a francophone, he could manage this event. They didn't realize that because he was such a strong federalist, that brought a lot of anger and hostility in Quebec. »

15. « I was transmitting a message from the coalition. Whose view has been, it was primarily the provincial Liberals, that the campaign was a Quebec campaign and that bringing people in from outside of Quebec would have been counterproductive. It was a consensus that was reached. And again I go back to the fact that during this whole time we were going very well, so that the strategy seemed to be working. »

16. « You had Mr. Johnson who said : look, we're going to handle this, Ottawa, you guys, stay out! And I think Mr. Chrétien was very sensitive to that. The polls say we're ten points up, Jacques Parizeau is not a René Lévesque, does not have the credibility. And there was a degree of arrogance that we're going to win anyway, so let's not rock the boat. »

17. « I questioned the wisdom but I was prepared to accept it. Very frustrating, very difficult. With all the problems I dealt with over ten years, 9/11, the budget, it was in the run-up to the referendum that I lost sleep. And the only time I lost sleep. »

18. « Banks had to be sufficently liquid. If everybody wants their money all on the same day, there could be a problem. »

19. « It was very hard to plan a response to that. And indeed, if you did and it became known, it might in turn undermine to some extend the campaign before the vote. »

20. Jane Stewart, une conseillère en ressources humaines, fut élue pour la première fois en 1993. Au moment du référendum, elle préside le caucus, mais deviendra, trois mois plus tard, ministre du Revenu national. Réélue en 1997, elle est nommée au ministère des Affaires indiennes et du Nord canadien. En août 1999, Jean Chrétien lui confie le portefeuille du Développement des ressources humaines. Elle est de nouveau élue en octobre 2000 et conserve les mêmes fonctions au Conseil des ministres, malgré un scandale de subventions douteuses qui touche son ministère.

21. « The caucus colleagues in Quebec, hearing from constituents about : this is a big deal, you know, we'll have the passport, we'll have the canadian dollar, and we'll be Quebec! More and more, the frustration elevated. Because there wasn't a mechanism for us to engage. If people had suggestions or ideas, they could coordinate it through his (Gagliano's) office. There was an overwhelming sense that it wasn't our game. That it was managed by the NO side. There was a huge sense of frustration and, in some cases, turned to anger, just that complete sense of uselessness. »

22. En anglais dans l'interview : « I was a bit frustrated to having accepted the advice to stay behind and not to participate. And some said too that because I had opposed Meech, that it was making the people unhappy. My view is people are never unhappy when you speak up your mind in politics. »

23. « Between 1984 and 1993, the provincial Liberal Party was very close to the Brian Mulroney's conservatives. And the Johnson family had traditionally been Union nationale. When Daniel Johnson joined the Liberal Party provincially, he joined as a federalist, he didn't joint as a federal Liberal. And there were views that he might be more comfortable as a conservative in terms of his federal politics. »

24. « My view of it was that his role should be very strategic, that there is a very grave danger of depreciating the coinage by being out every night on television. If you are talking all the time, when you have something really important to say, nobody notices. That's why I thought a few strategic appearances would be much better, just like in 1980, Mr. Trudeau appeared three times during the campaign. »

25. « She was marginalized a little bit during the campaign. We were going so well that some of the provincial liberal organizers almost lost sight of the objective, which was to win the referendum, and started to look at this as an opportunity to really beat the Parti québécois. They were looking more in the context at one stage of the next provincial election. »

26. *La Presse*, 13 septembre 1995.

27. « I'm not sure that Preston Manning, given the views of the Reform Party, would have been terribly productive in terms of the campaign. »

28. *Le Devoir*, 29 septembre 1995.

29. « You have a speech with 40 minutes on the new federalism and five minutes on how to handle the consequences of secession. You could count on the medias' story being on the negative side because conflict is more newsworthy than cooperation. »

30. « The message will be one of love and affection and one of conciliation », *The Gazette*, 13 septembre 1995.

31. « Parisella I've known for a long time and like him a lot. He's a good friend and he's a person I respect a great deal. »

32. « [...] we were much more active probably than most Canadian Provinces. But there was a bit of fear that people who are not sensitive to the nuances of politics in Quebec could end up, entering the debate and stepping into a land mine inadvertently. »

33. « Let me be very clear. I said this to Premier Parizeau at the premiers conference in Newfoundland : an internal trade pattern exist amongst provinces within a country, not between countries. If Quebec separates, one thing is certain : Quebeckers would no longer have access to the Canadian advantages. We would have no special obligations tied to history or common national interest. » *Toronto Star*, 13 octobre 1995.

34. *Le Devoir*, 13 octobre 1995.

35. *Ibid.*

36. *Ibid.*

37. Pietro Perrino gravite autour des gouvernements libéraux, tant à Ottawa qu'à Québec, depuis longtemps. Déjà, en 1987, il était le conseiller politique de Robert Bourassa dans les dossiers jeunesse. Il a ensuite occupé des fonctions de chef de cabinet et de conseiller spécial au cabinet du chef de l'opposition libérale jusqu'en 1999. On le retrouve à la tête de l'équipe de Paul Martin au Québec, aux côtés de libéraux fédéraux et provinciaux, ce qui ne l'a pas empêché de décrocher, en 2001, une maîtrise en administration des affaires. Lorsque le gouvernement de Jean Charest remercie Louis Roquet de ses services en 2004, Pietro Perrino est nommé au conseil d'administration de la Société des alcools du Québec.

38. « It's always amazing when there's a swing vote, the federal government will always come in and encourage the aboriginal leaders to tell their people to come out to vote. There were requests and they came in trying to appease us, so that we can encourage our people to vote. Because they knew probably the majority would have said no anyway. »

39. Entre 1993 et 2002, Barry Lowenkron a occupé diverses fonctions dans les services de renseignements américains, y compris à la CIA à titre d'assistant spécial du directeur. Au moment de la visite de Parizeau à Washington, il était directeur des European Security Affairs au National Security Council. Spécialiste de la sécurité nationale et du renseignement, il enseigne à l'Université John Hopkins.

40. Jusqu'au début du XIXᵉ siècle, les États-Unis et l'Europe vivent des relations économiques et militaires tendues. L'Espagne possède des colonies en Amérique, mais elle les perd l'une après l'autre dans des révolutions républicaines. Elle envisage de les récupérer. Les États-Unis, qui voient naître ces jeunes républiques d'un bon œil, leur accorde la reconnaissance diplomatique en 1822. La France, la Russie, l'Autriche et la Prusse créent la Sainte Alliance et le gouvernement américain craint que toute l'Europe vienne aider l'Espagne catholique à reconquérir ses anciennes colonies. La Russie, qui a déjà des comptoirs en Californie, a également des velléités de colonisation du côté de l'Oregon, qu'elle veut rattacher à l'Alaska, russe à l'époque. L'Angleterre veut venir au secours des États-Unis, mais le secrétaire d'État, John Quincy Adams, estime qu'il appartient aux États-Unis, et aux États-Unis seuls, de régler le litige. Le 2 décembre 1823, le président James Monroe énonce alors la politique étrangère des États-Unis, inspirée par Quincy Adams. Il condamne toute intervention européenne sur le continent américain. Ce qui signifie aussi que Washington considère désormais l'Amérique, du pôle Nord à la Terre de Feu, comme son « arrière-jardin ». « Nous considérons que toute tentative de l'Europe en vue d'étendre son système à quelque fraction que ce soit de cet hémisphère (*sic*) serait dangereux pour notre paix et pour notre sécurité », dit Monroe. (« We should consider any attempt on their part to extend their system to any portion of this hemisphere as dangerous to our peace and safety. ») Source : Oulala.net et [http://odur.let.rug.nl] En contrepartie, les États-Unis s'engagent à ne pas intervenir en Europe. Cette politique isolationniste va persister jusqu'en 1917, alors que les États-Unis décident de participer à la Première Guerre mondiale. Mais ils continueront de garder un œil intéressé sur tout ce qui se passe dans les trois Amériques, et c'est ce sentiment de « propriété » que Jacques Parizeau entend exploiter.

41. « I don't think the Monroe doctrine is ever a treaty and didn't really matter and I don't know what James Monroe would have said other than the North Americans are bailiwick... »

42. Benoît Bouchard est un professionnel de l'enseignement et un administrateur scolaire. Il a été député conservateur de la circonscription électorale de Roberval en 1984 et a occupé diverses fonctions dans le gouvernement de Brian Mulroney ; il a été secrétaire d'État, puis ministre de l'Emploi et de l'Immigration, des Transports, de l'Industrie et de la Santé avant d'être nommé ambassadeur à Paris en 1993, juste avant l'arrivée du Parti libéral au pouvoir. Il a été par la suite président du Bureau sur la sécurité des transports.

43. Incident rapporté dans PIERRE DUCHESNE, *Op. cit.*, p. 343.

44. Source : PIERRE DUCHESNE, *Op. cit.*, p. 344.

45. « In other words : We mind our business, mind your own business. » En anglais dans l'interview.

46. Propos entendus au *Téléjournal* de Radio-Canada, le 26 janvier 1995, rapportés dans PIERRE DUCHESNE, *Op. cit.*, p. 345.

47. Source : Denise Bombardier, dans une conversation téléphonique le 22 mars 2005.

48. En anglais, dans l'interview : « The interest in the United States was absolutely amazing for what was happening in Canada and in Quebec. That was something that I had never witnessed in almost the seven years I spent in Washington. »

49. « I mean President Clinton, Vice-president Gore, Secretary Christopher, with that issue were always very careful, prudent, worried. And rightly so. »

50. François Bujon de l'Estang fait ses premières armes en politique étrangère à titre de conseiller diplomatique du général de Gaulle, alors que celui-ci était président de la République. Dès 1969, il est affecté à Washington à titre de premier secrétaire. Au changement de gouvernement en France, il devient un industriel spécialisé dans la production d'uranium et le développement de combustible nucléaire. Il revient à la diplomatie en 1986 et, après trois années à titre d'ambassadeur au Mexique, il occupe les mêmes fonctions à Ottawa, de 1989 à 1991. Il a une influence considérable au ministère français des Affaires étrangères pour tout ce qui concerne le Canada. « Tout ce qui sort actuellement du Quai d'Orsay (est) fortement influencé par l'ambassadeur Bujon de l'Estang (qui) est profédéraliste », dit Louise Beaudoin, alors ministre des Affaires intergouvernementales du Québec. (Extrait d'une note de Louise Beaudoin à Jacques Parizeau, intitulée *Séjour à Paris, janvier 1991*. Archives de Jacques Parizeau. Cité dans PIERRE DUCHESNE, *Op. cit.*

51. Raymond Chrétien a donné l'interview à Radio-Canada dans les deux langues. « When you represent Canada in Washington, there are very few things that you are not aware of. You cannot come to Washington, anybody from Canada or Quebec, totally incognito. Obviously, I was aware. I would go to Congress myself, to the Hill, and I would be told : "Listen, we just saw the representative of Quebec yesterday and that's what she told us." »

52. Lorsque le Parti québécois prend le pouvoir, le Québec compte 430 représentants à l'étranger dont une centaine aux États-Unis, à New York où se trouve la délégation générale, à Atlanta, Boston, Chicago, Los Angeles et Washington. Mais le bureau de Washington ne compte que trois personnes, et c'est un bureau touristique. En principe, le conseiller aux Affaires nationales américaines est rattaché à la délégation générale, donc à New York. Mais, à cause de l'importance stratégique de Washington, c'est Anne Legaré, conseillère aux Affaires nationales américaines, qui a le statut de chef de poste, qui dirige en somme le bureau. Anne Legaré, qui a assumé la présidence d'un comité de relations internationales, mis sur pied en 1991 par Jacques Parizeau, est spécialisée en sociologie politique et enseigne au Département de sciences politiques de l'UQÀM.

53. « I didn't want some reporter, some Quebecker coming down and says : if we break up, will you still work with us and then, you know, he says : oh sure, we'll still love. The press coverage of what the US people would say in Quebec was outrageously inaccurate, including things I said, outrageously inaccurate. Any janitor in the State Department could have said : I like Quebec, and it would be : State Department officials hails new nation. So, I came down to caution all key people in Congress, when somebody asks : will you support us if we break up, and say : oh, it's a nice day out! »

54. JAMES BLANCHARD, *Op. cit.*

55. « Many Americans believe that English-speaking Canadians only caused trouble by letting the French-speaking Canadians get more and more militant about their language. They would argue it was probably a mistake two hundred years ago to encourage the French colonists to stick to their language in North America after the British Conquest. It created a division that probably needn't have occurred [...]. » *Ibid.,* p. 75.

56. « Our kind of passive friendship, any change in the status of Canada is for Canadians to decide, that mantra was being used by the hardliners in Quebec as to say : United States doesn't really care, we'll have NAFTA, we'll have the auto pack, we'll have NORAD, NATO. That's the kind of stuff I was hearing all over as I moved around. That was nonsense. We would have to renegotiate NAFTA, all those treaties, they were not automatic. »

57. « The mere inclusion of a "docking clause" (an explicit authorization for the accession of additional countries to an agreement) does not mean that new countries can join without action by Congress. NAFTA provides for the accession of other countries, for example, but Congress wrote a provision into the NAFTA implementing legislation specifying that no accessions will be permitted without the express authorization of Congress. » WASHINGTON TRADE REPORTS. [http://www.washingtontradereports.com]

58. *La Presse,* 2 février 1995.

59. Le professeur Joseph Jockel est directeur du programme des Études canadiennes à l'Université St-Lawrence, Canton, New York. Il est associé principal au programme des Amériques du Center for Strategic and International Studies. Les extraits du rapport Jockel sont tirés de : SYLVIANE TRAMIER, « L'adhésion aux organismes internationaux ? Rien d'automatique, rien d'insurmontable », *Le Devoir,* 10 février 1995.

60. Cette information et celles qui suivent sont tirées d'un document préparé par le Conseil privé, en mai 1995, et obtenu en vertu de la Loi canadienne sur l'accès à l'information. Ce document est intitulé *Fiches d'information : la séparation du Québec sur la scène internationale.*

61. La Loi sur la Société de radio-télévision a institué Radio-Québec en 1969. C'est une autre loi, la Loi sur la Société de télédiffusion du Québec, adoptée en décembre 1996, donc après le référendum, qui a créé Télé-Québec, en remplacement de Radio-Québec.

62. *La Presse,* 29 septembre 1995.

CHAPITRE 8

1. La chanteuse Pauline Julien, le poète Gaston Miron, le sculpteur Armand Vaillancourt, des comédiens comme Hélène Loiselle et Jean-Claude Germain, l'imitateur Jean-Guy Moreau, la journaliste Ariane Émond, le romancier Yves Beauchemin et beaucoup d'autres, quelque 200 au total, viennent à tour de rôle mobiliser la foule de 150 ou 200 personnes qui s'y rassemblent tous les midis. Source : *La Presse*, 13 octobre 1995.

2. *Trente lettres pour un oui*, Montréal, Éditions Stanké, 1995. Gilles Vigneault, Victor Lévy-Beaulieu, Michel Garneau, Pierre Falardeau, Andrée Ferretti, Raôul Duguay, Louis Caron, Yolande Villemaire, Claude Beausoleil, Paul Chamberland, Jean-Claude Germain, Pierre Vadeboncoeur, Marc Chabot, Francine Allard, Denyse Boucher, Hélène Pedneault, Hélène Pelletier-Baillargeon, Marie-Andrée Beaudet comptent parmi les auteurs de ces lettres, qui sont, pour certaines, un vibrant appel à la solidarité et un témoignage d'ouverture adressés aux Québécois des diverses communautés culturelles. « Écoute notre histoire et elle sera la tienne », y écrit notamment le poète Beausoleil.

3. Émission *Le Point*, Radio-Canada, 4 octobre 1995.

4. DENIS MONIÈRE, JEAN H. GUAY, *La bataille du Québec, Troisième épisode : 30 jours qui ébranlèrent le Canada*, Montréal, Éditions Fides, 1996, p. 40.

5. Source : « Les autobus du OUI, prêts à partir », *Presse canadienne*.

6. *Le Devoir*, 25 septembre 1995.

7. Sondage SOM-Environics pour le compte du journal *Le Devoir*, de Radio-Canada, des journaux *Le Soleil*, *Le Droit* et *The Gazette*, publié le 1er octobre 1995.

8. *Le Journal de Montréal*, 3 octobre 1995.

9. Voir chapitre 5, note 3.

10. *Le Droit*, 4 octobre 1995.

11. *La Presse*, 3 octobre 1995.

12. Voir note 7.

13. *Le Devoir*, 3 octobre 1995

14. *La Presse*, 5 octobre 1995.

15. *Le Devoir*, 4 octobre 1995. DRI/McGraw-Hill est une firme de consultants réputée, qui se spécialise notamment dans les prévisions de croissance économique.

16. *La Presse*, 4 octobre 1995.

17. *Ibid.*

18. Lorsque le Mexique signe l'Accord de libre-échange nord-américain, en janvier 1994, il a une lourde tâche à accomplir : il lui faut restructurer sa dette extérieure, couper dans ses barrières protectionnistes, privatiser plusieurs sociétés d'État, diminuer le taux d'inflation (les taux d'intérêt ont atteint près de 15 % en mai) et, surtout, réduire son déficit qui est passé de 6 milliards en 1989 à 15 en 1991 et à plus de 20 milliards en 1993. Ce déficit a amené les observateurs à considérer le peso surévalué, ce qui décourage les exportations et stimule les

importations. À cette situation économique s'ajoute un climat d'instabilité politique. Au Mexique, 1994 est une année d'élection à la présidence. Le 23 mars, le candidat le plus sérieux à l'élection présidentielle, Luis Donaldo Colosio, est assassiné. Les événements se succèdent : un autre assassinat politique, celui de José Francisco Ruiz Massieu en septembre, des enlèvements de gens d'affaires, les rébellions du Chiapas, etc. Moins d'un an après être entré dans l'ALÉNA, le Mexique vit un désastre économique. Le 20 décembre, le gouvernement se résigne à dévaluer le peso, mais la devise mexicaine tombe de 60 % par rapport au dollar américain.

19. Les prochaines élections présidentielles aux États-Unis auront lieu l'automne suivant, en novembre 1996.

20. « Canadian ambassador to the U.S. Raymond Chrétien warned a Quebec city audience oct. 4 that a divided Canada-Quebec front in Washington would seriously harm both parties' economic interests. Chrétien said the mood, in Washington, has become much more isolationist since last November, and much less enthusiastic about free trade, especially since the Mexican peso crisis. As a result, it seemed highly unlikely that any new members of NAFTA would be admitted until well after presidential elections. Chrétien specifically referred to Chili, but when asked by a questioner later whether he was also talking about Quebec, he said [...] that the same rules and problems would apply to any candidate member. [...] Also said during the Q&A that he was « confident » that Quebec was not going to separate from Canada. » Source : P 04024z oct 95. AMCONSUL QUEBEC TO SECSTATE WASHDC PRIORITY 9853.

21. *Le Soleil*, 4 octobre 1995.

22. *Ibid.*

23. *Ibid.*

24. *La Presse*, 8 octobre 1995.

25. « It's important that each of you in the next three weeks take time to talk to Quebeckers you know, to tell them that the french family in this country stretches from Atlantic to the Pacific. » *Globe and Mail*, 6 octobre 1995.

26. *The Vancouver Sun*, 6 octobre 1995.

27. « The worry is that the NO forces have peaked too early. I don't think we can be too cocky about this. That still say 4,5 people out of 10 believe in some form of sovereignty. The most consistent ingredient of modern politics is its volatility. » *Toronto Star*, 6 octobre 1995.

28. Source : *Le Devoir*, 5 octobre 1995.

29. Stephen R. Kelly a d'abord été journaliste pendant sept ans. Au début des années 1970, il a servi au Zaïre comme volontaire dans les Peace Corps. Devenu fonctionnaire au State Department, il y a occupé, de 1986 à 1991, diverses fonctions. Il a auparavant travaillé au Mali, à Bruxelles et à Djakarta, en Indonésie. Il parle, outre l'anglais, le français et le néerlandais. L'entourage de Parizeau le considérait plus ouvert aux réalités politiques québécoises que son prédécesseur.

30. « CG (consul general) met oct. 4-5 with three PQ strategists to discuss their outlook on the referendum campaign. David Cliche is minister rank advisor to Quebec premier Jacques Parizeau and his point man on Indian affairs. Michel Lepage is the PQ's in-house pollster. Marcel Landry is the Quebec minister of Agriculture. Cliche said he is part of a small group that meets every morning to review campaign strategy. He stated bluntly that if the next round of published polls do not show an improvement in the YES position, the sovereignty battle is lost. Cliche noted that the last round of polls showed a 45-55 advantage for the NO side. The YES side needed to show it was closing the gap to develop some badly needed momentum. Cliche said the PQ strategists have decided the only way for them to win is to focus their attention on french-speakers who have told pollsters they intend to vote NO. Cliche said this is based on an estimate that 95 percent of the 18 percent of Quebeckers who are non-french speakers will vote NO, and there is nothing the PQ can do about them. Recent polls estimate after apportioning the undecided that 57 percent of francophones will vote YES. But this figure must be nearly 60 percent to overcome the anglophone deficit. Cliche said the PQ will attack this problem in two ways. First, many of those who say they will vote NO are worried about economic factors. This economic angst is especially prevalent among the 800 000 Quebeckers who live on public assistance, and among women who stay home. In the days to come, Cliche said the YES side will try to clarify the message that a sovereign Quebec can be economically viable. The other line of attack, according to Cliche, will be to spark the pride of Quebeckers. He said internal PQ polling already showed a narrowing of the gap from the 45-55 percent to 47-53 percent. PQ pollster Michel Lepage confirmed this to CG oct. 5. He said his results, which he shared in detail with CG, showed a big jump in support sept. 28 and 29 for the YES side. Lepage apportioned 70 percent of the 10 percent who were undecided to the NO side to reach these total figures. The race isn't won, he said, but it is still winnable. » Source : FR AMCONSUL QUEBEC TO SECSTATE WASHDC PRIORITY 9854. SUBJECT : FLAT POLLS WORRY PQ STRATEGISTS.

31. Sondage réalisé pour le compte du *Journal de Montréal* et *The Globe and Mail*.

32. Le Régime d'épargne-action (RÉA) a été créé par le gouvernement Lévesque en 1979 alors que Jacques Parizeau en était le ministre des Finances. Il avait pour objectif d'inciter les Québécois à investir dans des entreprises qui, moyennant certaines conditions, émettaient des actions ordinaires admissibles dans le cadre de ce programme. En retour, les investisseurs bénéficiaient d'un abattement fiscal qui pouvait être de 100 % et, dans certains cas, davantage.

33. *Le Soleil*, 6 octobre 1995.

34. *La Presse*, 6 octobre 1995.

35. « My purpose was to get a few ringing endorsements for a united Canada in the press and make sure that nobody in Congress said anything that would inflame the issue back in Quebec. My first appointment was with E.J. Dionne and John Anderson of the *Washington Post* editorial board. I found Dionne particularly interested because his family was originally from Quebec. I went on : The polls are good. It could even be a decisive victory. But we can't be sure, anything could happen. It's a very fuzzy question. It's an emotional issue. Ethnic tribalism is on the rise. Populism is on the rise. » JAMES BLANCHARD, *Op. cit.*, p. 229.

36. Correspondance informatique avec l'auteur, 16 septembre 2004. « He and I spoke of this fairly often (I had known him when he was governor of Michigan). I always would joke with him that I had a Quebecois perspective on the issue. His account sounds broadly right to me. » E. J. Dionne, qui a passé quatorze ans au *New York Times*, s'est joint au *Washington Post* en 1990 où il a le statut de *columnist*. Ses ancêtres sont bien du Québec, de la région de Belœil. Sa grand-mère maternelle, une dame Patenaude née Galipeau, a émigré aux États-Unis en 1898. Du côté paternel, les Dionne et les Vincent, originaires de Rivière-du-Loup, ont passé la frontière dans la grande vague des émigrants vers les filatures de coton, dans les années 1850 et 1860.

37. *Le Droit*, 6 octobre 1995.

38. « Les voyantes prédisent un NON massif. Les prédictions varient entre 67 et 80 % », *La Presse*, 8 octobre 1995.

39. Voir chapitre 6, note 15.

40. *Le Journal de Montréal*, 7 octobre 1995.

41. *La Presse*, 8 octobre 1995.

42. Selon les souvenirs de Jean-François Lisée.

43. « For a while, there was a pause. There was that kind of blind thing that happens when you're driving down the road and suddenly your car is out of control. Your first instinct is to simply hold on to the wheel and go for a ride. When really you ought to be trying to do something so steer you away out of that skid. I think the initial reaction of those who were the authors of the strategy, both in Cabinet and outside of Cabinet, was a degree of paralysis. »

44. « I became very concerned. Mr. Bouchard (was) charismatic, and talented, and pure, in terms of not having baggage. I became extremely apprehensive. »

45. « I felt it was important to get a message to Quebeckers and to encourage my fellow Ontarians that whatever opportunity they had, through business or social or friends or family, do send a message to Quebeckers that we indeed consider them part of Canada. And secondly, that we shared some very legitimate concerns, in Ontario, on constitutional issues. »

46. « If he wanted to be premier of Quebec and leader of the PQ party, on into the future, it turned out not to be a very smart move. If he saw his future, that if he didn't win this referendum, his future was doomed anyway, then it was a smart move. So, either way, it's history. »

47. « Mr. Trudeau, I think, just destroyed the country. I hate to say that, because he's passed on. I thought his policies took us to economic ruin. I was a tremendous admirer of Mr. Trudeau, his political ability to convince voters, to gain their trust, don't worry, I'm on your side, you can trust me. Mr. Bouchard, clearly, had that quality. He was very charming, he was persuasive, he was able to gain the confidence like no other Quebec politician was. He had clearly a charisma [...]. »

48. *Le Soleil*, 8 octobre 1995.

49. Jusque-là, la Loi sur les consultations populaires, qui prévoit un délai de sept jours entre l'émission des brefs et la diffusion des premières publicités payées dans les médias, empêchait les deux camps d'y recourir. L'article 429 de la version spéciale de la Loi électorale pour la tenue d'un référendum se lit comme suit : Sauf le directeur général des élections, nul ne peut, pendant les sept jours qui suivent celui de la prise du décret, diffuser ou faire diffuser par un poste de radio ou de télévision ou par une entreprise de câblodistribution, publier ou faire publier dans un journal ou dans un autre périodique ou afficher ou faire afficher sur un espace loué à cette fin, de la publicité ayant trait au référendum.

50. *La Presse*, 10 octobre 1995.

51. « This has, now, become more difficult, more dangerous, this is no time for those who don't understand the land, or landscape, to become involved, so leave this to those of us who live in Quebec, who know Quebec, please leave this alone. »

CHAPITRE 9

1. « And then, I turned to my wife and I said : you know, we got trouble. That night, I was just scared. And some of us started to speak about this in the days following. »

2. « A revolt brewing in sovereigntist ranks led Premier Jacques Parizeau to hand over the reins of the Yes campaign to Bloc Québécois Lucien Bouchard, sources say [...]. Sources who asked not to be identified confirmed that pressure to put Mr. Bouchard at the head of the campaign erupted last week when it became evident the Yes side was headed for certain defeat. » *Globe and Mail*, 9 octobre 1995.

3. Voir chapitre VIII.

4. *Le Journal de Montréal*, 15 octobre 1995.

5. Il s'agit de l'article 304 du Code de sécurité routière, une loi adoptée en décembre 1986 sous le gouvernement de Robert Bourassa, alors que Marc-Yvan Côté était ministre des Transports. Source : Texte de la *Presse canadienne*, publié dans *La Presse* du 21 septembre 1995.

6. « Mr. Johnson was a very practical man, had a very practical approach. There's any question that the mythology of Meech, his view that there were a series of betrayals, a series of efforts being stabbed in the back, the Night of long knives, and an English Canada somehow had turned its back on Quebec. »

7. En anglais dans l'interview : « We had to rely with that reality. People thought that he was the Messiah. »

8. *La Presse*, 10 octobre 1995. Dans le groupe, il y a Pierre Laurin, de la maison de courtage Merrill Lynch, André Dion, président et principal actionnaire de la brasserie Unibroue, Jacques Girard, directeur général de Quebecor, Pierre Parent, de Promexpro, Réal Laporte de la firme d'ingénierie Soprin et de nombreux autres propriétaires et gestionnaires de PME.

9. *Le Devoir*, 13 octobre 1995.

10. *La Presse*, 10 octobre 1995.

11. Source : *The Vancouver Sun*, 10 octobre 1995.

12. *Ibid.*

13. Selon le journal des étudiants de l'université, il s'agit de Val Neaves-Nelson, Michelle Shepherd, Bryce Dalke et Michelle Lang. *The Peak*, vol. 91, n° 9.

14. « So people really lined up. We had two days and people, really, for the time we were there, it was packed. »

15. Six mois plus tard, Sophie Bélanger retournera à Vancouver dans la même station de radio et avec le même animateur, cette fois à la demande de Gilles Blais de l'ONF qui réalise *Le Grand silence*, dans lequel il tente d'expliquer à son fils le travail de ceux qui ont bâti le Québec.

16. *La Presse*, 11 octobre 1995.

17. *Le Soleil*, 11 octobre 1995.

18. Sous le titre : *Quebec separatists want it both ways* : « How unfair has the Canadian state been to justify the break-up of one of the world's leading nations ? Not very, because the principal promise separatists make is that after seceding, Quebeckers will be able to retain their canadian citizenship. And canadian passports. And canadian currency. And Canada's economic union. How brazen ! »

19. *La Presse*, 11 octobre 1995.

20. Source : *La Presse*, 12 octobre 1995.

21. GRAND COUNCIL OF THE CREES (of Quebec), *Sovereign Injustice : Forcible Inclusion of the James Bay Crees and Cree Territory Into a Sovereign Quebec*, Nemaska, Grand Council of the Crees, 1995.

22. Lorsque le Canada a acheté la Terre de Rupert de la Compagnie de la Baie d'Hudson, en 1870, ce territoire regroupait les Inuits, les Cris, les Montagnais, les Naskapis, les Attikameks et les Algonquins. Il a été rattaché au Québec en diverses phases par la suite. En 1898, la frontière nord du Québec a été poussée jusqu'à la côte est de la baie James, l'embouchure du fleuve Eastmain, qu'elle a suivie, vers l'est, jusqu'au fleuve Hamilton pour redescendre vers la frontière ouest du Labrador.

23. « They created Canada, nobody ever asked us if we want to be part of Canada, they didn't. Do you think we're going to miss the boat this time ? »

24. « We were always careful to get into that kind of debate because it would be on the principles of right to self-determination. Under international law, do the indigenous people have that same right ? And what are the criteria for being recognized as a people and as a nation ? To be recognized as having the right to self-determination ? Those were the arguments that we pushed for. »

25. « There were fears that there might be retaliation of the position we took, that they might send in the police force. We said what could be worse, they trampled on our rights, they keep cutting trees and they keep flying our lands and we're not going to say boo ? »

26. « We don't like the Indian Act, we never did. Why is there an act called the Indian Act, when there's none for the Jewish, none for the Italian, none for any other immigrants that came to this country ? »

27. *Denis Lessard*, « Les Indiens n'auraient pas droit de sécession, selon un document fédéral », *La Presse*, 13 octobre 1995.

28. *The Globe and Mail*, 10 octobre 1995.

29. « Are Nova Scotians going to accept people from another country fishing just off their coastline ? Are the Newfoundlers going to accept fishermen from another country fishing off their shores ? » *The Gazette*, 13 octobre 1995.

30. *La Presse*, 13 octobre 1995.

31. *Le Devoir*, 13 octobre 1995.

32. *La Presse*, 13 octobre 1995.

33. Sondage SOM-Environics, pour le compte du *Devoir*, de Radio-Canada, du *Soleil*, du *Droit* et de *The Gazette*, publié le 3 octobre 1995.

34. *La Presse*, 13 octobre 1995.

35. Josée Legault est une militante de l'indépendance du Québec. Elle a été chargée de cours à l'UQÀM et fut chroniqueure au *Devoir* et à *The Gazette*. Le rapport du comité, connu sous le nom de rapport Plourde-Legault, a conclu à la fragilité de la langue française dans certaines régions du Québec. Josée Legault a publié *L'invention d'une minorité* aux Éditions du Boréal, en 1992 et *Les nouveaux démons* chez VLB, en 1996. Elle a travaillé quelque temps au cabinet de Bernard Landry avant d'être remerciée par Brigitte Pelletier lorsque celle-ci a remplacé Claude-H. Roy comme chef de cabinet, en décembre 2002. Elle n'a pas eu plus de chance en politique, ayant été battue par Robert Perreault à l'investiture du Parti québécois dans Mercier, en 1998.

36. *Le Devoir*, 17 octobre 1995.

37. *La Presse*, 16 octobre 1995. La citation dans *La Presse* est sensiblement la même que celle qu'a publiée *Le Devoir*, le 17 octobre : « La société québécoise est une des races blanches qui a le moins d'enfants. Ça n'a pas de bon sens. Cela veut dire que l'on n'a pas réglé les problèmes familiaux et une politique familiale incitative. »

38. « I can't fathom what he's implying. I think it might be that in an independent Quebec, white women would be able to have more babies. It shows a leadership out of control. » *The Globe and Mail*, 16 octobre 1995.

39. *La Presse*, 17 octobre 1995. Le 9 mars 1980, six semaines avant le premier référendum québécois, au lendemain de la Journée internationale de la femme, 700 femmes sont entassées dans la salle du Plateau pour entendre des orateurs souverainistes. Lise Payette, ministre de la Condition féminine, s'amène au micro : elle ridiculise le personnage d'Yvette, qu'elle tire d'un manuel scolaire, modèle de femme au foyer qui lave la vaisselle, tranche le pain et balaie le tapis pendant que son petit frère pratique la boxe et la natation. Et elle ajoute : « Claude Ryan est le genre d'homme que j'haïs, car des Yvette, lui, il va vouloir qu'il y en ait plein le Québec. Il est marié à une Yvette ! » En 1980, Claude Ryan est le chef du camp du NON et sa femme, Madeleine, est tout le contraire d'une Yvette. L'occasion est belle : quelques jours plus tard, le camp du NON va remplir le Forum de femmes, outrées des propos de Lise Payette. Source : PIERRE GODIN, *René Lévesque, Tome III, L'espoir et le chagrin*, Montréal, Les Éditions du Boréal, 2001, p. 520.

40. « Any other politician who would have said that would probably not have lasted more than five minutes. People forgave him. And a good part of it was the fact that he had miraculously recovered from his illness. »

41. *Le Devoir*, 16 octobre 1995.

42. DENIS MONIÈRE et JEAN H. GUAY, *Op. cit.*, p. 53.

43. *La Presse*, 17 octobre 1995.

44. *La Presse*, 16 octobre 1995.

45. Source : YVES BOISVERT, « Dénatalité : le Québec, loin du record », *La Presse*, 17 octobre 1995.

46. *Le Devoir*, 17 octobre 1995.

47. *Le Devoir*, 17 octobre 1995.

48. En anglais dans l'interview : « The magic wand that was to solve all the problems. Imagine if me I had said things like that. Here I see *The Globe and Mail, The National Post* and all the gang dumping by the truckload on me. And, in Quebec, nobody picked up the pen et said that makes no sense. »

49. Version anglaise : « I consider my people as being patient, warm and non-violent. We have welcomed you with pleasure and warmth on Quebec soil. [...] Your hearts and thoughts are focused on your native country, so you have two homelands. Being a descendent of Quebec land-clearers who died while defending their homeland, I only have one home and I desire no other. [...] If you feel sorrow for having left your native country and still long for it, then go back! If you want to live and prosper as *Englishmen and women,* I am sure that the *Englishmen* of other countries will welcome you. An overwhelming "No" from minorities and immigrants to Quebec's sovereignty will mean for me that you are not interested in showing any kind of respect for me in my own home and country and that you are willing to side with the *English* people to expropriate me. »

50. *La Presse*, le 6 octobre 1995.

51. *Scrum*, littéralement « bousculade ». Sorte de point de presse impromptu et informel que les personnalités politiques accordent dans les couloirs, entre deux portes, dans une mêlée générale de calepins, de micros et de caméras.

CHAPITRE 10

1. Après l'éclatement de la Tchécoslovaquie, il devient évident qu'aucune forme de fédération ne va satisfaire les Tchèques et les Slovaques. En juillet 1992, le Parlement slovaque vote en faveur de la souveraineté. Tout l'automne, Tchèques et Slovaques négocient les modalités de la partition. En novembre, le Parlement fédéral vote la dissolution du gouvernement et, le 1er janvier 1993, la République tchèque et la Slovaquie deviennent des États indépendants. Le 15 février de la même année, le Parlement slovaque élit Michal Kovac comme premier président de la république. Le nouveau pays compte environ 5 400 000 habitants.

2. *Le Journal de Montréal*, 16 octobre 1995.

3. *Le Journal de Québec*, 21 octobre 1995.

4. Fiches d'information : *La séparation du Québec sur la scène internationale*, préparées par le Conseil privé en date du 15 mai 1995, et obtenues en vertu de la Loi canadienne sur l'accès à l'information.

5. Données tirées d'un texte intitulé *Can Slovakia pursue his rate of growth sustainable ?*, publié dans le bulletin mensuel des services de recherches de Morgan Stanley de Londres après le référendum et cité par Jacques Parizeau lors d'une rencontre qui a précédé les interviews accordées à Radio-Canada dans le cadre de cet ouvrage.

6. *Le Devoir*, 18 octobre 1995.

7. « We are equal partners in Confederation and the fact that historically it was the coming together of two founding nations, cool. We're now about a hundred and some years down the road from that and what does that say to people who are as Canadian as you and I, but their mother tongue is neither french or english and their ethnic background is quite different as well. And they are 9 or 10 millions Canadians in that. So, the historical part is true but it doesn't fit in this day and age. I don't think Alberta should be enshrined in the constitution to have distinct society status any more than Quebec or anymore that anybody else. »

8. *La Presse*, 17 octobre 1995.

9. Sondage SOM pour le compte du *Soleil* de Québec

10. Sondage électronique de l'analyste Skot Kortje des Publications Stocktrends, publié dans le *Globe and Mail* du 17 octobre 1995.

11. « New Brunswick is different from all the other provinces. We live on the edge of the fault line. In the case of Ontario, they're big enough that they don't fall in the hole. In the case of New Brunswick, that's not true. [...] For us, this is not an academic exercise. It's a fight in the family. And it's personal and it's emotional. And around our Cabinet table, a huge amount of anxiety was expressed from both francophone and anglophone ministers about the way things were going. »

12. *La Presse* et *Le Devoir*, 18 octobre 1995.

13. « I never said these jobs would be lost. The threat is that Quebec's competitors in the rest of Canada and the United States will be able to harass Quebec exporters. » *The Globe and Mail*, 19 octobre 1995.

14. *Le Devoir*, 18 octobre 1995.

15. Maurice Pinard, professeur à l'Université McGill, est l'un des sondeurs du camp du NON.

16. « On October 17th, I spoke to Eddie Goldenberg over the phone. "The polls are now 50-50, he said, and those are our own numbers." "Counting Pinard's 5 or 6 percent hidden vote ?" I asked. "Yes, he said grimly. We're dead even. The other side did very well last week." I sensed from his voice that the federalists didn't have a fallback position. "Well, I said. We're planning to have Christopher make a nice statement, certainly repeat and maybe strengthen what the president said in February. But we want to make sure we say it right. We don't want to hurt you with Quebeckers." "Don't worry about that (he said), nothing is going to hurt us now." » Extrait du livre de Blanchard, *Behind the Embassy Door. Canada, Clinton and Quebec*, Toronto, McClelland & Stewart, 1998, p. 232.

17. « There was no general discussions after mid-October about formal contingency planning, not that I'm aware of. »

18. *La Presse*, 18 octobre 1995.

19. Selon le sondeur Pierre Drouilly, répartir les indécis selon les pourcentages obtenus par l'une ou l'autre des options est une erreur. Il soutient qu'ils sont rarement plus du quart à favoriser les souverainistes.

20. *La Presse*, 18 octobre 1995.

21. *L'appel de la race* est un roman publié en 1922 par le chanoine Lionel Groulx sous le pseudonyme d'Alonié de Lestres. Dans ce roman, l'historien raconte la vie d'un avocat franco-ontarien, Jules Lantagnac, déchiré par la crise des écoles francophones en Ontario. Il s'agit d'un petit roman, mais qui a suscité des débats considérables à cause de la réputation de son auteur, de l'utilisation du mot « race » dans le titre et parce qu'il constitue une dénonciation de la politique ontarienne vis-à-vis des francophones de cette province. Le roman a été publié cinq ans après l'adoption par Toronto du Règlement XVII, une mesure visant à restreindre l'usage du français et à faire de l'anglais la principale langue d'enseignement dans les écoles primaires francophones de la province. La publication de *L'appel de la race* a donc coïncidé avec la lutte acharnée que les Franco-Ontariens ont menée contre l'application de ce règlement.

22. *Le Devoir*, 18 octobre 1995.

23. *Le Soleil*, 18 octobre 1995.

24. En anglais dans l'interview : « Why don't we do something ourselves, forget the NO committee, forget the political parties, forget the liberal machine, both federal and provincial ? Let's do it ourselves. Let's borrow from the Parti Québécois, think of their spirit, their excitement and we can do the same thing. So that's when we decided to have a rally. »

25. Sondage CROP, pour le compte de *La Presse*, TVA et le *Toronto Star* : 44,5 % pour le OUI et 42,2 % pour le NON avec 13,2 % de discrets.

26. *Le Devoir*, 19 octobre 1995.

27. « They just needed someone with political antennae to verify for them how far the United States government could go without insulting Canadians. » *Op. cit.*, p. 235.

28. « Now tell me why we are doing this. [...] I've talked to the prime minister's people and they agree. Everybody agrees. [...] I gather you feel strongly about this, Jim ? I just wanted to hear your thinking. But don't worry. I'm there. » *Ibid.*, p. 236.

29. Le NORAD est un commandement canado-américain dont la mission est de surveiller l'espace aérien du continent nord-américain. Il a été créé en 1958 et a subi plusieurs modifications en cours de route. Il est renouvelé périodiquement, à tous les quatre ou cinq ans. Le ministre Ouellet et le Secrétaire d'État américain préparaient le 8e renouvellement qui va être signé en mars 1996.

30. « I don't want to intrude on what is rightfully an internal issue in Canada. But, at the same time, I want to emphasize how much we've benefited here in the US from the opportunity to have the kind of relationship that we do have at the present time with a strong and united Canada. [...] I think we shouldn't take for granted that a different kind of organization would obviously have exactly the same kind of ties. » *Ibid.*, p. 236.

31. « The declaration, made less than two weeks before referendum day in Quebec, inevitably attracted considerable attention here, and it was presented by opponents to the project of our government as a clear shift in the traditional position of the United States. […] A sovereign Quebec would be, after all, your eight largest trading partner. […] Should American declarations be publicly perceived as a factor in the decision that Quebeckers are to make, they would enter into our collective memory and the history books. If the Yes side wins, as is now probable, Quebec voters and the historians will remember that the sovereignty of Quebec was achieved despite or even against the american will. That will make more difficult our task of developing with the United States the productive and friendly relations we hold dear. If victory eludes the Yes side by a slim margin, as is plausible, those who did vote Yes — a clear majority of francophone Quebeckers — will be tempted to assign responsibility to the United States for part of their profound disappointment. I do not know how many decades it will take to dispel that feeling. In the days to come, should american declarations be more emphatic, or should they come from the higher levels of the Administration, the deeper would be the traces left in our history. »

32. « This guy's crazy. Tell him that you've talked to me and I will call him. It's going to make him look foolish in Washington to appear to be threatening the Secretary of State of the United States. Tell him, if he's got any brains at all, he won't tell anyone he's done this or show it to anybody. Tell him I'll keep confidential, but tell him that I think he's made a big mistake in writing it. »

33. « They never saw it. I guess our Canada Desk did, and they just thought it was goofy. I didn't want to make him look bad. My job is not to make somebody look bad. And this is a private letter anyway… »

34. Lynne Lambert était le premier et seul contact qu'avaient les représentants du Québec à Washington avec le Secrétariat d'État. « Elle avait certainement pour responsabilité de me faire croire que tout allait bien, qu'on était de bons amis, dit Anne Legaré, la conseillère du gouvernement du Québec aux Affaires nationales américaines, postée à Washington. Je croyais qu'on était entre bons amis, mais, après coup, on peut se demander si on était entre bons amis et entre alliés, compte tenu de la conduite de tout un tas de gens et d'obstacles qui ont été mis sur notre chemin. »

35. *La Presse*, 20 octobre 1995.

36. *Ibid.*

37. *La Presse*, 20 octobre 1995.

38. Voir chapitre 8, note 18.

39. « Fear is mounting in the financial community that a Quebec referendum with no clear winner would plunge Ottawa and the provinces into a financial crisis and even push the country into recession. […] Assume, for the sake of scenario building, that the No side wins narrowly, say by 53-47 or 52-48. That kind of slim No victory would arguably be the worst of all conceivable outcomes. » *The Globe and Mail*, 20 octobre 1995.

40. En anglais, dans l'interview : « It was a point of view he had not heard before. He certainly had heard a lot of views expressed by his colleagues or various people in Canada. It was probably the first time he was hearing the view from his man, his ambassador in Washington, about the mood or the perception of american businessmen to the referendum and the possibility that it could be lost. I felt lucky to have had that chance to tell him, that night : listen, we have to shake up, and fast. »

41. En anglais, dans l'interview : « As soon as you leave this hotel tomorrow morning, as soon as you arrive at the United Nations, you'll be flooded with questions concerning what is going to happen, where do you stand, are you going to win, is it not dangerous that you could lose ? I wanted to just warn him that the perception among those with a direct interest in Quebec and Canada, was that it was too close to call. »

42. En anglais, dans l'interview : « For me, it was an opportunity to suddenly realize that we didn't have a Plan B. My point was : what do I do in a week, what do I tell President Clinton, his government, if Canada loses ? What is our message ? Do we accept, do we refuse conditions ? My job in Washington was to relate to the american administration what our position was on this. »

43. « He asked him to help. That was in New York. He asked him to help, he didn't get into this, that and the other. »

44. « Do you know what the Prime Minister will say ? I was only expressing a preference. I'm sure it won't be a big deal. » BOB RAE, *From Protest to Power*, Toronto, Viking, 1996, coll. « Personal Reflections on a Life in Politics », p. 266.

45. « He said : I think I screwed up this afternoon, I made a mistake and maybe I should call the prime minister and talk to him. »

46. « I said no, don't, you don't have to do that. It's a tough time for all of us. Just go out and campaign. We understand. We all make mistakes and there's nothing to worry about. »

47. En anglais, dans l'interview : « I remember the Sunday morning on the phone with Mr. Johnson and I discussed a bit with him and I agreed to do more. »

48. « I voted for a distinct society in Parliament and in the Charlottetown (accord). I'm still for it. There's no ambiguity in my mind. Suddenly, there is this ambiguity and I wanted reconfirm what I meant. » *The Toronto Star*, 23 octobre 1995.

49. « I think I even spoke to Mr. Wells that night and said : this is something which is being thought about. You might want to think about what your response would be. But Mr. Wells is a very precise man. He does not hold back. If you say : your shirt is blue, it's not just blue. It's got to be a particular shade of blue. He wants to make it clear that he's reserving his right to make clear what his opinion is, if it's asked. »

50. La conférence constitutionnelle de Victoria s'est tenue du 14 au 16 juin 1971. Son but : adopter une formule d'amendement à la Constitution, qui n'était toujours qu'une loi du Parlement britannique, de façon à pouvoir la rapatrier pour en faire un document canadien. La « formule de Victoria », proposée par Pierre Elliott Trudeau, alors premier ministre, prévoyait en substance que le gouvernement canadien accepte de restreindre son pouvoir sur la nomination des juges et de limiter celui du gouverneur général de désavouer une loi provinciale. Elle prévoyait également un droit de veto à tout changement constitutionnel pour l'Ontario, le Québec et quelques autres provinces. Les provinces avaient onze jours pour faire adopter la formule par leur Parlement respectif. Le 23 juin, Robert Bourassa, premier ministre du Québec, a rejeté la formule, réclamant plus de pouvoirs en matière de santé, de services sociaux, de sécurité du revenu et de main-d'œuvre. C'était l'impasse. Trudeau échouait à sa première tentative de rapatrier la Constitution et d'y enchâsser une Charte canadienne des droits et libertés, une idée à laquelle il tenait depuis qu'il avait été ministre de la Justice dans le gouvernement de Lester B. Pearson.

51. Le 22 mai 1979, les Canadiens élisent un gouvernement conservateur, dirigé par Joe Clark. Mais ce nouveau gouvernement est minoritaire et est renversé le 13 décembre de la même année, à la suite de la présentation du budget. Trudeau reprend le pouvoir en février 1980.

52. Selon le politologue Denis Monière, c'est André Laurendeau, ancien rédacteur en chef du *Devoir*, devenu coprésident de la Commission d'enquête sur le bilinguisme et le biculturalisme en 1963, qui a été le premier à utiliser l'expression « société distincte ». Elle se retrouve dans le rapport préliminaire de la Commission. Source : DENIS MONIÈRE, « La "société distincte" d'André Laurendeau », *Le Devoir*, 17 mars 1989.

53. Jean Marchand (1918-1988) a été un membre influent du gouvernement de Pierre Elliott Trudeau. Diplômé en sciences sociales de l'Université Laval, il a été secrétaire général de la Confédération des travailleurs catholiques du Canada (CTCC), puis président de la Confédération des syndicats nationaux (CSN) avant de se lancer en politique fédérale aux côtés de Trudeau et de Gérard Pelletier, en 1965. Il siégea ensuite au Sénat avant d'être nommé à la présidence de la Commission des transports.

54. En anglais, dans l'interview : « There is a myth that if you change the Constitution, you know... In France, they had twenty new constitutions in two hundreds years. And the Brits don't have yet a constitution. And they have the same population and virtually the same standard of living. Jean Marchand used to say : changing the Constitution will not have potatoes to grow into Labrador in the winter, you know. »

55. *Globe and Mail*, 21 octobre 1995.

56. « The referendum : Money moving out as polls get closer, financial firms say. As the referendum date gets closer and the polls get tighter, some Quebeckers are shifting their Canadian dollar savings and investments out of the province or into foreign currencies. » *The Gazette*, 21 octobre 1995.

57. *La Presse*, 25 octobre 1995.

58. *Ibid.*

59. « It was tough. There weren't a lot of laughs. It was very tense. People were very worried. People weren't entirely sure of their ground. You just never quite knew what to do. »

CHAPITRE 11

1. « We didn't get into a scenario in any kind of detail on what happens if the referendum is lost. But we acknowledged that that was a real possibility. And if that occurred, it couldn't be business as usual. We'd have to ask the hard question like : can a prime minister from Quebec represent Canada in a negotiation where there's just been a mandate given to break up this country ? Can the team from Quebec who, at that point, occupied almost all of the major portfolios in the cabinet of Canada comprise the negotiation team for Canada if the subject of negotiation was the sovereignty of Quebec ? The answer is : they couldn't. [...] We looked each other in the eye and said : if it is necessary for us to ask these hard questions and to develop the appropriate answers and to seek the collaboration of other parties in Parliament, we'll do our jobs. »

2. « I believed to have that kind of discussion at that particular point of time was unproductive, unhelpful and almost seditious. »

3. « We realized that probably the most important event would be the speech that the prime minister would give in Verdun on the Tuesday. […] Later, the suggestion was made actually by Pierre Anctil, who was the organizer for Mr. Johnson, that perhaps it would be useful for Mr. Chrétien to go on television. And then, they wanted him to make a few more appearances, one on a very popular television show called *Mongrain* on the private network. »

4. Le téléspectateur : Mr. President, would the government of France be prepared to recognize a unilateral declaration of independence by Quebec ?
Chirac : The French government do not want to interfere in Canadian affairs.
King : That was not the question.
Chirac : That was not the question ?
King : The question was : will you recognize…
Chirac : Yes, I am coming to that.
King : Okay.
Chirac : You have a referendum…
King : Next week.
Chirac : … and we will see. And we will say what we think just after the referendum, but we don't want to interfere.
King : Well, if Quebec decides to separate…
Chirac : Mm-mm…
King : His question was : will you recognize the new government ?
Chirac : If the referendum is positive…
King : Yeah.
Chirac : … the government will recognize the fact.
King : So France will recognize the facts ?
Chirac : These facts, of course.
King : So, you have no recommendations to the people of Quebec, as to how they should vote ?
Chirac : I told you, I don't want to interfere in the Quebec affairs.

5. « I was quite disturbed because I thought he was meddling more than anybody could accuse Bill Clinton of having done. »

6. En anglais dans l'interview : « There was some legitimacy to the referendum. That was an important seeking of opinion. It's a consultation ; it is not a definitive act. I discussed that with him before. I don't remember the words but I would have been very surprised that the day after, he would have done that. Because he would have had right away people in Pays Basque or Corsica and other places (saying) : good, sir, when are you doing the same thing here. He would have had to reflect on that, I'm sure. »

7. En anglais dans l'interview : « I was told by officials in France that he wasn't absolutely sure about the question itself. »

8. Hubert Védrine devint ensuite ministre des Affaires étrangères, poste qu'il occupera jusqu'en 2002. Il a popularisé le concept d'« hyperpuissance américaine », dont il a dénoncé l'« impérialisme » et le manque de volonté de régler le conflit du Moyen-Orient.

9. Jacques-Yvan Morin est un ancien ministre du gouvernement de René Lévesque. Il a enseigné le droit international et constitutionnel à l'Université de Montréal pendant quinze ans avant d'être élu député de la circonscription montréalaise de Sauvé, en 1976. Il a dirigé les ministères de l'Éducation, du Développement culturel et scientifique et des Affaires intergouvernementales. Il a quitté la vie politique en 1984 et est retourné à l'enseignement.

10. Source sur ce projet de communiqué : PIERRE DUCHESNE, *Op. cit.*, p. 517.

11. Pierre-André Wiltzer était ministre de la Coopération et de la Francophonie dans le gouvernement de Jean-Pierre Raffarin jusqu'à la fin de mai 2005. Il a été remplacé à ce poste par Brigitte Girardin dans le nouveau gouvernement de Dominique de Villepin.

12. « It was well after rush hour but still to find ourselves in a jam that just got worse and worse as we neared the auditorium. […] There was a crunch of people at the inside entrance of the arena, it was the prime minister. He stopped before entering and returned to the closed locked outside glass doors. Folks outside were banging hard to get in. He went right up to the doors. There was a hand contact with glass in-between, it was quite amazing. »

13. Le 11 décembre 1995, le gouvernement fédéral a fait adopter par la Chambre des communes une résolution qui reconnaît que « le Québec forme, au sein du Canada, une société distincte » et que cette société distincte « comprend notamment une majorité d'expression française, une culture qui est unique et une tradition de droit civil ». Il s'inspire, dans sa formulation, de celle qui était contenue dans l'entente de Charlottetown, que les Québécois ont pourtant rejetée lors du référendum de 1992. La résolution précise que les organismes relevant des pouvoirs législatif et exécutif fédéraux doivent prendre note de cette reconnaissance et se comporter en conséquence. Le gouvernement du Québec aura l'occasion de relever, dans les mois et les années qui ont suivi, de nombreux cas où les différents organismes fédéraux n'ont pas tenu compte de la résolution, notamment dans le cas des bourses du millénaire et de l'entente-cadre sur l'union sociale de février 1999.

14. *La Presse*, 25 octobre 1995.

15. En anglais dans l'interview : « I decided the last week now I do it my way. And I did it. I give credit to Mr. Johnson. He came along and he did not complain and he participated in the meeting, made a good speech at the Verdun rally. […] I went on the air and so on. He agreed with all that. And it was not his fault. He had done a good job until they replaced Parizeau by Bouchard. »

16. « Do you consent, as a people, that the Government of Quebec separate the James Bay Crees and Cree traditional territory from Canada in the event of a Yes vote in the Quebec referendum ? »

17. « The people have spoken and the message is clear. We won't go. This is not the 50 % plus one that Jacques Parizeau says is democracy. This is virtually unanimous message from my people. We won't go. » Source : *Canada News Wire*, 25 octobre 1995.

18. « It was a sign of era. You must understand that our people were not allowed to vote until 1960. And here, we were determining a question, asking our people to get involved in a process that we developed, that came from us. And to ask them a question which could determine their place in a future independent possibly of Quebec. It meant a lot to the people. »

19. *Le Devoir*, 23 octobre 1995.

20. « I certainly did not receive a telephone call from anybody congratulating us on what we did. »

21. « It seems to me, in the context of the thousands that were there, that the majority seemed to be Anglophone and there was some worry in my mind, and certainly in the minds of my colleagues, that the Francophones were not in the attendance. What we felt was a spell that had overtaken this whole question. It felt to us like there was nothing that we could do, those of us who were on the NO side, to break that spell. It was such a frustration for us because there just seemed to be no way to kind of shake the cage and say : Are you paying attention, here ? Do you know if you vote yes, that what you are voting for is to separate from Canada ? »

22. «When I saw him come into the caucus room, my viscera response was dramatic. I started to shake and feel sick to my stomach. The look I saw was one I know, stress and perhaps panic. I felt like crying. »

23. « I noticed he was just short of tears but I didn't think this was visible from the floor. »

24. « Faux pas but ominous. I could sense the prime minister was totally distracted. »

25. « He touched my arm and said : this is terribly difficult, this responsibility. I thought he was referring to Alfonso's job as ground coordinator, as Alfonso was making his report at the time. But immediately, from his eyes, I understood he meant his own responsibility. I said : It'll be fine, we're all with you. »

26. « This is a terrible thing to say, but if things go bad, you've got my seat in Brant. » « I'd never do that. »

27. « I could feel his pain and his solitude. »

28. « There were tears everywhere. The prime minister finished, everyone stood and clapped. »

29. « At one point, there was certainly a sensor that we were likely to lose it. I mean, nothing manifested that better than the prime minister himself talking to his caucus and really having quite an emotional moment with his caucus. When he shared with them the stakes in this campaign and the possibility of defeat in this campaign. »

30. « He talked in such a emotional way, it was very clear to everybody in the room, that what wasn't being said was present. You know, usually the caucus draws its strengths from the leader. Occasionally, the leader has to draw his from the caucus. That was the day when the caucus was giving back to the leader, in essence, wrapping around him and saying : carry on, this is a crucial moment. »

31. « That was the first time that it ever happened, and its last time. There was no doubt in my mind that he was attempting to do a favour for Prime Minister Chrétien and that he had been appraised to the possibility that this referendum wasn't going as well as everybody thought. »

32. « The White House is now finalizing the language to say something about Canada. Maybe today, maybe tomorrow, maybe the next day. They are really nervous, really worried. There's a front page *Washington Post* story saying the separatists could win, so they now realize it's for real. » JAMES BLANCHARD, *Op. cit.*, p. 244.

33. En anglais dans l'interview : « The question was : would the president speak and what would he say. It is a difficult line to follow. Not only what they would say but how it would be perceived back home. Would it help the cause of Canadian unity or would it hurt it ? It was very difficult to assess. »

34. « [...] pretty aggressive », selon Champ.

35. « Mr. President, are you concerned about the possible break-up of Canada and the impact it could have on the North American economy and the US-Canadian trade relations ? »

36. « Let me give you a careful answer. When I was in Canada last year, I said that I thought that Canada had served as a model to the United States and to the entire world about how people of different cultures could live together in harmony, respecting their differences but working together. This vote is a Canadian internal issue for the Canadian people to decide and I will not presume to interfere with that. I can tell you that a strong and united Canada has been a wonderful partner for the United States and an incredibly important and constructive citizen through out the entire world. Just since I have been president I have seen how it works, how our partnership works, how the leadership of Canada in so many ways around the world works and what it means to the rest of the world to think that there's a country like Canada, where things basically work with… You know, everybody's got problems but it looks like a country that is really doing the right things, moving in the right direction, has the kind of values that we'll all be proud of. They've been a strong and powerful ally of us, of ours, and I have to tell you that I hope we'll be able to continue that. I have to say that I hope that that will continue, that's been good to the United States. Now, the Canadian People, the people of Quebec will have to cast their votes as their lights guide them but Canada has been a great model for the rest of the world and has been a great partner for the United States and I hope that could continue. »

37. « We wanted to reserve to ourselves the ability afterwards to say that the question was so unclear that people really weren't voting for separation. But, at the same time, if we didn't make it very clear to people that there were consequences to a Yes vote, they might vote for it. So, the dilemma was in saying : a Yes vote is a vote to break up the country, and not wanting to put ourselves in the position that, the day after the referendum, we would not be able to say : a Yes vote was not a vote to break up the country. »

38. La Loi sur la radiodiffusion prévoit à l'article 26 (2) que « le gouverneur en conseil peut, par décret, ordonner au Conseil d'adresser aux titulaires de licences de catégories données, sur l'ensemble ou une partie du territoire canadien, un avis leur enjoignant de radiodiffuser toute émission jugée par lui-même avoir un caractère d'urgence et une grande importance pour la population canadienne. Le destinataire est lié par l'avis. »

39. « We didn't want the issue in the last few days of the campaign to be that we were not democrats. We thought it was far better to allow him to speak than to have a new issue in the campaign. »

40. « Canada is not deprived of resources and expertise and I firmly believe it can speedily bring together its best minds, men and women of good faith, to sit at a table with Quebec and negotiate what is in its best interest. » « I believe strongly in a future partnership between Canada and Quebec and I think I can speak for an overwhelming majority of Quebeckers, if not all Quebeckers, who will also want this negotiation to succeed after a Yes. »

41. En anglais dans l'interview : « That speech was very unacceptable, attacking me personally, calling me traitor, when I've always been a very proud Quebecker and a very proud French Canadian. I thought it was completely displaced, unacceptable and vicious. And I said so. I told him privately and publicly. »

42. Sondage CROP pour le compte de *La Presse*, du réseau TVA et du *Toronto Star*.

43. « The federal government went from saying this means the break-up of Canada to it's an irrelevant vote. […] It was more a reaction that said : gee, they think they might lose here. »

44. Le *Grand Robert de la langue française*.

45. « I thought that that was boarding sedition. That an elected Member of Parliament would intrigue the military who were in the service of all Canadians to somehow not discharge their legal obligation. [...] I think it was highly irresponsible, inflammatory and just plain dumb. My understanding under international law is that all of the assets of Her Majesty In Right of Canada belong to Her Majesty In Right of Canada, wherever they are, whatever province. And the same, whatever belong to Her Majesty In Right of Quebec, of Prince Edward Island or B.C. belongs to Her Majesty In Right of that jurisdiction. »

46. Parmi les pilotes, on retrouve les noms des capitaines Larouche, Brosseau, Hébert, Lepage, Roy et d'autres.

47. La Défense nationale canadienne a treize bases aériennes, éparpillées dans tout le pays, de Comox, dans l'île de Vancouver à Gander, à Terre-Neuve. La base de Bagotville est, de ces treize bases, la seule, avec celle de Cold Lake, qui soit une base de chasseurs. La 3ᵉ escadre de Bagotville constitue une force de renfort aérien rapide, à la disposition du NORAD et de l'OTAN. À ce titre, elle participe à la défense du territoire continental de l'Amérique du Nord et intervient à l'étranger en tant que détachement intégré à la force multinationale de l'OTAN, comme elle l'a fait en Bosnie-Herzégovine. La 3ᵉ escadre ne regroupe pas que des pilotes de CF-18 ; on y trouve également des équipages d'hélicoptères Griffon, du personnel de soutien et de maintenance ainsi qu'un escadron radar.

48. Il s'agit des appareils 716, 730, 768, 783, 785, 786, 906 et 915.

49. Cette analyse a été réalisée par le colonel Michel W. Drapeau, avocat conseil chez Barrick Poulsen d'Ottawa.

50. Sondage SOM, *Le Soleil*, Radio-Québec et *The Gazette*.

CHAPITRE 12

1. « I had just had this dinner the night before with some of my cabinet colleagues who are grim in facing the possibility at least of the defeat. And I'm sitting listening to the state of play of redfish. [...] This is crazy. We're sleep-walking toward perhaps the end of Canada. »

2. « There may be somebody somewhere else with a strategy in every towers of the prime minister office who knows how we're going to get out of this. But in the meantime I don't think it's up to us to sit on our hands. »

3. « And I just came up with this idea that we should all go, we should encourage as many people in Canada, all across Canada, to go and to be there and to negate the message that we didn't care. »

4. Voir le chapitre 10.

5. « I didn't want a rally full of maple leafs. I wanted to make sure that there were flags present, that we would have both the fleur-de-lys and the maple leaf. I wanted to also invite every province to bring their own flag and I encouraged people to do that. »

6. « If we decide we're going to have a rally, will you come? Will you bring people? Will you encourage our political organizations to be there? »

7. « People are interested. I'm convinced we can have a pretty good turnout from across the country. »

8. « This is Tuesday. We only have days. The referendum is the following Monday. Either tell me no and we'll go back to cabinet business or let me leave this room now, I have a lot of work to do. » « How many will come? » « I guarantee you we'll have 10 000 or 15 000. » « Are you sure? » « I am sure. » « Go! »

9. « I'm not organizing the rally in Montreal. There is a rally by the No campaign being organized in Montreal, in Quebec, by the No committee chaired by Mr. Johnson. But what we're doing is we're asking people from all across Canada to come and join in that No rally, that crusade for Canada. You've seen the formation of committees here in Ottawa. There are committees under way in Toronto. There are charter aircraft coming out of western Canada and out of Atlantic Canada. Canadian Airlines has announced what it calls its Unity Fare – up to 90 % discounts for people who want to purchase tickets into Montreal from anywhere in Canada. »

10. « It was kind of a chuckle because either he's an extraordinary dedicated new Canadian and understood the importance of what I was asking as a citizen, or he really didn't believe me that I wasn't calling on behalf of the government. But we got our aircrafts… »

11. « I don't know if I reacted for my country or for myself. I didn't know if it would work or not. But it will relieve me of having to feel for the rest of my life that I didn't do anything. I don't know if that's noble or selfish or what it is. But I know that I didn't come to Ottawa as a Member of Parliament to watch my country disintegration. »

12. « In the phone that night, I expressed my view that we were at the stage where we had to take a high risk and that the emotional impact might be very positive. But I was preaching to the converted. They were really calling me to tell me that they had concluded that things were very very bad and that something had to be done. And as the province that would have the most meaningful relationship to Quebec, could we envision such a rally coming off. »

13. « It was just like a war where logistics was the biggest issue. This became a massive logistical exercise but became a hugely emotional exercise too. »

14. « Suddenly, the money started pouring in. And then, by that time, news hit the street that we were doing this. And the outpouring of people wanting to come on the flight. And so, in order to defray some of the costs, we said, it will be 250 $ per person to fly on a flight. »

15. « In instances where you'd ask for 1 000 $, they came with 5 000 $, simply because they felt the importance of the event. And it's not like there was any political receipt involved that they'd get a tax receipt for. »

16. « It was exciting, it was electric. We were overwhelmed with both the availability of busses and the interest of people. It became a lot less organized. »

17. « It was wonderful. It was the most magical day. »

18. Source : reportage de Christine Saint-Pierre à Radio-Canada, le 25 octobre et *La Presse* du 26.

19. « He just donated. That's his way of making a contribution. »

20. « I remember feeling, oh, my God, maybe the nay-sayers were right, maybe people aren't coming. And I was sitting there with this absolute chill in my heart, looking down twenty floors below. And all of a sudden, I guess the busses began to arrive, or maybe the train arrived, or the people got in from the airport. All of a sudden, people began to filter in from the side streets and the place began to fill up. »

21. Partie de l'interview en anglais : « The RCMP didn't know who we were, couldn't care who we were. But the politicians knew who we were obviously because they'd asked us to be very much involved. But it was not our show. It was their show. They decided it was their show and goodbye, guys, you're gone ! We never even made it anywhere near the place, anywhere. We were out of there. »

22. Mike Harris a été élu député de Nipissing, en 1981, sous la bannière conservatrice. Il est devenu chef de son parti en mai 1990 et le vingt-deuxième premier ministre de l'Ontario le 8 juin 1995, chassant le néodémocrate Bob Rae du pouvoir.

23. « I felt that if I went with my son, that I could go and represent Ontario families that over-whelmingly in the mainstream I had heard from, wanted to send this signal to Quebeckers that we wanted them to be part of Canada. It was very exciting. There was a lot of emotion ; there was a lot of passion. I don't know how many people were there but we felt the whole world was there. We were the world at that moment. It was quite a moving time. A lot of tears at that, some of joy, some of fear, some of concern. »

24. « I've a very embarrassing memory. Coincidentally, the day of the Montreal rally, I also had scheduled a business meeting in Montreal with a company that was interested in investing in New Brunswick. I had a reputation for doing that and I can't honestly tell you it was a good reputation of trying to get business wherever I could. [...] I got some criticism for that. It was just bad timing. »

25. « Frankly, it was taken over by the Grits and the Premiers. And I was not a grit and I was not a Premier. So, I just let it happen. »

26. « I still get emotional when I think about that. The symbol that we're Canada here in Quebec. And as you saw this huge flag being passed through the crowd and rippling, it was more powerful than all the words. That had the greatest impact on us all. »

27. « Everybody was seeking to touch the flag, it was almost like, you know, touching the Holy Graal, just trying to have a piece of it... »

28. « We were underneath the flag. And the sun light was shining through it. So, this red colour... you were kind of enveloped in red and the big maple leaf was coming over you and the wind was hitting this thing. We thought we'd just take off in the air like a parachute sort of thing. This was not meant to be. They were going to put the flag somewhere but it was too big that somebody decided to use it as a... It was an accident. Like the rally itself, we weren't planning 100 000 people. These are the things that are caused by passion... »

29. « The reality is that the report in Radio-Canada was at 3 o'clock or 4 o'clock in the afternoon and probably nobody was watching. But it just was unfair. There had been a perception over a long period of time, rightly or wrongly, that Radio-Canada had a separatist bias. So, this seemed to symbolize it. People were very upset and very angry but we knew there was not very much you could do about it. I think that the press office probably spoke to people at Radio-Canada. »

30. L'entrevue a été donnée dans les deux langues : « You could see Windsor Station and the whole of the square. The history of our country and the monuments of various prime ministers and wars... It's a vary sacred place, that place »

31. « He told me he'd felt that the rally had a negative impact. It's no fun when somebody who has got that much power. And I know this guy, he's a friend. We do business together. But when people that close to power kind of tell you that you screwed it up, you know... o.k., thank you very much. Next time, I won't take on the job. »

32. « I've been told, both sides, more often by the people from Ottawa, the Liberals, that I caused them to lose votes. But yet I was also told by the other side, the Yes side, that I wouldn't be surprised to find myself in cement boots on the bottom of the St. Lawrence. You know, I was not exactly popular one side or the other. »

33. DENIS MONIÈRE, JEAN H. GUAY, *Op. cit.*, p. 202.

34. « It never occurred to me that we were (against Quebec spending rules). In my mind, we weren't part of the campaign. This was a spontaneous act by Canadians to express themselves on this subject. Clearly, we were on the NO side but we weren't part of the campaign itself. It would be no different frankly than a bunch of people coming to a large demonstration in front of my office in the middle of an election campaign. We have every right in the same way that anybody would have the right to sort of express themselves in this way around something like this. »

35. « When the future of your country is at stake, and when a referendum is by definition a citizen mandate being exercised, I found it an extraordinary notion that, as a Canadian, I could not come to Montreal and hold a flag. I found it so extraordinary that I rejected it. I guess that the record is clear that at the end of the day, despite all of the threats of people being prosecuted, those prosecutions never happened. I don't think they could have stood the test of the court law. »

36. « I never accepted it in 1980, and I will never accept in the future the notion that the future of Canada is a decision to be made by one province on behalf of ten provinces and two territories. Let one group of electors, defined by a set of provincial boundary, will decide for all Canadians the future of the country ? I've never accepted it. I don't like the process. I don't believe in the process. »

37. Extrait de : JEAN-FRANÇOIS LISÉE, *Sortie de secours : comment échapper au déclin du Québec*, Montréal, Le Boréal, 2000, p. 295.

38. « I'm Andy Scott. I live in Fredericton. I'm Member of Parliament. I'm respectful of the fact that this decision is Quebec's to make. But I also wouldn't want you to think that I don't have an interest in the outcome because I do. »

39. JAMES BLANCHARD, *Op.cit.*

40. « Then Preston Manning called : "It doesn't look good, he said. I'm here with my people working through scenarios in the event of a yes victory, and we'd like to sit down and talk with you about it at some point. We're going to need your help. I think maybe we should have an international panel – the United States, the UK, Japan as well as Canada and Quebec – to think about it. I'm putting this stuff together and I'll get it over to you at the embassy." » Extrait de : JAMES BLANCHARD, *Op. cit.*, p. 252.

41. « I do recall having a conversation with him that this is one of the challenges : what do you do about national debt, when one chunk of the country decides to remove itself and no longer assume any obligation for it ? And, of course, Canada's three biggest creditors were the United States, Britain and Japan. We tried to think through what could you do to assure those creditors because, if you can't assure them, you'd have a financial crisis like the country had never experienced before. One of the suggestions for resolving this is that you would have a committee of your main creditors that could be negotiated with, that you could give assurances to as to how the debt would be stabilized. »

42. « He said, look, this thing could go the wrong way and it doesn't look very good. I am just thinking about how we put together a plan here for some sort of new federalism or something. And I want, at some point, talk to you about this. I thought it was a little unusual that he was preparing for a loss, while we were sitting there, trying everyway to be helpful for a win. I think that, later, the prime minister took Manning to task on that. He's a policy wonk, he was thinking about what happens, what's this new federalism going to be, coming out of Calgary. Manning had met with President Clinton. He'd talked about his new federalism briefly with President Clinton in my family room. I did not view it as an act of hostility toward the federalists. I just thought that all of us were worrying about winning, not what happens after. »

43. « I certainly felt that they were being very irresponsible, that they were trying to use it. They almost seemed at times like they preferred to get a yes vote. They would ask provocative questions in the House of Commons, which seemed to undermine the strategy to try to win the referendum. »

CHAPITRE 13

1. « We felt that it was necessary at that point to be developing a plan of action, so that people didn't think that the government seems adrift and unknowing of what to do. »

2. Peter Wardell Hogg est un avocat de Toronto, professeur de droit et ancien doyen de faculté de Osgoode Hall, poste qu'il a occupé jusqu'en juin 2003. Son œuvre, notamment deux textes, *Constitutional Law of Canada* et *Liability of the Crown*, est abondamment citée par la Cour suprême du Canada et les tribunaux dans l'ensemble du Commonwealth britannique. Il est diplômé en droit de l'Université de la Nouvelle-Zélande, a fait sa maîtrise à Harvard et son doctorat à l'Université de Melbourne, en Australie. Au cours de l'automne 1995, il était continuellement en contact avec Allan Rock.

3. « Our concern was that it might be a unilateral declaration of independence based on even the narrowest of margins for the yes. My concern was a unilateral declaration of independence, which some countries might theoretically have recognized or acknowledged, pitching us into real uncertainty. I wasn't concerned about civil unrest, it was the uncertainty that was the major concern. »

4. « We didn't know at the time, which subsequently became apparent, was that Mr. Parizeau considered the vote to have legal effect and was prepared to declare some kind of unilateral independence the following day, no matter how close the vote was. That should have been both illegal but also a breach of faith with what had been said to Quebeckers. »

5. JACQUES PARIZEAU, *Pour un Québec souverain*, Montréal, VLB éditeur, 1997, p. 286.

6. « We thought as well that the option of going to the court would provide a period of time within which we could encourage the population, both in Quebec and in the rest of the country, to remain calm and to await an orderly outcome of just where we go from here. »

7. « The result of the meeting really was that no matter what the outcome on Monday night, whether it was the yes or the no that prevailed, we could never again allow Canada to face this uncertainty. »

8. Le sénateur Gérald-A. Beaudoin, diplômé des universités de Montréal et d'Ottawa, a été professeur, doyen en droit civil et directeur adjoint du Centre des droits de la personne de l'Université d'Ottawa. Il est l'auteur de plusieurs ouvrages sur la Constitution canadienne, la Charte des droits et sur les droits de la personne, tant au Canada qu'à l'étranger. À titre de sénateur, il a présidé le Comité sénatorial permanent sur les affaires juridiques et constitutionnelles.

9. « [...] a strategy to assure them that this vote meant nothing other than business as usual. »

10. « There was a concern that what the short-term would be. And I, personally, was not concerned long-term and I've indicated throughout that we'd work our way through this. »

11. « [...] the sub-nationality called Quebec, called Saskatchewan, but there's an over-arching nationality called Canada. »

12. « The prime minister can continue, he's the prime minister of the country. He was a prime minister who had fought for the unity of the country in 1980 and in 1995. He is a champion of Canada. I do expect that Canadians would have had confidence in him to carry on. And I think the issue was not so much his legitimacy, the issue was what do we do now? »

13. « He was to my view a wise leader when it came to some of these issues. (But) how tolerant would the rest of Canada be to the Canadian side in that negotiation being somehow led by a Quebecker? Can he continue as prime minister but somehow be apart from the discussion that would necessarily follow between Canada and Quebec? I thought that if it came to a negotiation over the independence of Quebec from the rest of Canada, that Canadians would believe that necessarily Quebeckers were on one side of that issue and non-Quebeckers were on the other side of the issue. It was going to be a complicated issue. »

14. « The government, as it was currently constituted and functioning, would not last many days, that some new structure would have to emerge and some new coalition have to emerge. We talked about that in the most general terms, no detail, but just an understanding that if this thing went wrong, if there were a majority 55-45 for sovereignty, it would not be business as usual the morning after. »

15. « There would have been an outcry from across the country for some government of national unity – whoever would lead, Jean Chrétien or someone else – to really deal with the fundamental challenge. You had to involve everybody in Parliament. It went beyond politics. And, in that scenario, Jean Chrétien would have been obliged to bring in people from the Reform Party, from the NDP, maybe from outside, like Bill Davis or Peter Lougheed. »

16. « I think the government would have been obliged to resign... Perhaps the middle course would have been the Prime Minister and some of the main ones responsible for that campaign resigning and someone else from the government side trying to form a government for the rest of Canada. Perhaps the thing to do would have been to move a measure of non confidence in the Prime Minister, not the government. »

17. « He would have had to step down from office the next day. »

18. « He would have needed help, as towards the end he needed help from a lot of people in the second half of the referendum. It would have to have been a team effort. »

19. En anglais dans l'interview : « I was the prime minister of the government and I would have remained prime minister as long as I had the confidence of the House. And I'm sure that in a crisis like that I would have kept the confidence of the House. People love to speculate on all sorts of scenarios. It might be some of my ministers who thought that perhaps Chrétien will resign and I have a chance to become prime minister. Normal human beings want to go to the top. »

20. Sondage SOM-Environics pour le compte du *Devoir*, Radio-Canada, *Le Soleil*, *Le Droit* et *The Gazette*.

21. Ainsi que le spécifie l'avant-projet de loi sur la souveraineté.

22. « When we talked about what our strategy might be, nobody considered that that vote would mean Quebec ceased to be part of Canada. We would not recognize that consequence of the vote without further steps having to be taken. We would have been engaged in a political war that we would have tried to use every resource to impugn the question, that it does not mean the end of Canada. So we would not accept that the question meant separation. »

23. « No prime minister, Jean Chrétien or anyone, could recognize a yes victory as the dismemberment of Canada. I didn't and none of the ministers have really thought that way. And, certainly, the prime minister didn't think that way. »

24. « He never quite told me : look, I'm not going to recognize the results but I sense that he was on that side of the fence. »

25. En anglais dans l'interview : « I would not have got up at 11 o'clock in the morning. I would have been starting to work. But it was not complicated. We would have had to inform that there was a vote and the question was ambiguous and that does not mean that Canada will split. You advise all the leaders of all the governments of the world. And after that, probably the Quebec government would have called them asking them to recognize. How many ? Not many. Some countries recognize Taiwan. They cannot recognize mainland China. But Taiwan is not at the UN, China is. The diplomats having their different cocktails, it's a bit different, it's not my main preoccupation. It's what happens on the ground. »

26. « They almost seemed at times like they preferred to get a yes vote, and they would ask provocative questions in the House of Commons which seemed to undermine the strategy to try to win the referendum. This was a complete break with parliamentary tradition. Preston Manning and Reform were actually throwing gasoline on the fire. »

27. « Having gone through the experiences of 81, 82, the notion that this country could be broken up by one segment, as important as it is historically, and as good as its grievances may or may not be, is an anathema to me. This'll involve all of us. » Roy Romanow était ministre de la Justice de la Saskatchewan en 1981 et 1982 et premier ministre de sa province en 1995.

28. « We're not bound by it. It's an important expression of opinion in Quebec but it's not definitive for the future of the country. It can't be. »

29. « That's the legal way to separate a country and it was important, in international law, that you do it legally. We argued, since Charlottetown, that you're not going to ever have a big constitutional amendment in Canada without a referendum for people to say : do we go along with this ? »

30. « Our prime minister speaking on behalf of all of us just saying : what would you have done, Mrs. Bhutto, in such a situation ? She said : well, I would sent the army in, of course. Just as to say : what a stupid question... You just can't allow anybody who want to separate, separate. »

31. « There were some documents that came forward out of the department that said they were prepared to use the military force. »

32. « Few could imagine a civil war playing out in a country like Canada. But this alarming mix of circumstances suddenly made it seem possible. It was perhaps even likely. » Lawrence Martin, *Iron Man. The defiant reign of Jean Chrétien. Tome II*, Toronto, Viking Canada, 2003, p. 135. Lorsque le livre de Martin a été publié, la réaction à Ottawa a été vive et Jean Chrétien, tout autant que d'autres ministres, ont tenté de semer la confusion autour des propos de Collenette, mais celui-ci a confirmé qu'il les avait tenus.

33. « My biggest concern was the whole issue of public order. If the yes side had won and precipitous actions had been taken by the Quebec government, as Jacques Parizeau has declared, I think the public would have expected the government of Canada to ensure that there was order in the country, pending a political resolution of the difficulties. [...] You have to make sure that life can go on in a normal fashion. If the Quebec government said : we're independent, you don't have to pay your taxes, you don't have to obey the Criminal Code of Canada, I think that was totally illegal to say that. [...] The fact is that there are troops in Quebec, there are troops in every part of the country. And under the National Defence Act, the only way troops can be deployed in the country for public order is to ensure that certain conditions of the National Defence Act are met. And that is the attorney general of a province requests the minister of Defence and the chief of defence staff to respond. In the case of Quebec, there were two very notable examples, in 1970 and in 1990, the Oka crisis. And where in effect, the Canadian military reported to the attorney general. That's when you're looking at a normal situation. That's the daily life. When I mean order, I mean the normalcy of daily life. And the institutions, the constitution, the laws, the courts, everyone would be able to deal with whatever situation came forward. It became very quickly but it's been expounded upon by Mr. Parizeau that he would have moved the country, certainly in Quebec but, by extension, the country to something that could be characterized as disorder. »

34. *La Presse*, 22 octobre 2003.

35. En anglais dans l'interview : « I've never been informed of anything. They move people all the time in the army. Some people might have been moved in Quebec or out of Quebec at that time, I don't know. I don't know if they've done something there. I read some articles about it that surprised me. Because, if it had been a dramatic move, they would have come to me. I was not meeting every day with army, you know. »

36. Source : *La Presse*, 19 octobre 1995.

37. *La Presse*, 19 octobre 1995.

38. *Le Devoir*, 20 octobre 1995.

39. « We sure didn't know what Plan B was. So, what happens the next day ? What do we do ? Do we just go on our business and say : we'll use passports to get through Quebec but we'd still get to Toronto ? »

40. « We wanted them to be able to get our consent, should that referendum of Quebec be a yes vote, so we're not just transferred like cattle to a new independent Quebec. »

41. Source : « Les Indiens n'auraient pas droit à la sécession, selon un document fédéral », *La Presse*, 13 octobre 1995.

42. Propos rapportés dans *La Presse* du 27 octobre 1995.

CHAPITRE 14

1. « I became somewhat nervous when, the Saturday night or the Sunday, Eddie (Goldenberg) called me and a couple of others and tell me that we had dropped in the polls suddenly. We were realist, we could lose. If there was not a win, we had to be ready. »

2. « I told him that this was a question which was so porous that you could not give legitimacy to the Yes vote and, in any event, we were not going to preside over the dissolution of the union. »

3. Extrait de l'entrevue qu'il accorde, dans la journée, à Stéphan Bureau de TVA.

4. *Ibid.*

5. *Ibid.*

6. Extrait de l'entrevue qu'a accordée Lisette Lapointe à Stéphan Bureau le 30 octobre 1995.

7. PIERRE DUCHESNE, *Op. cit.*, p. 535.

8. Le *Midi Quinze*, Radio-Canada, 8 septembre 1995.

9. Source : DENIS MONIÈRE, JEAN-H. GUAY, *Op. cit.*, p. 205.

10. En anglais dans l'interview : « Watch Les Îles-de-la-Madeleine. Because that is ones of the ridings that always come early and switch often. But the margins are not huge on one side or the other. »

11. « We were very nervous. We were sitting on pins and needles throughout most of the evening. […] Not to follow me but they just wanted to get away, but there weren't that many television sets in the house. That's human nature. »

12. L'Association canadienne des paiements est un organisme sans but lucratif mis sur pied par le gouvernement fédéral en 1980. Elle a pour mandat de maintenir des systèmes de compensation et de règlement qui facilitent les échanges de paiements entre les institutions financières qui en sont membres.

13. Le plan « O », conçu par le ministre des finances du Québec, garantissait une réserve de 17 milliards de dollars pour soutenir les obligations du Québec, advenant sa souveraineté. Voir chapitre 10.

14. David Payne est Britannique d'origine. Il a été député de la circonscription de Vachon de 1981 à 1985, puis vaincu aux deux élections suivantes. Élu à nouveau en 1994 et en 1998, il a été président de la Commission de la culture et adjoint parlementaire du premier ministre. Payne est diplômé en théologie, en philosophie et en sociologie et a œuvré dans la fonction publique avant d'entrer en politique.

15. « We didn't have time to adjust. In hindsight, I wish we'd had but we didn't have time to adjust. »

16. « Look up. It is a beautiful night; you could see every star in the constellation. Look at this. We're still in Canada, the stars are still aligned as they always were, we're still one country. And nobody will remember, a few years from now, whether we won by 1 % or by 20 %. All they'll remember is there's a referendum, and that Canada is still together. »

17. En 1995, le Canada a accueilli 55 705 nouveaux citoyens, une hausse de 12 % par rapport à l'année précédente. Au Québec, la hausse a été de 19,4 %, la plus élevée au Canada : 7 882 certificats de citoyenneté ont été émis au Québec en 1995, dont 2 478 au cours du troisième trimestre, une hausse de 24 % en comparaison du trimestre précédent. Uniquement en octobre, il y a eu 79 cérémonies d'assermentation à la Cour Guy-Favreau à Montréal et 38 à la Cour Saint-Laurent.

18. Les accusations d'irrégularités ont fusé des deux camps auprès du directeur général des élections, après le référendum. Elles portaient sur le financement des opérations de chacun des camps, les inscriptions, le rejet de bulletins. Le quotidien *The Gazette* a pris le relais du camp du NON, désormais dissous, pour dénoncer les rejets de bulletins dans un certain nombre de circonscriptions. Le cas de Chomedey est exceptionnel : 11,6 % des bulletins ont été rejetés, tandis que les pourcentages de 5,5 % dans Marguerite-Bourgeoys et de 3,6 % dans Laurier-Dorion sont au-dessus de la moyenne qui se situe entre 0,8 dans Roberval et 2,9 dans Marie-Victorin. Du côté du OUI, des accusations ont été portées à la suite de l'inscription sur la liste électorale d'étudiants non Québécois des universités McGill et Bishop qui a forcé le DGE à clarifier les distinctions dans la loi québécoise entre la notion de domicile et celle de résidence. Le ministre Guy Chevrette, responsable de la réforme électorale, a déposé une série de plaintes auprès du DGE concernant les dépenses des milliers de Canadiens qui ont participé à la grande manifestation de la place du Canada, lui demandant de condamner Daniel Johnson pour s'y être associé. Le 9 octobre 1997, la Cour suprême du Canada a invalidé l'article 413 de la version spéciale de la Loi électorale pour la tenue d'un référendum, qui stipule qu'en « période référendaire, seul l'agent officiel d'un comité national, son adjoint ou un agent local peut faire ou autoriser des dépenses réglementées ». En conséquence, le directeur général des élections a, une semaine plus tard, retiré toutes les poursuites entamées à la suite du ralliement de la place du Canada et interrompu l'enquête qu'il menait sur Option Canada.

19. DENIS MONIÈRE, JEAN-H. GUAY, *Op.cit.*, p. 236

20. Source : [http://www.pum.umontreal.ca/apqc/95_96/drouilly/drouilly.htm]

21. Propos de sources anonymes rapportés dans : PIERRE DUCHESNE, *Op. cit.*, p. 561.

22. « I would like to remind the leaders of the separatist movement that it's not an exercise in which you can play and play over again until you win. […] This country has the right to political stability. And, as Prime Minister of Canada, I will make sure that we have political stability in this land. That is my duty, that is my constitutional responsibility. »

23. « I will do what is needed to keep this country together. ».

24. En anglais dans l'interview : « In Great Britain, they have the Scots, they have the Welsh, they have Northern Ireland. And the French, they have the Basques, they have the Bretons. Germany used to be divided between religions and now they are united with the language. You have the Nordic nations, for times they were together, after that, they were no more together. You know the problem of Spain. Every nation has some of that. Boutros Boutros-Ghali said : if we let all these things happen around the world, how many countries will divide India, between language and religions and regions. There would be 700, 800 countries in the world. »

25. Sondage Sondagem, pour le compte du *Devoir*, sous la direction des politologues Guy Lachapelle et Pierre Noreau et du sociologue Jean Noiseux. L'enquête a été effectuée entre le 2 et le 6 novembre auprès de 934 répondants.

26. Les deux hommes se connaissent depuis au moins 20 ans. En 1974 et 1975, Guy Chevrette était membre de la Commission d'enquête présidée par Robert Cliche sur l'exercice de la liberté syndicale dans l'industrie de la construction et Lucien Bouchard en était le procureur en chef.

ANNEXE A

Texte de l'entente du 12 juin 1995, entre le Parti québécois,
le Bloc québécois et l'Action démocratique du Québec

Un projet commun

Représentant le Parti québécois, le Bloc Québécois et l'Action démocratique du Québec, nous convenons d'un projet commun qui sera soumis au référendum, afin de répondre, de manière moderne, décisive et ouverte, à la longue quête des Québécois pour la maîtrise de leur destin.

Nous convenons de conjuguer nos forces et de coordonner nos efforts pour qu'au référendum de l'automne de 1995, les Québécois puissent se prononcer pour un véritable changement : faire la souveraineté du Québec et proposer formellement un nouveau Partenariat économique et politique au Canada, visant notamment à consolider l'espace économique actuel.

Les éléments de ce projet commun seront intégrés au projet de loi qui sera déposé à l'automne et sur lequel les Québécois se prononceront lors du référendum.

Nous croyons que ce projet commun est respectueux des vœux d'une majorité de Québécoises et de Québécois, qu'il est le reflet des aspirations historiques du Québec, et qu'il incarne de façon concrète les préoccupations exprimées au sein des Commissions sur l'avenir du Québec.

Ainsi, notre projet commun rompt avec le *statu quo* canadien, rejeté par l'immense majorité des Québécois. Il est fidèle à la volonté d'autonomie des Québécois et fait en sorte que le Québec devienne souverain : perçoive tous ses impôts, vote toutes ses lois, signe tous ses traités. Notre projet exprime aussi le souhait des Québécois de maintenir un lien souple et équitable avec nos voisins canadiens, pour gérer en commun l'espace économique, notamment par la mise en place d'institutions communes, y compris de nature politique. Nous sommes convaincus que cette proposition est conforme aux intérêts du Québec et du Canada, mais nous ne pouvons bien sûr préjuger de la décision que les Canadiens auront à prendre à cet égard.

Enfin, notre projet répond au vœu maintes fois exprimé ces derniers mois que le référendum puisse rassembler le plus grand nombre de Québécois possible sur une proposition claire, moderne, ouverte.

Le mandat référendaire

Après une victoire du Oui au référendum, l'Assemblée nationale aura, d'une part, la capacité de proclamer la souveraineté du Québec et le gouvernement sera tenu, d'autre part, d'offrir au Canada une proposition de traité sur un nouveau Partenariat économique et politique qui vise notamment à consolider l'espace économique actuel. La question incorporera ces deux éléments.

L'accession à la souveraineté

Dans la mesure où les négociations se déroulent positivement, l'Assemblée nationale déclarera la souveraineté du Québec après entente sur le traité de Partenariat. Un des premiers gestes du Québec souverain sera la ratification du traité de Partenariat.

Ces négociations ne dureront pas plus d'un an, sauf si l'Assemblée nationale en décide autrement.

Dans la mesure où les négociations seraient infructueuses, l'Assemblée nationale pourra déclarer la souveraineté du Québec dans les meilleurs délais.

Le traité

Les nouvelles règles et la réalité du commerce international permettront à un Québec souverain, même sans Partenariat formel avec le Canada, de continuer à bénéficier d'un accès aux marchés extérieurs, entre autres à l'espace économique canadien. De plus, un Québec souverain pourra, de son propre chef, garder le dollar canadien comme devise.

Toutefois, étant donné l'ampleur des échanges économiques et l'intégration des économies, québécoise et canadienne, il sera à l'avantage évident des deux États d'élaborer, par traité, un Partenariat économique et politique.

Le traité engagera les parties et prévoira les mesures aptes à maintenir et à améliorer l'espace économique existant. Il établira les règles de partage des actifs fédéraux et de gestion de la dette commune. Il prévoira de même la création et les règles de fonctionnement des institutions politiques communes nécessaires à la gestion du nouveau Partenariat économique et politique. Il prévoira la mise sur pied d'un Conseil, d'un Secrétariat, d'une Assemblée et d'un Tribunal de règlement des différends.

Prioritairement, le traité verra à ce que le Partenariat ait la capacité d'agir dans les domaines suivants :

- Union douanière ;
- Libre circulation des marchandises ;
- Libre circulation des personnes ;
- Libre circulation des services ;
- Libre circulation des capitaux ;
- Politique monétaire ;
- Mobilité de la main-d'œuvre ;
- La citoyenneté.

En fonction de la dynamique des institutions communes et du rythme de leurs aspirations, rien n'empêchera les deux États membres de s'entendre dans tout autre domaine d'intérêt commun, tel que :

- En matière de commerce à l'intérieur du Partenariat, adapter et renforcer les dispositions de l'Accord sur le commerce intérieur ;
- En matière de commerce international (par exemple, pour convenir de positions communes pour le maintien de l'exception culturelle dans l'OMC et l'ALÉNA) ;
- En matière de représentation internationale (par exemple, lorsqu'il le jugera utile ou nécessaire, le Conseil pourra décider que le Partenariat parlera d'une seule voix au sein d'instances internationales) ;
- En matière de transport (pour faciliter, par exemple, l'accès aux aéroports des deux pays ou pour harmoniser les politiques de transport routier, par rail ou de navigation intérieure) ;

- En matière de politique de défense (pour convenir notamment d'une participation commune à des opérations de maintien de la paix ou de coordination de la participation à l'OTAN et à NORAD) ;
- En matière d'institutions financières (pour définir par exemple la réglementation sur les banques à charte, les règles de sécurité et de saines pratiques financières) ;
- En matière de politiques fiscales et budgétaires (pour maintenir un dialogue visant une compatibilité des actions respectives) ;
- En matière de protection de l'environnement (pour fixer des objectifs notamment en matière de pollution transfrontalière ou de transport et d'entreposage de matières dangereuses) ;
- En matière de lutte au trafic d'armes et au trafic de drogue ;
- En matière de postes ;
- En toutes autres matières que les parties considéreraient d'un intérêt commun.

Les institutions communes

1) Le Conseil

Le Conseil du Partenariat, formé à parts égales de ministres des deux États, aura un pouvoir décisionnel quant à la mise en œuvre du traité.

Les décisions du Conseil du Partenariat devront être unanimes, donc chacun y aura droit de veto.

Le Conseil sera soutenu par un secrétariat permanent. Le Secrétariat servira de liaison fonctionnelle avec les gouvernements et veillera au suivi des décisions du Conseil. À la demande du Conseil ou de l'Assemblée parlementaire, le Secrétariat fera des rapports sur tout sujet relatif à l'application du traité.

2) L'Assemblée parlementaire

Une Assemblée parlementaire du Partenariat formée de députés québécois et canadiens désignés par leurs assemblées législatives respectives sera créée.

Elle examinera les projets de décision du Conseil du Partenariat et lui fera ses recommandations. Elle pourra aussi adopter des résolutions sur tout sujet relatif à son application, à la suite notamment des rapports périodiques sur l'état du Partenariat que lui adressera le Secrétariat. Elle entendra, en audiences publiques, les dirigeants des commissions administratives bipartites chargées de l'application de certaines dispositions du traité.

La composition de l'Assemblée reflétera la répartition de la population au sein du Partenariat. Le Québec y détiendra 25 % des sièges. Le financement des institutions du Partenariat sera paritaire, sauf pour les dépenses occasionnées par les parlementaires, qui seront à la charge de chaque État.

3) Le Tribunal

Un tribunal devra être mis sur pied pour régler les différends relatifs au traité, à son application et à l'interprétation de ses dispositions. Ses décisions lieront les parties.

On pourra s'inspirer, pour ses règles de fonctionnement, de mécanismes existants, tel le tribunal de l'ALÉNA, celui de l'Accord sur le commerce intérieur ou celui de l'Organisation mondiale du commerce.

Le comité

Un comité d'orientation et de surveillance des négociations, formé de personnalités indépendantes agréées par les trois partis (PQ, BQ, ADQ) sera créé. Sa composition sera dévoilée au moment jugé opportun. Ce comité :

1. sera impliqué dans le choix du négociateur en chef ;

2. pourra déléguer un observateur à la table des négociations ;

3. conseillera le gouvernement sur la marche des négociations ;

4. informera le public sur le processus et l'aboutissement des négociations.

Les instances démocratiques de nos trois partis ayant examiné et ratifié cette entente hier, dimanche 12 juin 1995 — l'Action démocratique du Québec s'étant réunie à Sherbrooke, le Bloc québécois à Montréal et le Parti québécois à Québec — nous ratifions aujourd'hui ce projet commun et appelons toutes les Québécoises et tous les Québécois à se joindre à lui.

En foi de quoi, nous avons signé,

Jacques Parizeau, président du Parti québécois
Lucien Bouchard, chef du Bloc québécois
Mario Dumont, chef de l'Action démocratique du Québec

ANNEXE B

Le préambule

Voici le texte intégral de la déclaration de souveraineté tel que lu le 6 septembre 1995 au Grand Théâtre de Québec par le poète Gilles Vigneault et la dramaturge Marie Laberge.

Voici venu le temps de la moisson dans les champs de l'histoire. Il est enfin venu le temps de récolter ce que semaient pour nous quatre cents ans de femmes et d'hommes et de courage, enracinés au sol et dedans retournés.

Voici que naît pour nous, ancêtres de demain, le temps de préparer pour notre descendance des moissons dignes des travaux du passé.

Que nos travaux leur ressemblent et nous rassemblent enfin.

À l'aube du XVIIᵉ siècle, les pionniers de ce qui allait devenir une nation, puis un peuple, se sont implantés en terre québécoise. Venus d'une grande civilisation, enrichis par celle des Premières Nations, ils ont tissé des solidarités nouvelles et maintenu l'héritage français.

La Conquête de 1760 n'a pas brisé la ténacité de leurs descendants à demeurer fidèles à un destin original en Amérique. Dès 1774, par l'Acte de Québec, le conquérant reconnaissait le caractère distinct de leurs institutions. Ni les tentatives d'assimilation, ni l'Acte d'union de 1840 ne sont parvenus à mater leur endurance.

La communauté anglaise qui s'est établie à leurs côtés, les immigrants qui se sont joints à eux ont contribué à former ce peuple qui, en 1867, est devenu l'un des deux fondateurs de la fédération canadienne.

– Parce que nous habitons les territoires délimités par nos ancêtres, de l'Abitibi aux Îles de la Madeleine, de l'Ungava aux frontières américaines, parce que depuis quatre cents ans, nous avons défriché, labouré, arpenté, creusé, pêché, construit, recommencé, discuté, protégé et aimé cette terre que le Saint-Laurent traverse et abreuve ;

– parce que cette terre bat en français et que cette pulsation signifie autant que les saisons qui la régissent, que les vents qui la plient, que les gens qui la façonnent ;

– parce que nous y avons créé une manière de vivre, de croire et de travailler originale ;

– parce que, dès 1791, nous y avons instauré une des premières démocraties parlementaires au monde et que nous n'avons cessé de la parfaire ;

– parce que l'héritage des luttes et du courage passés nous incombe et doit aboutir à la prise en charge irrévocable de notre destin ;

– parce que ce pays est notre fierté et notre seul recours, notre unique chance de nous dire dans l'entièreté de nos natures individuelles et de notre cœur collectif ;

– parce que ce pays sera tous ceux, hommes et femmes, qui l'habitent, le défendent et le définissent, et que ceux-là, c'est nous.

Nous, peuple du Québec, déclarons que nous sommes libres de choisir notre avenir.

L'hiver nous est connu. Nous savons les frimas, ses solitudes, sa fausse éternité et ses morts apparentes. Nous avons bien connu ses morsures. Nous sommes entrés dans la fédération sur la foi d'une promesse d'égalité dans une entreprise commune et de respect de notre autorité en plusieurs matières pour nous vitales. Mais la suite a démenti les espoirs du début. L'État canadien a transgressé le pacte fédératif en envahissant de mille manières le domaine de notre autonomie et en nous signifiant que notre croyance séculaire dans l'égalité des partenaires était une illusion.

Nous avons été trompés en 1982, quand les gouvernements du Canada et des provinces anglophones ont modifié la Constitution en profondeur et à notre détriment, passant outre à l'opposition catégorique de notre Assemblée nationale. Deux fois depuis, on a tenté de réparer ce tort. En 1990, l'échec de l'Accord du lac Meech a révélé le refus de reconnaître jusqu'à notre caractère distinct. En 1992, le rejet de l'Accord de Charlottetown, et par les Canadiens et par les Québécois, a consacré l'impossibilité de tout raccommodement.

– Parce que nous avons perduré en dépit des tractations et des marchandages dont nous avons été l'objet ;

– parce que le Canada, loin de s'enorgueillir de l'alliance entre
ses deux peuples et de la clamer au monde, n'a eu de cesse
de la banaliser et de consacrer le principe d'une égalité factice
entre provinces ;

– parce que, depuis la Révolution tranquille, nous avons pris le parti
de ne plus nous cantonner dans la survivance mais, désormais,
de construire sur notre différence ;

– parce que nous avons l'intime conviction que persister à l'intérieur
du Canada signifierait s'étioler et dénaturer notre identité même ;

– parce que le respect que nous nous devons à nous-mêmes
doit guider nos actes ;

Nous, peuple du Québec, affirmons notre volonté de détenir la
plénitude des pouvoirs d'un État ; percevoir tous nos impôts, voter
toutes nos lois, signer tous nos traités et exercer la compétence des
compétences en convenant et maîtrisant, seuls, notre loi fondamentale.
Pour les gens de ce pays qui en sont la trame et le fil et l'usure, pour
ceux et celles de demain que nous voyons grandir, l'être précède
l'avoir. Nous faisons de ce principe le cœur de notre projet. Notre
langue scande nos amours, nos croyances et nos rêves pour cette terre
et pour ce pays. Afin que le profond sentiment d'appartenance à
un peuple distinct demeure à jamais le rempart de notre identité,
nous proclamons notre volonté de vivre dans une société de
langue française.

Notre culture nous chante, nous écrit et nous nomme à la face du
monde. Elle se colore et s'accroît de plusieurs apports. Il nous importe
de les accueillir, pour que jamais ces différences ne soient considérées
comme menaces ou objets d'intolérance.

Ensemble, nous célébrerons les joies, nous éprouverons les chagrins
que la vie mettra sur notre route. Surtout, nous assumerons nos succès
et nos échecs, car dans l'abondance comme dans l'infortune nous
aurons fait nos propres choix.

Nous savons de quelles vaillances se sont construites les réussites de ce pays. Ceux et celles qui ont bâti le dynamisme du Québec tiennent à léguer leurs efforts aux vaillances de demain. Notre capacité d'entraide et notre goût d'entreprendre sont une force. Nous nous engageons à reconnaître et à encourager ce « cœur à l'ouvrage » qui fait de nous des bâtisseurs. Nous partageons avec les pays de même taille que le nôtre cette vertu particulière de s'adapter vite et bien aux défis mouvants du travail et des échanges. Notre aptitude au consensus et à l'invention nous permettra de prendre bonne place à la table des nations.

Nous entendons soutenir l'imagination et la capacité des collectivités locales et régionales dans leur volonté de développement économique et culturel.

Gardiens de la terre, de l'eau et de l'air, nous agirons avec le souci de la suite du monde.

Gens de ce nouveau pays, nous nous reconnaissons des devoirs moraux de respect, de tolérance et de solidarité les uns envers les autres. Réfractaires à l'autoritarisme et à la violence, respectueux de la volonté populaire, nous nous engageons à garantir la démocratie et la primauté du droit.

Le respect de la dignité des femmes, des hommes et des enfants et la reconnaissance de leurs droits et libertés, constituent le fondement de notre société. Nous nous engageons à garantir les droits civils et politiques des individus, notamment le droit à la justice, le droit à l'égalité et le droit à la liberté.

Le combat contre la misère et la pauvreté, le soutien aux jeunes et aux aînés, sont essentiels à notre projet. Les plus démunis d'entre nous peuvent compter sur notre solidarité et sur notre sens des responsabilités. Le partage équitable des richesses étant notre objectif, nous nous engageons à promouvoir le plein emploi et à garantir les droits sociaux et économiques, notamment le droit à l'éducation, le droit aux services de santé ainsi qu'aux autres services sociaux.

Notre avenir commun est entre les mains de tous ceux pour qui le Québec est une patrie. Parce que nous avons à cœur de conforter les alliances et les amitiés du passé, nous préserverons les droits des Premières Nations et nous comptons définir avec elles une alliance nouvelle. De même, la communauté anglophone établie historiquement au Québec jouit de droits qui seront préservés.

Indépendants, donc pleinement présents au monde, nous entendons œuvrer pour la coopération, l'action humanitaire, la tolérance et la paix. Nous souscrivons à la Déclaration universelle des droits de l'homme et aux autres instruments internationaux de protection des droits. Sans jamais renoncer à nos valeurs, nous nous emploierons à tisser par ententes et par traités des liens mutuellement bénéfiques avec les peuples de la terre. Nous voudrons en particulier inventer avec le peuple canadien, notre partenaire historique, de nouvelles relations nous permettant de maintenir nos rapports économiques et de redéfinir nos échanges politiques. Nous déploierons aussi un effort singulier pour resserrer nos liens avec les peuples des États-Unis et de la France et ceux des autres pays des Amériques et de la Francophonie.

Pour accomplir ce projet, maintenir la ferveur qui nous habite et nous anime, puisque le temps est enfin venu de mettre en train la vaste entreprise de ce pays,

Nous, peuple du Québec, par la voix de notre Assemblée nationale, proclamons ce qui suit : Le Québec est un pays souverain.

ANNEXE C

LE PROJET DE LOI SUR LA SOUVERAINETÉ DU QUÉBEC

*Texte intégral du projet de loi présenté le 7 septembre 1995
à l'Assemblée nationale du Québec par le premier ministre
Jacques Parizeau. Ce projet de loi devait être adopté advenant
un vote majoritaire pour le OUI au référendum.*

Le Parlement du Québec décrète ce qui suit :

De l'autodétermination

1. L'Assemblée nationale est autorisée, dans le cadre de la présente loi, à proclamer la souveraineté du Québec. Cette proclamation doit être précédée d'une offre formelle de partenariat économique et politique avec le Canada.

De la souveraineté

2. À la date fixée dans la proclamation de l'Assemblée nationale, la déclaration de souveraineté inscrite au préambule prend effet et le Québec devient un pays souverain ; il acquiert le pouvoir exclusif d'adopter toutes ses lois, de prélever tous ses impôts et de conclure ses traités.

Du traité de partenariat

3. Le gouvernement est tenu de proposer au gouvernement du Canada la conclusion d'un traité de partenariat économique et politique sur la base de l'entente tripartite du 12 juin 1995 reproduite en annexe.

   Ce traité doit, avant d'être ratifié, être approuvé par l'Assemblée nationale.

4. Est établi un comité d'orientation et de surveillance des négociations relatives au traité de partenariat, formé de personnalités indépendantes nommées par le gouvernement conformément à l'entente tripartite.

5. Le gouvernement doit favoriser l'établissement dans la région de l'Outaouais du siège des institutions créées par le traité de partenariat.

Nouvelle constitution

6. Un projet de nouvelle constitution sera élaboré par une commission constituante établie conformément aux prescriptions de l'Assemblée nationale. Cette commission, composée du nombre égal d'hommes et de femmes, sera formée d'une majorité de non-parlementaires et comprendra des Québécois d'origines et de milieux divers.

Les travaux de cette commission doivent être organisés de manière à favoriser la plus grande participation possible des citoyens dans toutes les régions du Québec, y compris, au besoin, par la création de sous-commissions régionales.

Le projet de la commission est déposé à l'Assemblée nationale qui en approuve la teneur définitive. Ce projet est ensuite soumis à la consultation populaire et devient, après son approbation, la loi fondamentale du Québec.

7. La nouvelle constitution précisera que le Québec est un pays de langue française et fera obligation au gouvernement d'assurer la protection et le développement de la culture québécoise.

8. La nouvelle constitution affirmera la primauté de la régie de droit et comportera une charge des droits et des libertés de la personne. Elle affirmera également que les citoyens ont des responsabilités les uns envers les autres.

La nouvelle constitution garantira à la communauté anglophone la préservation de son identité et de ses institutions. Elle reconnaîtra également aux nations autochtones le droit de se gouverner sur des terres leur appartenant en propre et de participer au développement du Québec; en outre, les droits constitutionnels existants des nations autochtones y seront reconnus. Cette garantie et cette reconnaissance devront s'exercer dans le respect et l'intégrité du territoire québécois.

Des représentants de la communauté anglophone et de chacune des nations autochtones doivent être invités par la commission constituante à participer à ses travaux pour ce qui est de la définition de leurs droits. Ceux-ci ne pourront être modifiés que suivant des modalités particulières.

9. La nouvelle constitution affirmera le principe de la décentralisation. Des pouvoirs spécifiques et des ressources fiscales et financières correspondantes seront attribués par la loi aux autorités locales et régionales.

Territoire

10. Le Québec conserve les frontières qui sont les siennes au sein de la fédération canadienne à la date de son accession à la souveraineté. Il exerce ses compétences sur son territoire terrestre, aérien et maritime, de même que sur les espaces adjacents à ses côtes, conformément aux règles du droit international.

Citoyenneté

11. Acquiert la citoyenneté québécoise toute personne qui a la citoyenneté canadienne et qui est domiciliée au Québec à la date de l'accession à la souveraineté.

   Acquiert également la citoyenneté québécoise toute personne qui est née au Québec, est domiciliée à l'extérieur du Québec à la date de l'accession à la souveraineté et réclame la citoyenneté québécoise.

   Dans les deux ans qui suivent la date de l'accession à la souveraineté, toute personne ayant la citoyenneté canadienne qui vient s'établir au Québec ou qui, sans être domiciliée au Québec, y a établi des liens manifestes peut réclamer la citoyenneté québécoise.

12. La citoyenneté québécoise peut être obtenue, après l'accession à la souveraineté, dans le cas et aux conditions prévus par la loi. Celle-ci doit notamment prévoir que la citoyenneté québécoise est attribuée à toute personne qui est née au Québec ou qui est née à l'étranger d'un père ou d'une mère ayant la citoyenneté québécoise.

13. La citoyenneté québécoise peut être cumulée avec celle du Canada et de tout autre pays.

Monnaie

14. La monnaie qui a cours légal au Québec demeure le dollar canadien.

Traités, organisations et alliances internationales

15. Conformément aux règles du droit international, le Québec assume les obligations et jouit des droits énoncés dans les traités, conventions ou ententes internationales pertinents, auxquels le Canada ou le Québec est partie à la date de l'accession à la souveraineté, notamment ceux de l'Accord de libre-échange nord-américain.

16. Le gouvernement est autorisé à demander l'admission du Québec à l'Organisation des Nations unies et à ses institutions spécialisées. Il prend également les mesures nécessaires pour assurer la participation du Québec à l'Organisation mondiale du commerce, à l'Organisation des États américains, à l'Organisation de coopération et de développement économiques, à l'Organisation pour la sécurité et la coopération en Europe, à la Francophonie, au Commonwealth et à d'autres organisations et conférences internationales.

17. Le gouvernement prend les mesures nécessaires pour que le Québec continue de participer aux alliances de défense dont le Canada est membre. Cette participation doit cependant être compatible avec la volonté du Québec d'accorder la priorité au maintien de la paix dans le monde sous l'égide de l'Organisation des Nations unies.

Continuité des lois, des pensions, des prestations, des permis, des contrats et des tribunaux.

18. Les lois du Parlement du Canada et les règlements qui en découlent, applicables au Québec à la date de l'accession à la souveraineté, sont réputés être des lois et des règlements du Québec. Les dispositions de ces lois et de ces règlements sont maintenues en vigueur jusqu'à ce qu'elles soient modifiées, remplacées ou abrogées.

19. Le gouvernement assure la continuité des programmes d'assurance-chômage et de prestations fiscales pour enfants ainsi que le versement des autres prestations effectué par le gouvernement du Canada aux personnes physiques domiciliées au Québec à la date de l'accession à la souveraineté. Les pensions et suppléments payables aux personnes âgées et aux anciens combattants continuent d'être payés par le gouvernement du Québec suivant les mêmes barèmes et conditions.

20. Les permis, licences et autres autorisations qui ont été délivrés avant le 30 octobre 1995 en vertu d'une loi du Parlement du Canada et qui sont en vigueur au Québec à la date de l'accession à la souveraineté sont maintenus. Ceux qui seront délivrés ou renouvelés le 30 octobre 1995 ou postérieurement seront également maintenus, à moins qu'ils ne soient dénoncés par le gouvernement dans le mois qui suit l'accession à la souveraineté.

Les permis, licences et autres autorisations ainsi maintenus pourront être renouvelés conformément à la loi.

21. Les ententes et les contrats qui ont été conclus avant le 30 octobre 1995 par le gouvernement du Canada ou ses agences et organismes et qui sont en vigueur au Québec à la date de l'accession à la souveraineté sont maintenus en substituant, s'il y a lieu, le gouvernement du Québec à la partie canadienne. Ceux qui seront conclus le 30 octobre 1995 ou postérieurement seront également maintenus en substituant, s'il y a lieu, le gouvernement du Québec à la partie canadienne, à moins qu'ils ne soient dénoncés par le gouvernement dans le mois qui suit l'accession à la souveraineté.

22. Les tribunaux judiciaires continuent d'exister après la date de l'accession à la souveraineté. Les causes en instance peuvent être poursuivies jusqu'à jugement. Toutefois, la loi peut prévoir le transfert de causes pendantes en Cour fédérale ou en Cour suprême à la juridiction québécoise qu'elle détermine.

La Cour d'appel devient le tribunal de dernière instance jusqu'à l'institution d'une Cour suprême par la nouvelle constitution, à moins que la loi n'y pourvoie autrement.

Les juges nommés par le gouvernement du Canada avant le 30 octobre 1995 et qui sont en poste à la date de l'accession à la souveraineté sont confirmés dans leurs fonctions et conservent leur compétence. Ceux de la Cour fédérale et de la Cour suprême venant du Barreau du Québec deviennent, s'ils en expriment le désir, respectivement juges de la Cour supérieure et de la Cour d'appel.

Fonctionnaires et employés fédéraux

23. Le gouvernement peut, en respectant les conditions prévues par la loi, nommer le personnel nécessaire et prendre toutes les mesures appropriées pour faciliter l'application des lois canadiennes qui continuent de s'appliquer au Québec en vertu de l'article 18. Les sommes requises pour l'application de ces lois sont prises sur le fonds consolidé du revenu.

Le gouvernement s'assure que les fonctionnaires et autres employés du gouvernement du Canada ou de ses agences et organismes qui ont été nommés avant le 30 octobre 1995 et qui sont domiciliés au Québec à la date de l'accession à la souveraineté puissent devenir des fonctionnaires ou employés du gouvernement du Québec s'ils en expriment le désir. Le gouvernement peut, à cette fin, conclure avec toute association d'employés ou toute autre personne des ententes pouvant faciliter ce transfert. Le gouvernement peut également mettre sur pied un programme de mise à la retraite volontaire ; il donne suite à tout arrangement de retraite ou de départ volontaire dont bénéficiait une personne transférée.

Constitution transitoire

24. Le Parlement du Québec peut adopter le texte d'une constitution transitoire qui sera en vigueur à compter de la date de l'accession à la souveraineté jusqu'à l'entrée en vigueur de la nouvelle constitution du Québec. Cette constitution transitoire doit assurer la continuité des institutions démocratiques du Québec et des droits constitutionnels qui sont en vigueur à la date de l'accession à la souveraineté, notamment ceux qui concernent les droits et libertés de la personne, la communauté anglophone, l'accès aux écoles de langue anglaise et les nations autochtones.

Jusqu'à ce que cette constitution transitoire entre en vigueur, les lois, règles et conventions qui régissent la constitution interne du Québec restent en vigueur.

Autres accords

25. Outre le traité de partenariat, le gouvernement est autorisé à conclure avec le gouvernement du Canada tout accord susceptible de faciliter l'application de la présente loi, notamment en ce qui touche le partage équitable de l'actif et du passif du gouvernement du Canada.

Entrée en vigueur

26. Les négociations relatives à la conclusion du traité de partenariat ne doivent pas dépasser le 30 octobre 1996, à moins que l'Assemblée nationale n'en décide autrement.

La proclamation de la souveraineté peut être faite dès que le traité de partenariat aura été approuvé par l'Assemblée nationale ou dès que cette dernière aura constaté, après avoir demandé l'avis du comité d'orientation et de surveillance des négociations, que celles-ci sont infructueuses.

27. La présente loi entre en vigueur le jour de sa sanction.

INDEX ALPHABÉTIQUE
DES PERSONNALITÉS CITÉES

TABLE DES MATIÈRES